理学療法概論
Physiotherapy Concept

[第7版補訂]

高橋哲也・内山 靖・奈良 勲
Tetsuya Takahashi　Yasushi Uchiyama　Isao Nara　編著

■編著者

高橋　哲也　　順天堂大学保健医療学部理学療法学科

内山　靖　　　名古屋大学大学院医学系研究科予防・リハビリテーション科学　創生理学療法学

奈良　勲　　　広島大学名誉教授

■執筆者（執筆順）

奈良　勲　　　前掲

高橋　哲也　　前掲

堀　寛史　　　甲南女子大学看護リハビリテーション学部理学療法学科

黒川　幸雄　　新潟医療福祉大学名誉教授

淺井　仁　　　金沢大学医薬保健研究域保健学系リハビリテーション科学領域

日下　隆一　　佛教大学名誉教授

小嶋　功　　　神戸学院大学総合リハビリテーション学部理学療法学科

小林　量作　　新潟リハビリテーション大学医療学部リハビリテーション学科

古西　勇　　　新潟医療福祉大学名誉教授

内山　靖　　　前掲

臼田　滋　　　群馬大学大学院保健学研究科保健学専攻リハビリテーション学講座

森山　英樹　　神戸大学生命・医学系保健学域

星　文彦　　　埼玉県立大学

金村　尚彦　　埼玉県立大学保健医療福祉学部理学療法学科

岩井　信彦　　神戸学院大学総合リハビリテーション学部理学療法学科

橋元　隆　　　九州栄養福祉大学リハビリテーション学部理学療法学科

石橋　敏郎　　九州栄養福祉大学リハビリテーション学部理学療法学科

黒澤　和生　　川口きゅうぽらリハビリテーション病院

富樫　誠二　　広島都市学園大学名誉教授

山本　大誠　　東京国際大学医療健康学部理学療法学科

平岩　和美　　広島都市学園大学健康科学部リハビリテーション学科理学療法学専攻

高野　賢一郎　一般社団法人働く人の健康と安全を守る会

松井　一人　　ほっとリハビリシステムズ

山本　綾子　　甲南女子大学看護リハビリテーション学部理学療法学科

藤澤　由紀子　埼玉動物医療センター

吉川　和幸　　日本小動物医療センターリハビリテーション科

木林　勉　　　金城大学医療健康学部理学療法学科

佐々木賢太郎　金城大学医療健康学部理学療法学科

This book is originally published in Japanese
under the title of :

RIGAKURYŌHŌ GAIRON DAI 7 HAN HOTEI
（Physiotherapy Concept 7ed, revised ed）

Editors :
TAKAHASHI, Tetsuya, et al.
　Professor of Juntendo University

© 1984 1st ed., © 2024 7th ed, revised ed.

ISHIYAKU PUBLISHERS, INC.
　7-10, Honkomagome 1 chome, Bunkyo-ku,
　Tokyo 113-8612, Japan

第 7 版補訂の序

　2019 年 2 月に本書『理学療法概論』第 7 版が発行された．1999 年の見直し以来 19 年ぶりに改正された「理学療法士作業療法士学校養成施設指定規則の一部を改正する省令」は 2018 年 10 月 5 日に公布されたため，2020 年 4 月 1 日の同省令施行に合わせるように書き直しや執筆者の交代，章の追加などが行われた．まさに時流をとらえた改訂であった．

　一方，2019 年末から，新型コロナウイルス感染症の世界的な流行があり，理学療法士養成校での授業は，その多くがいわゆる遠隔授業（オンライン授業）やオンデマンド授業となり，教育の質向上を目指す教育者は大きな変換点に立ち会うことになった．学習意欲や学習効果を高めるうえで教員からのフィードバックは欠かせないが，自分のペースで学習できるオンデマンド授業も根強い存在となった．教育現場に限らず，新型コロナウイルス感染症は世界を根本的に変えてしまったといっても過言ではなく，経済，テクノロジー，環境，日常生活などへの影響は今後も永続すると思われる．さまざまな変化が安定するまでいましばらく時間がかかると推察されるため，今回は全面的改訂ではなく，古い内容をアップデートして第 8 版の改訂へ向けた準備期間とする「補訂版」としての発行となった．

　他方，どんなに時代が変わり，新興感染症が蔓延しようとも，重要な核心は変わらない．本書のそのこだわりは，英語名「Physiotherapy Concept」に現れている．一般的に考えれば，概論は「introduction（導入）」と訳されるかもしれない．本書は単に易しく語られる理学療法学の「導入」の教授を支援するものではなく，むしろ初年次から理学療法の核心，「理学療法とは何たるか」に触れ，これから学ぼうとする理学療法学の奥行きを担保するものである．国民の保健・医療・福祉に貢献する理学療法士を輩出する大きな社会的使命に向けて，本書が時代の変化を取り入れながら，理学療法の核心を確実に次世代に継承する礎となることを祈念してやまない．

　なお，本書は奈良　勲氏を編著者として 1984 年に発行されて以来，40 年の歳月が経過したことになる．本補訂版からは編著者代表の役目を小生が担うことになったが，本書の秀麗さと精錬された奈良氏の理学療法観を引き継ぎ，諸氏の意見を仰ぎながら，さらに充実を図っていく所存である．

　最後に，本書では，引用文献，法律用語で使用されている「訓練・障害・障害者」を除き，国際生活機能分類（ICF）に準じた用語を引き続き使用したことをあらためて付記しておく．

　2023 年 12 月

編著者代表　高橋　哲也

編著者代表の交代にあたって
「私も理学療法を愛しています」

　私が本書『理学療法概論』の発行に関与したのは 1984 年であり，40 年が経過したことになる．そして，第 7 版補訂版まで発行を続けることができたのは，主に理学療法士養成校で教科書として活用していただいたためであり，深謝申し上げる次第である．と同時に私は本書の編著者代表を退き，高橋哲也氏に交代したことを申し添えたい．今後も諸氏の助言を得ながら本書がさらに充実した内容になることを心から願う．

　本稿では，私の足跡を簡素に記述することで，理学療法学の初学者に何らかの参考になればと願う次第である．

理学療法（学）への志向

　私は 1964 年に鹿児島大学教育学部保健体育学科を卒業した．教育学部では教育実習の際に肢体不自由児の体育を体験したことから，これを契機にハビリテーション・リハビリテーションの存在を知ることになった．私は当初は矯正体育を学びたいと考えていたが，日本の教育学部大学院には設置されていなかったことからアメリカの大学に留学することを志望し，情報の得やすい東京の高校に教員として就職した．

　東京に在住していたときに，国立療養所東京病院附属リハビリテーション学院の存在を知り訪問したことがある．当初，日本人理学療法士の教員はまだ存在していない時代であったが，その際にアメリカをはじめヨーロッパなどには理学療法学，作業療法学の教育施設があることを知った．なかでも，アメリカでは 4 年制大学で教育を実施しているとのことで，私は矯正体育ではなく，アメリカで理学療法学を専攻したいと想うに至った．

　私はアメリカの数校の大学に入学志願書を送付したが，Loma Linda 大学から入学許可を得ることができ，かつ私が所属していた「キリストの教会」から奨学資金を得ることができて留学が実現して，なんとか卒業でき，かつ資格試験にも合格した．アメリカの大学で理学療法学を専攻して，資格を得たのは日本人として最初であった．

略　　歴

　私は理学療法士として約 50 年間働いてきた．10 年間は臨床実習教育者と非常勤講師を兼ねた臨床家，40 年間は臨床活動を含む教育者であったが，いずれの立場にせよ「自己実現」を念頭に置いて仕事を遂行するように努めてきた．つまり，食べるためだけに働くのではなく，仕事を通じて自己実現したいとの意思を抱き続けてきた．教育者としては 1979 年に金沢大学医療技術短期大学部の最初の日本人理学療法士教授として赴任し，次いで 1993 年に理学療法士養成校として日本で初めての 4 年制大学である広島大学医学部保健学科の教授に就任し，同大学の大学院の設置にも関与した．その間，日本理学療法士協会の会長職を 14 年間務め，在職期間においては協会としての到達課題をマスタープランとして掲げて，大小約 80% の課題を実現できた．

　自己実現をするためにはいくつかの方法がある．私は，マズローの理論のなかでも実践しやすい「社会貢献」および「夢の実現」といった2つの側面における自己実現を志向してきた．

　「社会貢献」に関しては，対象者の症状の改善および社会参加の推進と特定の課題に関する研究であり，ささやかな成果を論文や書籍として文章化して社会貢献することであった．「夢の実現」として私が公私ともに取り組んだ大きな課題はいくつかあるが，理学療法学教育が4年制大学および大学院で実現することや理学療法士の国会議員輩出は大きな目標であった．さらに，1999年に第13回世界理学療法連盟学術大会を実現したことは，日本の理学療法界の力量を集結した大きな事業であった．

学　歴

　私の学歴の一部については前述したが，1983年に 金沢大学医学部にて博士号を取得（医学博士乙763号）した．これは日本人理学療法士としては最初の事例であった．

業　績

　業績を論文（総説・研究論文），著書（監修を含む）に分類すれば，私の論文は187編，著書は105編である．

私も皆様と同様，理学療法を愛しています

　「私も理学療法を愛しています」とのフレーズは，私が1989年（平成元年）の日本理学療法士協会の会長選挙に立候補した際，選挙会場の場で投票前のスピーチをしたときのものである．そのスピーチは3分間であり，私はその内容を原稿として準備していたが，スピーチが終わる寸前に突如「私も皆様と同様，理学療法を愛しています」とのフレーズが飛び出してきたのである．選挙結果は私の当選となったが，多分，最後のフレーズが功を奏したのではないかと思う．

　「理学療法を愛する」の解釈であるが，理学療法自体を愛するというよりも，理学療法の対象者を愛し，理学療法介入が愛する対象者の社会参加に役立つという解釈である．さらに，研究も教育も終局的には対象者に寄与するための行為・行動であり，それらを介した自己実現が対象者の生活に貢献することでもある．よって，「理学療法を愛する」ことは，特別なことではなく，理学療法士としての日々の業務を真摯に遂行する行為・行動であるだろう．

　これから理学療法学を修得しようと大志を抱いている諸君には多難な道程が待ち受けていると思える．しかし，将来的に対象者の幸せに寄与したいと思う気持ち，つまり「理学療法を愛する」情熱を堅持し続けるならば，対象者にとって最善の理学療法士になり得るだろう．

　2023年12月

広島大学名誉教授　奈良　勲

第7版の序

　本書の初版が 1984 年に発行されて以来，国内外の理学療法の変遷を見据えて 6 回の改訂を重ねてきた．日本に理学療法士が誕生して 53 年になるが，草創期には「理学療法概論」として集約された書物はなく，「理学療法モデル」の基軸となる教育・臨床・研究は主に海外のそれが模型とされていた．とはいえ，この半世紀の間に日本の理学療法界は関係者の熱意によって顕著な発展を遂げてきたことは国際的にも評価されている事実である．

　時間の時空もしくは流れは四次元であるが，五次元とは時間を超越した未来の時空である．過去の歴史の延長線上にある現在の実態を認知することはさほど難しいことではないが，何事についても未来を展望することは至難の業である．

　流動的に変貌する社会において，日本の理学療法界は，国民の保健の普及向上に寄与すべく善処してきた．理学療法士を目指す学生（人材）の「事はじめとしての教育」において，理学療法（学）に関する未来を見据えた指針を提示することは，理学療法学教育の基盤を構築するために極めて重要な課題である．今後も日本の理学療法が限りなく発展していくために，これまで構築されてきた専門職（professions）としての「理学療法モデル」の遺産を次世代へ確実に継承することは，個々の理学療法士およびその組織（日本理学療法士協会）の使命である．

　「理学療法士作業療法士学校養成施設指定規則」が 1999 年の見直し以来 19 年ぶりに改正され，2020 年度入学生から施行される．それを受けて第 7 版では，第 2 章「理学療法学教育」の書き直し，第 4 章「理学療法士をとりまく法律制度」の執筆者交代，そして第 13 章「地域理学療法学—地域包括ケアの展開に向けて—」を追加した．他の章については，全般的に最新のデータおよび情報に改めることに努めた．また，次回の改訂を見据えて，高橋哲也氏・内山　靖氏を編著者に迎え，一部の章では共同執筆者を加えた．

　日本の理学療法（士・学）が次の半世紀にいかなる姿になっているのかを推論することは難題だが，国民の保健・医療・福祉領域の要請に応えうる理学療法士を輩出することは，必然的な課題である．近未来の専門職としての使命を果たす方向へと躍進することを祈念する．

　ちなみに，世界理学療法連盟は，正式登録は現状のままとして呼称名称を「World Physiotherapy」とすることを 2020 年 6 月に理事会決定したが，本書では正式名称を用いる．

　また，本書では引用文献，法律文書で使用されている「訓練・障害・障害者」を除き，国際生活機能分類（ICF）に準じた用語を使用したことを付記しておく．

　2019 年 2 月

編著者代表　奈　良　　勲

第6版の序

　本書『理学療法概論』の初版は，1984年（昭和59年）に発刊され，その後5回の改訂を重ね，このたび第6版を発刊する運びとなった．その間29年が経過したことになるが，理学療法界においても様々な事象が展開されてきた.

　近年，理学療法士の数も増え，近く10万人に達する勢いである．それぞれの専門職の数（量）も社会・政治的な力のひとつの要素であることに間違いはない．しかし，18歳人口の減少が進む中，高等教育機関の質的低下をはじめ，定員割れや学部，学科によっては廃止もしくは改組されているケースも多い．このような状況下において，理学療法士として真のプロフェッションを志向する有能な人材を輩出するためには，教育システムや方法論をより高度な水準に変革し，社会の要請に包括的に応えてゆく必要性がある．つまり，理学療法士とその組織のアイデンティティと倫理・哲学，さらに学術的活動の質も社会・政治的な力にもなり得るのである.

　"努力は裏切らない"とのフレーズは，あらゆる分野の活動について言えることであろう．それでも，時には努力が報われないと感じられる場合もある．だが，その時の努力の動機や目的を内省してみると，努力の質量の計画性のバランスとかタイミングなどに不備があることに気付く．よって，物事を展開する過程ではフィードフォワードとフィードバックとを同時進行することが肝要であろう.

　さて，本書第6版の主な改訂として，以下に示す章を新たな執筆者に依頼した.

　すなわち，「第4章：理学療法士の法律制度」（西村 敦氏），「第5章：理学療法の対象と治療」（星 文彦氏），「第8章：理学療法（士）の役割と職域」（岩井信彦氏），「第13章：理学療法の基本用語」（木林 勉氏）である．そして，新たに「第14章：理学療法の職域開拓」として4項目を加え，それぞれの執筆者に依頼した.

　資料は「関係法規」を残し，他の「日本理学療法学術大会の歩み」，「日本理学療法士協会全国研修大会の歩み」，「世界の理学療法士事情」，「診療報酬（リハビリテーション）」は削除した.

　日本に理学療法士が誕生して半世紀を迎える．いかなる時代でも人類は常に新たな課題に直面しながら，文化的な遺産を継承してきた．理学療法士もその例外ではない．理学療法界であなたの演じる役は何ですか？

2013年1月

奈 良 　 勲

付記

　第6版第4刷（2015年1月10日）の発行に際し，主に法律・行政・文献引用を除き，「障害」「障害者」という用語を可能な範囲でICFに準じた用語に変更したことをご承知おきいただきたい.

第 5 版の序

　本書『理学療法概論』の初版は 1984 年（昭和 59 年）に出版され，その後 3 回の改訂を重ね，このたび第 5 版を出版する運びとなった．本書の初版が出版されてから 23 年が経過する．

　本書の第 4 版増刷時に，「理学療法の基盤」（内山　靖氏），「理学療法と心理的対応」（富樫誠二氏）の 2 章を追加した．この第 5 版では，一部の章，「理学療法の歴史」（日下隆一氏），「理学療法の学問的体系化と研究法」（臼田　滋氏），「理学療法部門における管理」（橋元　隆氏）の執筆者を変更して内容の改訂を図った．なお，本書では原則として行政用語を除き「訓練」という用語を使用していないことを付記しておく．

　2005 年には社団法人日本理学療法士協会は創立 40 周年を迎えている．その間，日本の急激な社会構造・社会情勢などの変遷に伴い，日本の理学療法にかかわる諸々の状況も大きく様変わりしてきた．

　2006 年には理学療法士養成校数も 208 校に至り，その 1 学年定員は約 1 万人になる．理学療法士免許登録者は 52,088 人で，その内 43,544 人が日本理学療法士協会の会員となっている．理学療法学教育については，全体の約 30％（55 校）が大学教育として行われていることに伴い，大学院教育としての博士課程前期（修士）と博士課程後期（博士）が増えていることが特記すべきことである．

　しかし，近年の日本の経済情勢の停滞から，理学療法診療報酬を含む医療保険の抑制現象が危惧される時代になってきた．なかでも，2006 年の診療報酬改定においては「理学療法」としての区分が消え，「リハビリテーション」に取り込まれることになった．これは，理学療法士は法的には医療職として規定され，その基本的職務は「理学療法」である事実が，結果的に無視されたものでありきわめて遺憾な出来事である．理学療法士自体のアイデンティティにも関わる課題であり，これまで 40 年余にわたり築かれてきた理学療法の基盤を根底から揺るがす出来事でもある．

　時代の流れに逆行するこれらのネガティブな現象をよりポジティブな現象に変革するためには，今後ますます教育・臨床・研究の水準を高め，社会的な活動と有機的に連動して国民の社会的認知を確実なものにしていく自助努力が求められよう．

　2007 年 3 月

　　　　　　　　　　　　　　　　　　　　　　　　　　　　　　　　　奈　良　　勲

第4版の序

　本書の初版は 1984 年に出版され，その後 2 回の改訂を重ね，このたび改訂第 4 版として出版する運びとなった．本書の初版から 18 年が経過するが，その間，日本の理学療法にかかわる諸々の状況も社会情勢の変遷に伴い様変わりしてきた．

　すなわち，1991 年の改訂第 3 版以降，四年制大学や大学院での理学療法教育が実現している．また日本理学療法士協会は，生涯学習システムおよび専門領域研究会を始動し，いわゆる専門職団体としての卒後教育システムの確立に努めている．

　1999 年 5 月には世界理学療法連盟の国際学術大会を横浜で開催している．その開会式に際しては天皇・皇后両陛下にご臨席いただき，かつ天皇陛下の「おことば」を賜ったことはたいへん栄誉ある出来事であった．

　さらに，2001 年には「日本理学療法士学会」が「日本理学療法学術大会」と改められて，理学療法士以外の職種にも一般演題報告を開放して学際領域における協同研究を推進している．

　第 4 版では，改訂第 3 版以降のこのような変遷を考慮して可能なかぎり最新の情報を盛り込むことに努めた．第 4 版の主な改訂内容は以下のようである．

- 全体的には，編集者の意向により文献，引用文・表，行政用語などを除き，「訓練」という用語の使用を避けた．
- 第 8 章の「理学療法の役割と職域」を全面的に書き換え，各種統計・資料の数値の見直し，そして新設項目として，「老人保健法と理学療法士」「ゴールドプラン 21 と理学療法士」「介護保険と理学療法士」「医療法の改正と理学療法士」「医療制度改革と理学療法士」「健康日本 21 と理学療法士」「地域リハビリテーション推進者・保健医療従事者としての理学療法士」などを加えた．
- 第 10 章の「理学療法教育」では，カリキュラムの大綱化に関する解説と国家試験出題基準を加えた．
- 第 11 章の「理学療法士の組織と活動」では理学療法（士）界の最近の経緯を追加するとともに，日本理学療法士協会の組織・事業に関する解説の見直しを行った．
- 第 12 章の「理学療法の基本用語」では約 80 の用語を新たに追加した．
- 付録として添付されている関係法規の全面的な見直しを行った．

　なお，第 7 章と第 11 章に現行の診療報酬表が記載されているが，2002 年の診療報酬改定表は，本書の印刷時期との関係で間に合わなかったため次回の増刷時に記載したい．

　今回の改訂にあたり，変遷し続ける社会情勢を見据えながら，あるべき理学療法（士）の姿を総括的に追求し，それらを「理学療法概論」として表すように努力した．しかし，さらに本書を充実させるために，読者の率直な意見を受けながら善処していきたい．

　2002 年 3 月

奈　良　　勲

第3版の序

　第1版の発行（昭和59年5月），第2版の発行（昭和61年4月），そしてこのたび第3版の発行の運びとなった．

　第3版では，新たに「理学療法士の法律制度」を加え，武富氏に執筆願った．「理学療法士作業療法士法」が制定されてから，四半世紀を経過するが，再度その解釈を深め，今後の見直しを期すためにも，この方面の検討が期待される．

　「理学療法教育」については，平成2年度より，新カリキュラムに改正されたことから，黒川氏に執筆をお願いして，新たな内容になった．また，今回はほんの一部ではあるが，理学療法に関する基本用語の解説を加えた．全体的には最近の情報・資料を加えて，極力 up to date にした．

　去る9月中旬に，社団法人日本理学療法士協会は日本学術会議法（昭和23年法律121号）第18条第3項に基づき，「学術研究団体」として登録された．日本の理学療法の普及向上に関して責任をもつ日本理学療法士協会が，正規に第三者によって学術団体として認められたことは，たいへん名誉なことである．これは，これまでわれわれ協会会員が誠実に理学療法水準を高める努力をし，臨床・研究・教育の場において研鑽を怠らなかった成果であると確信する．「科学としての理学療法」「理学療法の学問的体系」を追求してきたわれわれとしては，そのスタート点に至ったものとして受け止め，21世紀に向けて，これまで以上に精進しなければなるまい．

　日本は急激に高齢化社会を迎えることになるが，長寿が実現されることは喜ばしいことである．そして，今後は理学療法士として，高齢者の健康増進，生活機能低下のある高齢者の人間らしい生活・人生を全うしてもらうための援助方法を一層真剣に模索する必要がある．

　平成3年2月

奈　良　　勲

第2版の序

　第1版の発行（昭和59年5月15日）から約2年になる．第2版の発行においては，誤植の訂正を行ったことと，宇都宮氏担当の「理学療法の歴史」のなかで，"運動療法の歴史"に関して一部追加していただいた．

　また，第1版に組み入れることができなかった章，「理学療法部門における管理」については濱出氏に執筆していただき，第2版に加えることができた．

　理学療法（士）の存在価値は，それを必要とする人々に対して，どれだけの質量を提供しうるかによって自ずから定まってくるという意味のことは，小生が担当している章で述べている．近年，理学療法に関する研究も徐々に科学的に検証しようとする努力がうかがえる．しかし，仮に，効果的方法が見いだされたとしても，理学療法が実際に提供される場面（臨床）において，それが効率的に活用されないとすれば，学会発表や研究論文にみる研究成果はたいした意味をもたないことになる．したがって，臨床家の責任としては，研究成果をどれだけ臨床の場に生かせるかという大きな問題がある．

　「理学療法部門における管理」の基本論としては濱出氏が述べているごとくであると思われるが，単にみかけ上の管理，もしくは管理者にとって都合のよい管理であってはならない．かねがね小生が考える最高の管理システムとは，上記したごとく，研究成果をいかに臨床に取り入れるかということである．人間の習性の1つとして，一度確立されてしまった思考および行動形態はなかなか修正されがたいものである．よって，われわれはつい習慣として流されてしまう．しかし，そこには発展という姿をみることはまずありえない．

昭和61年4月

奈　良　　勲

初版の序

　理学療法の原形は古代ギリシャにはじまったといわれている．しかし，傷つき病める人間は人類の起源より，本能的に物理的もしくは自然のエネルギーを利用して生体を癒してきたとも予想されないだろうか．医学は診断技術，手術そして薬物などの進歩によって推進されてきた．かといって，物理的，自然のエネルギーにもとづいた治療手段の存在価値が失われたとは考えられない．むしろ，手術や薬物によって対処しえない疾患や変調に対する利用価値は以前よりも認識されてきたといってよい．

　理学療法（physical therapy, physiotherapy）のはじまりは physical medicine における therapy，つまり治療をさすものであった．そして，その業務に専念する専門家が正規に養成されるまでは，看護婦をはじめ助手などによって理学療法が行われていたという歴史的経緯がある．このことから，理学療法は本来臨床医学の一部であり，その事実は基本的には今も変わらない．しかし，社会のニーズに伴い，physical medicine を基盤にしてリハビリテーション医学としての概念と形態が展開されるに従い，理学療法そのものも変遷してきたのはいうまでもない．

　わが国ではリハビリテーション医学とよばれているが，アメリカにおける正式名称は physical medicine and rehabilitation であり，またリハビリテーション専門医の名称は physiatrist，つまり自然療法士という意味を含んでいることからもこの分野の歴史的背景がうかがえる．

　歴史的経過からみても，理学療法はリハビリテーション医学の支柱として世界各国において着実に発展してきた．しかし，今後の発展がどう展開されていくのか興味のもたれるところである．わが国における理学療法の発展を考えるとき，数多くの問題が山積しており，それらに対する対策が期待される．いずれにせよ，このような時期に理学療法概論の単行本が出版される機会をもてたことはわれわれ理学療法を業とする人間，またそれを学ぼうとしている人々にとって，大変意味のあることといえる．

　あらゆる学問分野において，概論としてまとめられたものがある．概論とは全体にわたって大要を述べたもの（広辞苑）とあるが，特定の分野を総体的に理解するうえで手助けとなることが多い．

　理学療法概論として，これまで散発的に論じられてきたが，まとまった形で出版されるのはわが国でははじめてのことであり，諸外国においてもあまり例をみない．

　それぞれの章を分担していただいた諸氏はこれまでわが国における理学療法の発展に尽されてきた方々であり，それぞれのテーマについて読者の視点を核心に導いていただけると思う．しかし，ここで論じられたことがらに固執するのではなく，さらに高次元の理学療法概論が展開されていくことへの布石として受け止めていただければ幸いである．

　昭和59年5月

　　　　　　　　　　　　　　　　　　　　　　　　　　　　　　　　奈 良 　 勲

目 次

第5章　理学療法の基盤 （内山　靖）

第6章　理学療法の学問的体系化と研究法 （臼田　滋・森山英樹）

第1章

理学療法と倫理・哲学

　人類を含む宇宙の創造は，はたして必然か偶然か，つまり，神による創造の遺産か自然発生によって進化したものかという命題は，宗教家，哲学者，そして近代では科学者などによって大きな課題とされてきた．しかし，いまだそれらの謎に対する回答は得られていないし，おそらく永久に得られないのかもしれない．

　宗教的立場からみれば，その見解は神の存在を前提としているだけに議論の余地がない．哲学者の立場は主義によって異なり，一致した見解はなく，思惟や直観による観念にとどまっている．科学者は具体的方法論によって生命を含む宇宙の解明に取り組んでいるが，十分に実証するまでに至っていない．そして，大多数の人々はそれらの課題には無関心・無関係に日々の生活を営んでいるのではないかと思える．この事実は，人類や宇宙がいかなる機序で，そしてまたいかなる理由で存在に至ったかを関知しなくても暮らしていけるからであろう．

　旧約聖書の「創世記」に記されているように，アダムとイブは，蛇に誘惑されて禁断の木の実を食べ知恵をもつに至った．エデンの園から追放されたと比喩的に記述されているように，人間は己の「宿命」をそのまま受け止めるのではなく，自己の生き方としての「運命」を自由意思で定めるとの意味であろう．もちろん，特定の神の定めに従って生きる道を選ぶこともできるし，哲学的，科学的方法に準じて生きることもできる．特定の方法，考え方，信仰をもたずに無神論・唯物論的に生きている人間も数多いが，実際には，無意識に何らかのものをよりどころにしているのではないのだろうか．なぜなら，人間はいかなるよりどころをも必要とせず生きていけるほど強くはないと思えるからである．たとえば，虚無的（ニヒリズム的）生き方にせよ，そこには不明瞭で，不確実ながら何らかのよりどころがあるものと考えてよい．キルケゴールの弁によれば，何のよりどころも見出せなくなった状況下において，人間は，死に至る病に陥りやすいとのことである．

　「理学療法と倫理・哲学」について議論を展開するにあたり，これから理学療法を業としたい人間，またすでに理学療法を業としている人間にとって，人類が実存し続けていることの意義，換言すれば人間の生命の意義を追究することは，理学療法が人間との直接的関わりをもつ分野であるという点で，欠くことのできない精神活動の1つといえる．しかし，その精神活動の内容がいかなるものになるかは各人の価値観によるものであり，前述したように，宗教的，哲学的，科学的のどの観点に立つかによって，その内容および考え方に相違が生じてこよう．

　この章では，理学療法の意味づけを倫理・哲学の観点から追究することになるが，理学療法という分野について思惟することは，私たちの基本的責任であるとの考えを前提としている．歴史的にみて，理学療法の創生は社会的ニーズに基づいている．法律上の規定による理学療法士の身分，業務に関連した裁量権（外的要因）と，その規定内における理学療法士の力量（内的要因）から構成される．

　理学療法の成果が問われるのは臨床の場であり，教育も研究も究極的にはそこに結集される．臨床

では理学療法士のより効果的技能が求められ，基本的に理学療法（士）の存在が評価されるのはその水準による．治療技術を開発し，それを実践するのが理学療法士の役割ととらえると，患者を含むすべての対象者のニーズに応えることができることにおいてのみ理学療法士の存在が肯定される．単に理学療法士の資格があればよいというわけではないことを十分に認識しておく必要がある．

　プロフェッション（profession）における "profess" は，専門職者の裁量権を対象者の利益を優先して行使して，特定の課題解決の支援を「誓う」ことを意味する．理学療法士もこの原則を無視することは望ましくない．

　このような状況を考えると，理学療法を実施する臨床の場に限らず，教育，研究などを含め総合的に理学療法の水準を高め，それによって社会への貢献度を増すことは，理学療法士としての評価を受ける次元にとどまらず，この世に命を受けた 1 人の人間としての存在を高めることになる．この視点に立つとき，「理学療法と倫理・哲学」というテーマはいっそう議論に値するものとなる．

1 倫理（学）とは何か

　倫理学（ethics）と道徳（moral）ということばは，前者がギリシャ語から，後者はラテン語から派生したものであり，本来，双方に共通する基本的意味は人間の行動の規範に関するものである．しかし，双方の用途には相違点がある．道徳は，実践的，具体的で，倫理学者，宗教家などによって追究された規定を示すものである．一方，倫理学は規定全体の基礎となっている哲学的諸原理，すなわち行動に関する抽象的な考察の学問であり，古来より哲学の範 疇（はんちゅう）に含まれている．つまり，人間の行動のあり方についての抽象的な考察が倫理学であり，その結果として生じた規範がモラルである．モラルは人のあるべき姿に関する価値判断が定式化されたものであり，人が善を成すことを助ける役割をもっている．ただし，モラルは人の行動が義務的であることを断言することが多く（べき：must be, should be），命令的，強制的ニュアンスが強いため，押し付けがましい感じを受けやすい．かつての教育勅語，旧約聖書の十戒などがその例としてあげられる．

　1979 年 9 月 1 日付，中国教育省による中学生（日本における高校生までの学年にあたる），小学生守則のおもな内容は，①祖国と人民を愛し，党を擁護し，近代化に貢献する力を蓄える，②遅刻せず，早退せず，授業をサボらない，③衛生を重視し，タバコを吸わず，酒を飲まず，所かまわず痰を吐かない，などとなっている．

　これらの内容は，ある特定の国家が対象を限定して定めた規範であり，本来の倫理学が課題にしている万人に共通したモラルからだいぶかけ離れている．しかし，これも狭義のモラルとして考えられよう．いずれにせよ，一読してわかるように，強制的ニュアンスが感じられるのは事実である．これらの諸原則は守られるべき一般原則であり，それらが実際に適用されるのは個別的状況においてである．たとえば，前述した①において，近代化とは何か，何をもって貢献といえるのか，その力を蓄えるには具体的にどうあればよいのかという最終的判断は個人に委ねられている．つまり，提示されたモラルの内容の善し悪しは別として，それが実際に効を奏するのは，個人が提示された内容について分析的，批判的思索，すなわちメタ倫理的（meta-ethical）な精神活動をもったときである．モラルは個人の側における理性の行使と一種の自律を促し，アルノルド・ゲーレンのいう「……法に服従

して自治的である」ことが私たちに求められるのである．規律の社会的体系として考えれば，モラルは一方では法律に，他方では慣習やエチケットに似ている．このように，モラルによって人の行動が義務化され，各個人が思索しないということになれば，人を体制のなかに固定させ，人の主体性や自由を奪いかねない．そして，人をあるがままの自己ではなく，表面的にとりつくろった見せかけの人格へと導きかねない．また，歴史上の事実として独裁体制が蔓延ることにもなりかねない．

人は本来，自己中心的存在であるとされている．しかも，他の動物と異なり，自立するまでに長い時間を要し，親をはじめ他者への依存度が高い．だが，社会の仕組みが自給自足の時代から役割の細分化へと変遷してきたことで共存性が高まってきている．しかし，依存性と共存性の最大の違いは，後者では基本的に自立人間であることが求められ，かつ他者への配慮が求められることである．人間の精神的発達が順調に進めばこの現象は確認されるが，人間社会にみられる醜悪な現象は私たち人間の精神発達の未熟さを示している．これは，各人が本質的に倫理的行動への志向性を高める必要性を示唆しているともいえよう．よって，各人が外からの強制によってではなく，自らの自由意思によって何らかの実現すべき善を見出そうとするとき，倫理，モラルの意味は，人間社会をより普遍的なものに導くという点で重大である．

2 哲学とは何か

さて，次に哲学の意味について議論を展開したい．前述したように，倫理学は本来哲学の範疇に含まれていたが，哲学の領域が広く，その学問の特定の対象に応じてそれぞれ個別的方法論によって議論が展開されるようになった．よって，ここでは哲学全般について触れることになる．

哲学（philosophy）ということばの起こりは紀元前 6 世紀でギリシャ人のピタゴラスによるとされている．彼は己自身を知恵（sophia）の友・愛（philos）と称したといわれており，古代ギリシャからほぼデカルトの時代である近代に至るまで哲学は学問と同義語であった．また，哲学は，利害得失にとらわれない知を目的とし，役に立つものの生産を目ざす技能に対立するものであった．ホモ・ルーデンス（遊戯の人）としての人間の遊びのなかで最も崇高なものは，哲学と詩作であると述べているのはホイジンガであるが，そこに共通した観点が認められる．

ギリシャ初期の哲学者たちは物質，自然界の起源と本性について思索したが，ソクラテスは哲学を人間化し人間生活を主要な目的にした．その後，プラトン，アリストテレスらは哲学を学問へと回帰させ，17 世紀にデカルトは近代哲学を確立したといわれている．デカルトは「哲学原理」の序文のなかで，哲学全体を 1 本の樹に例えている．その根は形而上学，幹は自然学で，この幹から出る枝々は他のすべての学問であると述べている．

その後も哲学は学問（science）の同義語として使われ，1835 年のアカデミー辞典でも，哲学者は「学問（科学）の研究に専心し，その原因と原理から帰結を知ろうと努める者」と定義されていた．しかし，ルネッサンス以後，科学は形而上学を主体とする哲学からしだいに離れることになった．

科学者たちは観察と実験によって学問の方法論を展開し，実験的方法の諸原理を世に広めたのはベルナールの「実験医学研究序説」である．その後，実験的諸科学は数学的な支えによって整合性と厳密性が確立され，哲学的精神を特徴づける合理性を得ることになる．また，その後になって人文諸科

学も哲学から離れ，ここでも数学的手段が活用されるようになる．

　このような変遷から，哲学はすでに消失したかのように思えるが，はたしてそうなのであろうか．哲学を知恵としてみると，知恵は理性的にものごとを判断する良識として定義されている．優れた学者は，哲学的思考によって偉大な原理や概念の創造にまで至るのである．仮に私たちの多くが日常生活のなかで哲学することがあれば，より理性的で，ものごとの事象をより深く理解することになり，同時に人間としての精神の強さと高尚さを備えた存在になろう．そして，個人的利害や世間の風評の誤りを超越し，個人としてのモラルをつくり出すことができる．

　哲学を学ぶ意味には，他者の考え方を理解することも多分に含まれる．それはそれとしての価値は十分にあるが，最終的には本人が自己を含めてものごとについて哲学することから始めなければ，その域には至らないであろう．

　アランは「アラン教育随筆（論創社）」のなかで，「精神のすべての手段は言語のうちに閉じこめられている．言語について熟考したことのない者は何も熟考しなかったのだ」との趣旨を述べている．これは，人間の言語と思考との関係を認識するなかで思考が生まれ，同時にことばが生まれることを指摘している．

　このように哲学は，歴史的に学問の起こり，またその展開の原動力になってきた．そして，私たちを動物的反射作用の水準からより人間的な実存者として高めてくれるという点でも，私たちが哲学する価値は十分に認められる．

3　なぜ理学療法と倫理・哲学を考えるのか

　ここまで述べてきたのは倫理・哲学の概要である．それらの概念が意味する精神活動をもつことによって，私たち人間がいかなる内容になるかということが想像される．そのイメージが明らかになれば，次に展開しようとする議論は自然に理解されよう．

　理学療法という専門分野が存在するに至った過程を知り，今日のように細分化された医療，もしくは社会のなかで，理学療法という名称で表される業務は，医学モデル的には，特定の細胞・組織・器官の損傷・機能不全および社会参加制約をきたした人間の支援活動を実践することであり，ここに特定の役割と責任とが存在する．ところが，人間が特定の役割と責務を果たそうとする際には，人間の認識や行動の水準が課題になってくる．その水準によって役割と責務の遂行が定められるからである．

　この点からしても，私たちの認識や行動は高められる必要がある．それと同時に対象者，家族，他の医療従事者などと直接的人間関係のなかで業務を遂行していることから，たとえば人間観，人間理解のための内観や洞察力，コミュニケーション能力，精神的発達による自我の確立などが求められる．これらの課題について，理学療法を業とする私たちは，倫理学的，哲学的に熟考し，人間としての認識を高め，世界観の拡大を図る責任がある．また，己の職業についても熟考し，自身の実存性と職業との関係について認識を高めておく必要がある．このような精神活動が保たれることで，理学療法の水準は高まることになる．ここに，理学療法と倫理・哲学の関係性を追究する意義を見出せる．

　自己について認識も内観も高めない人間は，他者に対する認識も理解も示すことはできないだろう．ましてや，損傷・機能不全のみを対象とするのではなく，それらの課題をもった人間への理学療

法介入によって対象となった人間がハビリテート（先天的変調・疾患などがあれば，それに誕生時から適合・適応すること：ハビリテーション：habilitation）あるいはリハビリテート（後天的変調・疾患などをきたせば，その時点から再適合・再適応すること：rehabilitation）されるためには，局部的対処にとどまらず，人間全体を包括的（全人的）にみることが重要となる．

　現在の理学療法学教育は高卒後3〜4年間であり，順調に入学し卒業すれば，卒業時には21〜22歳になるが，年齢的にみても精神的発達が十分であるとは思えない．中・高時代に一見無駄と思える思索にふける時間が，受験勉強などに追われて十分にとれず，入学後も理学療法士育成のための教育カリキュラムは過密状態である．いったいどこでゆとりある精神活動を求めればよいのだろうか．

　近年の学生の傾向として，エリクソンのライフサイクル理論（心理社会的発達理論）によれば，モラトリアム（青年期の猶予期間）的であり現実性に乏しく，自己同一性（アイデンティティとその拡散）時期にあると指摘されている．この現象が社会情勢を背景とした実態であるとすれば課題はより複雑になる．

　教員は3〜4年間の理学療法学教育を通じ，知識と技術の教授だけにとどまらず，人間性について熟考する機会を提供し，人間についての認識を深められるように導く責務がある．ここに人間教育としての最大の意義がある．もし教員自身が人間性についての認識を追究することがなければ，教育自体が不毛になりかねない．専門職者になる最初の段階として教育という門を通過するが，この門のあり方が学生に及ぼす影響は善し悪しを問わず多大である．よって，いかなる分野であれ哲学なき教育関係者は，人間の総体的可能性を引き出す教育活動を放棄していることになる．これは，専門職の基本精神に背反する姿勢でもあり，国民を欺（あざむ）く結果を招く．

　日本における理学療法士の一部が，ときとして不憫（ふびん）にみえることがあると指摘されるのはなぜなのか．最大の理由は専門職者としての誇りに欠けること，医師との関係にもあると思うが，専門的価値判断に徹しきっていないことなどがあげられるのではないだろうか．現在の法律で，理学療法士は医師の処方を受けて業務を進めることになっているが，これは単に医師への服従という意味ではない．1人の人間としての人格を築き，理学療法についての学識を高めれば，いかなる人間や他のいかなる専門家とも対等に接することができる．

　理学療法士もかつてはパラメディカル（paramedical）の一員とよばれ，医療もしくは医師の補助者的存在とみられていた．"Para"が"准（じゅん）"とか"寄生虫（a parasitic worm）"を意味していたこともあってか，1982年に開催された第1回糖尿病患者教育担当者セミナーの講師を務めた当時の阿部正和東京慈恵会医科大学学長は，各医療関連職者によるチーム医療の重要性を強調して，和製用語のコメディカル（co-medical）という呼称を提唱した．海外では，1960年後半にAllied Health Professions（保健関連専門職）という呼称がすでに使用されていた．

　日本にリハビリテーション専門医や認定医は存在するが，すべての医師が理学療法について精通しているとは限らない．そのため，理学療法士は補助者ではなく，理学療法に関する卓越した知識と技能をもつ専門職として社会のニーズに応える必要がある．

　戦後の草創期，理学療法は主に正規の教育を受けていない鍼灸マッサージ師などによって実施されるなど，本来の理学療法の内容と水準が担保されていなかった．また，理学療法をより科学的に実施するための基礎科学，専門知識と技能，そして対象者を内観しながら全人的関わりを築くだけの人間哲学および総合科学などの基盤が軟弱であった．このような実情下で形成されてしまった理学療法の

イメージを払拭するまでには長い時間を要したが,「理学療法士及び作業療法士法」が制定（1965年）されて半世紀をわずかに超えた現在,日本の理学療法（士・学）の発展は世界をリードするまでに至っている.

そもそも人が職業を選ぶ際に,何らかの専門職を志望する場合,その職業的責任を果たすことを誓う必要性がある.もし,就職率がよい,たまたま入試に合格したなどの理由が先行し,そのままの動機で仕事を進めることがあれば,専門職としての使命,倫理観,哲学観が欠如しているといわざるを得ない.特定の専門分野でそのような人間が多数を占めることになれば,組織団体の目的意識は低俗なものとなり,集団エゴに陥り社会貢献は期待できない.

以上,なぜ理学療法と倫理・哲学を結びつけ,それらについて十分に熟考する必要があるのかについて述べた.型にはまった倫理観や哲学観にとらわれることなく,時代の流れ,変化に対処し,より崇高な人間,より高度な理学療法水準を目ざしていくことで,自分なりの倫理観・哲学観を育むことができる.理学療法という業を通じて自己の発達を図ることがなければ,それに従事することの意味は単に物理的次元でしかない.また,理学療法という仕事を通じて個人が人間として成熟しなければ,理学療法自体の発展も望めない.そのためにも,生涯教育の内容は専門教育だけに偏るのではなく,総合的になされることが肝要となる.そして,あらゆる生涯教育の根源に期待されるのは,「感性,直観,深淵な思考,巧みな技の修得と実践」などが融合された「実存的生身の人間性」である.

4 人間としての責任

私たちはいったい何のために生き,そして死んでいくのか,万人に共通する答えはおそらく期待できないだろうし,永久的な命題として残るに違いない.それよりも,各個人が自己の生（宿命）をいかに運用（運命）するのかについて考える（哲学）ことが現実的であろう.仮に宗教的に永遠の生命を信じる人がいたとしても,現存する命は1つであり,それを粗末にする人はいないであろう.日頃,私たちは生と死を意識することはない.しかし,一度だけの命をいかに活かすかという基本理念をもち,それに徹することが人間に課せられた最大の責任ではないだろうか.

責任（responsibility）とは,日常的な現象に対して反応的（responsible）であることを意味する.ある事件,出来事の責任をとって職を辞めるという話はたびたび耳にするが,それはむしろ逃避的,回避的行動であると思えてならない.普段から周囲の状況や現実社会に適切な反応または応答をしている人間は,決定的な過ちを犯さないであろう.責任とは,現実社会の変革に適切に反応して考え,行動をとることなのである.特定の役割を引き受けても,その任務を果たせない,または果たさない人間は,遅かれ早かれ決定的な誤り（mistake, error）を起こす.私たちの行動は,現実や原則を無視して正当化できない.そのような点から,理学療法士である以前に,人間としての感性と思考性とをいかにresponsibleにしておけるかが責任を果たすために重要な要素となる.

5 職業倫理

　人間としての倫理観を基盤にして社会のなかで，たとえば理学療法士として特定の役割を引き受けた専門職者には，特定の状況における目的意識や価値意識が要求される．理学療法を必要とする国民が安心してよりよいサービスを受けたいと願うのは当然のことである．専門職者である以上は，特定の分野で課題解決・改善の遂行レベル・信頼性を向上させる必要性がある．それは対象者の機能診断・治療計画と介入など，理学療法士の行動が信頼性の高い価値判断に基づいていることを意味する．

　日本の保健医療関連専門職の制度では，資格試験に一度合格すれば半永久的に専門職者としての資格を維持できるようになっている．しかし，時代の流れに伴ってニーズの多様化や変化に応じるため，何らかの形で卒後教育もしくは生涯教育を継続し，水準の向上を図ることが専門職者として最大の責務であり，職業的倫理観ともなる．もし私たちの理学療法水準が停滞もしくは衰退することがあれば，本質的には専門職者としての資格を失うことを意味する．

　現在の日本の理学療法も常に発展途上であることを理解し，可能性と限界を認識したうえでそれぞれの現場で理学療法実践を通じて国民に貢献することに専念すればよい．その結果として，"Evidence-Based Physiotherapy"（根拠に基づいた理学療法もしくは最善の理学療法）の価値観が，国民はもとより他の保健医療関連専門職に認知されることが，自然体の現象として望ましいと考える．

6 日本理学療法士協会の倫理綱領

　前述のような観点から，理学療法士によって構成されている日本理学療法士協会は1978年に倫理規定を定め，1997年と2011年にそれを倫理規程として，名称と内容を改正した．そして，2018年には基本原則と遵守事項との区分をなくして9項目に集約し，名称を「倫理綱領」に改め理学療法士が職業倫理に基づいて業務を遂行する決意を新たにした（表1-1）．

　この倫理綱領は，諸外国の倫理規程を参考にし，倫理的思索によって掲げられた項目であり，理学療法士としての基本的モラルであると自覚しておく必要がある．しかし，前述したように，理学療法士は倫理綱領の内容を倫理的，哲学的思索によって論理的に受け止め，それをいかに適用するかについてはそれぞれの状況によって個人の判断に委ねられる．肝要なことは，倫理綱領に包含されている基本的モラルを認識し，それに縛られるのではなく，むしろ解放的に理学療法士の職業倫理観を発展させていくことである．

　なお，倫理綱領には従来の倫理規程の遵守事項「5. 理学療法士は，企業の営利目的に関与しない」が削除されている．近年になり理学療法士の起業が増えていることに合わせた対応であるが，企業の営利行為に不当に関与しないという本来の意味合いを理解しておく必要がある．

　倫理綱領は，日本理学療法士協会会員が理学療法士として，国民に対する使命と業務上の責任を自覚すること，そして他者に指摘されるのではなく，自主的に自己規制する基準として定められた．会員を対象としたものであるが，この綱領を公（おおやけ）にすることで，日本理学療法士協会会員は，国民に対して職業倫理に基づく最善の理学療法の提供を「誓っている」と解釈できる．つまり，プロフェッ

表 1-1　倫理綱領[11] より一部改変

公益社団法人 日本理学療法士協会

序文

日本理学療法士協会は，社会において信頼される組織となること，さらには，それを基盤として職能団体として公益に資することを目的として，「倫理綱領」を定めた．会員と日本理学療法士協会が相互の役割を果たす中で一体となって，より良い社会づくりに貢献することを願うものである．

一，理学療法士は，全ての人の尊厳と権利を尊重する．

一，理学療法士は，国籍，人種，民族，宗教，文化，思想，信条，家柄，社会的地位，年齢，性別などにかかわらず，全ての人に平等に接する．

一，理学療法士は，対象者に接する際には誠意と謙虚さを備え，責任をもって最善を尽くす．

一，理学療法士は，業務上知り得た個人情報についての秘密を遵守し，情報の発信や公開には細心の注意を払う．

一，理学療法士は，専門職として生涯にわたり研鑽を重ね，関係職種とも連携して質の高い理学療法を提供する．

一，理学療法士は，後進の育成，理学療法の発展ならびに普及・啓発に寄与する．

一，理学療法士は，不当な要求・収受は行わない．

一，理学療法士は，国際社会の保健・医療・福祉の向上のために，自己の知識・技術・経験を可能な限り提供する．

一，理学療法士は，国の動向や国際情勢を鑑み，関係機関とも連携して理学療法の適用に努める．

(2018 年 3 月 4 日改正)

ションであることの一条件である，裁量権を国民のために行使することを誓うということである．

　以下，各項目について解説を加えておきたい．

「理学療法士は，全ての人の尊厳と権利を尊重する」

　偏見と差別は，人のさまざまな価値観の相違によって生じる．しかし，人の存在を普遍的に認識することで，いかなる背景であれそれを超越すれば平等に接することができる．

「理学療法士は，国籍，人種，民族，宗教，文化，思想，信条，家柄，社会的地位，年齢，性別などにかかわらず，全ての人に平等に接する」

　医療サービス全般についていえることであるが，理学療法においても，そのサービスの対象が誰であれ偏見と差別によってサービスを拒否，敵視してはならず，私情を超越した理性的レベルで対処する必要がある．

「理学療法士は，対象者に接する際には誠意と謙虚さを備え，責任をもって最善を尽くす」

　理学療法士は対象者の信頼を得られるよう誠意と謙虚さをもち，仕事に責任をもって最善を尽くすことが求められる．

　「理学療法士は，業務上知り得た個人情報についての秘密を遵守し，情報の発信や公開には細心の注意を払う」

　対象者に関する情報は私有物と考えられる．したがって，業務を遂行するうえで保健医療関連専門職と必要な情報を交換することは大切であるが，それ以外の場合には対象者の情報は守秘する（守秘義務）．

　「理学療法士は，専門職として生涯にわたり研鑽を重ね，関係職種とも連携して質の高い理学療法を提供する」

　保健・医療・福祉の形態や水準は時代の流れに伴い変化しながら発展し続けている．一方，これらの領域の過剰な機械化，巨大化，あるいは営業化など課題も数多い．私たちは医療全体の動向をはじめ，理学療法の現状を批判的かつ建設的にみつめ，よりよい方向に軌道修正すると同時に，理学療法水準を高めるために，日頃の研鑽を怠ってはならない．

　「理学療法士は，後進の育成，理学療法の発展ならびに普及・啓発に寄与する」

　現在の自己は，これまでに関わった数多くの人々によって育てられ，成長してきたといえる．理学療法が発展し続けるためには，理学療法に関心を抱き勉学を望む者に対して惜しみなく研修の場や機会を与え，協力的であることが望まれる．

　「理学療法士は，不当な要求・収受は行わない」

　理学療法士は公的に定められた正当な報酬以外を要求したり，受け取ったりしない．現在では理学療法士のほとんどは何らかの施設あるいは機関に勤務していることから，報酬はそこから支給される．

　「理学療法士は，国際社会の保健・医療・福祉の向上のために，自己の知識・技術・経験を可能な限り提供する」

　今日，理学療法士の職域は保健・医療・福祉領域にわたっている．それぞれの立場で，理学療法士の力量を広く発揮して国民と国際社会の要請に応えることが大切となる．

　「理学療法士は，国の動向や国際情勢を鑑み，関係機関とも連携して理学療法の適用に努める」

　国家の情勢はあらゆる分野の発展に影響を及ぼすことから，特定の専門職のみでは機能できないため何事も相互連携を重視する．

　以上，「倫理綱領」について簡単に解説した．これらの原則は，「対象者の不利益にならないこと」である．仮に何らかの法令に触れるような事態が生じた場合，それを正当化するのではなく，個人もしくは所属施設・機関へ正式に報告し，適切な処置がとられるようにする．
　なお，「理学療法士及び作業療法士法」の第2章第4条，第7条には，理学療法士免許を与えない，もしくは免許取り消し，さらに理学療法士の名称の使用の停止に該当する条文がある．
　一　罰金以上の刑に処せられた者
　二　前号に該当する者を除くほか，理学療法士の業務に関し犯罪又は不正の行為があった者

　　三　心身の障害により理学療法士の業務を適正に行うことができない者として厚生労働省令で定め
　　　　るもの
　　四　麻薬，大麻又はあへんの中毒者

　以上，「理学療法と倫理・哲学」というテーマについて，倫理・哲学の意味するもの，そして，それらの意味が理学療法のなかに活かされることの重要性，さらに理学療法士としての責務がより崇高なレベルで保たれるためのモラルとしての倫理綱領などについて述べた．

　理学療法士は，半世紀あまりの短い歴史のなか，理学療法のレベル，体制が十分確立されていない状況である．その現状を甘受するのではなく，理学療法士がその役割を十分に果たしあるべき姿に近づくために，各人が思惟，哲学を深めて成長し，さらにその力が理学療法の発展に結実していくように決意することが重要な課題となる．

（奈良　勲・高橋哲也・堀　寛史）

■文献

1）Frankene WK：倫理学．培風館，1975.
2）矢島羊吉：倫理学の根本問題．福村出版，1979.
3）川上　武・他：思想としての医学．青木書店，1979.
4）フルキエ：哲学講義．筑摩書房，1977.
5）真木悠介：人間解放の理論のために．筑摩書房，1977.
6）エリック・フロム：自由からの逃走．創元新社，1951.
7）Rogers C：On Becoming A Person. Houghton Mifflin Company, 1961.
8）時実利彦：人間であること．岩波書店，1977.
9）パスモア：自然に対する人間の責任．岩波書店，1979.
10）奈良　勲：理学療法概論―理学療法，その倫理と思想的背景．理・作・療法，**14**：54-58, 1980.
11）社団法人日本理学療法士協会ホームページ：倫理綱領．2018.

第2章

理学療法学教育

　全国リハビリテーション学校協会・日本理学療法士協会・日本作業療法士協会（3団体）は，既存の指定規則に定められている94単位案と将来の大学化に関連した124単位カリキュラム案の要望書を2009年度に厚生労働省（以下，厚労省）医政局（医事課）に提出した．その具体的な審議はそれから8年を経た2017年度に「理学療法士・作業療法士学校養成施設カリキュラム等改善検討会」で始まった．ここまでの道程には，3団体のさまざまな努力と議論があり，その都度要望書が提出されてきた．この間，臨床実習における種々の課題が生じ，この事案は国会でも取り上げられた．それを受けて，養成施設はもとより，3団体もこの課題への対策を講じる必要性に鑑みて多角的に協議することとなった．そして，2018年には「理学療法士作業療法士学校養成施設指定規則」（以下，指定規則）が新たに改正され，2020年度入学生から施行された．

　日本における理学療法士の養成は，1963年に創設された3年制専門学校の国立療養所東京病院附属リハビリテーション学院（以下，国立東京リハ学院）において開始され，それから60年を経ている．これまでも養成施設の適正数については常に検討されてきたが，高齢社会の到来を見据えた規制緩和もあり，紆余曲折しながら増加の一途をたどってきた．今日では文部科学省の大学設置審議を経て大学における理学療法学教育実施校は120校を超え，さらに大学院博士前期課程（修士課程2年）・博士課程後期（博士課程3年）を有する大学は総計100課程を超え，理学療法学教育の進展に大きく貢献している．今後の発展としては，すべてを大学課程（124単位以上）および新たに専門職大学（2019年開始）を加えた方向に舵を切れるか否かが検討課題となる．

　本章では，理学療法学教育について養成校での教育から卒後教育，理学療法士としての生涯学習および理学療法学教育の今後の展望について論じる．

1 　卒前教育制度

1）理学療法士学校養成指定規則の変遷

　この項目では，これまでの理学療法学教育における教育指定規則の変遷と，2017年度「理学療法士・作業療法士学校養成施設カリキュラム等改善検討会」の理学療法士養成指定規則についての検討経過を簡単に述べる[1]．教育指定規則の変遷については，教育制度と指定規則の2つの観点から論じることとする．

　1960年代後半に，世界保健機関（WHO）派遣外国人講師によって導入された理学療法学教育は，現在，少子高齢社会，疾病構造変化そして保健医療福祉制度の改革などとともに，大学・大学院の普

表 2-1　創設（1963 年）から 1999 年指定規則大綱化カリキュラム改正までの変遷

1963 年から 1999 年までの指定規則の 4 回の改正における基礎科目，基礎医学，臨床医学，専門科目，そして臨床実習の 5 つのカテゴリーの変遷を示した．これらのカリキュラムは基本的に 3 年制学校養成施設での教育において実施される内容である．1963 年 5 月に日本で初めて開設された国立東京リハ学院のカリキュラムを指定規則として第 1 回目のものとすると，4 回目の大綱化カリキュラムまで約 40 年の変遷を経て，理学療法士作業療法士学校養成施設のカリキュラムはそれぞれの時代の状況に合わせて進化してきた[3]．

1963 年		1972 年		1989 年		1999 年	
	時間数		時間数		時間数		単位数
基礎科目	120	基礎科目	345	基礎科目	360	一般教育	14
基礎医学	540			専門基礎	810	専門基礎	26
臨床医学	420						
専門科目	540	専門科目	1,275	専門科目	810	専門科目	35
臨床実習	1,680	臨床実習	1,080	臨床実習	810	臨床実習	18
				自由裁量	200		
合計	3,300	合計	2,700	合計	2,990	合計	93

実習時間の三分の二以上は病院または診療所において行うこと ◀

及進展に伴い大きく変動している．この間に理学療法士は理学療法に新たな知識・技術などの創造物を加えることができたのか，20 世紀を顧（かえり）みて 21 世紀に向けて新しい地平線を描く試みが必要であり，EBPT（Evidence Based Physical Therapy）を確立することもその 1 つである．

　教育制度に関しては，1963 年に国立療養所東京病院附属リハビリテーション学院創設時，カリキュラム時間は 3,300 時間を超えていた．合計時間数は 3,300 時間であったが（表 2-1），国立東京リハ学院の実施上の時間数は，127％の 4,180 時間と増大していた．指定規則上基礎科目の位置づけは低く，120 時間（3.6％）である．しかし，実施上は 4.75 倍の 570 時間となった．それに対して基礎医学 540 時間，臨床医学 420 時間合わせて 960 時間（29％）と充実されたが，実施上は強制的に 30％増の 1,240 時間となっている．解剖学 255 時間，生理学 150 時間，病理学 60 時間と，今日からみると十分に時間が割かれていたが，これでも不足とのことで，解剖学 300 時間（＋18％），生理学 220 時間（＋47％）と補強されている．

　理学療法専門科目については，創設当初のカリキュラムに比べて内容はわずかに分化されている．著変はないが，検査測定が設けられた意義は大きい．臨床実習の比重は大きく，指定規則上の総時間数の 50％を超えていた．この当時の臨床実習は主に米軍基地病院で実施されていた．その後，国立東京リハ学院では，全国的学園紛争の影響と 4 年制大学化運動の高まりのなかで，大学化に向けて合計時間数を 200〜300 時間減らす議論が交わされ，その後の養成施設開設は順調に進んだ．

　1979 年に金沢大学医療技術短期大学部が文部省所管で開設され，第 2 期としての発展期を迎えることになった（図 2-1）．そして 1992 年には，念願の 4 年制大学教育が広島大学医学部保健学科で理学療法学専攻として開始された．この第 3 期は，将来の成熟化に向けての発展を期待し，大学院については，1996 年 4 月広島大学大学院の開学以来増設された．2018 年 4 月 6 日現在，大学は 106 校で養成学校総数の 261 校の 40.6％を占める[3, 4]（表 2-2）．大学院は，1996 年 4 月広島大学に開

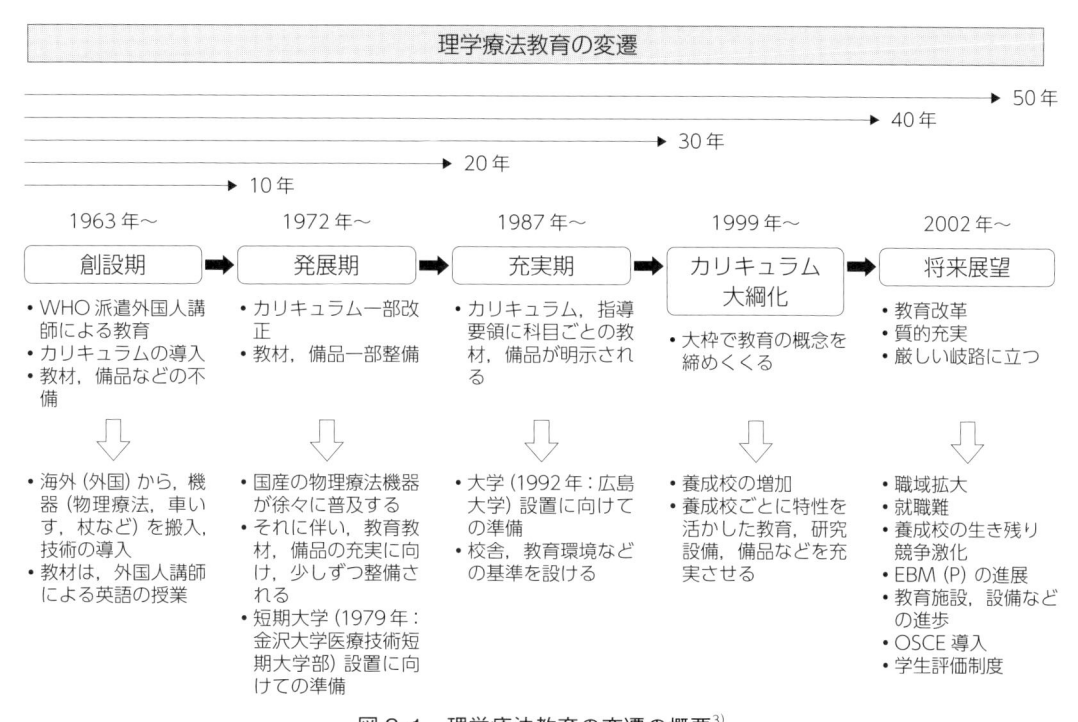

図 2-1　理学療法教育の変遷の概要[3]

設されて以来，博士課程前期（修士課程）57 校，博士課程後期（博士課程）38 校に開設されている[4].

　そしてこの間，3 回の指定規則の改正が行われ，1 回目は 1972 年，2 回目は 1989 年であった．1996 年 8 月より 3 回目の指定規則改正に向けた日本理学療法士協会・日本作業療法士協会レベルによる検討が開始され，1999 年 4 月に 3 回目の改正となる大綱化を柱とした新しいカリキュラムに移行した（表 2-1）.

　臨床実習時間の時間数および総時間に対する比率をみると，初期のカリキュラムでは 1,680 時間で，比率は前述したように 50％を超えていた．最初の改正では 1,080 時間と初期カリキュラムのおよそ 2/3 となり，比率も 40％と約 10％少なくなった．2 回目の改正では実習時間とその比率はさらに減ってそれぞれ 810 時間，27％となった．しかし，3 回目の改正では時間数から単位数に移行したが，45 時間 1 単位で計算すると，実習時間は 810 時間となり，2 回目から 3 回目の改正における実習時間の変更はなかったと考えられる．このように臨床実習時間の減少に伴って生涯学習および卒後教育の必要性が高まり，養成校でのいわゆる座学，臨床実習，卒後教育，生涯教育を有機的に結びつけるために，たとえば日本理学療法士協会による新人教育プログラムなどの方策についてさかんに議論されている．

　1990 年の 2 回目の指定規則改正では，医療関係者審議会（現，医道審議会）理学療法士作業療法士部会カリキュラム小委員会に以下の 5 つの指定規則改正の目的が示された．

- 社会的ニーズに対応させる．
- よき臨床家の育成を図る．
- 基礎教育の充実を図る．

表2-2 理学療法（学）教育の歴史[3, 8, 9]

1963年	最初の養成校（国立東京リハ学院）創設
1970年	法律137号公布
1971年	国立東京リハ学院において
	理学療法士・作業療法士教育の4年制大学化運動，全国的な署名運動と厚生省に陳情デモ
	（⇒その後の大学化推進の布石）
1979年	最初の短大（金沢大学医療技術短期大学部理学療法学科）
	その後12の国立大学が短期大学部に理学療法学科を設置
	国立筑波技術短大，公立の短大は札幌，東京都立，広島県立など
	私立の短大は埼玉医科大学
1989年	日本理学療法士協会マスタープラン4年制大学実現に向けての推進活動開始
1991年	日本理学療法士協会マスタープラン中期目標に大学院におけるPT教育実現
1992年	最初の理学療法士の大学（広島大学医学部保健学科）
1993年	公立における最初の大学，札幌医科大学保健医療学部
1994年	私立における最初の大学，北里大学医療衛生学部リハビリテーション学科
1996年	最初の理学療法の大学院（広島大学大学院博士課程前期＝修士課程）
2006年	教育施設評価検討特別委員会報告書
2007年	理学療法大学数　67校
	大学院博士課程前期（修士）27校・後期課程（博士）17校　専門学校　151校
2018年	全養成機関　261校，大学数　106校，
	大学院博士課程　38校，修士課程　57校
2025年	5年ごとの指定規則改訂検討（2017年度指定規則改訂作業で医事課コメント）
	3年制専修学校＋31単位（学位授与機構活用して，教育関連科目4単位以上，4年制専修学校➡専門職大学等への移行へと向かう負荷がかかる改正へ舵を切っていくことができるか，検討会での議論は尽きない.
2030年	理学療法士作業療法士法改正・指定規則改正の目標

- 理学療法学を確立していく.
- 自由裁量時間を設ける.

　これらの目的は，日本社会に古くから根づいてきた社会参加制約者に対する社会思想の上に，20年前に欧米から導入したリハビリテーションの思想を発展させるなかで育ってきた視点，さらに「学」としての理学療法への発展を総合的に捉えるものと考えてよい．これらの目的のなかで特筆すべきは5番目の自由裁量時間が設けられたことである．これによって，各学校の特色・事情を考慮した特徴的なカリキュラムの編成が可能となった．

　また，指定規則改正の途中には，教育上必要な機械器具や理学療法士の需給計画の見直しが行われた．教育上必要な機械器具の見直しは，3回目の指定規則改正に至る途中の1993年4月の医療関係者審議会において検討され，将来的に理学療法が理学療法学としての学問体系を築きさらに発展するための礎石が築かれた．

　需給計画の見直しについては，1991年に医療関係者審議会理学療法士作業療法士部会が，高齢者

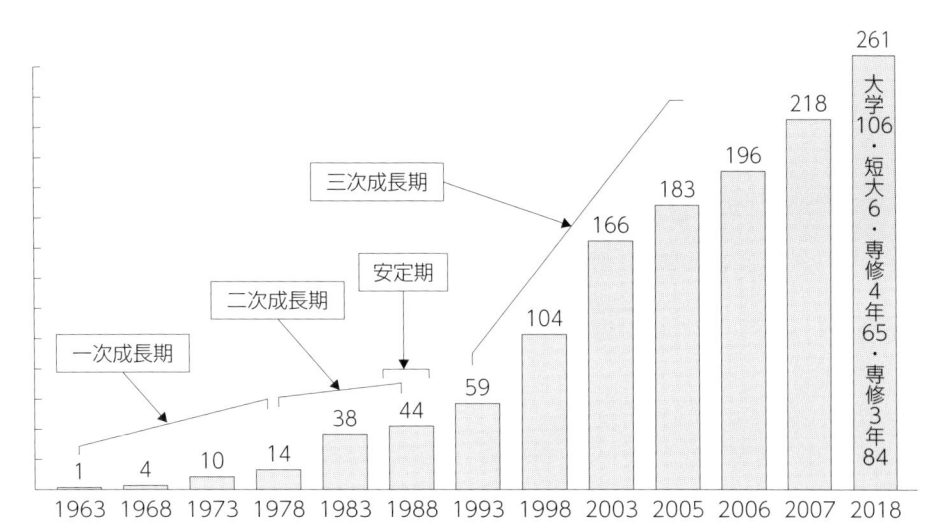

図 2-2　理学療法士学校養成施設数の推移[3)より一部改変]

保健福祉推進 10 か年戦略「ゴールドプラン」（1994 年新ゴールドプラン）を実施するために，理学療法士，作業療法士の需給計画の見直しに関する意見書を厚生大臣に提出した．そして 1999 年には需要が約 23,800 人，供給では入学定員を大幅に増加させ 1 学年定員を 2,800 人とし約 24,000 人と推定された．加えて，1996 年より新たな需要見直しのため日本理学療法士協会・日本作業療法士協会レベルでの検討が始動し，1998 年 3 月に理学療法士需要調査班報告書が出された．厚生労働省は，介護保険制度導入の影響で需給計画の見直しを早急に行う必要があるとして，1999 年 11 月に理学療法士・作業療法士需給計画検討委員会の初会合を開催した．2000 年，医療関係者審議会理学療法士作業療法士部会は，厚生大臣に対して「理学療法士及び作業療法士の需給の推計に関する意見書」を提出した．この需給の推計は，ゴールドプランの実施を中心に，現状で把握できる諸要因を盛り込んだもので，2004 年を目途に推計された．そして，2004 年以降，需給の均衡が逆転し供給過多となるため，理学療法士の養成が適切に行われるよう関係機関への周知徹底が図られた（図 2-2）．

　1999 年に指定規則改正の要望書を 3 団体から厚労省へ提出してから 18 年間が経過し，その間，社会経済，医学医療，教育は大きく変動し，理学療法士・作業療法士養成もこれに対応して変遷してきた．今回の指定規則改正はこの大きな流れのなかで生じた諸矛盾の調整を図り，将来に向けた指針となるものと強く期待されている．2018 年 10 月に改正された新しい指定規則は 2020 年 4 月 1 日入学生から適用されている．この指定規則は，その先の社会経済，医学医療，教育の進展に対応できる柔軟ではあるが揺るがない軸として示された．そして，5 年後に見直すことが 3 団体と厚生労働省側との間で共有された．

2）指定規則大綱化と国家試験出題基準

①大綱化
　大綱化とは，1991 年 7 月 1 日付の「大学設置基準の一部を改正する省令」で施行されたもので，簡単に述べると指定規則の編成に関する制約が大幅に緩和され大学の自由裁量に委ねられ，その交換

表2-3　教育上必要な備品器具の重点項目

カリキュラムの設備備品改正	
• 多用途記録装置	1
• 重心動揺分析装置	1
重心動揺分析装置一式	1
• 運動解析装置	1

＊床反力計が設置されることが望ましい．また年月が経って旧式のものは更新が望ましい（1999年3月指導要領改正）

条件として自己評価が義務づけられたことである．3回目となる1999年の改正は，この大学設置基準の大綱化を受けて行われたものであり，改正の趣旨は，理学療法士の資質の向上を図り，規制緩和を進めるため，教育内容の弾力化や一方の資格者（理学療法士の資格を有して，さらに作業療法士資格を取得しようとする者あるいはその逆の場合）の履修の負担軽減，適正な専任教員の確保などの観点から，指定規則と指導要領の見直しを行うものであった．改正の概要は以下のとおりである．

　指定規則改正の教育内容，単位数および教育の目標・教育内容は，基礎分野では科学的思考の基盤，人間と生活となり，専門基礎分野では人体の構造と機能，心身の発達，疾病と障害の成り立ち及び回復過程の促進となり，そして専門分野では基礎理学療法学，理学療法評価学，理学療法治療学，地域理学療法学，臨床実習となった．単位数は，3年間の教育期間で93単位を取得することとなった．

　大綱化に伴い，従来のような科目名が明示されなくなったため，従前のカリキュラムとの比較が必要となり，各養成施設のカリキュラム作成のガイドラインが提示された．各養成施設はそれに準じて特徴を出すために工夫することが可能となった．詳しくは，1999年4月の日本理学療法士協会の「カリキュラム改正の手引き」と2000年6月の「臨床実習の手引き」を参照されたい[5]．

　文科省と厚労省との合同で作成する指定規則の単位制が成立したことで双方の養成施設における単位の互換性が有効になったことや，専修学校卒業生の大学への編入，大学院への進学が可能になり21世紀の理学療法学教育の発展に向けて大きな規制緩和となったことは，歓迎に値する改革であったといえる．

　また，理学療法士作業療法士養成施設指導要領（1999年3月31日健政発第379号）の理学療法士養成施設の教育上必要な備品器具（表2-3）[1]については，従前の指導要領から不必要なものを削除し，必要に応じて表現の修正，科目ごとに指定していたものの枠を外すなどが改正された．大学・大学院などにおいて教育・研究上必要なものについては独自に環境設定を行うなど，発展的に拡充することが今後の理学療法の進歩にとっては大変意義あることと考えられた．特に重点課題の1つであり，理学療法の生命である運動・運動機能理解と応用にとってその理論的根拠を上げるには，必ず運動学・運動力学的基礎的な根拠を提示して理解を得ることが必要である．

②2016年度国家試験出題基準

　2013年4月に医道審議会理学療法士作業療法士分科会のもとに国家試験出題基準作成部会が設置され，同年8月に第1回目の会議開催後5回にわたり検討されて2014年2月に終了し，基準案が

提示された．この基準は，大綱化などの柔軟な対応を養成施設に付与することは利点であるが，短所として挙げられる曖昧さを補い合う，養成の目的と教育内容を具体的に示すことを促す点で重要な意味をもっている（巻末 **資料** 参照）[5]．

1999年度に指定規則が大綱化されて，2018年度に次の指定規則改正が行われたが，国家試験出題基準はこの19年間の社会状況の大幅な変遷と指定規則との間の矛盾を一部解決するものであり，現行の理学療法の教育，臨床，研究など全般的な状況を包含している．その内容は，大項目，中項目，そして小項目に分類され，より詳細なものであり，各学校養成施設はこの基準を国家試験準備はもちろんのこと，実際の教育内容作成の調整にも利用してきた．

以上，大綱化と国家試験出題基準は，教育現場におけるさらなる総合的教育活動の質的担保に資することは確実であろう．

③4回目の指定規則改正へ

4回目の指定規則の改正に向けて，2017年6月26日に第1回の「理学療法士・作業療法士学校養成施設カリキュラム等改善検討会」が開催された[1]．1999年の大綱化以来18年が経過して超高齢社会の到来，医学・医療の発展，需給事情の大きな変動，医療と福祉の接点となる介護の状況の拡充などによる養成施設の急増などのため，カリキュラムの見直しは喫緊の課題となっていた．

検討会開始時に具体的な検討内容として提示された事項は，学校養成施設指定規則，学校養成施設指導ガイドラインの見直しで，具体的には（A）総単位数，（B）臨床実習のあり方，（C）専任教員の要件，（D）その他（中長期的課題などを含む）である．これらの事項はその後も議論が続けられ，以下のような方向性が示された．改正後の指定規則は巻末資料参照．

（A）**総単位数の見直し**では，総単位を93から101単位へ増やす案が提示された．ちなみに，参考として他の職種の必要単位数は，あん摩マッサージ指圧師・はり師・きゅう師100単位（2018年度実施～），柔道整復師99単位（2018年度実施～），看護師97単位，診療放射線技師，臨床検査技師95単位，視能訓練士，言語聴覚士，臨床工学技士，義肢装具士93単位である．

（B）**臨床実習のあり方**では，臨床実習施設の要件と並んで非常に重要である指導者の要件が引き上げられた．改正前は，相当の経験を有する者であり，かつそのうち1人は免許を受けた後3年以上業務に従事した者であることとしていた．改正案では臨床実習施設側の負担をさらに増やすことが懸念されたが，保健師助産師看護師学校養成所指定規則改正の先例があり，その後の議論のなかでも公的な立場からの強い指導のもとで行われることになった．なお，本書の編著者奈良は「臨床実習指導者」の本質的な臨床教育における役割を考慮して「臨床実習教育者」に改めることを提唱していることから，以下それに準じることとする．

改正指定規則では免許取得後5年以上業務に従事した者で，かつ厚労省が指定した臨床実習教育者講習会，厚労省および公益財団法人医療研修推進財団が実施する養成施設教員等講習会，一般社団法人日本作業療法士協会が実施する臨床実習教育者中級・上級研修，日本理学療法士協会が開催する講習会などの受講が義務づけられた．

長期的な観点から理学療法の質向上のためにはこの課題解決を図る必要性があることはいうまでもない．臨床実習教育者の研修について関連職との対比として医師の例が挙げられた．指導医講習会の開催指針について（2004年3月18日医政局長通知）のなかでは，2泊3日実質講習時間16時間以上の体験型研修会，テーマは①医師臨床研修制度の理念と概要，②医師臨床研修の到達目標と修了

基準，③研修プログラムの立案［研修目標・方略・評価の実施計画の作成：テーマとしては医療の社会性，患者と医師との関係，医療面接，医療安全管理，院内感染対策，救急医療，地域医療・保健，関連職協働（チーム医療）など］，④指導医のあり方，⑤指導医および研修プログラムの評価，⑥その他研修の必要事項などが参考に挙げられている．理学療法士の育成のための臨床実習教育者の質的改善にあたり，医師の研修を参考にする理由は，チーム医療を担う関連職の教育改善への期待が込められていると推察される．

（C）**専任教員の要件**については，改正前は免許を受けた後5年以上それぞれの業務に従事した者とされていたが，改正後は5年以上の業務に従事した者であって厚労省が指定する講習会を修了した者，またはそれと同等の知識・技能を有する者とされている．ただし，5年以上業務に従事した者であって，大学において教育学に関する科目を4単位以上修め卒業した者，または免許を受けた後3年以上業務に従事した者であって，大学院において教育学に関する科目を4単位以上修め卒業した者は，前述の事項にかかわらず専任教員になれるとされた．新たな役割・業務として臨床実習全体の計画の作成，実習施設との調整，臨床実習の進捗管理などを担当する実習調整者を専任教員から1人以上配置することになった．この点については，検討会開催期間中に事務局が実施したアンケート調査の結果，既に理学療法士養成施設で64.1%，作業療法士養成施設では64.3%が配置していると回答している．専任教員は大学設置基準第12条を参考に専ら養成施設の養成に従事する，1つの養成施設の1つの課程に限る，1人1週間あたりの担当授業時間数は10～15時間を標準とすること，とされた．その検討過程では看護師，臨床検査技師，言語聴覚士，あん摩マッサージ指圧師・はり師・きゅう師，柔道整復師（いずれも15時間），理学療法士，作業療法士（いずれも10時間），臨床放射線技師，視能訓練士，臨床工学技士，義肢装具士（規定なし）の負担増も参考にされた．

（D）**その他（中長期的課題などを含む）**について，修業年限に関する主な意見として国際的には6年制教育を実践している国もあり，4年制の124単位制，3年制で単位数を増やすなどさまざまな意見がある．いずれにせよ，検討過程で4年制について関連職の状況を見極めることの必要性が提起されている．こうした論点に鑑みると，単純に4年制もしくは124単位制に一元化するためには難題を伴うことが想定される[1]．

表2-4は2018年改正指定規則（2020年4月施行）に示された教育内容と単位数である．101単位について基礎分野，専門基礎分野そして専門分野ごとに教育内容と単位数が配分されている．備考については，「教育の目標」の項でより詳しく記載されているので**表2-5**を参照されたい．改正指定規則の大きな眼目は教育の質的改善にあるが，専任教員の要件，臨床実習教育者の要件を引き上げることが大きな柱となっている．

④**2024（令和6）年理学療法士作業療法士国家試験出題基準**

2024（令和6）年度から適用される出題基準は，補訂版資料として7版から全面差し替えとなるので，巻末を参照されたい．

2 卒後教育制度

図2-3[3]に示すように，理学療法士免許取得後，社会人として臨床現場に入って臨床教育を受け

表 2-4　理学療法士養成施設（指定規則第 2 条第 1 項関係）の教育内容，単位数

	教育内容	単位数	備考
基礎分野	科学的思考の基盤	14	
	人間と生活		
	社会の理解		
専門基礎分野	人体の構造と機能及び心身の発達	12	
	疾病と障害の成り立ち及び回復過程の促進	14	栄養，薬理，医用画像，救急救命および予防の基礎を含む
	保健医療福祉とリハビリテーション	4	自立支援，就労支援，地域包括ケアシステムおよび多職種連携の理解を含む
専門分野	基礎理学療法学	6	
	理学療法管理学	2	職場管理，理学療法教育および職業倫理を含む
	理学療法評価学	6	医用画像の評価を含む
	理学療法治療学	20	喀痰などの吸引を含む
	地域理学療法学	3	
	臨床実習	20	＊1
	*1 臨床実習前の評価および臨床実習後の評価を含む 実習時間の 3 分の 2 以上は医療提供施設において行うこと．また，医療提供施設において行う実習時間のうち 2 分の 1 以上は病院または診療所において行うこと．通所リハビリテーションまたは訪問リハビリテーションに関する実習を 1 単位以上行うこと		
合計		101 単位（3,120 時間以上）	

（理学療法士作業療法士学校養成指定規則の一部を改正する省令〔2018 年 10 月 5 日〕より）

ながら独学および各種研修を受け，経歴の基礎を形成するための学習を構築・継続することが大切である．一方，大学院に進学し（場合によっては臨床で働きながら），修士・博士課程で学術論文作成を通じて研究をまとめることおよび修了に必要な単位を修得し学位を授与されることによって大学院を軸とした卒後教育を享受することが考えられる．

　ここでの卒後教育とは，主に制度としての大学院，すなわち図 2-3 の中心に位置する大学院博士課程（前期・後期）の部分を指す．

　大学院への進学については，金沢大学の場合は 4 年制専門学校を卒業し，高度専門士の称号を有する者であれば，4 年制大学を卒業した者と同様に受験資格がある．4 年制専門学校を卒業しても高度専門士の称号を有していない場合および 3 年制専門学校を卒業した者は受験資格審査がある．大学院博士前期課程，後期課程ともに社会人学生としての入学（仕事を続けながら大学院での勉強ができる）が可能である．また，金沢大学には 4 年制大学課程への 3 年次編入学制度があり，短期大学および 3 年制の専門学校を卒業した者を対象としている．詳細は入学案内を参照されたい．いずれにしても，多くの大学で理学療法士が大学院博士前期課程，後期課程に進学，修了している．大学院で修得した課題解決のための科学的思考は，根拠の蓄積や治療方針を立てる際などの臨床業務で活かされ，理学療法の発展に貢献することが大いに期待できる．

表 2-5　理学療法士養成施設の教育の目標

	教育内容	単位数	教育の目標
基礎分野	科学的思考の基盤 人間と生活 社会の理解	14	科学的・論理的思考力を育て，人間性を磨き，自由で主体的な判断と行動する能力を培う．生命倫理，人の尊厳を幅広く理解する． 国際化および情報化社会に対応できる能力を培う． 患者・利用者などとの良好な人間関係の構築を目的に，人間関係論，コミュニケーション論などを学ぶ．
		(小計 14)	
専門基礎分野	人体の構造と機能及び心身の発達	12	人体の構造と機能および心身の発達を系統立てて理解できる能力を培う．
	疾病と障害の成り立ち及び回復過程の促進	14	健康，疾病および障害について，その予防と発症・治療，回復過程に関する知識を習得し，理解力，観察力，判断力を養うとともに，高度化する医療ニーズに対応するため栄養学，臨床薬学，画像診断学，救急救命医学などの基礎を学ぶ．
	保健医療福祉とリハビリテーションの理念	4	国民の保健医療福祉の推進のために，リハビリテーションの理念（自立支援，就労支援などを含む），社会保障論，地域包括ケアシステムを理解し，理学療法士が果たすべき役割，多職種連携について学ぶ． 地域における関係諸機関との調整および教育的役割を担う能力を培う．
		(小計 30)	
専門分野	基礎理学療法学	6	系統的な理学療法を構築できるよう，理学療法の過程に関して，必要な知識と技能を習得する．
	理学療法管理学	2	医療保険制度，介護保険制度を理解し，職場管理，理学療法教育に必要な能力を培うとともに，職業倫理を高める態度を養う．
	理学療法評価学	6	理学療法評価（画像情報の利用を含む）についての知識と技術を習得する．
	理学療法治療学	20	保健医療福祉とリハビリテーションの観点から，疾患別，障害別理学療法の適用に関する知識と技術（喀痰などの吸引を含む）を習得し，対象者の自立生活を支援するために必要な課題解決能力を培う．
	地域理学療法学	3	患者および障害児者，高齢者の地域における生活を支援していくために必要な知識や技術を習得し，課題解決能力を培う．
	臨床実習	20	社会的ニーズの多様化に対応した臨床的観察力・分析力を養うとともに，治療計画立案能力・実践能力を身につける．各障害，各病期，各年齢層に偏りなく対応できる能力を培う． また，チームの一員として連携の方法を習得し，責任と自覚を培う．
		(小計 57)	
	合計	101 単位	

(理学療法士作業療法士学校養成指定規則の一部を改正する省令〔2018 年 10 月 5 日〕より)

3　職能・学術団体による生涯学習教育

1) 生涯学習制度

　当初，日本理学療法士協会（以下，協会）による生涯学習の制度化として，当時の奈良協会長が新

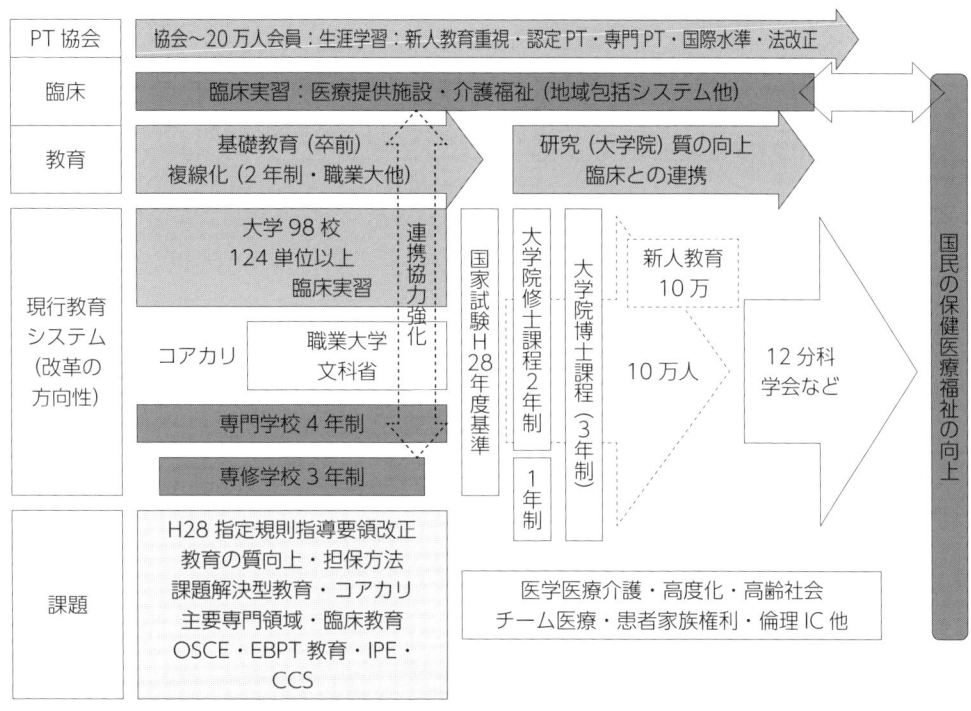

図 2-3　理学療法士の歴史的組織的な教育学術医学医療福祉等の関係[3)]

人教育プログラム制度を立案し，1994 年から導入された．

　協会は 2022 年度よりリニューアルされた「生涯学習制度」を開始し，多様化するニーズに応え得る理学療法士の育成を目指している．協会に入会した理学療法士は，「前期講習」（座学：22 コマ・33 時間，実地研修：32 コマ・48 時間）を履修する．その次に，「後期研修」（座学：51 コマ・76.5 時間，実地研修：3 年）を履修することで「登録理学療法士」となる．「登録理学療法士」は 5 年ごとの更新制である．

2）認定・専門理学療法士制度

　「登録理学療法士」を基盤とし，より専門性の高い臨床技能を有するスペシャリストを育成する「認定・専門理学療法士制度」が構築されている．申請要件として，指定研修カリキュラムの受講や学会参加・その他が規定されており，認定理学療法士では認定試験に，専門理学療法士では口頭試問に合格することで認定証が発行される．制度の詳細については協会ホームページを参照されたい．

3）学術活動

　協会の学術活動については，発足当時から学会が開催されてきたが，2013 年に定款第 33 条および第 34 条に基づき日本理学療法士学会という組織が編成され，学術活動の基盤が構築された[4)]．この学会組織には 2013 年より 12 の分科会と 5 つの部門が設立され，より専門領域に特化した活動を積み重ねた．協会のこうした学術機能は，2021 年に設立された日本理学療法学会連合に一部移行さ

れ，2023 年現在 12 分科学会は一般社団法人格を取得し，8 部門は研究会へと発展している．

4　これからの半世紀を見据えた理学療法学教育の展望

　「2025 年問題」として，団塊世代が大量に後期高齢者世代に突入する社会現象に対して国はいかなる対策を講じるのか，また，それに対して協会は理学療法学教育のあり方を含めいかに対処するのか，鍵となる課題は山積している．

　厚労省は今後，指定規則の見直しを 5 年ごとに行うとのことである．激変する社会自体を立て直す政治政策は党を超えた政治哲学的視座から熟考される必要があり，協会とその会員の英知と熱意とが求められよう．そのためには，まず大学での 4 年制教育を早期に実現すること，併せて養成校での教育から卒後教育へ有機的に継続される生涯教育システムを協会が早期に構築し運用することが必要であろう．

1）2020 年指定規則改正からさらに 5 年後の新たな改正へ

　理学療法士養成施設のなかで大学・大学院の占める割合は 40％を超えた．さらに，専門職大学・専門職短期大学（図 2-3 では職業大学と記載），開校予定数を含めると養成施設全体の 50％になる．また，3 年制の専門学校は，124 単位制の教育機関として機能・組織を拡充して存続する可能性がある．

　このような変遷過程で 5 年後，10 年後，20 年後の理学療法学教育を展望し，社会的要請に応える理学療法業務のあり方と教育内容とがいかに連動すれば望ましいのかを考える必要がある．2020 年度から施行されている指定規則の成果を踏まえ，124 単位制もしくは 4 年制大学化に必要な制度設計を考慮した指定規則策定を目標にすることが望まれる．

　専修学校 4 年制と 3 年制の存続案の 1 つとして，4 年制は現状のままで内容の量的・質的向上を図るか，近隣大学や医療施設との連携強化を図ることが方法であろう．3 年制は 4 年制もしくは専門職 3 年制短大へ移行する，近隣大学と連携協力（単位の互換性，特に教育科目，他に心理学・社会学・福祉学など）する方法もある．3 団体に全国言語聴覚士協会を加えた 4 つの団体は，よりいっそう連携強化を図り，今後の世代の養成施設の発展を推進する必要がある．

2）専門職大学

　専門職大学は，その専門性が求められる職業に就いている者，当該職業に関連する事業を行う者その他の関係者の協力を得て，教育課程を編成，実施すること，すなわち産業界などと連携した教育を実施することが義務づけられている．また，卒業単位の 3～4 割程度以上を実習などの科目とするとともに，適切な指導体制が確保された企業内実習などを，2 年間で 10 単位以上，4 年間で 20 単位以上履修することも課されている[7]．

　2023 年現在，理学療法学科（専攻，コースを含む）を擁する専門職大学の認可申請は 5 校である．

3）大学・大学院の役割

　歴史的な流れからみると，理学療法（士・学）教育は半世紀の歴史的変遷を経て大学・大学院にお

ける教育研究の枠組みに組み込まれた．この道程には苦難と希望とが交錯していた[3, 8, 9]．

　大学院の役割を概観することは，将来に向けた希望の灯を継続できるか否かの岐路になる．筆者（黒川）は，2007年5月に開催された第42回日本理療法学術大会長を務めたが，口述とポスター発表演題総数は1,371演題であった．このうち演題の主演者および共同演者が大学院に関係していたものは222演題で全体の割合の16.2%であった．また，演題の主演者および共同演者が理学療法系大学に関係していたものが335演題で全体に対する割合は24.4%であった．同様に大学・大学院に関係していた演題が全体の40.6%であった．その後の経年的データは確認していないが，半数近い割合で大学・大学院に関係している理学療法士がいたことは，顕著な教育水準向上の帰結と考える．なかでも，基礎研究分野の演題が増えていることは特記すべきことである．大学における毎年1万人超の学部生の卒業研究の蓄積も，今後の発展の基礎となることが期待されている．大学院生の修士・博士論文の量的・質的蓄積についてもいっそう基盤を強化する布石になる．

　大学の社会的な位置づけと役割については，公的なものとしては憲法の学問の自由，教育を受ける権利，教育の義務などを前提基盤とし，教育基本法の目的に則り，学校教育法へと具体化されている．よって，学校教育法の条文を参考に，大学・大学院そして専修学校の目的をみることが社会的に妥当といえる．

　学校教育法（法律第26号）によると，大学とは第5章【大学の目的】第52条には，「大学は，学術の中心として，広く知識を授けるとともに，深く専門の学芸を教授研究し，知的，道徳的及び応用的能力を展開させることを目的とする」とある．そしてその目的を遂行するための教育研究組織を立ち上げることを義務づけている．

　大学院については，【大学院の目的】第65条において「大学院は，学術の理論及び応用を教授研究し，その深奥をきわめ，又は高度の専門性が求められる職業を担うための深い学識及び卓越した能力を培い，文化の発展に寄与することを目的とする．②大学院のうち，学術の理論及び応用を教授研究し，高度の専門性が求められる職業を担うための深い学識及び卓越した能力を培うことを目的とするものは，専門職大学院とする（専門大学院を発展的強化し2020年新設）」とある．またこの他に「大学院の研究科等」の設置を常例とする，あるいは「夜間研究科，通信教育研究科」などの設置が，学校教育法で奨励されている．

　ちなみに，専修学校については学校教育法第7章の二，［目的］第82条の二に「第一条に掲げるもの以外の教育施設で，職業若しくは実際生活に必要な能力を育成し，又は教養の向上を図ることを目的として次の各号に該当する組織的な教育を行うものは，専修学校とする．一　修業年限が一年以上であること．二　授業時数が文部科学大臣の定める授業時数以上であること．三　教育を受ける者が常時40人以上であること」とある．

　理学療法分野に145校（令和3年）存在する専修学校との関係では，その卒業生に対して学位あるいは修士または博士号を授与する場合の条件を示した者が，以下の条文で，「【学位授与】第68条の二　④独立行政法人大学評価・学位授与機構は，文部科学大臣の定めるところにより，次の各号に掲げる者に対し，当該各号に定める学位を授与するものとする．一　短期大学若しくは高等専門学校を卒業した者又はこれに準ずる者で，大学における一定の単位の修得又はこれに相当するものとして文部科学大臣の定める学習を行い，大学を卒業した者と同等以上の学力を有すると認める者　学士二　学校以外の教育施設で学校教育に類する教育を行うもののうち当該教育を行うにつき他の法律に

特別の規定があるものに置かれる課程で，大学又は大学院に相当する教育を行うと認めるものを修了した者　学士，修士又は博士」となっている．

　以上の学校教育法にもあるが，基本的な大学・大学院の役割は，①次世代の社会を担う人材の教育の実施，②自然・社会を維持発展させるための原動力となる普遍的・現実的な科学の発展に寄与する知識・技術を生産する研究活動の実施，さらに最近では③社会貢献・社会サービスの実施ということが非常に大きな役割として認識されている．あらためて教育基本法に基づいて，大学・大学院の役割を認識して理学療法学の量的・質的な改善に努めることは重要な学術的・教育的・社会的意義がある．

（黒川幸雄・淺井　仁）

■文献

1) 厚生労働省ホームページ：理学療法士作業療法士学校養成施設カリキュラム改善等検討会資料（1回〜5回資料）．2017, 2018.
2) 厚生労働省ホームページ：医道審議会理学療法士作業療法士分科会資料（2018年3月15日）．2018.
3) 黒川幸雄：理学療法の教育の歴史〔国際医療福祉大学大学院黒川幸雄講義録〕．2014.
4) 日本理学療法士協会ホームページ．
5) 厚生労働省ホームページ：理学療法士作業療法士国家試験出題基準（平成28年版）．
6) 文部科学省ホームページ：専門職大学・専門職短期大学申請一覧．
7) 文部科学省ホームページ：専門職大学・専門職短期大学・専門職学科．
8) 社団法人日本理学療法士協会：社団法人日本理学療法士協会三十年史．社団法人日本理学療法士協会，1996.
9) 公益社団法人日本理学療法士協会：公益財団法人日本理学療法士協会五十年史．公益社団法人日本理学療法士協会，2018.
10) 黒川幸雄：理学療法学教育〔奈良　勲（編著）：理学療法概論　第6版〕．医歯薬出版，2013.
11) 厚生労働省ホームページ：令和6年理学療法士作業療法士国家試験出題基準について．（2023年10月20日閲覧）

（ホームページは一部をのぞき 2018年10月20日閲覧）

第3章

理学療法の歴史

1　理学療法とリハビリテーション

　理学療法は，物理的手段（物理療法）を主とする治療医学として発達してきたが，現在ではその提供範囲は幅広いものとなっている（表3-1）[1]．この理学療法が「Physical Therapy，Physiotherapy」として主体的な意味で用いられ始めたのは1938年に医師クルーゼン：クルセン（Frank H. Krusen）が「physiatry：理学」[2] という用語を作り出して以降のことである．1917年には，既に米国陸軍軍医総監部のもとで「Division of Physical Reconstruction and Rehabilitation」が設けられ，身体再建およびリハビリテーション（以下，リハ）が試みられているが，理学療法の主体をなす物理医学（Physical Medicine）の定義がなされたのは1944年である．そこには，「物理医学とは，熱（heat），水（water），電気（electricity），機械的な力（mechanical force），マッサージ（massage），運動（exercise）などの物理的手段を用いた疾病の診断と治療の専門分野」[3, 4] と定義されている．このような物理医学とリハが結びついたのは，物理医学が運動機能不全を主たる対象として発達したためであり，とりわけ1940～1950年代に米国で猛威を振るったポリオの治療，多様な運動機能不全への対応が求められた第二次世界大戦による戦傷者のリハと深く関わってきた結果である．現在，日本では物理医学はリハ医学（rehabilitation medicine）の構成要素として理解されている面があるが，物理医学とリハの関係は「Physical Medicine and Rehabilitation」という記述で用いられるものであり，歴史的にみて物理医学は，リハ医学と同義的に用いることはできないものである．

　ちなみに米国リハ医の所属する主たる学会・組織は，「Association of Academic Physiatrists：AAP」「American Congress of Rehabilitation Medicine：ACRM」「American Academy of Physical Medicine and Rehabilitation：AAPM&R」であり，リハ医学と物理医学は区別されている．

2　近代医療における理学療法

　日本における理学療法は，国の制度的医療のなかで提供されている．この医療の中核は医学であり，日本で特に注釈がない限り医学といえば近代西洋医学を指している．この近代西洋医学が，日本の制度的医療に組み込まれたのは，1874年に公布された「医制」からであるが，歴史的にはヒポクラテス，アスクレピオス，エジプトの医神トートといったところまで遡ることができる．しかし，フーコー（Michel Foucault）が「現代医学は，その生誕期を18世紀末の数年間」[5]，川喜田愛郎が「医学は長い間たしかにその志向においては科学的であろうとしつづけてきたにしても，それが事実

表 3-1　常用されている理学療法の基本的構成と分類の一例[1) を参考に作成]

大分類/中分類		使用・利用	療法/内容等
物理療法	電気療法	電気刺激	神経筋電気刺激（NMES）
			機能的電気刺激（FES）
			治療的電気刺激（TES）
			経皮的電気刺激（TENS）
			電気的筋刺激（EMS）
			高電圧パルス電流（HVPC）
			微弱電流刺激（MES）
			干渉波（IFC）
			非侵襲的脳刺激（NIBS）
			経頭蓋磁気刺激（TMS）
			経頭蓋直流電気刺激（tDCS）
	温熱療法	放射熱	レーザー療法，赤外線療法
		転換熱	極超短波療法，超音波療法
		伝導熱	ホットパック，パラフィンパック
			温浴（全身浴，部分浴），交代浴
			寒冷療法（アイスパックなど）
		対流熱	渦流浴，気泡浴，噴流浴
	機械器具療法	機械力	腰椎・頸椎牽引
			持続（的）他動運動（CPM）
			圧迫包帯，血管等圧迫装置など
			起立装置（チルトテーブルなど）
地域理学療法		ICF（活動/参加）	地域包括支援，日常生活支援 介護予防，（高齢者）健康促進
義肢装具療法		機能的・補足的手段	義肢・装具療法など
運動療法	徒手理学療法（徒手療法）	筋力（増強/持久力）運動	筋力/持久力向上，コンディショニング
		軟部組織伸張運動	ROM，可動域改善，ストレッチなど
		バランス運動	バランス，協調性，敏捷性運動
		姿勢制御運動	姿勢安定，姿勢認識トレーニング
		ニューロモーター	神経筋再教育，パターン練習
		生活動作	起居，移動（歩行）トレーニング
		狭義（的）徒手療法	各種狭義徒手療法，マッサージ
	疾患別運動療法（診療報酬別）	呼吸器理学療法	呼吸理学療法など
		心大血管疾患理学療法	心筋梗塞プログラムなど
		脳血管疾患等理学療法	脳卒中プログラムなど
		難病患者理学療法	ALS プログラムなど
		運動器理学療法	ウィリアムズ体操など
		廃用症候群理学療法	生活活発化プログラムなど
		がん患者理学療法	体力回復プログラムなど
		リンパ浮腫理学療法	リンパマッサージなど
		認知症患者理学療法	認知症運動療法など

上科学的になったのは，やっと十九世紀にはいってからのからのことであった」[6] とするように，近代西洋医学が現在のような様相を呈し始めたのは 19 世紀以降である．現在では，先進国のほとんどがこの近代西洋医学を制度医学としているが，イスラム圏のユナニ，インドのアーユル・ヴェーダ，中国医学などは現在でも常用されており，そのなかには理学療法と考えられる療法も多くみられる．また，日本においても現代医療に対する代替医療（あん摩・鍼・灸・マッサージなど），伝統医療，民間医療などをはじめとして多様な医療が存在しており，いわゆる「多元的医療体系・医療的多元性」[7, 8] とよばれる状況にある．したがって近代西洋医学に基づく理学療法ではあるが，代替医療をはじめとする他の医療で提供されているもののなかには物理的手段を用いたものも多く，理学療法で用いる機器や手技が似通っているか同一の起源を有する場合も少なくない．

3 理学療法の定義とその範疇

　理学療法の根幹をなす物理医学のいう物理的手段には，熱，水，電気などに加えて運動（療法）が含まれている．また，「理学療法士及び作業療法士法」（1966 年）には，「理学療法とは，治療体操その他の運動を行なわせ，及び電気刺激，マッサージ，温熱その他の物理的手段を加えることをいう」，世界理学療法連盟（World Physiotherapy：WCPT）は理学療法の特質として「治療運動・体操，機能的トレーニング，徒手療法，電気療法，物理療法など」[9] を挙げている．したがって，理学療法は体操や運動を用いた運動療法と電気刺激や温熱などを用いた物理療法を指している．この運動療法には，起居や歩行といった時間とともに空間的位置を変えるいわゆる運動，治療を目的としたような体操，徒手による体系的な治療法，筋力運動，骨・関節や軟部組織などに対する他動・伸張運動といったものが含まれると考えられる．一方，日本理学療法士学会徒手理学療法部門は，徒手を用いて行うすべての理学療法を「徒手理学療法（Manual Physical Therapy：MPT）」[10] と定義づけている．このような理学療法は自然界に存在する光や水の利用や徒手などによる「叩く」「揉む」といった単純なものから長い時間をかけて発見や発明，研究や開発工夫が繰り返され，また，医学や医療，理学療法と理学療法機器の発達に加え国民の要望や社会情勢に対応するまでに進展した結果，理学療法の分類や命名が一様ではない状況にある．

　そこで本稿では，理学療法を運動療法と物理療法に大別し，リーズニング（Reasoning：根拠ある理由づけ），根拠のある理学療法（Evidence-Based Physical Therapy：EBPT）の視点と「これまで理学療法として承認され，現在も用いられている」といった歴史的観点を加味して述べる．

4 理学療法とリハビリテーションの歴史

1）日本の理学療法とリハビリテーションの歴史

　日本の病院における理学療法という観点からみれば，幕末まで遡ることができる．1861 年，オランダ政府が医学指導のために派遣した軍医ポンペ（Pompe van Meerdervoort）が，医学生のため

表 3-2　臨時東京第三陸軍病院（国立相模原病院の前身）の診療体系[12]より作成

1)　検査場 一般機能検査，関節角度測定，神経筋力検査，精神検査，勢力代謝検査，消化器検査，呼吸器循環器検査，視器検査，耳鼻口腔咽頭検査	
2)　各種療法場面	効　果
機械療法	関節強剛治療
超短波療法	深部血行促進・疼痛除去
感応静電気療法	頭重頭痛除去
空気イオン療法	興奮鎮静，頭重頭痛睡眠症治療，勢力代謝異常調節
水治療法	冷温水蒸気圧注電気刺激による疼痛除去
熱気浴療法	血行促進・疼痛除去
鉱泥浴療法	温熱及エマナチオン放射による疼痛除去
感伝電気療法	神経麻痺除去
紫外線浴室	胸腹部または全身栄養改善
温浴	マッサージ準備
マッサージ療法	神経麻痺治療，関節強剛除去
3)　体操	
特殊体操	胸部改善，関節強剛除去，神経麻痺治療，義肢装着準備
ラジオ体操	血行調整，身体各部柔軟性
民謡体操	気分転換
棍棒体操，特殊体操	膝関節強剛除去
機能快復体力戦力増強，銃剣術	左上下肢関節強剛除去機能増進
特殊体操	肩甲関節強剛治療
歩行練習	仮義足者の装着準備練習ならびに本義足者の歩行練習
4)　職業準備教育 珠算簿記，温室（作業用義手温室作業），薬草園（副業教育のため），ミシン作業，職業体操（巧緻性を増すための運動），札勘定，タイプライター	
5)　作業用義手装着後の指導：農場作業，書字指導	
6)　診断場面：恩給診断	
7)　建物内部（居室，食堂，娯楽室），浴室（熱海温泉，白浜温泉，別府温泉の名がつけられている）および入浴後の治療，院および酒保，診断室，病理試験室，理化学試験室，調剤室	
8)　神経麻痺・手指強剛に対する補助具，歩行補助具による装着前後の比較	

の臨床実習の場として幕府に建言して建設した日本で最初の様式病院である「長崎療養所」には，リハ用の運動室（歩行用）[11] が備えられていた．その後，1938 年開設の「臨時東京第三陸軍病院」の「各種療養場面」は理学療法そのものである（表 3-2）．加賀谷一は，この臨時東京第三陸軍病院を「切断や運動機能不全など肢体不自由を対象とし，診断，療法，職業指導などに対する総合的な治療・

表3-3　理学療法士が誕生するまでの経緯

1945～1955 年頃	医師の欧米先進国の視察や研修により，リハビリテーション医療とその専門職の必要性が指摘
1951 年	世界保健機関（WHO）へ日本加盟，リハビリテーション医療の立ち遅れと専門職養成の緊急性が指摘
1957 年	日本整形外科評議委員会が，専門職の養成の必要性から「リハビリテーション委員会」を設置
1959 年	医療制度調査会設置，「医学的リハビリテーションに関する現状と対策」：厚生省内研究会発足
1960 年	整肢療護園（東京）に肢体不自由児療育技術者養成所が付設
1961 年	リハビリテーション技術者の必要性にふれる（厚生白書昭和 36 年版）
1962 年	整肢療護園に勤務する機能療法士・職能療法士の現任再教育コース（2 か月）開始
1962 年	厚生省療養所課より「リハビリテーション事業拡大 5 か年計画」
1962～1963 年	国立身体障害者更正指導所にて，米国理学療法士（WHO 顧問）による短期講習会開催
1962 年 6 月	厚生省の「医学的リハビリテーションに関する現状と対策」は，1965 年末までに身分法制化提言
1963 年	東京病院において理学療法士，作業療法士各 20 人の養成決定
1963 年 5 月 1 日	日本初のリハビリテーション学院設置開学（国立療養所東京病院附属リハビリテーション学院）
1963 年 6 月	「理学療法士・作業療法士身分制度調査打合会」が発足（厚生大臣の諮問機関，砂原茂一座長）
1965 年 6 月	「理学療法士及び作業療法士法」（法律 137 号）施行
1966 年 2 月	最初の国家試験が実施，理学療法士 168 人（作業療法士 20 人）の有資格者（特例を含む）誕生

援助を目的とした理学診療科的リハビリテーション施設」[12]，砂原茂一は，「ほぼ今日の身体障害者に対するリハに相当する組織が存在していたと考えられる」[13] と評している．実質的な日本のリハ医療は 1950 年代後半に始まることになるが，リハという言葉が用いられ始めたのは 1940 年代以降といえる（表3-3）．しかし，それに先立って，大正時代を通じ東京帝国大学整形外科教室教授であった高木憲次は，肢体不自由児の療育をリハとして捉え，肢体不自由児の治療（療育）を行う人々の養成にあたっており，1942 年には「整肢療護園」が開設されている．1950 年代に入ると，厚生省（現在の厚生労働省）は先進国の状況をもとにリハの必要性を訴え，リハ専門職の養成を説くようになる．そして，1959 年には厚生省内に「機能療法及び職能療法に関する研究会」が発足しており，高木憲次，水野祥太郎，小池文英らがこれに参画している．1961 年，厚生省はリハ専門職育成のために世界保健機関（WHO）より技術援助のための顧問を招聘しているが，これに応じて複数の米国人が来日し，講習会が開催されている．1963 年には，医療制度調査会が厚生大臣宛にリハ専門職の教育などの早期制度化を上申し，これに基づいて「身分制度調査打合会」が設置されている．そして，これまで物理療法やマッサージを提供してきた職種への配慮もあり，特例措置などの調整の結果，1965 年には「理学療法士及び作業療法士法」が施行されている．

2) 米国の理学療法とリハビリテーションの歴史

　米国の理学療法とリハの歴史は，1800 年代の後半からである．フランクリン（Benjamin Franklin）

は，凧を用いた実験で雷が電気であることを明らかにしたことでも知られているが，この電気を用いて麻痺の治療を全米で最初に行った人物でもある．当時，疾病の治療は，四体液説（病気は血液，粘液，黄胆汁，黒胆汁のバランス喪失が原因という考え方）に対応する瀉血，下剤，水疱形成術などが主であっただけに，彼の電気治療は画期的なものであったといえる．1891 年になると，電気治療に興味をもつ医師による学会が誕生しているが，ファラディー（Michael Faraday），ガルヴァーニ（Luigi Galvani），ボルタ（Alessandro Volta），マックスウェル（James Clerk Maxwell）らに加えて，フランクリンの名前がある．この「米国電気治療医学会（American-Electro-Therapeutic Association）」が，米国におけるリハ学会の最初の組織であるとされている．

1895 年，レントゲン（Wilhelm Conrad Röntgen）によって X 線が発見されたことを契機に，世界的に X 線研究が進むなか，第 2 回米国電気治療学会会長モートン（William J. Morton）は，X 線に関する米国初の本『The X-RAY』を発行している．また，米国電気治療学会は，キューリー夫妻（Marie Curie, Pierre Curie）が発見したラジウム，ポロニウムにも興味を示している．そのことは，米国電気治療学会の公式雑誌の名称が，1920（第 1 巻）〜1925 年までは，『The Journal of Radiology』であり，1926〜1937 年までは『Archives of Physical Therapy, ・-Ray, Radium』となっているところからもうかがえる．このように，米国では理学療法の領域である電気治療は，レントゲン，X 線と深い関わりをもって生まれたのである．

米国で理学療法士の育成コースが確立したのは，第一次世界大戦が終わってからである．英国で理学療法士資格を取ったマクミラン（Mary McMillan）は，メリーランド州の陸軍病院で，この第一次世界大戦の戦傷者に対する理学療法を行っているが，その需要から全国的な理学療法講習会を開催し，1921 年にその受講者を組織した「米国女性理学療法協会（American Women's Physical Therapeutic Association：AWPTA）」を設立している．この頃より，米国の理学療法士の学校が各地で開校することとなる．「米国理学療法協会（American Physical therapy Association：APTA）」は，この AWPTA に始まり，1922 年の「American Physical Therapeutic Association：APT」を経て，1930 年代に現在の「APTA」となっている．この「APTA」は，会員数は 245 人から始まり，1930 年代には男性会員を含めて約 1,000 人となり，第二次世界大戦とポリオの流行を経て 1950 年代には約 8,000 人，1960 年代には約 15,000 人，1980 年代には約 66,000 人，現在は約 10 万人の会員数となっている．なお，AWPTA の「Women：女性」という名称は，講習会受講者の多くが女性であったためであるが，1922 年には抹消されている．

3）英国における理学療法の歴史

英国では理学療法は「Physical Therapy（フィジカル セラピー）」ではなく「Physiotherapy（フィジオセラピー）」と称されている．この英国の理学療法は，ヴィクトリア女王統治下の前世紀後半に始まり，当時の主体はマッサージであったようである．しかし，当時マッサージは医療とよべるものではなく，1894 年にその改善を意識した看護師のルーシー（Lucy Marianne Robinson），ロザリンド（Rosalind Paget），エリザベス（Elizabeth Anne Manley），マーガレット（Margaret Dora Palmer）によってマッサージ師協会が設立された．その後，1900 年にその協会は「Incorporated Society of Trained Masseuses」となり，専門職団体として法的に認められている．1920 年にはロイヤル憲章が与えられ，「Institute of Massage and Remedial Gymnastics」となっている．1944 年に協会は，「（英国）理学療法学会（Chartered

Society of Physiotherapy：CSP）」の名称を採用した．その頃の会員数は，1945 年で約 1,500 人であったが，男性はわずか 7％であった．1968 年と 1970 年に，「Faculty of Physiotherapists」と「Physiotherapists Association Ltd」は CSP に統合されている．1976 年には，最初の理学療法学の学位課程が確立され，1977 年に英国厚生省は，理学療法士の自立（開業）を認めている．そして 1978 年には，理学療法士が医師の処方なしで治療することが可能となっている．1985 年，CSP は「The Society of Remedial Gymnastics」および「Recreational Therapy」と合併し，1992 年に「Trade Union Congress」に加入している．1994 年には，CSP は理学療法助手，アシスタントの入会を認めている．

　現在，CSP 会員数は約 4 万人（有資格者数約 5 万人）であり，すべての理学療法士が開業しているわけではなく病院勤務者も多い．

5 理学療法およびリハビリテーションに関する組織の歴史

1）American Academy of Physical Medicine and Rehabilitation：AAPM&R

　AAPM&R は，一般的には「米国リハビリテーション医学アカデミー」と称されており，その先駆者で最も重要な人物は，クルーゼンである．彼は，自身が肺結核となったこともあり物理医学の研究や活用を行った．1929 年，テンプル大学物理医学講座教授に就任し，その後，1936 年に「Mayo Clinic」に移り物理療法部門を発展させる一方で，物理療法や放射線に関心をもつ医師たちと物理医学の承認を米国医師会に求めている．また，クルーゼンは物理医学を専攻する医師（専門医）である「フィジアトリスト：physiatrist」[14]を提唱し，米国医師会は 1946 年にそれを承認している．その呼称は現在も用いられており，この専門医グループの初代議長はクルーゼンである．

　AAPM&R は，1938 年の発足当時は「American Society of Physical Therapy Physicians」であり，次いで 1944 年には「American Society of Physical Medicine」，さらに 1951 年には「and Rehabilitation」が加えられ，1955 年に現在の名称に至っている．会員数は，1967 年 500 人，1978 年 1,000 人，1985 年 2,000 人，1988 年 3,000 人，1992 年 4,000 人といった経過をたどり，現在は約 9,000 人を超えており，米国では最も大きなリハ医学の学術組織のひとつである．

2）American Congress of Rehabilitation Medicine：ACRM[15]

　ACRM は，「米国リハビリテーション医学会」とよばれる組織であり，1923 年の医師による「American College of Radiology and Physiotherapy」の設立に始まる．しかし，1925 年に「Radiology」を分離し「American Congress of Physical Therapy」，1944 年には「American Congress of Physical Medicine」，さらに 1967 年には「American Congress of Rehabilitation Medicine」とめまぐるしく名称を変更している．ジャーナル名に関しても同様であり，1926 年当初は『Archives of Physical Therapy，X-ray，Radium』であったが，1933 年には『Archives of Physical Therapy』，1945 年には『Archives of Physical Medicine』，そして 1952 年には現在の『Archives of Physical Medicine and Rehabilitation』となっている．

　入会資格は当初医師であったが，1966年には心理学者，看護師，理学療法士，作業療法士，医療言語聴覚士，ソーシャルワーカーなどに拡大されており，会員数は1965年の1,195人から1970年の1,572人，1973年の1,940人，1986年には学士による会員資格が認められたことによって会員数2,902人，1989年では3,360人と増加している.

3）日本リハビリテーション医学会（The Japanese Association of Rehabilitation Medicine）[16]

　日本リハ医学会は1963年に64人で創設され，水野祥太郎（大阪大学教授）が初代会長である.1968年には日本医学会に第56分科会として加盟し，1980年代半ばには会員数約2,500人となった.さらに1989年には社団法人格（初代理事長は津山直一）を取得して，その数は約5,600人となっている.また1990年代に入ると，学会認定医制協議会（現専門医認定制協議会）による認定医制度が組み込まれ，会員数も2018年3月31日現在，11,249人（医師10,946人，医師以外303人）の学術集団となっている（表3-4）.

4）日本理学療法士協会（Japanese Physical Therapy Association）[17]

　日本理学療法士協会は，1966年2月の第1回国家試験後，同年7月に誕生しており，設立総会は国立療養所東京病院附属リハビリテーション学院において会員数110人で開催されている.初回の理事会は1967年1月に日本肢体不自由児協会で開催され，『理学療法と作業療法』創刊，全国学会や全国研修会の開催が決定されている.このように1966年からの歴史を有する日本理学療法士協会の概略的歴史は表3-5のとおりであるが，理学療法士数と養成校数の推移は特徴的な経緯を示している（図3-1）.養成校数は，1978年より増加の一途をたどってきたが，2009年頃より安定期に入り，近年，再び増加傾向を示している.しかし，理学療法士合格者数は，養成校数に準じてはいるが，2018年には9,885人となり，2009年からその数にばらつきが生じている.これは理学療法士教育に関わる状況の一端を示すものではあるが，学術大会（理学療法士学会）の参加者数と演題数（図3-2），現職者講習会の開催数と参加者数（図3-3）は，1980年以降，増加を続けており，学術面における進展を表している.

5）世界理学療法連盟（World Physiotherapy）※

　現在，世界の202の国・地域で理学療法が提供されているが，協会もしくは学会として組織されているのは117か国である.この117か国が参加して構成されているのが世界理学療法連盟（World Physiotherapy）である.この世界理学療法連盟は，1951年に11か国で設立され，2008年には101か国約27万人，2013年には106か国約35万人，2023年には，117か国，約60万人の組織となっている.この世界理学療法連盟には，理学療法士に関係する事柄の学術的，科学的な探究とその知識の共有を目的とする組織（サブグループ）があり，現在，「① Acupuncture，② Aquatic，③ Cardiorespiratory，④ Electrophysical，⑤ HIV/AIDS, oncology, hospice and palliative care，⑥ Manual/musculoskeletal physiotherapy，⑦ Mental health，⑧ Neurology，⑨ Occupational health and ergonomics，⑩ Older people，⑪ Paediatrics，⑫ Pelvic and women's health，⑬ Private practice，⑭ Sports」[18]がある.そのうち「EPAs」は，物理療法であり，理学療法における

表 3-4　日本リハビリテーション医学会重要事項年表[16)より作成]

1963 年	学会創設（リハビリテーション医学の進展と知識の普及を図り学術文化の発展に寄与する）
1964 年	第 1 回日本リハビリテーション医学会開催，学会機関誌『リハビリテーション医学』が創刊
1968 年	日本医学会に第 56 分科会として加盟
1975 年	第 1 回日本リハビリテーション医学会医師卒後教育研修会開催
1978 年	日本医学会第 56 分科会として加盟
1980 年	「日本リハビリテーション医学会専門医制度」制定
1987 年	「日本リハビリテーション医学会認定臨床医制度」設立
1989 年	社団法人となり，「社団法人日本リハビリテーション医学会」
1992 年	「研修施設認定基準」制定
1996 年	「リハビリテーション科」の標榜が認可
1997 年	第 8 回国際リハビリテーション医学会世界大会開催（京都）
2000 年	海外研修制度開始
2001 年	日本専門医機構の 18 基本領域のひとつに選定される
2002 年	日韓合同カンファレンス開催
2004 年	「リハビリテーション科専門医」の「広告表示」が可能となる．第 2 回日韓合同カンファレンス開催
2006 年	「リハビリテーション科専門医会」（専門医会）設立総会
2007 年	機関誌『リハビリテーション医学』を『The Japanese Journal of Rehabilitation Medicine』へ変更
2008 年	「リハビリテーション医育成アクションプラン策定ワーキンググループ」設置
2009 年	「リハビリテーション科女性医師ネットワーク（RJN）」設置
2010 年	「専門医制度改革対応ワーキンググループ」設置
2011 年	「震災対応ワーキンググループ」「東日本大震災リハビリテーション支援関連 10 団体総合戦略会議」設置
2012 年	「日本リハビリテーション医学会」公益社団法人化
2013 年	設立 50 周年，さまざまな記念式典開催
2016 年	会員総数が 1 万人を超える（2018 年 3 月 31 日現在：医師 10,946 人，医師以外 303 人，計 11,249 人）

国際物理療法学会である ISEAPT（International Society for Electrophysical Agents in Physical Therapy）は，2009 年から活動を始め 2011 年に世界理学療法連盟から承認されている．同様に「Manual Therapy」は（広義）徒手療法であり，国際整形徒手理学療法士連盟（International Federation of Orthopaedic Manipulative Physical Therapists：IFOMPT）は，1974 年に活動を始め 1978 年に世界理学療法連盟から承認されている．

　なお，日本理学療法士協会が世界理学療法連盟に加盟したのは 1794 年であるが，現在では世界理学療法連盟の加盟国中で最大の会員数を有し，国内外でその役割を果たしている．1999 年には，横浜で日本理学療法士協会主催の第 13 回世界理学療法連盟の学術大会（大会長：奈良　勲）が開催された．そして，2025 年に日本で 2 回目の学術大会が東京で開催される予定である．

※ World Confederation for Physical Therapy（世界理学療法連盟）は英国に登録された公益法人［234307］であるが，2020 年 6 月末より運営上の名称（ブランド名称）を World Physiotherapy（ワールド・フィジオセラピー）とすると発表した．したがって，本書で世界理学療法連盟について記載する際は，World Physiotherapy と表示することとする．

表 3-5　日本理学療法士協会の歴史（1965〜2015）[17)より作成]

1965 年	「理学療法士及び作業療法士法」公布（法律第 137 号），施行
1966 年	第 1 回理学療法士・作業療法士国家試験施行（理学療法士 183 人，作業療法士 20 人合格），日本理学療法士協会設立，第 1 回日本理学療法士学会開催，第 1 回全国研修会開催
1997 年	「兵庫県理学療法士会」創立（最初の士会発足）
1971 年	第 1 回理学療法士・作業療法士学校養成施設連絡協議会開催
1972 年	社団法人の許可（厚生省）
1974 年	『臨床理学療法』創刊（協会機関誌），第 7 回世界理学療法連盟総会にて日本理学療法士協会の加盟承認
1975 年	第 1 回理学療法士，作業療法士養成施設等長期講習会（長期講習会）開催
1979 年	金沢大学医療技術短期大学部に理学療法学科設置，全国 47 士会になる
1980 年	「アジア理学療法士連盟」結成（台北）
1984 年	機関誌『臨床理学療法』を『理学療法学』へ名称変更
1986 年	「日本理学療法士協会・日本作業療法士協会設立 20 周年記念式典」開催
1987 年	世界理学療法連盟理事会（オーストラリア・シドニー）へ協会理事出席
1988 年	第 1 回地域リハビリテーション研修会開催
1989 年	協会マスタープラン策定
1990 年	日本学術会議が本協会を学術研究団体として認める，高知県理学療法士会が法人化（最初の法人化）
1993 年	第 1 回在宅訪問リハビリテーション講習会
1994 年	第 1 回身体障害者スポーツ指導者養成講習会，『新人教育プログラム教本』発刊
1995 年	理学療法士週間（パイロット 13）実施
1997 年	専門理学療法士制度開始，介護支援専門員（ケアマネジャー）養成講習会
1998 年	日本理学療法士協会会館竣工，JPTA（Journal of the Japanese Physical Therapy Association）発行開始
1999 年	第 13 回世界理学療法連盟学会開催（横浜），参加国 76 か国，参加登録者 5,735 人，新指定規則（理学療法教育関連カリキュラムの大綱化）施行，理学療法効果に関するプロジェクトの発足（PT 効果検討委員会）
2003 年	『理学療法診療記録ガイドライン（冊子版，CD 版）』発刊
2009 年	厚生労働省医政局医事課との勉強会開始
2011 年	認定理学療法士・認定試験開始
2012 年	理学療法士免許取得者が 10 万人を超える，内閣総理大臣が本会を公益社団法人として認可，第 1 回日韓合同カンファレンス開催
2013 年	「日本理学療法士学会」発足，第 1 回「笑顔をあきらめない」公式写真コンテスト開催開始
2014 年	「日本理学療法士学会 分科学会」が学術集会を開催，厚生労働省公認「がんのリハビリテーション研修会」を開催
2015 年	協会設立 50 周年記念式典

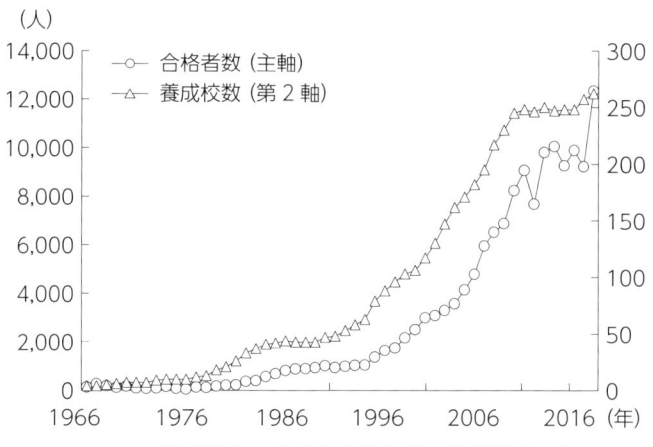

図3-1　理学療法士国家試験合格者数と養成校数の推移

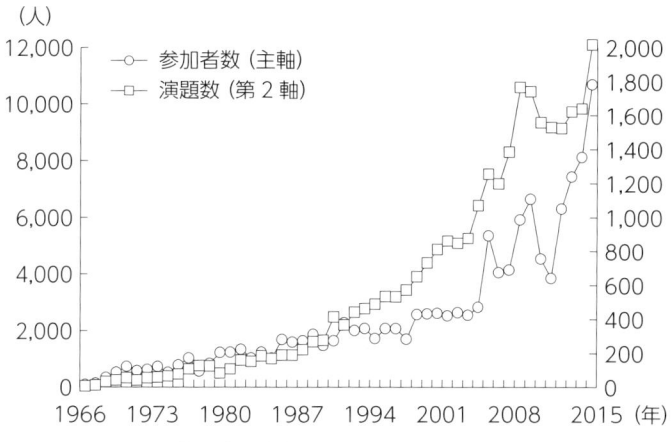

図3-2　理学療法士学会の参加者数および演題数の推移

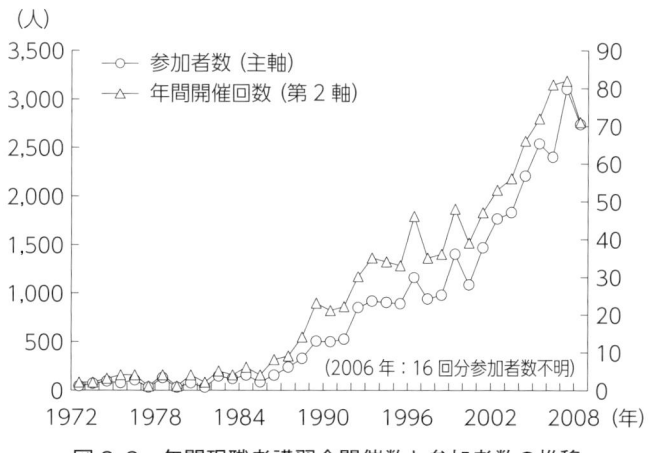

図3-3　年間現職者講習会開催数と参加者数の推移

6　物理療法の歴史

　ISEAPT は，物理療法を「機能不全，活動制限，および参加制限の評価，治療，予防を目的とした電気物理的および生物物理的エネルギーの使用」[19] と定義している．また，APTA は，物理療法を電気治療的（Electrotherapeutic Modalities），狭義の物理療法（Physical Agents），力学的（Mechanical Modalities）に分類している．これらに日本の状況などを加味すると，電気を用いた電気療法，温熱を用いた温熱療法（含，寒冷療法），機器による他動的な力を用いた機械器具療法に分類することができる．

1）電気療法の歴史的概略

　痛みに対する治療として，電気を発生するシビレエイを患部に置くといった治療は，既にローマ時代から行われていた．西暦前 600 年頃の古代ギリシャでは，琥珀がごみやほこりを吸い付けるところから不思議な力があるものとして珍重されていたが，これは静電気に他ならず，電気（Electricity）の語源はギリシャ語の「Elektron：琥珀」に由来している．この電気という言葉を作った 1 人とされているギルバート（William Gilbert）は，検電器の発明などから電気計測機器の祖とされている．1663 年にギューリッケ（Otto von Guericke）が静電発電機である摩擦起電機を，1746 年にマッシェンブレーケ（Pieter van Musschenbroek）が蓄電器であるライデン瓶を発明し，この摩擦起電機とライデン瓶を用いてノレット（Jean Antoine Nollet）らが電気療法を行っている．

　1780 年，ガルヴァーニは筋肉を収縮させるのは電気であることを示し，1800 年，電圧の単位である volt に由来するボルタ（Alessandro Volta）は今日の電池を発明している．1820 年，エルステッド（Hans Christian Oersted）は磁気作用を発見し，電磁気学の基礎となっている．1821 年，ファラディー（Michael Faraday）は今日の電動機（モーター）につながる実験を行っている．1827 年，オーム（Georg Simon Ohm），1845 年，キルヒホッフ（Gustav Robert Kirchhoff）らは，電圧，電流，電源の考え方の基礎を築いている．ファラディーとヘンリー（Joseph Henry）は，電磁誘導を発見し，1861〜1862 年，マックスウェル（James Clerk Maxwell）により電気と磁気（と光）の関係が定式化されている．周波数・振動数の単位であるヘルツ（Hz）に由来するヘルツ（Heinrich Rudolf Hertz）は，電磁気理論を明確化し，1888 年，電磁波の存在とそれを生成・検出する機械を発表している．磁束密度の単位「テスラ」にその名を残すテスラ（Nikola Tesla）による交流電源をもとにダルソンバール（Arsène d'Arsonval）は高周波による筋加熱作用を人体に応用しているが，これは現在のジアテルミー（diathermy）である．このジアテルミーは，極超短波と同様のもので 1906 年，ナゲルシュミット（Karl Franz Nagelschmidt）によって開発された．

　電気を日本で最初に記載したのは後藤梨春であり，1765 年の『紅毛談（おらんだばなし）』にそれがある．実際に日本で最初に起電を行ったのは平賀源内であり，彼は 1776 年に長崎より持ち帰った起電機（破損していた）を修繕しエレキテルを完成させている．このような起電機による治療機器は，感電させるというだけで治療機器とよべるものではなかったと考えられている．しかし，1861 年，佐久間象山（1811〜1864）が電気治療器製作を試みており，1926 年には『日本内科全書二巻』にテスラによる電磁波の高周波電流についての発生法，性質，応用法が記載されている．さらに，

1920 年代後半より超短波の研究が行われ，1933 年には東京医学電気株式会社（伊藤超短波株式会社の前身），安藤駒太郎商店（アコマ医科工業株式会社の前身）らが真空管式超短波治療器を製作しており，日本における電磁波による治療とその研究が進展することとなる．低周波治療器については，1949 年，銭谷利男（平和電子工業の創業者）らによって開発されている．

2）電気療法（electrotherapy）の歴史

電気療法は，電気を用いた幅広い療法の総称であり，電気療法が自然界の電気ではなく人工の電気として医療に用いられるようになったのは摩擦起電器や蓄電器が開発された 1700 年代以後である．この電気療法は，現在，経皮的に神経もしくは筋を刺激する「神経筋電気刺激（Neuromuscular Electrical Stimulation：NMES）」と頭皮上から脳を刺激する「非侵襲的脳刺激」に大別でき，前者は，「機能的電気刺激」と「治療的電気刺激」に大別することができる（表 3-1）．

①機能的電気刺激（Functional Electrical Stimulation：FES）

機能的電気刺激は，電気刺激による筋収縮を実用的な動作として用いるもので，脳卒中片麻痺患者の上肢，下肢（歩行）機能の代償，代行機能として用いられるがその歴史は浅く，約半世紀を経過したところである．

②治療的電気刺激（Therapeutic Electrical Stimulation：TES）

治療的電気刺激は，電気刺激による筋収縮促進，廃用性筋萎縮の予防，筋力増強，循環改善，創傷治癒，疼痛緩和といったように治療目的で用いられる．その歴史は古く，古典的な時代を経て 1800 年代からしだいに実用化が進み，日本では末梢神経損傷による筋萎縮予防として 1950 年頃より用いられてきた．

a. 経皮的電気刺激（Transcutaneous Electrical Nerve Stimulation：TENS，テンス）

テンスは，疼痛緩和を目的として用いられる経皮的電気刺激で，1965 年のウォール（Patrick D. Wall）とメルザック（Ronald Melzack）による疼痛抑制に関する理論「Gate Control Theory：GCT」に基づいている．

b. 電気的筋刺激（Electrical Muscular Stimulation：EMS）

電気刺激による筋力増強は，1977 年，コーズ（Kots YM）が，モントリオールオリンピックで自国（当時のソビエト連邦）選手の筋力増強を 2,500 Hz の正弦波交流を断続して発振させる方法としてコンコルディア大学で発表した後に広まっている．

c. 高電圧パルス電流（High Voltage Pulsed Current：HVPC）

HVPC は，不快感の少ない電気刺激であり，1940 年代に米国で開発された．パルス電流，高電圧，単相波を特徴とし，浮腫改善，創傷治癒促進，血行改善，筋力増強などの目的で用いられる．

d. 微弱電流刺激（Microcurrent Electrical Stimulation：MES）

MES は，1 mA を超えない微弱電流を用いて，除痛や損傷組織の治療促進などに用いられる．1830 年，マテウッチ（Carlo Matteucci）が損傷組織からの電流を証明し，1969 年，ウォルコット（LE Wolcott）は，微弱電流刺激効果を実証し，1984 年，スタニッシュ（William Stanish）は臨床効果を示している．MES は，臨床理学療法のみならずスポーツ領域で用いられる場合も多い．

e. 干渉波（Interferential Current：IFC）

異なる種類の周波数電流の干渉効果を利用する干渉波療法は，1947 年にネメック（Hans Nemec）

によって考案された．現在は，疼痛緩和のみならず尿漏れ改善や嚥下療法にも用いられている．

　●非侵襲的脳刺激 （Non-invasive Brain Stimulation：NIBS）

　脳卒中片麻痺患者に対する運動機能改善を目的とし，頭皮から大脳を刺激する非侵襲的脳刺激は，1985 年，ベイカー（Anthony Barker）らによって研究が始まっている．現在，日本では 2008 年頃より集中的リハとの併用で経頭蓋磁気刺激（Transcranial Magnetic Stimulation：TMS）が行われ始めた．また，反復経頭蓋磁気刺激（Repetitive Transcranial Magnetic Stimulation：rTMS），頭皮から 1〜2 mA 程度の微弱な直流電気を通電する経頭蓋直流電気刺激（Transcranial Directcurrent Stimulation：tDCS）は，厚生労働省が医療機器として承認した 2017 年 9 月以降，しだいに用いられ始めている．

3）温熱療法 （thermotherapy）の歴史

①赤外線療法 （infrared treatment）

　赤外線は 1800 年にハーシェル（Frederick William Hershel）によって，紫外線は 1801 年にリッター（Johann Wilhelm Ritter）によって発見されているが，赤外線療法は，1893 年にフィンゼン（Niels Ryberg Finsen）によるカーボン・アーク灯の発明後にその基礎が確立された．

②レーザー療法 （laser therapy）

　レーザー（laser）とは「light amplification by stimulated emission of radiation」の頭文字を組み合わせた造語であり，1916 年，アインシュタイン（Albert Einstein）の誘導放出の理論に始まり，医療では低出力レーザーとして 1980 年頃から臨床で使用されてきた．

③極超短波療法 （microwave therapy）

　極超短波療法は，1925 年，スティボック（Steiböck）によって治療器として応用する考えが発表されたことに始まる．1938 年，Bell 研究所で極超短波発生装置であるマグネトロンが開発されたが，極超短波の温熱効果を臨床で実際に用いたのはクルーゼンらであり，1946 年頃であった．その後，1947 年，米国で極超短波治療器として許可されるとしだいに温熱療法機器として広まり，日本では 1960 年代以降にその普及と使用頻度が高まっている．

④超音波療法 （ultrasound therapy）

　生物に対する超音波照射は，1927 年，ウッド（RW Wood），ルーミス（AL Loomis）の研究に始まるが，医学への応用は 1938 年，ポールマン（R. Pohlman）が坐骨神経患者の治療に，診断法としては 1942 年，デュシック（KT Dussik）が脳疾患の診断に用いたのが最初である．また，超音波の人体に対する微小マッサージ効果が確認されたのも 1942 年のことである．

⑤ホットパック （hot pack）

　ホットパックの起源は古く，温罨法として紀元前千年頃のバビロニア，紀元前 100 年頃のチベットなどで使用されている．この温罨法が医療として登場したのは，19 世紀に入ってプリースニッツ（Vincenz Priessnitz）の『我が水治療法』などからである．20 世紀に入るとケニー（Sister Elizabeth Kenny）は，1910 年代のポリオの急性期に温罨法と運動療法の併用を提示し，素材である毛布・布・衣服などを鍋で炊き，目的とする部分に重ねて貼り付けて用いた．この療法はケニー療法（Kenny Method）とよばれ，世界的な普及をみた．

⑥パラフィン浴（paraffin bath）

　パラフィンは 1809 年に発見されたが，その命名は 1830 年，ラインバッハ（Rheinbach）により行われ，1850 年代後半にはヨーロッパで生産が始まっている．パラフィン浴に関する記載は，1913 年，サンフォート（Edmond Barthe de Sandfort）によるものがあるが，医療としてパラフィン浴を紹介したのは 1919 年，ハンフリー：ハンフリーズ（Humphries FS）である．1900 年代に入りパラフィンの電熱浴槽の開発・改善などに伴い普及した．

⑦**寒冷療法**（cold therapy）

　身体の浮腫，熱，痛みなどに冷水などを用いたのは古代からであるが，1965 年，ニュートンとレームクール（Newton MJ, Lehmkuhl D）は，冷却による痙縮抑制を述べており，近年では，身体の炎症や損傷に対する応急処置である RICE の法則（R：Rest, I：Icing, C：Compression, E：Elevation）の普及などと相まって，1980 年代から理学療法領域でも，アイスパック，アイシング，冷却スプレーなどの寒冷療法が用いられている．

⑧**全身浴・部分浴，交代浴**（whole・partial bath, contrast・turn bath）

　風呂の起源は，紀元前 4000 年頃のメソポタミア，公衆浴場は 5000 年前のインダス文明とされるほど古いが，医学，医術が発達していない頃より世界各地で温泉が治療手段として用いられてきた．日本も同様で「療養」「湯治」「保養」は温泉の利用に関連するものであり，1960 年以降の日本の各地に誕生した温泉病院では，温浴，全身浴・部分浴などの水治療法は重要なものであった．その頃から温浴機器には，気泡，渦流，噴流発生装置などが組み込まれ，ワールプールバス，バイブラバスと称されてきた．交代浴は，温水と冷水を交互に繰り返す療法の名称であり，主として血行不全などに用いられる．起源は釈尊が仏事に用いたともいわれるほど古来より用いられてきたが，1950 年代に，クナイプ（Sebastian Kneipp）は，交互浴・交代浴を推進している．

4）機械器具療法の歴史

①**牽引療法**（traction therapy）

　牽引療法の歴史は古く，古代ギリシャのヒポクラテスが骨折や脱臼の整復に用いたという記録が残されているが，今日の理学療法としての頸椎・腰椎の介達牽引は，ルネッサンス時代のパレ（Ambroise Paré）らに始まり，1875 年に頸椎牽引療法を科学的に体系づけたフォルクマン（Richard Volkmann），1894 年に斜面台を用いた懸垂牽引を行ったフェルプス（Phelps），1952 年に電動式頸椎間欠的牽引を開発したジュドビッチ（Bernard D. Judovich），さらには 1957 年に『Textbook of Orthopaedic Medicine』を著したサイリャックス（James H. Cyriax）らの役割が大きい．牽引療法は 1950〜1960 年代から椎間板に対する治療として広く行われてきた．

②**マッサージ機器療法**（massage equipment therapy）

　ローラーベッドは，内部に組み込まれたローラーの上下回転移動，バイブレーションなどによる揉み，マッサージ機能によりリラックス効果と疲労回復効果が得られる．ウォーターベッドは，ベッド上の臥位における凹凸を解消し，水に浮いている状態にすることでリラックス効果のみならず，湯やジェットバスのような水圧を利用することで，筋緊張の低下，血行の改善が期待できる．これらの機器使用は，近年のものであり，病院ではなく診療所などに設置される場合が多い．

③持続的他動運動（Continuous Passive Motion：CPM）

　CPM は，四肢の関節に対して器械を使って他動的，持続的，反復的に運動を行わせ，関節可動域の維持・改善を図る機器であり，リハ室や理学療法室に比べて病棟での利用機会が多いのが実情である．CPM は，運動スピードや可動域を一定に保つことが可能であり，徒手より患肢を保持する面積が広く安定感，安心感も高い．その他の効果としては，皮膚，靱帯，軟骨，腱などの治癒促進，疼痛や腫脹の軽減などがある．CPM の開発は 1970 年代，サルター（Robert B Salter）らに始められ，日本には 1984 年に導入されている．

7　運動療法の歴史

　2005 年，日本リハビリテーション医学会は，運動療法を「①可動性，②筋力増強，③全身（心肺系）持久力，④協調性，⑤巧緻性と動作，⑥スポーツトレーニング，⑦リラクセーション」[20] に分類しており，可動性にモビライゼーションとマニピュレーションが含まれるとしている．このように運動療法と徒手療法は，これまで区別して考えられてきたが，「徒手理学療法」は，徒手による直接的理学療法手技のすべてを指し，運動療法はそれに包含されるものとされている．したがって，これまでのモビライゼーション，マニピュレーション，スタビライゼーション，モーターコントロールなどを徒手療法とする考え方から「徒手理学療法」の概念へ移行しつつあるが，このような指向が明確になってきたのは IFOMPT となった 2008 年以降と思われる．

1）診療報酬における運動療法料（理学療法料）[21] の歴史（表 3-6）

　1958～1974 年まで，診療報酬は甲表（都会）と乙表（甲地以外）によって区別されていたが，物理療法，運動療法の双方に理学療法点数算定が可能であった．しかし，1974 年以降，運動療法は「複雑なもの：80 点・簡単なもの：40 点」となり，物理療法は運動療法料に含まれるとの解釈から使用頻度の高い温熱療法などの物理療法料は単独での算定は不可能となった．また，1974 年までの理学療法料は，1980～1990 年代では比較的高点数で推移したものの，その後は低水準で推移している．「複雑なもの・簡単なもの」は，2002 年，「個別・集団」へと変更され，2006 年，疾患別リハ料の新設に伴って「集団」は廃止されており，現在では個別理学療法，1 単位 20 分を基本として単位数および日数などに制限がついている．

2）基礎的運動療法

①筋力増強（muscle strengthening）

　筋力増強は，古代ギリシャの競技者が行っていたとするほど古くから存在したが，「Weight Exercise」や「Resistance Exercise」として一般的なものとなったのは 1960 年以降であり，当初の理学療法における筋力維持や改善は筋への負荷（抵抗）をかける「オーバーロードの原則（Overload Principle）」に準じていた．筋負荷や運動，筋収縮などに関しては，1945 年，デローム（Thomas L. DeLorme）による「漸増抵抗運動法（Progressive Resistive Exercise：PRE）」[22]，1953 年，ヘッティンガー（Hettinger T），ミューラー（Muller EA）による「等尺性収縮（Isometric Exercise）」[23]，

表 3-6　診療報酬点数の推移[21) より作成]

年	診療報酬における新設（加算を除く）事項と関連する出来事	点数
1958	（新点数表：甲表・乙表・歯科となり，単価 10 円となる）	
	電気（高，低周波），光線療法，1 項目	0，（2）
	マッサージ/変形徒手矯正術/変形機械矯正術（牽引）	0，（2）/8/10
	先天性股関節脱臼後療法	10
1961	整形外科機能訓練（肢体不自由児施設のみ）	5
1967	整形外科機能訓練（一般病院で請求可となる）	6，（9.1）
	機械器具を用いた機能訓練/水中機能訓練/温熱療法	6，（9.1）
1974	運動療法　複雑なもの/簡単なもの	80/40
	（施設基準承認制度新設：Ⅰ，Ⅱ，Ⅲ，Ⅳ）	
	（「整形外科機能訓練」を「身体障害運動療法」へ名称変更）	
1983	（老人点数の設定　老人保健法施行）	
1988	心疾患理学療法料（健康保険適用承認）3 か月間	335
1994	（甲乙表，2 つの点数表の一本化）	
1996	早期理学療法（脳卒中）：施設基準Ⅰ/施設基準Ⅱ	690/570
1996	難病患者リハビリテーション料（1 日につき）	600
2000	回復期リハビリテーション病棟入院料	1700
2002	「複雑なもの，簡単なもの」から「個別，集団」へ	
	個別：施設基準Ⅰ/Ⅱ/Ⅲ/Ⅳ	250/180/100/50
	集団：施設基準Ⅰ/Ⅱ/Ⅲ/Ⅳ	100/80/40/35
	（診療報酬本体はじめて 1.3％引き下げ）	
2006	疾患別リハビリテーション料となる（集団廃止）	
	心大血管疾患リハビリテーション料（Ⅰ）（1 単位）	250
	脳血管疾患リハビリテーション料（Ⅰ）（1 単位）	250
	運動器リハビリテーション料（Ⅰ）（1 単位）	180
	呼吸器リハビリテーション料（Ⅰ）（1 単位）	180
	障害児（者）リハビリテーション料	190〜100
2010	がん患者リハビリテーション料	200
2014	認知症患者リハビリテーション料（1 日につき）	240
2016	リンパ浮腫複合的治療料　重症/以外	200/100
2018	廃用症候群リハビリテーション料（Ⅰ）（1 単位）	180

1955 年，スタインドラー（Steindler A）による「Open・Closed Kinetic Chain」[24, 25]，1967 年，シスル，ヒスロップ（Thistle HG, Hislop HJ）らによる「等運動性収縮（Isokinetic Contraction」[26]といった概念が提示されている．また，1963 年，カルポビッチ（Peter V Karpovich）は生理学の側面から運動を捉え[27]，1967 年，バーク（Burke RE）は「Fast・Slow twitch」[28]といった筋収縮，1970 年，エンゲル（Engel WK）は「Type Ⅰ・Ⅱ」[29]といった筋線維分類を発表している．さらには 1980 年代に入ると加齢による神経，筋線維数減少（筋力低下）に関する報告に次いで，1989 年，ローゼンバーグ（Irwin Rosenberg）により「サルコペニア（Sarcopenia：加齢性筋肉減弱現象）」[30]，2014 年，日本老年医学会により「フレイル（Frailty の訳，体がストレスに弱くなっている状態）」[31]が提唱されている．そして近年の低栄養に関する「リハ栄養管理」[32]も加わり，筋力増強は多様な要因を考慮して実施する時代となっている．

②関節可動域改善（Range of Motion-Exercise：ROM-Ex.）

　先天性，後天性の関節可動域制限や変形に対する治療はヒポクラテス，ガレノス（2 世紀）にまで遡ることができる．その後，数多くの医師（整形外科領域）による外科的な取り組みもなされてきたが，18～19 世紀に至っても拘縮に対する主たる治療法は機械的もしくは体操療法であった．1958 年の日本における診療報酬（理学療法料）には「変形徒手矯正術・変形機械矯正術」[21]があり，「変形機械矯正術」は牽引療法，「変形徒手矯正術」は主に拘縮による関節可動域制限に対するものであった．その方法は ROM-Ex. が主たるものであった．日本におけるこの拘縮の定義は，1960 年代では，「関節によって相隣る二つの体部が筋肉収縮の結果互いに相近づいた状態を継続するもの，軟部の収縮によって関節の可動性が変化し，あるいは消失した状態」[33]とあり，主に筋に主体が置かれていたが，現在では，幅広く「皮膚や皮下組織，骨格筋，腱，靱帯，関節包などの関節周囲軟部組織の器質的変化に由来した関節可動域制限」[34]とされている．これは，1960～1970 年代の筋伸長を目的とした ROM-Ex. から，個々の軟部組織へのアプローチを目的とした ROM-Ex. へ，さらには狭義の徒手療法への進展を示しており，ストレッチに関しては 1975 年，アンダーソン（Bob Anderson）著の『Stretching』刊行後にスポーツ理学療法領域を中心に広まっている．

　ただ，関節可動域測定が始まった 1960 年代，既に「可動域はすべて他動的可動領域で表す」[35]と著されており，本来の自動・他動運動時の可動範囲である関節可動域の捉え方とは現在も異なっている．

③協調性運動（balance exercise）

　協調とは，身体の諸機能の相互調節活動であり，協調性低下とは，その相互調節活動不全により円滑な運動遂行が困難になった状態である．この協調性低下の要因は，疾病と加齢であり，前者は運動失調症状，後者は易転倒性を呈する．疾病に対する理学療法としては，1889 年に「フレンケル（Heinrich Sebastian Frenkel）体操」，1940 年代にはカバット，ノット（Herman Kabat, Margaret Knott）の「固有受容性神経筋促通法（Proprioceptive Neuromuscular Facilitation：PNF）」，1939 年にホームズ（Holmes G）の重錘の使用などが提唱された．加齢による易転倒性に対しては，2000 年以降日本各地で多様な転倒予防体操として普及している．

　協調性運動は，バランス（Balance）として捉えることができるが，その語源である「bilanc」は「天秤」を意味している．このバランスの評価法は，1970 年代までは「片足立ち時間計測」「重心動揺計側」が主であったが，1980 年代の「Berg Balance Scale」，1990 年代の「Functional Reach Test」「Timed "Up & Go" Test」などが加わり，現在では「三次元動作解析」「フォースプレート」

「筋電図」「加速度計」「ビデオ」などの組み合わせも可能になっている.

④日常生活活動（Activities of Daily Living：ADL）[36] の指導と練習

　1947 年，米国におけるリハ専門医制度が発足した際，これまで「生命」が重要視されてきた医学に対し，初めて ADL を通しての「生活」の視点が導入された. その概念は，1945 年，ディーバー（George G Deaver）とブラウン（Leanor Brown）の『The Physical Daily Life- The Activities of Daily Living)』によるものであり，その後，ADL はリハ医療において重要なコンセプトのひとつとなった. また，1952 年，バックワルド（Edith Buchwald）の『Physical rehabilitation for daily living 』によって，片麻痺，対麻痺，関節リウマチなど代表的な疾患における ADL 評価，練習法などは 1960 年代前半でほぼ確立された.

8 徒手療法（manual therapy）と 徒手理学療法（Manual Physical Therapy：MPT）

　徒手による理学療法はすべて徒手理学療法であるが，これまで系統的・体系的・伝統的なものを徒手療法として扱ってきた経緯から，ここでは従来の徒手療法として述べる. 現在，多様な徒手療法があるが，少なくとも数か国以上で用いられ，信頼性および根拠があり，論理的で実際の臨床で用いられていることが徒手理学療法としての条件となる.

1）徒手療法の歴史

　徒手療法は，古代ギリシャ・ローマ時代，現代医学の祖であるヒポクラテスの時代，中国の漢王朝時代（前漢）の「黄帝内経（記載はマッサージと思われる）」にまで遡ることができる. ヒポクラテスは，脊柱の「ずれ」が多様な症状を出現させているとして脊椎に対する徒手療法を行っている. 2 世紀に入ってガレノスは，ローマ帝国時代のギリシャで多数の遺体解剖から体系的な医学を確立しており，徒手療法にも影響を与えている. しかし，中世のヨーロッパはキリスト教に支配された時代であり，手術などは許されず医学としての発達が滞り，代わって整骨師が活躍する時代であった. ルネッサンス時代に入ると，パレは整骨術に関する著書で脱臼の治療法を示している. 1800 年代に入り，1874 年，スティル（Andrew Taylor Still）が「オステオパシー(osteopathy)」の体系を創始している. 現在，米国ではオステオパスは第一職業学位（First professional degree）・称号を有するまでに至っており，その立場は西洋医学医師と同等であるが，日本では法制化に至っていない. このオステオパシーの手技は，徒手療法へ大きな影響を与えている. 1895 年，パーマー(Daniel David Palmer）が「カイロプラクティック（Chiropractic）」の学校を開いて，それを普及させている. これは主として脊柱のずれを矯正するものであり，現在，世界 88 か国に普及し，「世界カイロプラクティック連合（World Federation of Chiropractic：WFC）」は 1997 年に世界保健機関（WHO）に加盟が認められている. 1999 年，「日本カイロプラクターズ協会」も加盟しているが，日本では法制化されていない. このカイロプラクティックも少なからず徒手療法へ影響を与えている. 1899 年，ナゲリ（Otto Naegeli）の『神経損傷と神経痛，徒手理学療法による治療と治癒』，1952 年，メンネル（Mennell JM）の『Musculoskeletal Pain：Diagnosis and Physical Treatment』，さらに 1982 年，サイリャックス（Cyriax JH）の『Textbook of Orthopaedic Medicine』は，現在の整

形外科領域における科学的な徒手療法の基盤となっている．なかでもメンネルとサイリャックスは，徒手療法は理学療法士が実施することに適しているとし，多くの理学療法士を教授・指導している．そのなかには，カルテンボーン（Freddy Kaltenborn），メイトランド（Geoffrey Maitland），パリス（Stanley Paris），マッケンジー（Robin McKenzie）らがおり，いずれも今日の徒手療法に大きな功績を残している．ちなみに，彼らは IFOMPT の前身である IFOMT（International Federation of Orthopaedic Manipulative Therapists）発足時，1974 年のメンバーである．

2）徒手療法の現在

徒手療法が多様に進展するのは 1800 年代後半からであり，発生とその歴史，理論と実践，対象部位（組織）と疾病や症状，職種（医師，理学療法士，オステオパス：整骨療法家，カイロプラクター：脊柱指圧師など），習得方法と資格，講習会・研修会主催学会・団体，国や地域といった観点から多くの組織やグループがあるが，その手技は疼痛，可動域制限などに起因する姿勢や運動機能不全に対するものが多い．したがってその分類は多様であるが，①創始的役割を果たした人物，②疾患，③身体的部位（頭蓋，脊柱，四肢関節，内臓など），④運動機能の構成器官（神経，筋，関節など），⑤概念（コンセプト），⑥国などの側面から考えることができる．ただ，一般的には①関節へのアプローチ（関節運動学的アプローチ，関節ファシリテーション，関節モビライゼーションなど），②筋へのアプローチ（マイオセラピー，筋膜リリース，トリガーポイントアプローチなど），③軟部組織全体へのアプローチ（ノルディックシステム，メイトランドコンセプト，パリスアプローチ，ドイツ徒手医学など），④神経・筋へのアプローチ（促通反復療法，Constraint-Induced Movement Therapy：CI 療法，PNF など），⑤その他のアプローチに分類することもできる．

3）マッサージの歴史

マッサージという言葉は，ギリシャ語の「こねる：sso」，アラビア語の「押す：mass」，ラテン語の「手：manus」などと同義語であり，このマッサージが日本へ伝えられたのは明治時代である．1882 年の片山芳林の研究活動や 1884 年，橋本綱常がヨーロッパより持ち帰ったレイブマイラー（Albert Reibmayr）の『Die Technik der Massage』に始まる日本のマッサージは，その普及に貢献した一人，長瀬時衡によって 1892 年に東京市飯田町で提供され始めた．また彼が後の陸軍軍医監であったこともあり，陸軍の医療機関にも広がっている．このマッサージは当時，「西洋按摩」との認識もあり，1981 年には「東京帝国大学医科大学病院（当時は医院）」に「按摩方」[37] が設けられ，1919 年頃の「東京帝国大学整形外科教室」には「術手」[38] という職階でマッサージを業とする人たちが整形外科後療法を担当していた．さらには，1949 年に「東京帝国大学病院」が「東京大学医学部附属病院」と改称された当時の診療科には「内科物療法学講座（通称，物療内科）」があり，物理療法やマッサージといった理学療法が行われていたが，そのほとんどがマッサージ・あん摩に関係する職種であった．このようにマッサージは，理学療法との関係が深く，理学療法士が誕生するまではマッサージ師・あん摩師が「リハ科（課）」「理学療法室」「物療室」などに勤務していたのである．

9　疾患別理学療法およびリハビリテーション

　2006 年の診療報酬改定で「疾患別リハ（料）」が導入されたが，当初，その命名は「疾患・臓器」に対する理学療法・リハを連想させるきらいがあるとの指摘も多かった．本来，リハ医療は，心をもった人を対象とするものであり，疾患や臓器に対するものではない．したがって，以下の記述における用語・語句は，あくまでも慣用である．

1）呼吸器疾患理学療法とリハビリテーション

　現在の呼吸理学療法の領域は広く，呼吸器疾患にとどまらず神経筋疾患，開腹・開胸術後，呼吸機能低下，人工呼吸管理，酸素療法，在宅呼吸ケアにまで及んでいる．この呼吸理学療法の歴史は古く，1930 年代には英国において「肺機能訓練法」[39] が体系づけられ，日本でも 1960 年には「肺機能訓練」として限局的ではあるが各地で実施されていた．その頃の「肺機能訓練」の目的は，①術後肺合併症の予防，②造影剤の喀出促進，③肋膜の癒着と肺機能低下の予防，④慢性肺化膿症，気管支拡張症，喘息などの治療，⑤胸部術後の肺機能訓練，⑥神経，筋疾患による呼吸障害の予防と治療，⑦長期臥床および療養者の体力の増進であり，今日のそれと同様のものであった．その後，1996 年頃から呼吸リハに関する発表や論文数が増加し，2001 年には日本呼吸管理学会，日本呼吸器学会による「呼吸リハビリテーションとは，呼吸器の病気によって生じた生活機能低下のある患者に対して，可能な限りの機能を回復，あるいは維持させて，これにより，患者自身が自立できるように継続的に支援していくための医療である」との定義がなされ，さらには 2010 年には理学療法士・作業療法士による吸痰・吸引が認められたことと相まって，今日では疾患別理学療法の一端を担っている．

2）心大血管疾患理学療法とリハビリテーション

　心大血管疾患とは，急性心筋梗塞，安定狭心症，慢性心不全，心臓手術後，末梢動脈疾患などの総称であり，これらに対する理学療法は「心疾患理学療法」「心疾患リハ」などとよばれてきた．最も多い疾患は急性心筋梗塞であり，心臓リハの大部分を占めると同時に報告も多い．1939 年にマロリー（Mallory GK）らは「急性心筋梗塞の治癒日数は 3～4 週間」[40]，1949 年にはテーラー（Taylor HL）らは「長期臥床の悪影響」[41]，1952 年，レヴィンとローン（Levine SA, Lown B）は，発症後 3 日目から座らせる「アームチェア療法」[42] による早期離床を報告している．日本では，1954 年頃より急性心筋梗塞に対する積極的運動療法が始まり，1982 年に厚生労働省循環器委託研究班による「急性心筋梗塞リハビリテーション 4 週間プログラム」が発表され，1988 年には「心疾患理学療法料」の算定が可能となっている．1996 年に狭心症や開心術後を加えた「心疾患リハ料」，2006 年に慢性心不全，閉塞性動脈硬化症，大血管疾患を加えた「心大血管疾患リハ料」へと変遷している．

3）運動器理学療法とリハビリテーション

　「運動器」とは「動く」ことに関わる骨，関節，筋，神経などの総称であり，「運動器リハ」とは運動器疾患をもつ人々に対して身体機能を可能な限り改善することを目的としている．その範疇は整形外科領域であり，日本の理学療法は整形外科領域と密接に結びついてきた経緯もあり，現在でも理学

療法対象患者数の大半は整形外科疾患が占めている．この整形外科（orthopedics）という言葉は，1741 年，アンドリ（Nicolas Andry）による「orthos（straight）」と「paidion・paedios（child）」の組み合わせが語源であり，小児に関わるものとして始まっている[43]．1821 年，現代の整形外科の先駆けであるデルペッシュ（Delpech JM）は，脊柱側彎の子どものために世界初のリハセンターとよばれる専用の体育館を備えた学校を設立している．このような小児に関わる整形外科は日本整形外科学会が誕生した 1926 年頃を前後して広く普及し，なかでも脳性麻痺，ポリオ，先天性股関節脱臼の割合が多かった．その影響は診療報酬における 1958 年の「変形徒手矯正術」「変形性機械矯正術」，1958 年の「先天性股関節脱臼後療法」，1961 年の「整形外科機能訓練」などにみられる．その後，小児に限らず多くの整形外科疾患に対する理学療法の拡大，進展に伴い 2006 年より「運動器リハ料」の新設に至っている．

整形外科領域において個別に命名された療法としては，1930 年，肩関節損傷に対する「コッドマン（Ernest Amory Codman）体操」，1930 年代の「ウィリアムズ（Paul C Williams）腰痛体操」，1970 年代には腰痛に対する「マッケンジー（Robin McKenzie）法」，1900 年代に入っては脊柱の側彎症に対するクラップ（Rudolf Klapp）による「creeping exercise：匍匐運動」などがある．

4）脳血管疾患の理学療法とリハビリテーション

脳血管疾患とは，脳動脈における疾病の総称であり，なかでも脳出血・脳梗塞による脳卒中片麻痺患者に対する理学療法は，1940 年代までは比較的低調であったが，1949 年の「身体障害者福祉法」，1950 年代以降の全国的な温泉病院の開設，1960 年の「身体障害者雇用促進法」，1963 年の日本リハ医学会設立，1965 年の「理学療法士及び作業療法士法」，脳血管疾患に対するリハ医学・医療の急速な発達などを契機にしだいに増加し，加えて 2000 年の回復期リハ病棟の開設，2012 年の医療法施行規則改正（脳卒中を含む 5 疾病，5 事業の規定）などもあり，現在では，運動器に次ぐ理学療法対象患者数に至っている．

脳卒中片麻痺患者に対する療法としては，1940 年代のボバース夫妻による「Bobath approcht：ボバース法」，同年代のフェイ（Temple Fay）の「感覚運動アプローチ」，1940～1950 年にかけての PNF，1960 年代以降に確立されたブルンストローム（Signe Brunnstrom）による「ブルンストローム法」，1940～1960 年代にかけてはルード（Margaret S Rood）の「神経生理学的アプローチ（neurophysiological approach）」などがある．これらはしだいに古典となり，1966 年，ギブソン（James Jerome Gibson）の「生態学理論」，1967 年に英訳されたバーンステイン（Basil Bernstein）の「システム理論」などを経て，1980 年代の「神経筋促通法」から 1990 年以降では「課題指向型アプローチ（task oriented approach），motor relearning program」[44] が浸透ししつつある．

（日下隆一・小嶋　功）

■文献

1）World Physiotherapy ホームページ：WCPT guideline for physical therapist professional entry level education（WCPT 初等教育ガイドライン）．
2）WIKIPEDIA ホームページ：Physical medicine and rehabilitation.

3) Frank HK：The scope and future of physical medicine and rehabilitation. J Am Med Assoc, **144**（9）：727-730, 1950.

4) 荻島秀男, 竹内孝仁（訳）：Krusen リハビリテーション体系 上. p1, 医歯薬出版, 1974.

5) Michel Foucault（著）, 神谷美恵子（訳）：臨床医学の誕生. p5, みすず書房, 2000.

6) 川喜田愛郎：近代医学の史的基盤　上. p476, 岩波書店, 1977.

7) 黒田浩一郎（編）：医療社会学のフロンティア. p14, 世界思想社, 2001.

8) 医療人類学研究会（編）：文化現象としての医療. pp174-177, メディカ出版, 1998.

9) World Physiotherapy ホームページ：Policy statement：Description of physical therapy（ポリシーステートメント：理学療法の説明）.

10) 板場英行：徒手理学療法. 理学療法学, **43**（3）：263-272, 2016.

11) 青柳精一：診療報酬の歴史. p193, 思文閣出版, 1996.

12) 加賀屋一：わが国におけるリハビリテーション医療の歴史的展開と課題. 医学史研究, **85**：293-301, 2004.

13) 砂川茂一：リハビリテーション. p106, 岩波書店, 2006.

14) 千野直一：リハビリテーション医学教育・研究の歴史— Dr. Frank Krusen からのメッセージ. Jpn J Rehabil Med, **47**：768-773, 2010.

15) ACRM ホームページ：History（ACRM の歴史）.

16) 日本リハビリテーション医学会（監修）：リハビリテーション医学白書 2013 年版. pp3-11, 医歯薬出版, 2013.

17) 公益社団法人日本理学療法士協会：日本理学療法士協会　五十年史 1966-2016. pp206-225, 公益社団法人日本理学療法士協会, 2017.

18) World Physiotherapy ホームページ：Specialty groups of World Physiotherapy

19) World Physiotherapy ホームページ：International Society for Electrophysical Agents in Physical Therapy（ISEAPT）（World Physiotherapy のサブグループで理学療法における国際物理療法学会）

20) 日本リハビリテーション医学会：運動療法および運動療法機器の分類. リハビリテーション医学, **42**（11）：737-742, 2005.

21) 日下隆一：理学療法料の変遷と理学療法士の専門性. Jpn Rehabil Med, **44**（6）：334-338, 2007.

22) Todd JS, Shurley JP, et al：Thomas L. DeLorme and the science of progressive resistance exercise. J Strength Cond Res, **26**（11）：2913-2923, 2012.

23) Hettinger T, Muller EA：Muscle capacity and muscle training. Arbeitsphysiologie, **15**（2）：111-126, 1953.

24) Steindler A：Kinesiology of the human body under normal and pathological condition. p63, Charles C Thomas, Springfield, Illinois, 1955.

25) Donald A Neumann（著）, 嶋田智明, 有馬慶美（監訳）：Kinesiology of the Musculoskeletal System Second Edition. p7, 医歯薬出版, 2012.

26) Thistle HG, Hislop HJ, et al：Isokinetic contraction：a new concept of resistive exercise. Arch Phys Med Rehabil, **48**（6）：279-282, 1967.

27) P Karpovich, W Sinning（著）, 石川利寛（訳）：新版 運動の生理学（7th Edition）. ベースボール・マガジン社, pp47-73, 1976.

28) Burke, RE：Motor unit type of cat triceps surae muscle. J Physiol, **193**：141-160, 1976.

29) Engel, WK：Selective and nonselective susceptibility of muscle fiber types. Arch Neurol, **22**：97-117, 1970.

30) Rosenberg IH：Epidemiologic and methodologic problems in determining nutritional status of older persons. Am J Clin Nutr, **50**：1231-1233, 1989.

31) 一般社団法人日本老年医学会ホームページ：フレイルに関する日本老年医学会からのステートメント.

32) 西岡心大：低栄養とリハビリテーション栄養管理の考え方—特にエネルギー必要量に関して—. 日本静

脈経腸栄養学会雑誌，**31**（4）：944-948，2016.

33）神中正一（著），天児民和，河野左宙 改訂：神中整形外科学．p277，1970.

34）沖田　実（編）：関節可動域制限 第 2 版．pp11-12，三輪書店，2015.

35）小池文英（監訳）：Rusk リハビリテーション医学．p20，1968.

36）上田　敏：日常生活動作を再考する QOL 向上のための ADL を目指して．総合リハ，**19**（1）：69-74，1991.

37）濱田　淳，長尾榮一：近代日本鍼術の拠り所．日本医史学雑誌，**40**（3）：305-313，1994.

38）中川一彦：理学療法士の始祖・柏倉松蔵．健康科学大学紀要，**2**：69-76，2006.

39）千住英明：国民への呼吸器の健康に対する理学療法士の約割—呼吸理学療法の歴史を踏まえて—．理学療法学，**41**（8）：653-658，2014.

40）G Kenneth Mallory, Paul D, WhiteMD, et al：The speed of healing of myocardial infarction；A study of the pathologic anatomy in seventy-two cases. Am Heart J, **18**（6）：647-671, 1939.

41）Taylor HL, Henschel A, et al：Effects of bed rest on cardiovascular function and work performance. J Appl Physiol, **2**（5）：223-239, 1949.

42）Samuel AL, Bernard L："Armchair" treatment of acute coronary thrombosis. JAMA, **148**（16）：1365-1369, 1952.

43）三木威勇治：整形外科学入門．pp1-2，南山堂，1968.

44）藤田博曉，潮見泰蔵：中枢神経系に対する理学療法アプローチ—課題指向型アプローチから Motor Relearning Program へ—．理学療法学，**22**（3）：319-324, 2007.

（ホームページは 2018 年 10 月 20 日閲覧）

第4章

理学療法士を取り巻く法令制度

　人間は社会を形成し，そのなかで生活を営んでいる．その社会が秩序を保って安全な生活を保障して発展していくためには一定の規範が必要である．その規範を国家の制度のもとで順守する決まりごとが法規範，法令（本章では法律，法令，法規を一括した用語として使用）である．特に一定の基準に則って免許を与える国家資格は，法令によって厳密に定められている．

　理学療法士に直接関連した法令は「理学療法士及び作業療法士法」（以下，PT・OT 法），「理学療法士及び作業療法士法施行令」（以下，PT・OT 法施行令），「理学療法士及び作業療法士法施行規則」（以下，PT・OT 法施行規則），「理学療法士作業療法士学校養成施設指定規則」（以下，PT・OT 指定規則）が挙げられる（図 4-1）.

1　法令とは

1）法令の成立，施行[1]

　理学療法士は資格，業務に関連した法令を十分に理解するために，まずは法令の基礎知識を学んでおくことが必要である．たとえば法律は本則と附則に分けられており，本則は法律の本体部分であり，実質的な規定が記されている．附則は，本則に定められた規定に付随して必要となる事項であり，施行期日，法律の制定・改廃による変革を緩和するための経過措置，関係法律の改廃などが定め

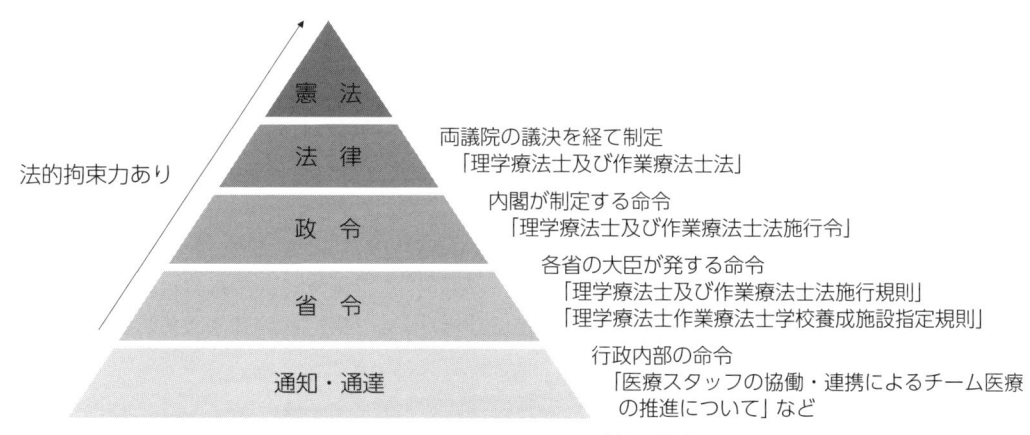

図 4-1　日本の法令体系[2]より一部改変

られている．附則は新しい制度が定着するまでの引き継ぎであり，制度が定着すれば実質的な必要性はなくなるのが一般的である．

　法律は国会で成立した後に，30日以内に「公布」（国民に周知する）され，法律が実際に発動し，効力を発揮することを「施行」という．施行期日は附則に定められる．

2）日本の法令体系[2]

　日本の法令体系は憲法を頂点にピラミッド型に制定されている（図4-1）．憲法は「国の最高法規」であり，すべての法令は憲法に違反できない．「法律」は国会の議決で制定され，PT・OT法もこれに該当する．「政令」は内閣が制定する命令でPT・OT法施行令がこれに該当する．「省令」は各省が制定する命令でPT・OT法施行規則，PT・OT指定規則が該当する．そして，以上の法令は法的拘束力を有している．一方，「通知」「通達」は，一般的に，特定人または不特定多数の人に対して特定の事項を知らせる行為とされる．法令とは区別され，公の立場から行政機関や国民に伝える．2010年には「医療スタッフの協働・連携によるチーム医療の推進について」（厚生労働省医政局），2013年には「理学療法士の名称の使用等について」（厚生労働省医政局医事課）が都道府県に通達された（後述）．

2　保健，医療，福祉などに関わる法律の種類，法律の目的規定

　保健，医療，福祉に関わる国家資格，その提供制度などについては，すべて法律で定義，範囲，権利，義務などが規定されている．これらの法律は，多くの領域に関連しているためすべてを網羅できないが，理学療法士に関連すると考えられる法律を抜粋して表4-1にまとめた．関連する法律は国家資格の種類，対象者，職域，医療保険など，また健康増進・疾病予防など多岐にわたる．これらの法律の趣旨をよく理解し，理学療法・理学療法士に関連する条文について理解を深めておくことが大切である．

　法律の第一条には目的規定が記されている．目的規定は，具体的な権利や義務を定めるものではないが，究極的に大きな公益に資する旨を明記することで，他の規定の解釈運用の指針となる重要な部分である．この目的規定には，簡潔に「〜手段をもって，〜目的に達する」ことが記載される．医療に関連した法律は，いずれもその目的に「医療の普及及び向上に寄与すること」あるいは「公衆衛生の普及向上」などが謳われており，これらの目的が他の規定の指針となっている．

3　理学療法士及び作業療法士法の制定

（1965〔昭和40〕年，法律137号，最終改正2022〔令和4〕年法律第68号）

　まず，この法律制定への経緯について述べておきたい．1959年に厚生省内に機能療法・職能療法研究会が発足した．1961年にはリハビリテーション（以下，リハ）医学に必要な技術援助のための顧問を米国より招聘し，1963年には医療制度調査会から厚生大臣に「医療制度全般についての改善

表 4-1　医療関連の法律一覧（一部抜粋）

医療職種に関連する法律
- 医師法（1948 年）
- 保健師助産師看護師法（1948 年）
- 栄養士法（1947 年）
- 理学療法士及び作業療法士法（1965 年）
- 言語聴覚士法（1997 年）
- 視能訓練士法（1971 年）
- 臨床工学技士法（1987 年）
- 義肢装具士法（1987 年）

医療施設に関連する法律
- 医療法（1948 年）

医療保険に関連する法律
- 健康保険法（1922 年）
- 国民健康保険法（1958 年）
- 厚生年金保険法（1954 年）

労働に関連する法律
- 労働安全衛生法（1972 年）
- 労働者災害補償保険法（1947 年）

高齢者に関連する法律
- 介護保険法（2000 年）
- 老人福祉法（1963 年）

社会福祉，障害者に関連する法律
- 社会福祉法（1951 年）
- 生活保護法（1950 年）
- 障害者基本法（1948 年）
- 障害者の日常生活及び社会生活を総合的に支援するための法律（通称：障害者総合支援法）（2005 年）
- 身体障害者福祉法（1949 年）
- 知的障害者福祉法（1960 年）
- 精神保健及び精神障害者福祉に関する法律（1950 年）
- 社会福祉士及び介護福祉士法（1987 年）

疾病予防，健康増進に関連する法律
- 健康増進法（2002 年）
- 地域保健法（1947 年）

その他
- 個人情報の保護の関する法律（通称：個人情報保護法）（2003 年）

の基本方策に関する答申」が提出された．また，理学療法士・作業療法士の教育および業務内容の確立などを制度化するために「PT・OT 身分制度調査打合会」が発足した．そして，同年に日本に初めての厚生省立 3 年制の理学療法士作業療法士養成校として国立療養所東京病院附属リハビリテーション学院（東京都清瀬市）が創設された．そして，卒業生を輩出する約 9 か月前の 1965 年に PT・OT 法の公布・施行に至った．まさに養成校が先に設置され，法律は遅れて整備されたのである．これは世界の趨勢から遅れていたリハ専門職の養成が急速に進められたことを示している．

4　理学療法士及び作業療法士法の内容

PT・OT 法は第 1 条〜第 22 条で構成される（**表 4-2** および巻末 **資料** 参照）．その要点について解説する．

1）目　的

第 1 章総則の目的規定（第 1 条）は，「理学療法士及び作業療法士の資格を定め」「その業務が適正に運用されるように規律し」，その手段をもって，「医療の普及及び向上に寄与する」ことを目的にしている．

2）理学療法士の免許

理学療法士は国家資格であり，PT・OT 法に定められた免許である．「理学療法士又は作業療法士

表4-2 理学療法士法及び作業療法士法の構造

本則	総則	第1章	総則	第1条	この法律の目的
				第2条	定義
	実体的規定	第2章	免許	第3条	免許
				第4条	欠格事由
				第5条	理学療法士名簿及び作業療法士名簿
				第6条	登録及び免許証の交付
				第7条	免許の取消し等
				第8条	政令への委任
		第3章	試験	第9条	試験の目的
				第10条	試験の実施
				第11条	理学療法士国家試験の受験資格
				第12条	作業療法士国家試験の受験資格
				第13条	不正行為の禁止
				第14条	政令及び厚生労働省令への委任
		第4章	業務等	第15条	業務
				第16条	秘密を守る義務
				第17条	名称の使用制限
	雑則	第5章	理学療法士作業療法士試験委員	第18条	理学療法士作業療法士試験委員
				第19条	試験事務担当者の不正行為の禁止
	罰則	第6章	罰則	第20〜22条	
附則					

になろうとする者は，理学療法士国家試験又は作業療法士国家試験に合格し，厚生労働大臣の免許を受けなければならない」（第3条）と定められている．

　国家試験の合格は当該者が理学療法の知識などを有していることを保証している．免許は，法律上一般人に禁止されている行為を，特定の資格を有した者に許可されることを指す．つまり，国家試験に合格した理学療法士は，「医師の指示の下」で診療の補助として理学療法業務を行うことを法律が許可していることになる．

　免許の取消し等（第7条）は，第4条に定めた欠格事由の「いずれかに該当するに至つたときは」免許を取り消し，または期間を定めて理学療法士の名称の使用停止を命ずることができると定めている．

3) 欠格事由

　欠格事由（第4条）は，国家試験に合格してもその事由に該当する場合において免許登録を与えられないことがある．欠格事由には，事由により免許が与えられない絶対的欠格事由と，事由の程度

により与えられないことがある相対的欠格事由に分けられるが，PT・OT 法には絶対的欠格事由はない．相対的欠格事由として，①「罰金以上の刑に処せられた者」，②「理学療法士の業務に関し犯罪又は不正の行為があった者」，③「心身の障害により理学療法士の業務を適正に行うことができない者として厚生労働省令で定めるもの」，④「麻薬，大麻又はあへんの中毒者」とされる．

4) 国家試験

試験の目的（第9条）は，「理学療法士として必要な知識及び技能について行なう」ことである．また，試験の実施（第10条）は「毎年少なくとも1回，厚生労働大臣が行なう」ことになる．理学療法士国家試験の受験資格（第11条）は，「学校教育法の規定により大学に入学することができる者で，文部科学省令・厚生労働省令で定める基準に適合するものとして，文部科学大臣が指定した学校又は都道府県知事が指定した理学療法士養成施設において，3年以上理学療法士として必要な知識及び技能を修得したもの」になる．

5) 業　務

第4章の「業務等」（第15条，第16条，第17条）は，主に理学療法士の業務および義務について定めており重要な章である．理学療法士はその業務（第15条）について，「保健師助産師看護師法」にかかわらず，診療の補助として理学療法を行うことを業とすることができる．また，「あん摩マッサージ指圧師，はり師，きゅう師等に関する法律」にかかわらずマッサージを行うことができる．

6) 秘密を守る義務

理学療法士は秘密を守る義務（第16条）について，「正当な理由がある場合を除き，その業務上知り得た人の秘密を他に漏らしてはならない．理学療法士でなくなった後においても，同様とする」と定められている．これを「守秘義務」という．

7) 名称の使用制限

名称の使用制限（第17条）は，「理学療法士でない者は，理学療法士という名称又は機能療法士その他理学療法士にまぎらわしい名称を使用してはならない」とされる．つまり，理学療法士の免許はその名称を独占しているため，「名称独占」ともいう．

5　理学療法の定義と理学療法士活動領域の拡大

理学療法の定義（第2条）は，「『理学療法』とは，身体に障害のある者に対し，主としてその基本的動作能力の回復を図るため，治療体操その他の運動を行なわせ，及び電気刺激，マッサージ，温熱その他の物理的手段を加えることをいう」としている．また，「『理学療法士』とは，厚生労働大臣の免許を受けて，理学療法士の名称を用いて，医師の指示の下に，理学療法を行なうことを業とする者をいう」としている．

このように理学療法の定義は法的に明確に定められている．しかし，現在の理学療法士の活動領域

は，対象者の多様化，予防的観点からの理学療法，産業分野における理学療法，スポーツ分野における理学療法など拡大していることから，法的な定義では論理的に十分に実態を表していない状況が生じている．

　今後，理学療法は「身体に障害のある者」に限定した対象から，さらに拡大すると予測される．具体的には 2001 年に世界保健機関（WHO）によって改訂された国際生活機能分類（International Classification of Functioning, Disability and Health：ICF）に準じて健常者を含めた「心身機能・身体構造：body functions and structures」「活動：activities」「参加：participation」の構成要素を基軸として，健康増進，介護予防，産業理学療法，スポーツ理学療法，ウィメンズヘルス・メンズヘルス理学療法において，よりいっそう理学療法士の役割が拡大する．そのためには，理学療法界の総意と協力によって，定義の見直しを含めた抜本的な改正のために中長期的な展望を掲げた職能的・学術的な活動が求められるであろう．

6 理学療法士及び作業療法士法施行令，理学療法士及び作業療法士法施行規則，理学療法士作業療法士学校養成施設指定規則

1）理学療法士及び作業療法士法施行令

（1966〔昭和 40〕年，政令第 327 号，最終改正 2022〔令和 4〕年政令第 39 号）

　免許の申請者は，「住所地の都道府県知事を経由して」申請書と必要書類を厚生労働大臣に提出する（第 1 条）．免許は厚生労働大臣が交付し，免許が交付された理学療法士の①登録番号，登録年月日，②本籍地都道府県名，氏名，生年月日，性別，③国家試験合格の年月などの事項が名簿に登録される（第 2 条）．②の登録事項に変更を生じたときは，30 日以内に名簿の訂正を申請しなければならない（第 3 条）．

　第 5 条には免許証の書換え交付，第 6 条には免許証の再交付を申請することができることが明記され，その申請の要件が定められている．第 7 条は免許証の返納に関して定められている．

　第 9 条から第 17 条までは，学校又は養成施設の指定（第 9 条）で始まり，学校や養成施設の設置者，その所在地の都道府県知事，行政庁の間における指定（第 9 条），指定の申請（第 10 条），変更の承認又は届出（第 11 条），報告（第 12 条），報告の徴収及び指示（第 13 条），指定の取消し（第 14 条），指定取消しの申請（第 15 条）について定められている．行政庁の役割は，「学校」の指定では文部科学大臣が，「養成施設」の指定では都道府県知事が行うことが定められている（第 18 条）．

　第 19 条は，国家試験を行う理学療法士作業療法士試験委員に関する事項である．第 8 条「省令への委任」では厚生労働省令で免許に関して，第 17 条「主務省令への委任」では文部科学省令・厚生労働省令で指定に関して，さらに必要な事項を定めるとされている．そのうち免許と試験に関することが PT・OT 法施行規則で，学校または養成施設の指定に関することが PT・OT 指定規則で定められている．

2）理学療法士及び作業療法士法施行規則

（1966〔昭和 40〕年，厚生省令第 47 号，最終改正 2022〔令和 4〕年厚生労働省令第 107 号）

PT・OT 法施行規則は，PT・OT 法ならびに PT・OT 法施行令の関係する規定に基づき定められた命令である．

本規則は，第 1 章の「免許」に関する第 1 条から第 7 条までと，第 2 章の「試験」に関する第 8 条から第 13 条までの項目が定められている．公布時の附則，その後，厚生省令による改正を反映した時点での施行期日や特例についての附則，規定や附則に関係する様式で構成される．

3) 理学療法士作業療法士学校養成施設指定規則

（1966〔昭和 41〕年制定，文部省・厚生省令第 3 号，最終改正 2022〔令和 4〕年文部科学省・厚生労働省令第 3 号）

PT・OT 指定規則は，PT・OT 法の関係する規定に基づき定められた命令である．本規則は，学校または養成施設の指定基準を理学療法士（第 2 条），作業療法士（第 3 条）と定め，指定の申請書の記載事項等（第 4 条），変更の承認又は届出を要する報告（第 5 条），報告を要する事項（第 6 条），指定取消しの申請書等の記載事項（第 7 条）を定めている．交付時の附則，その後，文部省・厚生省令（後に文部科学省・厚生労働省令）による改正を反映した時点での施行期日や経過措置についての附則，規定に関係する別表で構成される．2018 年 10 月 5 日に官報や厚生労働省ホームページに掲載された「理学療法士作業療法士学校養成施設指定規則の一部を改正する省令」の公布は，それに先立って厚生労働省により設置された「理学療法士・作業療法士学校養成施設カリキュラム等改善検討会」が議論を重ね最終的に 2017 年 12 月にまとめられた報告書[3] を受けてのことである．改正された省令は，一部の改正規程を除いて，2020 年 4 月 1 日から施行された．

第 2 条関係の変更では，教育内容や専任教員の要件などが改正され，単位数では，合計で 93 単位から 101 単位に増加された[4]．新しいカリキュラムは施行される 2020 年度の入学生から適用された．

7 理学療法士に関わる医療関連の法律

1) 健康増進法

（2002〔平成 14〕年 8 月 2 日，法律第 103 号，最終改正 2022〔令和 4〕年，法律第 76 号）

本法は「21 世紀における国民健康づくり運動（健康日本 21）」を推進するための法的根拠となっている．その目的は，「国民の健康の増進の総合的な推進に関し基本的な事項を定めるとともに，国民の栄養の改善その他の国民の健康の増進を図るための措置を講じ，もって国民保健の向上を図ること」としている．「基本方針」として「食生活，運動，休養，飲酒，喫煙，歯の健康の保持その他の生活習慣に関する正しい知識の普及に関する事項」について，「国，都道府県，市町村，健康増進事業実施者，医療機関その他の関係者は，国民の健康の増進の総合的な増進を図るため，相互に連携を図りながら協力するよう努めなければならない」と定められている．「市町村による生活習慣相談等の実施」において，「医師，歯科医師，薬剤師，保健師，助産師，看護師，准看護師，管理栄養士，栄養士，歯科衛生士その他の職員に，栄養の改善その他の生活習慣の改善に関する事項」と規定されているが，運動に関する知識と技術を備えている理学療法士の明確な記載がない．しかし，「健康増

進事業実施要領」通知（2008〔平成20〕年3月通知, 2017〔平成29〕年3月一部改正）には, 「訪問指導」の「訪問担当者」に理学療法士が明記されている. 今後も理学療法士が健康増進分野に積極的に関わることが期待される.

2）健康保険法

（1922〔大正11〕年, 法律第70号, 最終改正2023〔令和5〕年, 法律第48号）

本法は「労働者又はその被扶養者の業務災害以外の疾病, 負傷若しくは死亡又は出産に関して保険給付を行い, もって国民の生活の安定と福祉の向上に寄与すること」を目的としている. 医療職の理学療法士は, 保険診療と支払いのしくみや高齢者医療制度, 保険医療機関と保険医などについて理解することが必要である. 本法の訪問看護療養費（第88条）について, 「厚生大臣が指定する者」が「居宅において看護師その他厚生労働省令で定める者が行う療養上の世話又は必要な診療の補助」を行ったときに, 訪問看護療養費を支給することになる. この「厚生労働省令で定める者」には, 「健康保険法施行規則」（大正15年内務省令第36号, 最終改正令和5年）第68条に理学療法士が明記されている.

3）介護保険法

（1997〔平成9〕年, 法律第123号, 最終改正2023〔令和5〕年, 法律第31号）

本法は2000年4月に施行された. 超高齢社会における要介護者の増加に伴う介護負担を国民全体で担うとする公的保険である. 本法の第1条（目的）は「加齢に伴って生ずる心身の変化に起因する疾病等により要介護状態となり, 入浴, 排せつ, 食事等の介護, 機能訓練並びに看護及び療養上の管理その他の医療を要する者等について（対象）, これらの者が尊厳を保持し, その有する能力に応じ自立した日常生活を営むことができるよう, 必要な保健医療サービス及び福祉サービスに係る給付を行うため, 国民の共同連帯の理念に基づき介護保険制度を設け, その行う保険給付等に関して必要な事項を定め（手段）, もって国民の保健医療の向上及び福祉の増進を図ること（目的）」である（カッコ内は筆者が追記）. 要介護の基準, サービス運営基準, 介護保険料の徴収, 給付の条件, 給付サービスなどの詳細を定めている. 40歳以上を対象として, 保険料は公費50%（国25%, 都道府県12.5%, 市町村12.5%）, 被保険者50%の負担を財源とする. 本法は2005年（新予防給付の創設, 地域支援事業の創設）, 2008年（業務管理体制整備の義務付け）, 2011年（医療と介護の連携の強化等）, 2014年（予防給付を地域支援事業に移行）, 2017年（地域包括ケアシステムの深化・推進, 介護医療院の導入）と3年ごとに改正されてきた. 理学療法については訪問リハ, 通所リハ, 介護予防訪問リハ, 介護予防通所リハにおいて明記されており, 「介護保険法施行規則」（1999〔平成11〕年厚生省令第36号, 最終改正2023〔令和5〕年）では, 訪問看護, 介護予防訪問看護などにおいて理学療法士について明記されている. 本法における訪問・通所リハ, 介護予防における訪問・通所リハは, 理学療法士の専門的能力を発揮できる場であり, 理学療法士への理解を促し, 積極的に介護保険事業に関わることが期待される.

4) 老人福祉法

（1963［昭和 38］年，法律第 133 号，最終改正 2022［令和 4］年，法律第 68 号）

　本法の第 1 条（目的）は「老人の福祉に関する原理を明らかにするとともに，老人に対し，その心身の健康の保持及び生活の安定のために必要な措置を講じ，もつて老人の福祉を図ること」である．定義（第 5 条の 2）の「老人居宅生活支援事業」とは，老人居宅介護等事業，老人デイサービス事業，老人短期入所事業，小規模多機能型居宅介護事業等を含み，介護予防に係ることを定めている．また，同項では「複合型サービス福祉事業」として訪問介護，訪問看護，老人居宅介護等事業，訪問リハ，通所介護，通所リハ等が 2 種類以上，効率的に組み合わせて提供されることを定めている．支援体制の整備等（第 10 条の 3），居宅における介護等（第 10 条の 4）で市町村の採ることのできる措置，老人ホームへの入所等（第 11 条）で市町村の採らなければならない措置について定めている．いずれも介護保険法の規定との連携および調整に努めることが求められている．

5) 障害者基本法

（1970［昭和 45］年，法律第 84 号，最終改正 2013［平成 25］年，法律第 65 号）

　本法の第 1 条（目的）は，「障害者の自立及び社会参加の支援等のための施策に関し，基本原則を定め，及び国，地方公共団体等の責務を明らかにするとともに，障害者の自立及び社会参加の支援等のための施策の基本となる事項を定めること等により，障害者の自立及び社会参加の支援等のための施策を総合的かつ計画的に推進すること」である．そして，定義（第 2 条）では「障害者」を「身体障害，知的障害，精神障害（発達障害を含む．）その他の心身の機能の障害（以下「障害」と総称する．）がある者であって，障害及び社会的障壁により継続的に日常生活又は社会生活に相当な制限を受ける状態にあるものをいう」としている．「社会的障壁」は「障害がある者にとつて日常生活又は社会生活を営む上で障壁となるような社会における事物，制度，慣行，観念その他一切のものをいう」としている．医療，介護等（第 14 条）においてリハの提供を行うよう必要な施策を講じなければならないと定めている．

6) 障害者総合支援法

（平成 17［2005］年，法律第 123 号，最終改正 2022［令和 4］年，法律第 104 号）

　本法は名称を「障害者の日常生活及び社会生活を総合的に支援するための法律」（略称「障害者総合支援法」）として制定された．2012（平成 24）年に「障害者自立支援法」は廃止され，「障害者総合支援法」に改称して施行した．

　第 1 条（目的）では，「障害者及び障害児が基本的人権を享有する個人としての尊厳にふさわしい日常生活又は社会生活を営むことができるよう」「障害の有無にかかわらず国民が相互に人格と個性を尊重し安心して暮らすことのできる地域社会の実現に寄与すること」としている．また，基本理念（第 1 条の 2）では，「共生する社会を実現するため，全ての障害者及び障害児が可能な限りその身近な場所において必要な日常生活又は社会生活を営むための支援を受けられること」と定めている．

　本法の「障害者」とは「身体障害者」「知的障害者」「精神障害者」，「並びに治療方法が確立していない疾病その他の特殊の疾病」（いわゆる難病）としている．

7）個人情報の保護に関する法律

　（2003［平成15］年，法律第57号，最終改正2023［令和5］年，法律第47号）

　本法の第1条（目的）では，「個人情報の適正な取扱いに関し，（略）国及び地方公共団体の責務等を明らかにし，個人情報を取り扱う事業者及び行政機関等について（略）遵守すべき義務等を定めることにより，（略）個人情報の有用性に配慮しつつ，個人の権利利益を保護すること」としている．

　その構成は，総則（第1章），国及び地方公共団体の責務等（第2章），個人情報の保護に関する施策等（第3章），個人情報取扱事業者等の義務等（第4章），行政機関等の義務等（第5章），個人情報保護委員会（第6章），雑則（第7章），罰則（第8章），附則となっている．

　この法律は，個々人の義務を定めたものではないが，個人情報取扱事業者には従業者の監督（第21条）の義務がある．そのため，利用目的の特定（第15条），利用目的による制限（第16条），適正な取得（第17条），取得に際しての利用目的の通知等（第18条），データ内容の正確性の確保等（第19条），安全管理措置（第20条），第三者提供の制限（第23条）など，事業者の義務として規定された項目の内容に対しては，従事者として働く理学療法士には正しい理解が求められる．

　関連する個人情報の保護に関する法律施行令（2003［平成15］年政令第507号，最終更新は2022［令和4］年4月20日公布の改正）では，法律の規定に基づき，個人識別符号（第1条）の定義，要配慮個人情報（第2条）等が規定され，全21条と附則で構成されている．

8　理学療法士及び作業療法士法の課題と理学療法業務の拡大

1）社会・医療の変遷と理学療法士及び作業療法士法

　法律と社会の関係は，法律が社会秩序を制御するとともに，社会の変化が法律改正に影響する相互の作用があるともいえる．既にPT・OT法が成立してから半世紀以上が経過しているが，実体的規定部分の改正はなされていない．

　この間に社会や医療情勢は大きく変化しており，日本社会は少子超高齢社会・人口減少社会に突入している．医療においても結核やコレラといった感染症疾患の減少および非感染症疾患の増加，医療技術の進歩，医療施設の多様化，そして高齢化に伴う加齢性疾患，高齢者医療費の増加など，運動療法を主とする理学療法のニーズは高まっている．また，そのため理学療法士の活躍の場が医療分野だけに限らず，保健分野，福祉分野に拡大してきている．これまでの疾病・障害における理学療法とともに生活習慣病予防や介護予防での活動が拡大し，一次予防，二次予防に関わっている．また，「障害」の世界的な規定も国際障害分類（ICIDH，1980年）からICFに改訂されて久しい．この間にPT・OT法の理学療法の「定義」を含めた法的検討はなされておらず，社会・医療情勢の変化による理学療法へのニーズと法律の間に"隔たり"が生じていることも事実である．

2）新しい法律の制定，「通知」による理学療法業務の拡大

　PT・OT法の改正が進まない一方，理学療法士，理学療法業務に関連した法律，「通知」によって業

務が拡大されつつあることは事実である．近年，新しく制定された法律，「通知」について紹介する．

①東日本大震災復興特別区域法

（2011［平成 23］年，法律第 122 号，最終改正 2022［令和 4］年，法律第 44 号）

本法は，2011 年 3 月に発生した東日本大震災からの復興についての基本理念を定め，「東日本大震災からの復興の円滑かつ迅速な推進と活力ある日本の再生に資すること」を目的として，同年 6 月に公布・施行された．

本法により被災地での訪問リハ事業所の設置要件が緩和されたことから，日本理学療法士協会等（理学療法士協会，作業療法士協会，言語聴覚士協会）が 2012 年 10 月に「一般財団法人訪問リハビリテーション振興財団」を立ち上げた．同年 11 月には，福島県南相馬市に最初の「浜通り訪問リハステーション」事業所が開設した．これは，区域が限定されているが理学療法士などによる介護分野における"開業"（診療業務ではない）ともいえる．

②理学療法士等の喀痰等の吸引について（通知）

厚生労働省医政局から各都道府県知事に「医療スタッフの協働・連携によるチーム医療の推進について」が 2010（平成 22）年に通知された[6]．これまでは，喀痰等の吸引は医行為に該当し，医師法などにより医師・看護師等のみが実施可能となっていたが，本「通知」により一定の研修，教育を受けたリハ専門職や介護職の者による喀痰等の吸引が実施可能になった．この内容を抜粋すると次のようになる．①理学療法士が体位排痰法を実施する際，作業療法士が食事訓練を実施する際，言語聴覚士が嚥下訓練等を実施する際など，喀痰等の吸引が必要となる場合がある．この喀痰等の吸引については，それぞれの訓練等を安全かつ適切に実施するうえで当然に必要となる行為であることを踏まえ，PT・OT 法等に含まれるものと解し，理学療法士等が実施することができる行為として取り扱う．②理学療法士等による喀痰等の吸引の実施にあたっては，養成機関や医療機関等において必要な教育・研修等を受けた理学療法士等が実施するとともに，医師の指示の下，多職種との適切な連携を図るなど，理学療法士等が当該行為を安全に実施できるよう留意しなければならない．

現在，理学療法士の養成機関や職能団体においても，教育内容の見直しや研修の実施などの取り組みを進めている．2018 年には PT・OT 指定規則の改正がなされ，喀痰等の吸引に関する教育が必修化された．

③理学療法士の名称の使用等について（通知）

厚生労働省医政局医事課から都道府県医務主管部に「理学療法士の名称の使用等について」が 2013（平成 25）年に通知された[7]．その内容は「理学療法士が，<u>介護予防事業等</u>において，<u>身体に障害のない者</u>に対して，転倒防止の指導等の<u>診療の補助に該当しない範囲の業務</u>を行うことがあるが，このように理学療法以外の業務を行うときであっても，「理学療法士」という名称を使用することは何ら問題ないこと．また，このような<u>診療の補助に該当しない範囲の業務を</u>行うときは，<u>医師の指示は不要</u>であること」（下線は筆者追記）とされる．この「通知」について日本理学療法士協会は，「診療の補助行為以外に対するもので，いわゆる予防理学療法時の業務指針と受け止めることが大切」としている．

予防理学療法には，他にも健康増進による一次予防，生活習慣病の予防，産業領域における腰痛予防，スポーツ領域における損傷予防など診療行為以外の多数の領域が含まれる．本「通知」においてはこのような領域については明確に触れられていないが，「介護予防事業等」「身体に障害のない者」について理学療法士の名称使用が通知されたことは，大きな一歩といえよう．

9　今後の法的課題

　理学療法業務は医療情勢の変遷に伴い拡大してきた．その一方，対象者，活動領域の実情と半世紀以上前に制定された法律との乖離が生じてきたことは否めない．そのため次の大きな課題は長年抱えてきた法律改正であるといえる．

　その主要な点は，PT・OT法に定義されている①対象者を「身体に障害のある者」から健常者，高齢者，精神疾患者まで含めること，②理学療法手段に健康増進および予防を含めたヘルスプロモーションの観点を加えることについて検討が必要である．たとえば日本理学療法士協会は，対象者に「身体に変調・機能不全のおそれのある者」という内容を追加することを要望している．

　また，診療業務における開業権に関わる懸案事項も長年の課題である．理学療法士はPT・OT法の「医師の指示の下に」業務を行わなければならず，診療業務において独立・開業することはできない．独立・開業は国民の理学療法への接点を拡大し，その専門職の裁量権を増すことになるが，同時にこれまで以上に質的水準を担保することや診療業務の責任が増大することはいうまでもない．とはいえ，現実的に法律改正は容易ではなく，国民はもとより関係者の理学療法士に対する信頼が必須となる．改正には，社会からの後押しが必要であろう．

　また，作業療法士，言語聴覚士などのリハ関連専門職との足並みを揃えることも必要であり，性急な法律改正には慎重を要する．

（小林量作・古西　勇）

■文献
1）内閣法制局ホームページ：法律の原案作成から法律の公布まで．
2）株式会社みらいホームページ：法律等を読み解くうえで必要な基礎知識．
3）厚生労働省ホームページ：理学療法士作業療法士学校養成施設カリキュラム等改善検討会 報告書．
4）厚生労働省ホームページ：医政局新着の法令（平成30年10月5日掲載），理学療法士作業療法士学校養成施設指定規則の一部を改正する省令．（2018年10月10日閲覧）
5）厚生労働省ホームページ：理学療法士作業療法士学校養成施設授業時間等の変遷．
6）厚生労働省ホームページ：医療スタッフの協働・連携によるチーム医療の推進について．
7）厚生労働省ホームページ：理学療法士の名称の使用等について（通知）．

（4）以外のホームページは2018年6月30日閲覧）

第5章

理学療法の基盤

　本章では，対象者の個別性を重視した根拠に基づく理学療法（Evidence Based Practice with Tailor made intervention：EBPT）を実践するために必要な理学療法の基盤となる国際分類，理学療法モデル，根拠について解説する．

1 効果的な理学療法実践のための基盤

　「医療は，医学の社会的適用である」といわれる．すなわち，臨床判断の根拠となる科学的知見や論理的思考過程を含めた学問としての"医学（medical science）"をもとに，いかに目の前にいる対象者のニーズに沿った効果的な実践を展開するかが"医療（medical care）"といえる．医療現場では，長い歴史の過程で培われた医学的な知識と技能（science）を基盤として，専門職の巧みさ（professional artistry）を含んだ実践方法が選択・適用されている．両者は，確立した基盤を実践に応用するという順序性や一方向性があるわけではなく，むしろ実践での疑問や必要性を動機とした基礎学問や臨床調査の集積によって基盤が創生されるといった相補的な関係にある．

　日本で理学療法士養成が開始された 1960 年代においては，社会のニーズから即戦力としての実践家の輩出が待ち望まれていた．そのため，教育課程も各種学校（いわゆる 3 年制の専門学校）によるもので，研究や教育の基盤を整備するための人材育成として相対的に脆弱なものであったことは否定できない．その後，1982 年に制定された老人保健法，2000 年の介護保険法などによる社会的認知に基づくニーズにも後押しされて養成施設は急速に増加し，2018 年には 261 校（1 学年の学生総定員 14,051 人）に達している．理学療法士の養成は，大数としての需要に応えつつ，同時に，理学療法学の体系化と基盤整備の確立を模索してきた．その結果として，1992 年には 4 年制大学での教育課程が実現し，1996 年以降には，学問的な基盤および実践的な研究を推進するための大学院課程が整備され，2018 年には，4 年制大学が 106 校（総定員 5,362 人：学校数比率 40.6％，学生数比率 38.2％）となり，博士課程前期（修士課程）57 校，博士課程後期（博士課程）38 校に至っている．

　また，公益社団法人日本理学療法士協会（Japanese Physical Therapy Association：JPTA）は，2013 年から日本理学療法士学会を組織し，2015 年には 12 の分科学会と 10 の部門を設置して理学療法の学術的・職能的な基盤を確実なものにしようとしている．

2　理学療法に関わる国際分類

1）国際疾病分類[1]

　医療の究極的な目標は生命の維持・延長にあり，正確な死亡統計を整備して原因の究明や対策について国際的な規模で実施することが不可欠であった．当時，国際統計協会の委員長を務めていたベルティヨン（Bertillon）は，1893 年のシカゴ会議で死因分類の作成を試みた報告書を提出した．この分類は，全身性疾患と特定の器官または解剖学的部位に局在する疾病との間を区別するファー（Farr）の分類原則を基本とし，イギリス，ドイツ，スイスで用いられていた分類を統合化したものであった．これはパリで使用されていた死因分類を基本としたものであったが，世界で受け入れられ，「Bertillon 分類」が今日の国際疾病分類（International Classification of Disease：ICD）の原型となっている．

　その後，10 年ごとに分類を改訂することが提唱され，1900 年に国際死因リストの第 1 回修正会議が開かれた．その後の第 2 回修正会議（1909 年）および第 3 回修正会議（1920 年）までは Bertillon のリーダーシップのもとで実施された．第 4 回修正会議（1929 年）は，これまでの国際統計協会に加えて国際連盟保健機関（League of National Health Organization：LNHO）からも同数の代表者が組織する合同委員会によって実施され，第 5 回修正会議（1938 年）も同様の形式で行われた．

　第 6 回修正会議は，1948 年に世界保健機関（World Health Organization：WHO）の臨時委員会のもとで進められた．これまでは，疾病分類はほとんど死因統計との関連で示されてきたが，致命的な疾病のみでなく人々に能力低下をもたらす疾病に対しても同じ用語体系を拡大して用いることが望ましいとする考えが成熟してきた．そのため，第 1 回世界保健総会では「国際疾病，傷害および死因分類（International Classification of Disease, Injuries, and Causes of Death）」として採択された．この修正では，分類項目の内容を定義する包括疾病の内容例表示を含む国際分類に加えて，死亡診断書の様式，分類のためのルール，特定製表用リストが検討され，国際人口動態および保健統計の分野に新しい時代の始まりを示した．その後，第 7 回（1955 年），第 8 回（1965 年）の修正会議では，分類の基本構造と疾病分類の一般原理は変更されずに進められた．なお，ここでいう一般原理とは，個別の症状発現よりも病因学に可能な限り従う疾病分類を意味している．

　第 9 回修正会議（1975 年）では，基本的な構造を維持しながら，4 桁分類項目のレベルに多くの詳細部分が加えられ，いくつかの任意的 5 桁分類も加えられた．また，医学的ケアを指向した統計や索引の作成を希望する利用者のために，基礎全身疾患の情報および特定の臓器や部位の症状発現の情報を含む診断的記述を分類する任意的選択的方法が加えられた．この方法は，剣印および星印システム（dagger and asterisk system）として最新版でも受け継がれている．さらに，試みとして，ICD に不可欠ではない補助分類として WHO から 1980 年に試用の目的で International Classification of Impairments, Disability and Handicap：ICIDH として出版された．

　第 10 回修正会議は第 9 回から 14 年後の 1989 年に実施されている．改訂作業が長期化した背景には，ICD の利用が大幅に拡大している現状で，修正に時間を費やしても安定した柔軟な分類が求められていることを考慮したためである．この会議には，WHO 加盟中の 43 か国と，国連，国際労働機関（International Labour Organization：ILO），WHO 地域事務局，国際医学機関会議，12

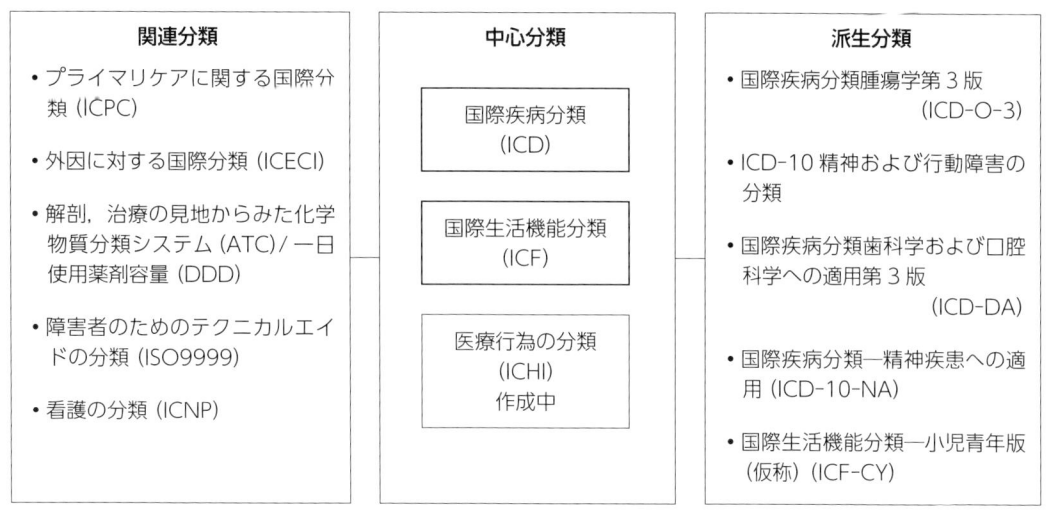

図 5-1　世界保健機関国際分類ファミリー
(WHO-Family of International Classifications)

の非政府組織（癌登録，聾，疫学，家庭医療，産婦人科学，高血圧，保健登録，予防社会医学，神経科学，精神医学，リハビリテーション，性的伝搬性疾患）が代表者を送っている．この修正では，「疾病および関係保健問題の国際統計分類第 10 回修正（International Statistical Classification of Diseases and Related Health Problems, Tenth Revision：ICD-10）」とされた．ICD-10 は，1990 年の WHO 総会で 1993 年から使用するように勧告され，2018 年現在も使用されている．また，この修正で 1 つの分類では必要な事項のすべてに応えることは困難であることから，死亡・疾病分類のための ICD を中核として詳細な分類や異なった事項を包含した「世界保健機関国際分類ファミリー」の概念が生まれた（**図 5-1**）．

2）国際生活機能分類[2]

　2001 年にジュネーブで開かれた第 54 回世界保健会議（WHA54, 21）で，国際生活機能分類（International Classification of Functioning, Disability and Health：ICF）が採択された．これは，当初 ICIDH の改訂を目指したもので，1990 年の予備会議を経て 1992 年から改訂会議が実施された．1996～1997 年にアルファ案に対する意見聴取，1997～1998 年にはベータ 1 案のフィールドトライアルがなされた．その後，1999 年にベータ 2 案が発表され，最終的には 2001 年 5 月に現在の ICF が採択された．

　ICF の特徴は，保健 - 医療 - 福祉に関わる対象者（家族や社会を含む）と関連専門職の "共通言語" を目指していること，不足している機能・能力や否定的因子のみを重視することなく，中立的表記とともに肯定的側面や促進因子を取り入れていること，背景因子として環境因子を明確に位置づけていること，各要素の相互依存性と相対的独立性を明確にしていること，社会から医療を位置づけた対象者の目標指向的な構造となっていることなどであると考える．なお，構成要素間の相互作用は**図 5-2** のとおりである．

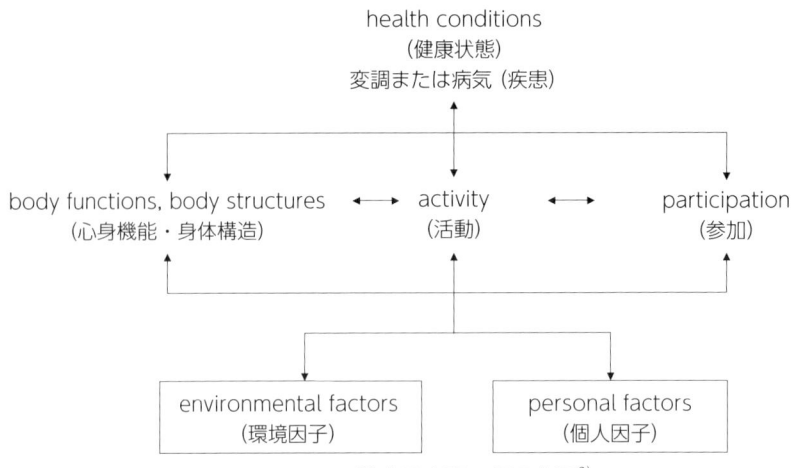

図 5-2　ICF の構成要素間の相互作用[2]

　ICF は，健康状況と健康関連状況を記述するための統一的で標準的な言語と概念的枠組みを提供することが目的となっている．そのため，2001 年 6 月に厚生労働省で開かれた国際生活機能分類の仮訳作成のための検討会においても，6 つの作業班（精神機能，感覚機能・音声と発話の機能，心血管系・血液系・免疫系・呼吸器系の機能，消化器系・代謝系・内分泌系の機能・皮膚および関連する構造の機能，神経筋骨格と運動に関する機能・尿路系・性・生殖の機能，活動・参加・環境）に分かれて多岐にわたる領域の見解が取り入れられている．特に，活動・参加・環境の作業班は 10 人の委員で構成され，その他の班の 3～5 人の委員に比較してより広い視点から検討された経緯がある．また，最終的には，ICF に関連すると推定される 63 の学術団体，13 の国立研究所など，35 の専門職団体，42 の関連団体および都道府県から見解を聴取した後に ICF 日本語版が作成されている．JPTA も専門職団体の 1 つとして見解を述べている．

　主要な概念である生活機能（functioning）は，心身機能・身体構造，活動，参加のすべてを含む包括用語として用いられる．理学療法を含む医療は，予防が重要な使命である．1 次予防では，安寧な状態（well-being）をいかに保つのかが最大の課題となり，健康増進，運動習慣，高齢者に対する自立支援や介護予防の確立などがこれに該当する．これらの介入は生活機能に働きかけるもので，機能損傷や活動制限といった否定的側面を予測することは重要であるが，能力低下（disability）に直接的に働きかけるわけではない．2 次予防においては，生体の可逆性・可塑性・代償性を最大限に高めることで否定的側面である機能・能力の低下を軽減し，同時に肯定的側面である生活機能を高める総体的な介入を進めることが重要となる．ここでは，生活機能の構成要素における相互依存性と相対的独立性を十分に認識した介入を実施する必要がある．つまり，3 次予防では，症状の悪化や再発を防止することが求められ，環境への適応の重要性を考慮した生活機能の向上や維持に努めることが大切である．理学療法評価の一例として，奈良らが開発した「ICF に準じた片麻痺患者の簡易総合評価システム」を図 5-3 に示した[3]．これは，心身機能（バランス，運動機能・ROM，知能・高次脳機能），活動（実行状況・基本動作・能力），参加（人間関係・生活全般）について 8 項目を 5 段階順序尺度にて評価しレーダーチャートに表示する方法である．症例 A と B とでは優れている側面

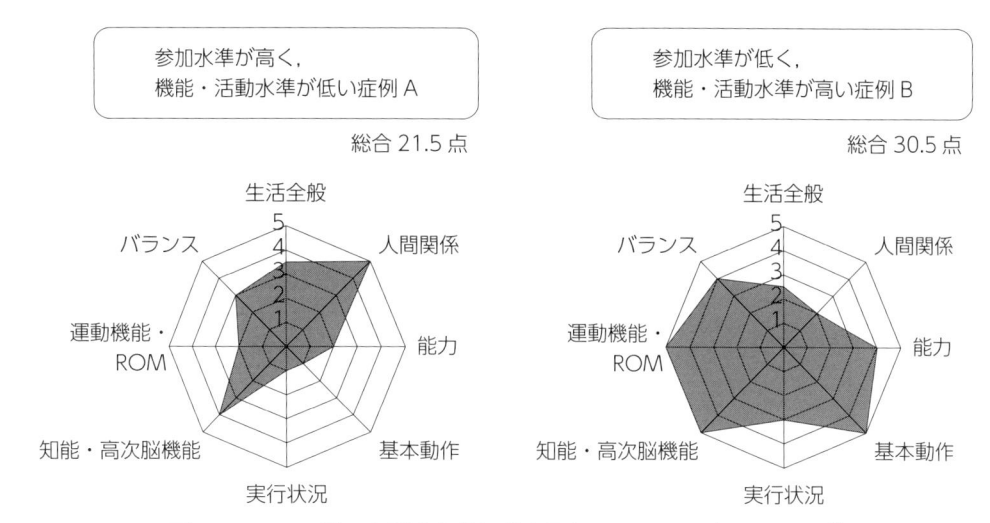

図 5-3　ICF に準じた脳卒中簡易総合評価によるレーダーチャート[3]

と不足している側面とが異なり，介入の視点が異なることが一目瞭然である．しかし，対象者やその家族などのニーズや価値観は多様であることから，単純に症例 A と B の優劣を決めることは困難であるため，状況に応じた対策が求められよう．

　このように ICF は時代に即した新しい概念が取り入れられているが，実際の介入過程や手段を検証するためのモデルではない．特に，急性期から回復期にかけて専門職が個別性を重視した治療介入を実践しようとする際には，このモデルのみでは十分な基盤を形成することは困難である．ICF の序論にも，ICF 分類は生活機能の過程をモデル化するものではないことが明記されている．よって，理学療法においては，共通理念としての ICF を認識して，理学療法の過程と方法論に沿った独自のモデルを確立する必要性があると考える．

3　理学療法モデル

1）モデルの意味

　モデルとは，「課題となる事象（対象や諸関係）を模倣し，類比・単純化したもの．また，抽象的な事象を論理的に構造化もしくは形式化したもの」を指すと定義されている．特に後者は，論理的な形式的モデル（formal model）ともよばれ，事象の表示や解釈にとどまらず，発見的・予測的な機能をもち，作業仮説の創出を促すための科学的方法論として有用である．理学療法モデルの役割として，概念や枠組みの理解・認識，臨床思考過程の視覚化，説明と同意の媒体，教育ツール，可能性の模索などが挙げられる．特に，臨床思考過程を明確にすることで評価・治療の展開を円滑に遂行し，事象の解釈や予測の一助となる知的作業が望まれる．モデルの表現形態には，言語モデル，図式モデル，数理モデルなどがあるが，多くの対象者が直感的に概念を理解・認識しやすいものは図式モデル

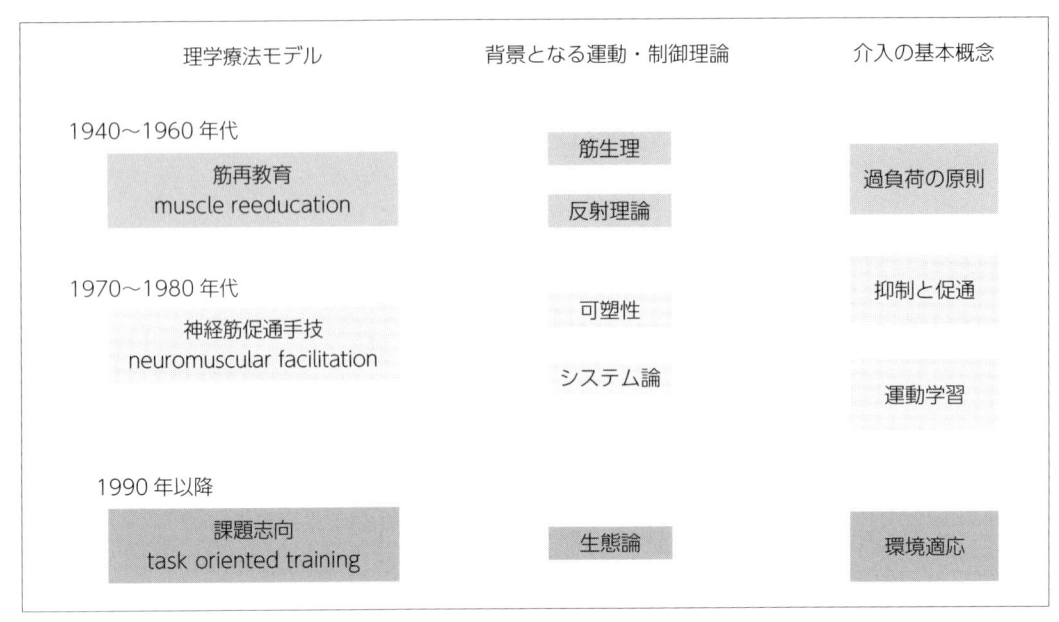

図 5-4　理学療法モデルの変遷

である．ただし，モデルとしての表現を簡素化しすぎると，総体の一側面のみに光が当たり影になる部分が生じて思考の偏重を招く危険性がある．

2）理学療法を支える基盤モデル

　理学療法の背景となる理論は，図 5-4 のようにまとめることができる．

　筋再教育（muscle reeducation）は，ポリオや骨関節疾患に対するものである．続いて神経筋促通手技（neuromuscular facilitation）の時代になり，1990 年代からは課題志向型トレーニング（task oriented training）が主流となっている．課題志向型の概念は，図 5-5 に示したように個体と環境の適応を支援する媒体としての課題を概念としている．

　環境とは，「生物の生存に関係する多種類の外的条件のすべて」と定義される．環境をどのように捉えるかは学問領域によっても幾分異なるが，人間の生活は，自然環境と非自然環境（文化・物質・情報・人間・社会）との相互作用によって，機能のみならず活動・参加の水準が規定される．なお，環境を価値づけるときには，対象者（主体）と環境（客体）の関係が重要であり，たとえ環境そのものは同じであっても対象者との関係（認知的環境）においてその意味は大きく変動する．対象者と環境の適合性・適応性を高めるためには，図 5-6 に示すように主体である対象者の機能や能力を改善することと同時に，対象者のニーズを軽減するために，環境を調整・制御して拡大する介入が求められる．理学療法では，経験や反応の源泉となる対象者固有の認知的環境を正確に捉えて治療的視点による環境を設定するとともに，生活の場への働きかけとしての環境調整・制御を促進する必要がある．課題志向型トレーニングは，筋再教育や神経筋促通手技を否定する概念ではなく，広い枠組みで両者を取り込んだものと位置づけられる．

　なお，神経筋促通手技についても，1963 年にヒューベル（Hubel）とヴァイセル（Weisel）に

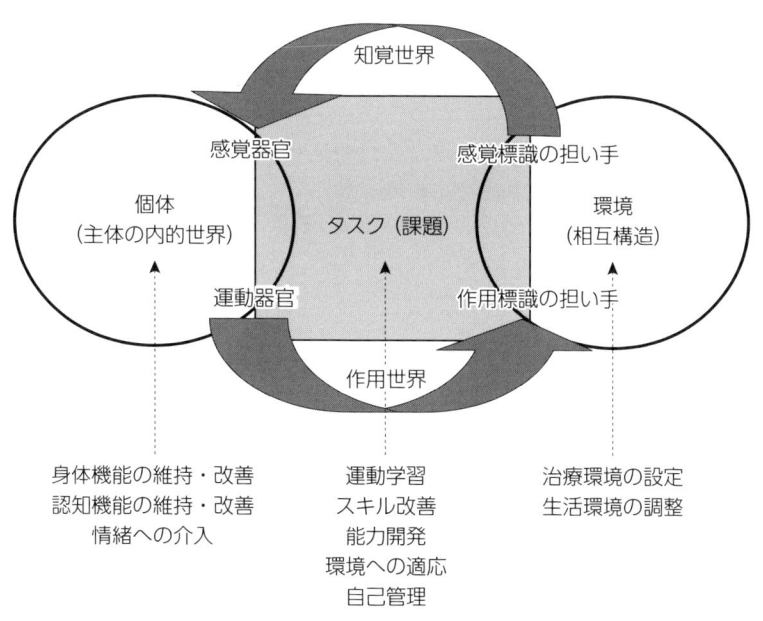

図 5-5　課題志向型トレーニングの概念（個体と環境との機能環）

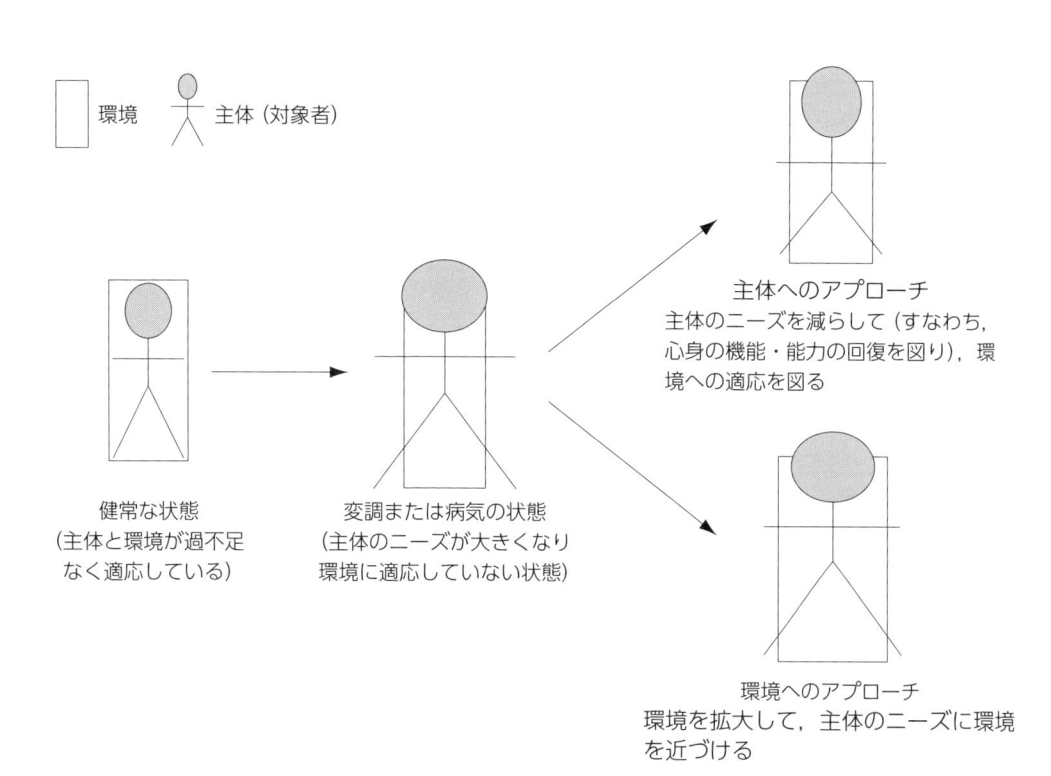

図 5-6　主体と環境の関係（IOM モデル）[4]より一部改変

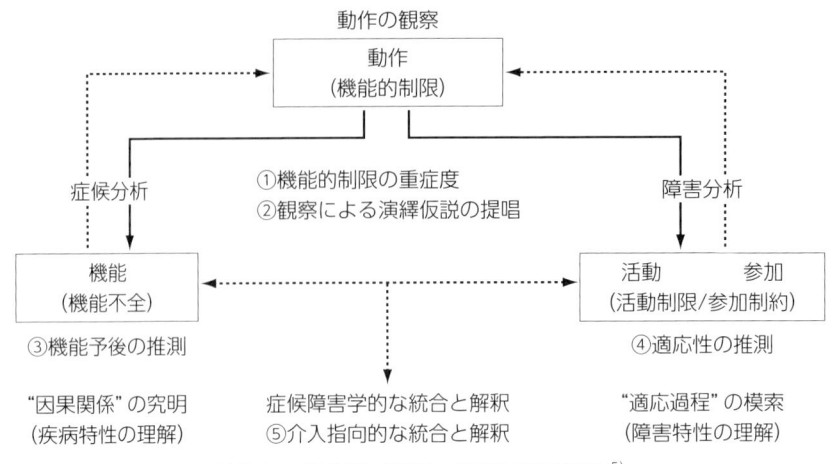

図 5-7　症候障害学による臨床思考過程[5]

よって脳の可塑性が示されて以来，動物実験による可塑性の知見をもとに治療時期や外部刺激の方法について模索されている．近年では，非侵襲的な計測方法の発達に伴い脳損傷後の可塑性と運動療法との関係が明らかになりつつある．

3) 臨床思考過程のモデル[5]

　理学療法を実践する場面では，個々の知識や技能を目前にいる対象者にいかに選択し創造的に適用するのかとの思考過程が重要となる．

　筆者は，理学療法学領域における思考過程の基本は「症候障害学」であると考えている．つまり，思考の出発点のひとつに人間の動きとしての"動作"が挙げられる．動作の観察を基軸とした臨床思考過程では，思考の展開（development）と転回（revolution）といわれる知的機能が作用し，前者はある次元の現象を論理的に発展させて，その構成要素の相互依存性から因果関係を明らかにしていく過程である．一方後者は，思考方向の変換によって現象の構成要素の整合性を検証するとともに，相対的に独立した固有の概念を総体として位置づけるものである．

　動作は，人の運動構成要素の集合であるが，1 対 1 の関係ではなく制御の過程では常に自由度が存在している．また，活動（参加）は動作によって成立するが，意欲や環境などの多様で複雑な要因の影響を受けた帰結である．具体的には，図 5-7 に示すように動作が十分に行えない原因を究明する"症候学的分析"と，不完全な動作をいかにして活動に結びつけるかの"障害学的分析"を行う．症候学的分析には各機能の計測とともに，検体・画像・病理学検査の結果を参考にして因果関係を明らかにすることが不可欠となる．ここでは疾病特性である病巣の広がり，医学的処置との相互作用，経過を含めて現象の背景を理解する必要がある．他方，"障害学的分析"では，活動・参加の実行状況を調査し，対象者の生活環境を勘案するとともに健康観を知る必要がある．また，動作・活動水準，運動学習・自己管理能力，環境への適応を含めて現象の帰結を理解する必要がある．これらの双方向の思考を同時に統合する基盤が理学療法に不可欠な症候障害学である．

　また，理学療法における評価・治療の時間的な流れは，図 5-8 に示すように 8 つの段階に分けられ，それぞれの段階で目標や臨床思考過程などを確認して重層的な思考と実践とを展開する．

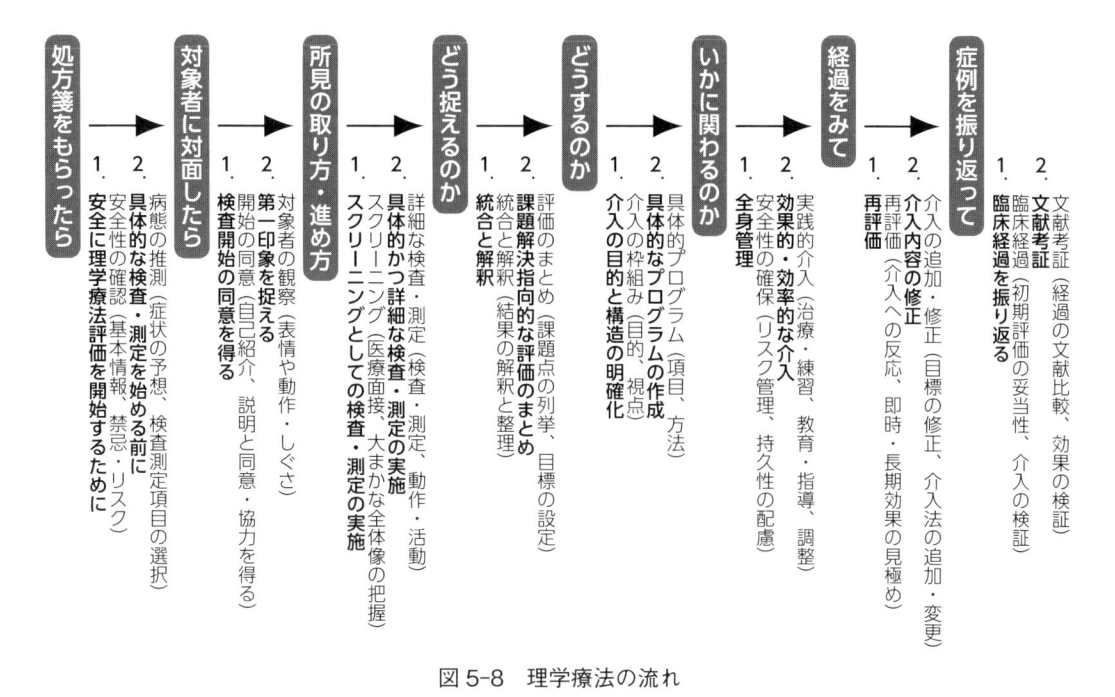

図 5-8　理学療法の流れ

4　根拠に基づく理学療法

1）根拠とは

　根拠（evidence）には，客観的な指標に加えて，経験的，主観的な要素も含まれる．具体的には図 5-9 に示すように，病因（etiology），経験（experience），専門家の意見（expertise），倫理（ethics），期待（expectancy），効率（efficiency），経済性（economy）などが意思決定の根拠となる．なお近年，臨床疫学に基づく狭義の根拠による意思決定が強調される傾向とともに，数多くの標準的な帰結に基づくガイドラインやクリニカルパスが開発・導入されている．これらは，医療の標準化と卒後教育に貢献しているが，一般化された標準的概念を個々の対象者に自動的に当てはめようとするのは不適切であろう．根拠に基づく医療とは，あくまでも目前の対象者に最も有益な意思決定を行うための情報処理手法であることを忘れてはならない．

2）根拠に基づく理学療法の流れ

　個々の対象者に適用する過程は，課題の定式化，根拠の入手，得られた根拠の批判的吟味，実行，評価となる．なお，前項で示したように根拠にはさまざまな要因が含まれるが，ここでは臨床疫学の視点に基づく理学療法の流れを中心とした処理過程を示す．

①課題の定式化

　ある患者・対象者（patient, subject）に，特定の介入（intervention）をしようと考えた際，他

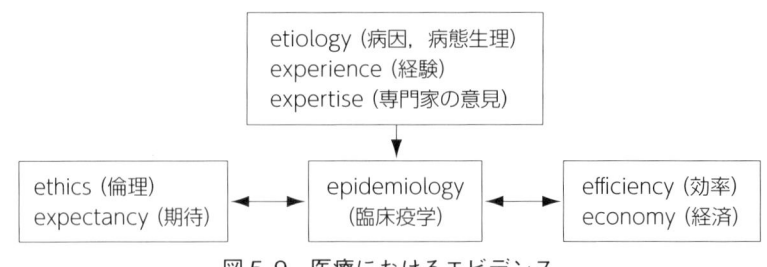

図5-9　医療におけるエビデンス

医療では，経験に基づいた（experience），倫理に配慮され（ethics），対象者の期待（expectancy）を尊重し，客観的な根拠に基づく（狭義の evidence），効率的で（efficiency），経済的な（economy）介入であることが求められる.
　いい（E）医療のエビデンスとはこれらの要素を包含した「根拠」であるが，時として臨床疫学に基づくデータ至上主義に置き換えられてしまう誤解がある.

の介入法と比較（comparison）して，どれだけの帰結（outcome）に優れているのかを明確にする. この段階を上記の英語の頭文字である PICO（ピコ）とよぶこともある. 対象者は，疾患・変調，重症度，年齢，性別などに応じて区分した介入では，どのような方法を選択するかを明確にする. 比較は，実施しようとする方法に関して複数の選択肢を考案して，どのような帰結が得られるかを検証する.

②根拠の入手

　PICO で示されたキーワードを中心にデータベースを検索するなどして情報を収集する. 文献には，原著，調査，症例研究などの1次情報と，ある目的で結果を比較したシステマティックレビュー（systematic review）や総説などの2次情報とがある. 理学療法で利用しやすいデータベースには，PEDro，MEDLINE，医学中央雑誌などがある.

③批判的吟味

　批判的とは critical の和訳で，建設的な検証を意味するもので否定的なものではない. 目前に存在する個別の対象者に適用できるか否かの臨界点を見極める必要がある. 具体的には，文献そのものの質（科学的手法に則り正確な手続きで導き出された結果であるか）を確認することと，特定の対象群で得られた結果を個別の対象者に適用したときに，同等（それ以上）の効果が得られるかを推測する2点が重要となる. 後者においては，平均値の違いのみならず，95%信頼区間（confidence interval：CI）や効果サイズ（effect size）の検証とともに，サブグループ分析を入念に行うことが望まれる.

④実　行

　上記の過程で実施する価値が認められると，対象者に十分な説明を行い理解と介入法の選択のうえで同意を得て，安全を確認しながら丹念に実施する.

⑤評　価

　実施した反応の帰結を信頼性と妥当性のある指標で判定する. 必要に応じて介入の継続，修正，中止，終了を決める.

3）根拠を作る

　専門職としての理学療法士は，対象者に敬意を払い常に最善の理学療法を提供する実践活動とともに，理学療法の発展に資する教育や研究に対して貢献する責務がある. すべての実践家は，根拠の利用者であるとともに根拠作成の担い手でもある.

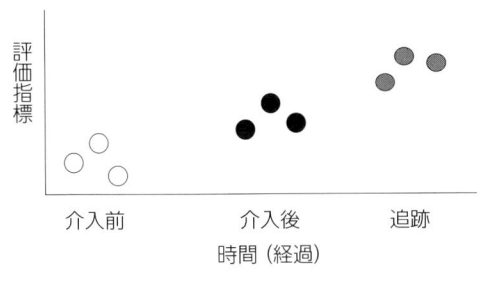

図 5-10　シングルケースデザインの基本

表 5-1　実用的な評価指標の条件

1) 現実性	簡便：短時間で計測が可能
	容易：特別な技術を必要としない
	汎用：適応が広く，経過を追える
2) 信頼性	精度：検出率に優れる
	再現：繰り返しの計測で高い再現性がある
	整合：指標の内的整合性が高い
3) 妥当性	関連：目標とする能力との基準関連性がある
	予測：介入の選択，予後予測に資する
	反応：介入の影響や変化を敏感に感知できる

　根拠の作成には，日々の実践記録が基本となる．適切な専門用語を用いて標準化された評価指標に基づく記録は，実践のみならず教育・研究にとっても貴重な財産となることを常に認識しておく必要性があろう．

　介入法選択の根拠に資する研究手法としては，シングルケーススタディとランダム化比較試験（Randomized Controlled Trial：RCT）研究とがある．

①シングルケーススタディ

　シングルケーススタディを端的に表現すれば，評価指標を時間軸の変化で示した単一例の介入記録といえる．基本的なデザインは，図 5-10 に示したように介入内容を表題として，横軸に時間，縦軸に評価指標を配し，介入前，介入後，追跡（フォローアップ）時の計測値をプロット（描画）したものである．

　評価指標には，表 5-1 に示すような信頼性と妥当性に優れたものを選択する．また，複数回の計測を行うことで，平均値とそのばらつき（標準偏差）を解釈でき，さらに多くの情報を得ることが可能となる．

②RCT

　理学療法介入は，運動療法，物理療法に加えて，補装具療法，生活指導など多岐にわたる要因で構成されるなど，データの蓄積に困難な側面がある．しかし，経験的根拠が脆弱になりやすい多くの要因の背景を有する対象者への介入効果は，RCT 研究による臨床疫学的検証として大きな意義がある．

　現状で根拠が強くかつ実践でのニーズの高い RCT 研究に関わるデザインは，疾患・障害の経過（自然回復，種々の介入）のなかから特定の介入効果を抽出できること，多施設間のデータを解析したものであること，介入群と対照群とをランダム（ブロック層別化を含む）に割り付けたものであること，治療者と評価者が分離されていること，現実的な介入量であること，明確な介入方法を提示できること，介入者および対象者の主観的印象なども記録し，客観的なデータと比較することなどである．

5　理学療法学教育の基盤

　理学療法学教育においては，専門職（professions）としての主体性と創造性を育み，臨床能力の要素である知識（認知領域），態度（情意領域），技能（精神運動領域），情報収集力，総合的判断力

表 5-2　臨床能力の要素

知識
- 想起：記憶している事柄を思い出す能力
- 解釈：現象に意味や価値をつける能力
- 解決：課題を解決するための能力

情報収集力
- 医療面接：面接を通して対象者に必要な情報を深く収集する能力
- 検査・測定：検査・測定によって心身の情報を正確に収集する能力
- 他職種：家族や他職種からの情報を広く収集する能力

態度
- 臨床実践：対象者に真摯に接する姿勢
- 生涯学習：学習・教育を継続する意欲と謙虚な姿勢
- 進歩発展：研究を含めた進歩発展に寄与しようとする姿勢

技能
- コミュニケーション：意思を双方向に伝達する能力
- テクニック：種々の検査や治療技術に関わる能力
- 検索・記録：情報検索，整理，記録・保存の能力

総合的判断力
- 論理思考：論理的な思考を展開する能力
- 動作分析：現象としての動作を総合的に捉える能力
- 臨床判断：対象者の心理や医療倫理を配慮する能力

を高める必要がある（**表 5-2**）．そのためには，教師主導型教育（pedagogy）から成人学習（andragogy）理論への転換とともに，膨大で賞味期限の限られた知識や技能を伝授するのではなく，「学び方を学ぶ」ための自己主導型学習（self-directed learning）を支援することが基盤となる．

　自己主導型学習とは，「個々人が（たとえ他人の力を借りても）自らの学習ニーズを見出し，目標を立て，リソース（文献，資料）を明確化し，計画を実行し，学習成果を評価するなかで主導権をとっていくような過程」を指す．この際の学習形態では，個別あるいは競争学習に比して協同学習が学習到達度，仲間好感度，論理的推論力の向上に優れることが知られている．対象者や家族を中心に多くの医療者で介入を行う際には，異なる専門性や個人の背景を超えた共通の目標設定と知的作業が不可欠となり，チーム医療を実践する理学療法士の養成に適合した学習方法でもある．

　具体的には，**表 5-3** に示したように，成人学習理論に基づく教育課程を編成して，自己主導型協同学習による課題解決能力の涵養を図り，実践能力の向上に資する技能の習得を支援することが求められる．

6　課題と展望

　対象者の個別性を重視した根拠に基づく理学療法を実現するためには，**表 5-4** に示すように，テイラーが意味するような既製品ではなく個々人の体型に適合した手作り洋服を実践的に仕立てることと同様に，対象者のニーズに的確に対応する必要がある．そのためには，理学療法学の基盤となる医学生物学的知見とともに，社会行動学的や文化人類学的な知識・技能を含めた専門職としての巧みさを

表 5-3　理学療法学教育における実践能力を高めるカリキュラム

1. 成人学習理論に基づく教育課程の編成
    1) 具体的な行動目標を明確に提示
    2) 入学早期から実践的な課題を通した演習・実習の導入
    3) 早期体験実習による現実的な課題意識と動機付けの高揚
    4) 多くの気づきと短時間での意思決定を促す演習・実習の展開
    5) 陽性的な言語的・認知的フィードバック
2. 自己主導型協同学習による課題解決能力の涵養
    1) チーム医療を含めた専門職観の育成に資するグループ討議の重視
    2) 基礎医学，社会科学，倫理・価値の学習課題を含んだ PBL 演習による実践能力の向上
    3) 紙面上での事例検討：演習による臨床思考過程の習得
    4) CBT による臨床意思決定を助ける基礎知識の向上
    5) 基礎理学療法学の理解を助ける模型・ビデオ・学習支援コンピュータなど教材の整備
3. 実践能力の向上に資する技術習得の支援
    1) 標準模擬対象者による対象者中心手技（主義）の徹底
    2) 客観的臨床能力試験（OSCE）による臨床技能評価と学習フィードバックの促進
    3) 臨床参加型実習による時間的観念に基づく行動基盤の育成
    4) 症例基盤型実習による臨床思考過程の広がりと行為内省察の強化
    5) 臨床体験型実習による経験の蓄積と個別性の理解

表 5-4　テイラー（TAILOR）メイドの理学療法

T：Task oriented approach（課題志向型アプローチ）
　対象者に固有の課題を選択して構造的な介入を行う
A：Activity limitation/participation restriction への介入
　社会のなかでの生活再建を目標とした介入を行う
I：Impairment への介入
　狭義の機能損傷・不全，機能的制限（functional limitation）への働きかけを行う
L：Learning（学習）
　運動スキル（motor skill），過程スキル（process skill）の学習を進める
O：Optimization（最適化）
　心身（個体内）および個体間（個体と外部環境）の最適適合，自信（confidence），
　自己効力（self efficacy），社会的役割，環境への適応
R：Record（記録）
　語りと客観的な帰結評価（効果判定）を保存し，データベース化するとともに，研究・
　教育への応用を図る

獲得することが求められる．
　理学療法を取り巻く状況が時代とともに変動していることは，ICD の変遷や ICF からも理解できる．今日の理学療法では，変調・疾病（病気）の回復に加えて，安住な日常生活の再建と健康観の改善，健康維持・増進や介護予防など，広義の予防に資する理学療法の実践が求められている．2018年には WHO 中心分類（図 5-1）の 1 つである ICHI（International Classification of Health Interventions）のベータ版が示され，多職種による広義の保健介入が対象者中心にまとめられる実践的な分類が完成しつつある．理学療法では，さらなる根拠を明らかにする基礎・応用的な研究の推進

とともに，質の高い教育課程を整備し，実践活動とそれらを支える研究および教育が三位一体となっ
て進歩していくことが求められている.

（内山　靖）

■文献

1) 厚生省大臣官房統計情報部（編）：疾病，傷害および死因統計分類提要 ICD-10 準拠　第1巻総論. 財
団法人厚生統計協会，1995.
2) 世界保健機関（WHO）：国際生活機能分類. 中央法規出版，2002.
3) 奈良　勲・他：理学療法のとらえかた PART3. pp21-30，文光堂，2004.
4) Institute of Medicine：Enabling America. National Academy Press. p66，1997.
5) 内山　靖：症候障害学序説. 文光堂，2006.

第6章

理学療法の学問的体系化と研究法

日本の理学療法の歴史は欧米と比較して短いながらも，教育の形態や課程は徐々に整備され，学問的に体系化されてきている．その一方，社会情勢や医療情勢が変遷するなかで，科学的な根拠に基づく理学療法の実践が求められている．本章では，これまでの学問的体系化の歩みと今後の展望，さらに理学療法の有用性を検証するための研究法について解説する．

1 学問的体系化の歩み[1~3)]

学問の体系化の歩みを知る基準はさまざまであるが，ここでは理学療法の教育形態の変遷や学術大会または学術集会（学術団体としての学会が主催），卒後教育などの整備の状況からその歩みを振り返る．教育の詳細については第2章および第5・8章の一部を参照されたい．

1) 教育形態の変遷

日本における理学療法の今日までの学問的体系化の歩みは，1963年に国立療養所東京病院附属リハビリテーション学院が設立され，理学療法士の養成が開始された時点から実質的に始まった．その後，1965年に「理学療法士及び作業療法士法」が制定され，翌年に第1回国家試験が実施され，医療専門職としての理学療法士が誕生し，日本理学療法士協会が設立された．1963年からの10年間で8校の専門学校が開校され，その後も国立療養所への養成校の併設や私立専門学校の開校が続いたが，その教育形態はすべて専門学校であった．3年制短期大学での教育は1979年の金沢大学医療技術短期大学部の開設からであり，その後，国公立あるいは私立の短期大学の開設が続いた．4年制大学における教育は1992年の広島大学医学部保健学科の開設に始まり，国立医療技術短期大学部の4年制大学への移行や私立大学の開校が続いた．

大学院は1996年に広島大学大学院保健学研究科修士課程が初めて設置され，1998年には，同校に博士課程後期も設置され，他の大学においても設置が続いた．博士課程の設置によって，ある意味では理学療法が日本で初めて学問として公式に認知されたといえる．

2) 教育課程の変遷

1966年に施行された理学療法士作業療法士学校養成施設指定規則は，これまでに4回の改正がなされ，1966年の指定規則改正では基礎科目が他の科目に比して極めて少なく，臨床実習が50%以上を占めており，卒業後すぐに臨床で活躍できる即戦力の養成を目的にしていたことがうかがえる．

2018年10月に公布された「理学療法士作業療法士学校養成施設指定規則の一部を改正する省令」

ではカリキュラムが新たに改正され，2020年4月から施行された．これは，前回の改正の意図を踏まえながらも，理学療法士に求められる資質のさらなる向上を目的にしている．

　前回のカリキュラムの総単位数は93であり，基礎分野14，専門基礎分野26，専門分野53（うち臨床実習18単位）であった．今回の改正で総単位数は101となり，基礎専門14，専門基礎分野30，専門分野57（うち臨床実習20単位）となった．専門分野のなかに「理学療法管理学」が2単位追加され，専門基礎分野の科目のなかで予防に関しても教授されることになった．

3）学術大会，学術誌，卒後教育・生涯学習

　理学療法が学問として体系化されていくためには，教育形態や教育課程の充実と並行して，質の高い基礎的・臨床的研究活動が幅広く行われ，その成果を蓄積し，社会に公表することが求められる．研究内容を発表し，討議する場が学術大会などであり，成果を論文として公表する場が学術誌である．また，専門職として必須なことは，卒業後の自己の教育であり，卒後教育・生涯学習も徐々にシステム化されてきている．

　日本理学療法士協会主催である日本理学療法士学会（2001年より日本理学療法学術大会に名称変更）は，1966年に第1回が開催され，その後2017年まで年1回開催された（2018年から分科学会の学術集会形式，2021年から日本理学療法学会連合法人学会学術大会へ移行．12分科学会は一般社団法人へ，8部門は研究会へ発展）．1990年には，日本理学療法士協会が政府の諮問機関である日本学術会議の「協力学術研究団体」として登録された．これは日本理学療法士協会の会員は研究者でもあることを意味している．

　学術大会は，理学療法に関連した研究に従事する者が，自己の研究成果を発表し，その科学的な妥当性を公に討議する場であり，理学療法士同士の情報交換の場でもある．その発表者数や発表演題数も年々増加傾向にある．また，各都道府県単位での学会や8つのブロック単位での学術大会（北海道，東北，関東甲信越，東海北陸，近畿，中国，四国，九州）も毎年開催されている．

　日本理学療法士協会の学術誌である『理学療法学』は1974年に創刊号が発刊され，当初は『臨床理学療法』の名称で第10巻まで発行されたが，第11巻から現在の『理学療法学』の名称に改称された．現在では，年6回程度発行され，英文誌である『Journal of the Japanese Physical Therapy Association（2016年よりPhysical Therapy Research：PTRに誌名変更）』が年数回発行されている．学術誌は，研究成果を論文として発表する場であり，投稿原稿は査読される．査読は，投稿された論文の主題と専門性を考慮して，関係する複数の専門家（査読者）に論文の審査を委ね，研究水準に鑑みて投稿論文がその域に達しており，専門領域における研究の進展に寄与し得るかを評価し，掲載の可否の決定や修正を求める過程である．この査読を経て学術誌に掲載された論文は，専門領域の専門家の集団から，研究上の価値を認められたことを意味する．よって，理学療法の学問としての発展は，学術誌に掲載された論文の数の増加や質の向上によって図られる．

　また，日本理学療法学術大会以外の医学や工学などの関連分野の学会に所属している理学療法士も多く，海外で発刊されている英文誌などを含む関連する学術誌への日本の理学療法士の論文掲載数も増えている．学術大会への参加や研究成果の発表あるいは論文投稿などは，個々の理学療法士の生涯学習という意味でも重要である．理学療法士として社会に貢献するためには，それぞれの立場で適切な方法論を通じて生涯にわたり自発的に学習を継続する必要があるが，それを支援する卒後教育や生

涯学習のシステムも徐々に整ってきている．日本理学療法士協会主催の各種研修会，都道府県単位での講習会や研修会も毎年数多く開催されているが，日本理学療法士協会事業として，1995年から生涯学習システムが開始され，2022年4月より新生涯学習制度が開始された．

2 今後の学問的体系化の必要性[3～5]

　前述のように教育形態，教育課程，理学療法に関する研究および生涯学習のシステム化などの点からみると，理学療法の学問の体系化は発展してきており，公的にも認知されてきている．しかし，日常の臨床実践における理学療法士の意思決定や治療理論・技術については，個々の理学療法士の経験，勤務施設の特性などに基づいて実施されているのが現状である．さらに，近年の少子高齢化や疾病構造の変化，介護保険制度や診療報酬の改定などによる社会的要請の変遷に伴い，理学療法の目的や対象も拡大する傾向にある．よって，質の高い基礎研究や臨床研究の結果を踏まえた根拠に基づく理学療法（Evidence-Based Physical Therapy：EBPT）の実践がますます求められており，理学療法の学問の体系化をさらに推進する必要がある．

1）理学療法の目的，対象，方法の拡大

　理学療法の目的や対象，方法について，「理学療法士及び作業療法士法」，世界理学療法連盟（World Physiotherapy）による定義，さらに日本理学療法士協会による理学療法士業務指針の要約がある（第7・8章を参照）．

　日本理学療法士協会の理学療法士業務指針の目的は，医療に限定されず，保健・福祉領域においても寄与することが示され，対象も疾患の発生が予測されることを含むものである．また，方法（理学療法士の個別業務）には，運動療法と物理療法に加えて，評価・理学療法計画作成やADL指導，福祉機器などの選定，環境の整備や指導，退院時指導などの具体的な項目が追加された．それ以降も，理学療法の目的や対象は変遷・拡大しつつあり，介入手段についても多岐にわたる方法が開発されている．

　対象疾患としては，高齢者の占める割合が増加しており，脳血管損傷，骨折，変形性関節症，腰痛などが多い傾向に大きな相違はないが，心疾患，呼吸器疾患，糖尿病などの内部疾患，認知症，悪性新生物，パーキンソン病などが増えている．さらに，医療領域にとどまらず，保健・福祉領域も含まれ，スポーツ損傷・外傷，筋力低下や転倒予防を目的とした虚弱高齢者などの対象者も増えている．今後，臓器移植や骨髄移植，再生医療など医学の進歩によって対象疾患はますます拡大することが予想される．

　対象疾患が拡大することに応じて，理学療法の目的も損傷などによる機能不全，活動制限，さらに参加制約の軽減や維持，QOLの改善など多様で多岐にわたる様相になってきている．そのため，画一的な目標の設定や理学療法プログラムで対応することには限界があり，対象者のさまざまな背景やニーズに対応するためには理学療法士の課題解決能力の水準を高める必要がある．

2）理学療法学の独自性と学際性

　理学療法学は広義の視点では医学，理学療法は医療の一分野である．人文科学，社会科学，自然科学を基礎科学とすると，医学は応用科学に含まれる．医学は一般に基礎医学，臨床医学，社会医学あ

表 6-1　理学療法学の独自性と学際性

理学療法学	専門基礎分野		解剖学，生理学，運動学，人間発達学 病理学，臨床心理学，臨床医学（一般臨床医学，内科学，外科学，老年医学，整形外科学，脳神経外科学，臨床神経学，精神医学，小児科学，リハビリテーション医学） 医学概論，リハビリテーション概論，保健医療福祉制度
	専門分野	基礎理学療法学	理学療法の概念，理学療法の過程，理学療法の基礎理論
		理学療法管理学	医療保険制度・介護保険制度の理解，職場管理，理学療法教育，職業倫理
		理学療法評価学	理学療法評価の基本的理解，基本的評価法，疾患別評価法
		理学療法治療学	運動療法学，物理療法学，補装具学，日常生活活動学，リスク管理
		地域理学療法学	地域リハビリテーション，生活環境整備
隣接学際領域	哲学・倫理学・法学的側面		哲学，人間関係学，法学，倫理学，生命倫理
	教育学・心理学的側面		教育学，教育心理学，体育学，行動科学，統計学，心理学，運動心理学，生態学的心理学，認知心理学，発達心理学
	工学的側面		人間工学，電子工学，情報科学，建築学，計測・制御工学，生体力学，リハビリテーション工学，生物工学，ロボット工学
	社会学・福祉学的側面		社会学，社会福祉学，経済学，医療経済学，医療経営学
	医学・生物学的側面		生化学，薬理学，脳・神経科学，救急医学，集中治療医学，栄養学，予防医学，地域医学，公衆衛生学，老年学，細胞生物学，分子生物学，遺伝学，生命科学，医学史

（理学療法士作業療法士学校養成施設指定規則と文献 4 を参考に作成）

るいは予防医学に分類されるが，理学療法学も同様に基礎理学療法学と臨床理学療法学に分類される傾向にある．また，医学を発展させるためには教育，臨床，研究の 3 つの領域が有機的に融合する必然性があるが，理学療法学についても理学療法学教育，臨床実践（医療のみならず保健・福祉領域での実践を含む），理学療法研究のバランスが重要である．

　学問とは，知識や技術の概念を体系化して整理することであり，対象を限定して取り扱うのが一般的で，これを学問分野あるいは学問領域とよぶ．教育や研究においては，学問を比較的まとまった単位で分割するほうが扱いやすく，理解しやすい．一方，現実社会で課題となるテーマは，特定の学問分野に限られた知見では解決できないことが多く，これまでとは異なった観点や発想，手法，技術などを創生することが求められる．このような，複数の学問的体系の共同作業によって，新たな知を共有することを学際性（interdisciplinary）とよぶが，学際的であるためには各学問が独立していることが前提となる．理学療法学は，学問としての歴史は極めて浅く，学際性に富む分野である．表 6-1 に理学療法学としての独自な専門基礎分野と専門分野（基礎理学療法学，臨床理学療法学），さらに隣接する学際領域を整理した．理学療法の学問的体系化には，理学療法学独自の領域における発展と同時に，隣接学際領域との融合は不可欠である．

　前述のように理学療法に関連する領域はかなり広範囲にわたるが，臨床現場での対象者の病態や研究のテーマなどによって，他の領域との関連性は異なる．対象者が成人のケースでは，医学・生物学

的側面はもとより，工学的，福祉学的側面が求められ，小児のケースでは，教育学・心理学的側面が
より求められる．また，運動行動（exercise behavior：日々何らかの身体運動を遂行する習慣）を
理解するためには，行動科学，運動制御や運動学習理論などがその基盤となるが，これらは生体力
学，工学，心理学，生理学など多くの学問領域を包含した領域である．

　今後，多くの学際領域の知見から，理学療法の臨床実践に必要な範囲を見極めて，理学療法学に取
り入れて発展するだけではなく，理学療法における臨床的知見を各学問領域に提供することも大切で
あり，それは理学療法学が学問として他分野から格段と認知されることになろう．

3）根拠に基づく理学療法の実践

　根拠に基づく医療（Evidence-Based Medicine：EBM）あるいは Evidence-Based Physical
Therapy（EBPT）とは，一人ひとりの対象者に対する臨床判断に関して最善の根拠を，一貫して明
示し同時に妥当性のある理学療法を実施することである．EBPT の実践とは，個人の臨床的専門技能
と系統的研究から得られる最善の入手可能な情報と臨床的根拠とを統合することを意味する．このア
プローチは，以下の 5 段階に要約される．
　①臨床上の課題を解決可能な形式で示す（PICO：patient；患者（対象者），intervention；介入
　　方法，comparison または control；対照とする介入方法，outcome；帰結）．
　②エビデンス（一次論文や系統的レビューなど）を探す．
　③エビデンスを批判的に吟味する．
　④エビデンスと自身の臨床的専門技能や対象者の価値観を統合し，臨床に関わる決断をして介入する．
　⑤以上の過程における介入の結果を評価する．
　これらの過程でエビデンスを適用し，臨床的意思決定をする段階が重要である．論文の対象者が，
自身が担当している対象者と類似しているのか否か，論文で示された介入方法は自身の臨床技能や勤
務する環境で現実的に可能なのか否か，他の選択肢はないのかなど，対象者の価値観に照らしたうえ
で適用できるか否かについて十分に検討することが大切である．
　しかし，理学療法に関連した介入効果についてのエビデンス（論文）は，日本のみならず，世界的
にみても極めて少ないのが実情である．つまり，いかなる対象者にいついかなる介入をどの程度の強
度で，どれ程の期間介入すれば有効なのかとの根拠に乏しいのである．この点から，理学療法が臨床
疫学的データの蓄積に困難な側面があるにしても，応用的な学問としては不十分な状況であり，教
育，臨床実践，研究において利用可能なエビデンスを蓄積する努力を継続することが求められる．
　理学療法評価については，実用的に使用できる標準化された評価指標（信頼性や妥当性などが検証
された指標）を開発することや臨床現場での評価指標を使用することが大事である．理学療法士の主
観による定性的な評価も大切であることは否定できないが，エビデンスを得るためには，評価方法の
標準化が必要である．介入についてもその内容を操作的に定義することが求められる．
　研究法に関する知識の充実も必要不可欠である．エビデンスを明示するための研究のタイプや手順
を理解することは，実際に研究を実践し論文を作成するときだけではなく，論文のエビデンスを批判
的に吟味するためにも必須である．また，個人の理学療法士レベルでの研究では，シングルケースデ
ザインのような有効な研究方法があるにしても，その対象数や対象の属性などに限度があるため，同
一施設内での共同研究や多施設間共同研究が必要である．

3 理学療法士に求められる行動—学問的体系化に向けて

　理学療法士はヘルスケアの専門職として，社会的要請の多様化や変遷に対応すべく，常に研鑽を積み，理学療法界の発展に努める行動が求められる（日本理学療法士協会倫理綱領，2018年3月）.そのためには，高度な教育水準の卒前教育だけではなく，最新の知識や技術を導入するための卒後・生涯教育が必須である．幸いなことに，以前に比較すると理学療法に関連した情報は増えて比較的容易に入手して利用できる状況となっている．理学療法学として体系化していくためには，各理学療法士による日々の行動が基礎となる.

1）卒後教育システム

　日本理学療法士協会では，生涯学習システムにおける新人教育プログラムが都道府県士会あるいはブロック単位で実施されている．また，協会主催の各種研修会および分科学会主催の講習会や学術集会が活用可能であり，年々その数や内容が充実してきている．協会主催の分科学会学術集会と全国学術研修大会は，それぞれ年1回開催されており，研究発表や情報交換，最新の知見の入手に有用である．協会以外にも，各都道府県士会あるいはブロック単位での研修会・講習会・学術大会などが複数企画・運営されている．また，日本ボバース研究会，日本PNF研究会，関節ファシリテーション研究会など，各種治療技術に関連した協会・研究会開催の研修会などにも参加できる．特に治療技術の習得については，机上の学習では限界があるとともに，臨床での経験があり，習得した技術を臨床で速やかに活用することが必要であるため，卒後の学習が重要である．さらに，理学療法以外の保健・医療・福祉領域や隣接学際領域の学術大会が多数あり，所定の手続きで会員になることも可能で，学術大会への参加や発表も可能である.

2）専門雑誌・学術雑誌の利用

　理学療法の専門性に関連した書籍は確実に増えてきている．いわゆる教科書・成書も知識の充実には利用可能であるが，最新の知見を得るためには，専門誌や学会が発行している学術誌から情報を得ることが大切である.

　理学療法に関連した専門誌としては『理学療法ジャーナル』『理学療法』などが，学術誌としては『理学療法学』『理学療法科学』などがある．海外で発刊されているものは，『Physical Therapy』『Physiotherapy』『Physiotherapy Canada』『Journal of Physiotherapy』『Clinical Rehabilitation』『American Journal of Physical Medicine & Rehabilitation』『Archives of Physical Medicine and Rehabilitation』などである.

　学生時代から理学療法に関連した専門・学術誌に親しむことが大事であるが，卒業後は特に数冊のジャーナルを年間購読し，絶えず新しい知見を取得することが専門職としての責務であろう．最近では，インターネット上で「PubMed」や「医学中央雑誌」などのデータベースが容易に活用可能であり，電子ジャーナルも充実してきている.

3) 臨床現場での学習

卒後教育・生涯学習では，能動的学習・自己学習が大切である．その際，病院・施設などの臨床現場では，同僚や先輩，後輩とのカンファレンスや勉強会を活用するとよい．対象者の状況や理学療法の内容を発表し，意見交換することで，既存の知識が整理・統合され，新たな疑問を抱くことや知識を習得することにつながる．また，臨床実習教育への参画も後輩の育成以外に，自己学習の機会として捉えることができる．学生とともに考え，治療場面の実際やその根拠を説明することなど自体が有意義である．

4) 科学的思考性

科学的に思考して行動することは，単に研究するか否かを意味しているものではない．臨床現場で遭遇する対象者の病態や症状の変動などに関する課題を観察し，論理的に思考し，適切に課題を臨床推論によって解決することである．課題を解決するための知識や技術も重要であるが，さまざまな現象を単純に鵜呑みにせずに注意深く観察し，十分に思考しようとする姿勢が臨床家としての基本となる．

科学的に行動するためには，柔軟で多角的な視点で考え，ある意味で懐疑的な態度が必要であり，現象としての事実と意見を区別し，物事の原因や関連性を分析的に考察し，さらに根拠について吟味することが求められる．また，自己の行動について謙虚で，他者に対する批判よりも自己の思考のあり方について反省し，誤りや失敗から学ぶ姿勢が重要である．

4　理学療法における研究の意義[1]

理学療法が学問的に体系化し発展していくためには，理学療法の対象者やその家族，あるいは関連専門職に対して理学療法の過程を言語化し，その根拠や有効性を理解しやすい形式や内容で提示することが必要である．「なぜ，特定の評価を行うのか？」「なぜ，特定の理学療法を実施するのか？」「特定の理学療法介入の期間はどれ程がよいのか？」「特定の理学療法介入の帰結は良好なのか？」などの疑問に答えていくための手段として，研究の実践がある．また，研究は，EBPT を実践するためのエビデンスの蓄積には欠かすことができない．

一般的に研究は，大学や研究所に所属する研究者が行う仕事と誤解されることもあるが，過去の日本理学療法士学会（現在は，日本理学療法学術大会）の中心は臨床家であった．近年では，理学療法関連の研究室や大学院で研究を実践する理学療法士もいて，基礎研究や質の高い臨床研究の発表も増えつつあるが，臨床家である理学療法士が研究する必要がないということではない．むしろ，理学療法において，解決すべきテーマは臨床現場に潜在しているため，臨床家と研究者との共同研究がますます求められる．また，研究の社会的な目的は，個人の理学療法士にとっては卒業・進学や学位取得といった側面があるが，研究活動を実践することによって得られる姿勢や考え方など，臨床に役立つ側面もあり，多くの理学療法士が研究に携わることが望まれる．

表6-2　課題解決過程・臨床推論過程と研究過程の類似性

課題解決過程 臨床推論過程	研究過程
問題の発見 　何が問題か 　問題の原因は何か	研究疑問（問題の特定） 仮説の形成
問題の定義・明確化	仮説の修正
解決方法の探究・意思決定 介入計画	研究計画
介入の実行	データ収集
再評価	データ分析
結果に関する他者との情報共有	結果の公開

1）臨床における基本的姿勢の習得

　前述のように日々の臨床において，対象者に対して理学療法を実施すること自体が介入研究である．1日あるいは1回の理学療法場面を考えても，理学療法実施前の症状や機能不全を把握したうえで治療し，実施前後の容態を把握して比較することで，治療介入に効果があったのか否かを判断する．また，ある時点で対象者の生活環境を調整することや動作方法などを指導する際にもその前後の容態を比較し，調整や指導が適切であったのか否かを判断する．このように日々の理学療法効果の蓄積がある期間の対象者の望ましい変容につながる．

　介入効果を示すためには，介入前後の評価が客観的で，信頼性の高いこと，介入前後で同一の方法で評価すること，介入の内容を客観的に表現すること，介入の目的，内容，評価方法が妥当で，一貫していることなどが必要である．これらは，客観性，信頼性，妥当性，系統的，一貫性，統制的などの要素であり，研究と臨床実践に共通する原則であるため，研究によって臨床に関わる基本的姿勢を培うことが可能である．

2）課題解決能力の発展

　臨床において最も基本的なことは，課題解決能力である．対象者が抱く課題に気づき，その要因を分析して（仮説形成）検査・測定などの情報からその課題を明確にする．そして，その課題を解決するための方法を探究し，意思決定することで介入計画を作成できる．さらに，介入結果を再評価する一連の過程であり，前述のようにこれを課題解決過程あるいは臨床推論過程と称する．

　研究の過程も大まかにはこれに類似しており（表6-2），研究に関する疑問（課題の特定）から始まり，先行研究などを検討することで仮説を修正し，具体的な研究計画を作成することが計画とデータ収集とその後の分析に基づいた研究疑問に対する回答を得る過程である．このような類似性があることを踏まえて研究過程を経験し，学習することは，臨床における課題解決能力の基盤を形成することに役立つと考えられる．

5 研究の種類と研究デザイン[4, 6, 7]

　理学療法領域の研究は，その学際性とも関連して極めて多様であり，専門領域の特性に応じて活用しやすい方法あるいは有効な方法は異なる．つまり，実験動物を対象とした基礎医学的研究と人間集団を対象とした心理学あるいは社会学的な研究では，その手法は全く異なる．研究の種類には各種の便宜的な分類の方法があるが，確定した分類法はなく，課題に対する解決の視点が多様であることを示している．また，客観的な計測を伴う量的研究（quantitative study）に加えて，現象についての記述的データに基づいた質的研究（qualitative study）なども取り入れられることがある．本章では，研究の種類や研究デザインの全体を網羅することは困難なことから，理学療法に関連して使用されることの多い研究の種類や研究デザインについて解説する．

1）基礎研究と臨床研究

　基礎研究と臨床研究とを明確に区分することは難しいが，科学的理学療法を確立するために必要な要素，理学療法の臨床思考過程の根拠となる要素，広い意味で機能損傷・不全に対する評価や治療に必要な基本的要素などを扱う場合を基礎研究と表現されることが多い．実験動物や組織を対象とした基礎医学的研究のみではなく，新しい評価指標の開発や健常者を対象とした基準値の作成，バイオメカニクス的な研究なども基礎研究として扱われる．大学院の増加に伴い，基礎医学的研究に関わる理学療法士も増えてきており，治療に対する生体のメカニズムを解明し，理学療法の理論背景の基盤を確立することは重要である．これに対して，臨床研究では，疾患や機能損傷・不全を呈する対象者に対して，症例研究や病態の経時的変動，介入効果や治療法の比較などが検討される．学際領域を含めた基礎研究と臨床研究の融合が必要である．

2）記述的研究・分析的研究・介入研究

　研究の目的による分類として記述的研究（descriptive study）はありのままの状況を記述することが目的であり，疾患，機能損傷・不全の分布やある集団の健康に関する特徴を記述する研究である．分析的研究（analytic study）は，関連要因間の関連性を分析することを目的とした研究であり，因果関係を分析することを目的とすることもある．介入研究（intervention study）は，実験的研究（experimental study）とよばれることもあるが，治療や指導などの介入の効果を検証することを目的とする．記述的研究は仮説形成型，探索的研究であり，これに対して介入研究は仮説検証型，確認的研究である．分析的研究は研究の手順によって，仮説形成型と仮説検証型との双方がある．

　一般的な順序としては，記述的研究によって関心のある課題の現状を明確にし，次に分析的研究によって課題に関連する要因を検討し，因果関係を推測する．そして，最後に介入効果（因果関係）を検証するために介入研究を実施する．記述的研究と分析的研究は同時に実施することも可能であり，研究テーマの内容も広く，研究計画の立案や実施も比較的容易に可能である．介入研究は複数の要因を統制する必要があり，介入に要する期間や費用の点で実施が困難であり，かなり限定されたテーマに適用されるため，十分な研究計画の検討が求められる．無作為化比較対照試験（Randomized Controlled Trial：RCT）は，介入研究の代表的な研究デザインであり，EBPT の確立のために有

力な方法である.

3) 観察的研究と介入研究

　観察的研究（observational study）は，対象者に対して介入を加えずに病態や対象者に生じる現象をありのまま観察する研究であり，介入を加える場合が介入研究である．観察的研究は，観察する時期や期間からみて，ある時点のみを観察する横断研究（cross-sectional study）とある期間にわたって観察する縦断研究（longitudinal study）とに分けられ，後者は過去の現象を遡って調べる後ろ向き研究あるいは後方視的研究（retrospective study）とこれから生じることが想定される現象を調べる前向き研究あるいは前方視的研究（prospective study）とに分けられる.

　横断研究は，比較的短期間で実施でき，因子間の相互関係を検討するためには有用であるが，因果関係を検証することには限界がある．介入に関連する因果関係を分析するためには縦断研究が必要である.

4) コホート研究とケースコントロール研究

　コホート研究（cohort study）とは，研究対象者の集団（コホート）をある期間にわたって観察する研究であり，観察期間中における結果因子（outcome）の発生を記述することと予測因子（predictor variable）と結果因子の関連を分析することを目的とする．ケースコントロール研究（case-control study）は，結果因子をもった群ともたない群について，過去の予測因子の有無を比較することを目的とする．双方ともに観察的研究であり，縦断研究である．因果関係を分析することができ，介入や予防に関連した研究に有用である.

5) 介入研究の種類

　介入研究は，結果因子に対する介入（治療）の影響を観察することで，その因果関係を検証するための研究である．代表的なデザインである RCT は，対象を介入群と対照群の2群に無作為に割り付けるランダム割り付け（random assignment）と盲検化（blinding あるいは masking）が特徴的である．ランダム化は結果因子と関連があり，結果の解釈に誤りをもたらす可能性のある因子である交絡因子（confounding variable）の影響を排除することで，対象の選択や割り付けの際のバイアス（偏り）を避ける方法である．また，対象者や研究者，測定者がどちらの群か，あるいはどちらの介入方法かを知っていることで，先入観をもって評価するとか，対象者の意図の影響が及ぶことを避けるために盲検化で実施する．一般に，対象者だけに知らせない一重盲検化（single blinding），対象者と測定者に知らせない二重盲検化（double blinding），結果を分析する研究者にも知らせない三重盲検化（triple blinding）がある．理学療法効果の検証のためには RCT が有力であるが，盲検化において，対象者や介入する治療者が何をしているかを知らない手続きは，一部の物理療法を除いては困難である．少なくとも測定者に対する盲検化の手続きで実施することが望ましい.

　その他の介入研究として，ランダム化されていない介入群と対照群の群間比較デザインや同一の対象者に介入期とコントロール期を設けて比較する前後比較デザイン（time-series design）あるいは群内比較デザインがあり，双方を合わせた研究デザインとしてクロスオーバーデザイン（cross-over design）がある．クロスオーバーデザインでは対象者をランダムに2群に割り付け，1群の第1期

にコントロール期，第 2 期に介入期とし，他群ではそれを逆の順序で行う．この方法では，群間比較と群内比較が同時に可能であり，各対象者自身が対照群となるため，交絡の制御が可能であり，少ない対象者数でも実施が可能であるなどの利点がある．

6）症例研究

　研究の多くは複数の対象者に対して実施されるが，一例に対する理学療法研究も重要である．臨床実践における理解を深めるためにも活用することが大切であるが，その内容や方法によって以下の 3 つの症例研究に分類される．

　シングルケースレポート：対象者の診断・経過・理学療法初期評価・治療プログラムと治療経過・最終評価などを詳細に記述したものであり，臨床実習において学生に課されることが多い．

　シングルケーススタディ：シングルケースレポートの内容に加えて，他のケーススタディとの比較や多角的な考察を加えたものである．まれな症例報告や従来の概念に対する疑問，新しい仮説の提起をする際に有効である．

　シングルケースデザイン：計画的に介入を操作し，系統的に対象者の機能や能力を継続して測定する，一例を対象とした介入研究である．ベースライン（A）と介入期（B）に分け，AB 型デザイン，ABA 型デザインなど多くのデザインが提案されている．心理学や行動科学の分野で発達した研究デザインであり，介入効果を目視による分析や定量的な解析によって検証可能であり，理学療法における活用が期待される．

7）評価指標に関する研究

　理学療法で使用される評価指標の臨床的な有用性を検証するための研究である．これらの研究では，評価指標の信頼性，妥当性，実行可能性などが検討され，判別を目的とした評価指標では，その感度や特異度などが検討される．

　信頼性（reliability）：何回か同じ条件で測定したときの測定値のばらつきの程度であり，それが少ないことが大切である．測定-再測定信頼性（test-retest reliability），検者間信頼性（inter-rater reliability），検者内信頼性（intra-rater reliability）などが検討される．

　妥当性（validity）：測定する現象や測定値が目的とする現象をどの程度反映しているかを意味する．多くの検討方法が提案されているが代表的なものとして，内容妥当性（content validity），基準関連妥当性（criterion-related validity）および構成概念妥当性（construct validity）がある．

　感度（sensitivity）・特異度（specificity）：判別・鑑別診断のための評価指標において，検査結果が陽性であった対象者のなかで，実際に疾患のある対象者の割合が感度であり，逆に検査結果が陰性であった対象者のなかで，疾患のない対象者の割合が特異度である．

　新しい評価指標を開発する際には必ず実施する必要性があるが，評価指標を研究などで使用する際には，信頼性や妥当性などが確認された評価指標を使用することが望ましい．

8）調査研究

　アンケート・質問紙（questionnaire）を用いた調査による研究であり，自記式質問紙調査や面接式質問調査などの方法で実施する．質問は自由回答式質問（open-ended question）と選択回答式

質問（closed-ended question）の 2 種類が代表的であるが，回答の程度を測定できる VAS（visual analog scale）やリッカートスケール（Likert scale）などを用いることもある．言語上の質問文の構成などが結果を左右することも多いため，質問紙の作成には十分な注意を要する．

　調査研究は，複雑な社会現象を把握することの多い社会科学領域で使用されることが多いが，生活習慣，生きがいなどの社会・心理レベル，あるいは QOL（Quality Of Life）のレベルの測定などで活用される方法である．

9）系統的レビュー

　系統的レビュー（systematic review）は，同じ研究テーマを扱った過去の研究の成績を収集し，それらを統合する統計学的手法（メタアナリシス：meta-analysis）を用いた手続きである．普通のレビューと異なる点は，既存の研究を選択する基準や選択された研究の結果を表示する方法が明確なことである．EBM の重要な研究方法である．特定の介入効果について，いかなる効果が検証されているかを確認するうえでは，過去の RCT などの介入研究とともに，系統的レビューを利用することが求められる．

6 研究の手順[4, 6, 7]

　研究は科学的で妥当性のある計画された一連の手続きである．その流れは図 6-1 に示すように研究動機，研究テーマに始まり，具体的な研究計画を作成後，実際の測定や調査を実施して結果を解釈するまでの過程で，最終的には学術集会・学会での発表や論文を学術誌に投稿して公開する段階までが含まれる．特に研究計画を十分に吟味することが必要である．専門領域や研究テーマによって異なる面はあるが，研究テーマ，研究計画，研究の実施，論文作成が重要なステップである．

1）研究テーマ

　研究テーマ（research subject）は，研究者が対象者に対して測定や調査を行うことで解決しようとする課題であり，研究の目的でもある．臨床における疑問や専門分野での解決すべき課題点，文献上の知見から気がついた不十分な点など，そのテーマはさまざまである．研究テーマを思案するためには，基本的に臨床場面における患者（以下，対象者）を注意深く観察することが大事であるが，専門分野の文献に精通することや，よき指導者や同僚の考えに傾聴すること，学術集会や研究会などで手掛かりを得ること，既存の理論などに対して常に疑問をもつことなどが大切である．最初は漠然としたテーマで，それに対して大まかな仮説を立てるが，文献の検索などを参考にして具体的な仮説に絞り込むことが必要である．望ましい研究テーマは，対象者数や技術，時間，費用などの点で現実的に実施可能で，研究者自身が真の興味を有すること，過去の知見を発展させたり新しい知見を追加できたりするなどの新規性があること，対象者などに対して倫理的であること，得られる結果が専門分野の進歩に貢献し，理学療法界の発展に寄与する可能性が高いことなどが条件となる．

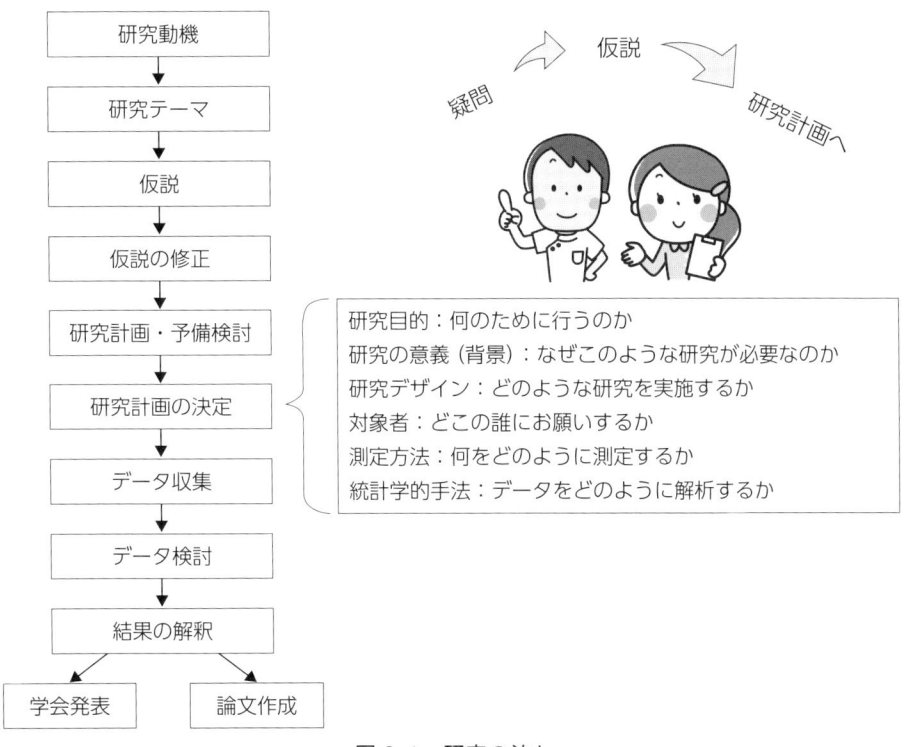

図6-1　研究の流れ

2) 研究計画

　研究計画には，研究テーマ（課題：目的），研究の意義（背景），研究デザイン，対象者，測定方法，データ解析に使用する統計学的手法などを含む必要性がある．

　研究の意義はその研究の必要性を説明することであり，なぜその研究テーマが重要であるかを提示する必要がある．そのためには，テーマに関連した過去の研究において，いかなることが明らかになっているのかを示したうえで解決したい課題を指摘し，最後にその研究の総体的な帰結（結果：アウトカム）としていかなる知見が得られ，理学療法界の発展に資するのかを記述することが大切である．

　研究デザインについては，前述した研究目的に沿ってどの研究デザインが該当するのかを記述する．複雑な方法を採用すると結果・帰結の解釈が煩雑になることがあるため，可能な範囲で単純な方法を選択することが賢明である．

　対象者を決めるためには選択基準（selection criteria）を決める．取り込み基準（inclusion criteria）として研究テーマにふさわしいことと同時に研究の効率の高い集団を設定する．疾患や機能損傷・不全，年齢，性別などの基本属性や臨床的特性，地理的条件などを考慮し，明確に示す必要がある．次に除外基準（exclusion criteria）を決定する．これは取り込み基準を満たす対象者のなかで，データの質を低下させる可能性のある対象者や結果・帰結の解釈が複雑になるような対象者を除外する基準であり，必要最小限にとどめる．選択基準は研究結果の一般化可能性に影響するため，偏った基準は設定しないほうが望ましい．そして，実際に依頼可能な集団のなかから，研究データ処

理に必要とされる数の対象者を現実的に集める方法を決定する.

　測定方法は，測定・調査して得るべき変数・因子とその方法を検討する．分析的研究や介入研究では因子間の関連や因果関係を検証するために，予測因子と結果因子，あるいは交絡因子を区別して変数を決定する．また，測定に使用する機材や測定方法，あるいは質問紙なども検討する.

　統計学的手法は，測定後に決定するのではなく，事前に検討することが望ましい．統計学的手法は，測定値の尺度が名義尺度，順序尺度，間隔・比率尺度によって使用可能な手法が異なる．また，研究デザインによって，記述的研究では測定値の分布を示すことが主であるが，分析的研究や介入研究では差や比率の検定，相関分析，回帰分析などを行う．いかなる手法を使用するかによってデザインが変わることもあり，特に質問紙調査では，質問内容や回答方法によって，使用できる手法が異なるため，事前の十分な検討が大切である.

　計画された内容や方法について事前に検討して，詳細な部分の修正を行ったうえで最終的な研究計画を決定する．このような手順を経るなかで，単純明快な結果が得られるように計画を修正し，特に目的・方法・結果を一貫して解釈できるように計画することが重要である.

3）倫理的手続き

　研究を実際に実施する際に考慮しておくことは倫理性である．まず人権尊重の原則に基づき，対象者から説明と同意を得ることや，個人の秘密を守ることなどが求められる．説明と同意については，研究の目的や内容，研究の手順，研究に伴う利益やリスク，秘密保護の方法，さらに研究への参加は本人の自由意思であり，いつでも参加を中止することが可能で，参加を拒否した場合でも何らの不利益も生じないことなどを事前に説明したうえで，原則として文書による同意書を作成する．この際，わかりにくい専門用語や難解な表現の使用は避ける.

　次に，最善の原則に基づき，対象者の協力やリスクの程度に見合うだけの価値の高い成果が得られるよう最大の努力をする必要がある．そして最後に，公正の原則により，研究に伴う利益とリスクについて対象者間で不公正が生じないようにすることが求められる.

　人を対象とする医学研究に関する倫理指針が定められており，「侵襲」「介入」「個人情報」「個人識別符号」「有害事象」などの用語が定義されている．研究を計画し，実施する際には必ず確認する必要がある．そして，各施設の倫理委員会の承認を得ておくことは必須である．倫理委員会では研究の倫理性と対象者の権利が保障されているかが判定される．特に，研究に伴うリスクが最小限で，許容できる範囲か，対象者の選択が公正で，説明と同意，個人情報が適切に保護されているかが重要である．対象者の選択について，主治医と対象者の関係や教員・指導者と学生・研修生の関係などの力関係で，参加の強制や不当な誘導とならないように十分な配慮が必要である.

　また，研究者の責任として，科学的な違反行為・不正行為（捏造，改ざん，剽窃）を行わないこと，論文の著作権，利益相反の開示と適切な対応が重要である．著作権については，①研究のデザインあるいはデータの分析や解釈，②論文の執筆や修正，③論文の草稿に対する最終的な承認の点に対する実質的な貢献が必要である.

　研究者にとって研究倫理教育に関するプログラムの定期的な受講が責務であり，最終的に，研究の倫理性は，研究者の判断と人格に委ねられる.

表 6-3　一般的な論文の構成

表題	title
要旨, キーワード	abstract, key words
はじめに (緒言)	introduction
方法	methods
結果	results
考察	discussion
謝辞	acknowledgements
参考文献	references
表	table
図	figure

4) 研究の実施

　倫理的手続きを経たうえで, 実際の測定・調査を実施する. 厳格な計画に沿った方法で実施する必要がある. データ収集に際して, 事前にデータ入力書式を作成して, 収集しながらデータを入力し, データを観察しながら行うことが望ましい. 最近では, 統計解析用ソフトを使用することが多いので, 使用するソフトに見合った形式で作成する必要がある.

　統計解析では, 因子間の関連や群間の比較などを行う場合であっても, 相関分析などをすぐに行うのではなく, 測定値の分布を確認する. 散布図を利用できることが多いが, 測定値の偏りや外れ値などを確認したうえで検定方法を再検討し, 解析することが望ましい.

　研究の実施中においても, 対象者の反応や測定値の分布などを常に観察することが重要であり, それによって研究実施中の課題や研究デザインの限界などに気づくことと, さらに新たな研究テーマの創造などが期待できる.

5) 論文作成

　論文の作成は研究の最終段階である. 論文が掲載され, 研究によって得られた結果を恒久的に公開することで, 理学療法界の発展に寄与することになる. そして, 公開された論文には, 責任をもつ態度が肝要である.

　論文を作成するにあたり, 構成や書式を確認することが重要である. 論文は一定の形式に準じてまとめ, 学術誌に投稿する際には, 各学術誌の定めた投稿規定に沿うことが最低条件である. 一般的な論文の構成を表 6-3 に示した.

　表題は論文の中心となるアイディアを簡潔に記述し, 研究で実際に用いられる変数や理論面での課題などを明確に表す. 表題は読者に研究の内容を認識してもらう点で大事であり, 表題のみで論文の内容を大まかにでも理解できることが望ましい.

　要旨は論文の内容を簡潔かつ包括的にまとめたものである. その構成は, 研究目的 (背景を含む), 方法, 結果, 結論で構成される. 最近では, 論文検索データベースを使用して論文を検索することが多く, その際には, 表題, 要旨, キーワードに含まれる用語で検索されるため, 専門領域の研究者や

読者を考慮した用語の使用が大切となる.

　はじめに（緒言）は，前述した研究の背景，意義，目的について，参考文献を引用し記述する．特に目的を明確に記述する必要がある.

　方法には，研究デザイン，研究対象，研究材料，測定方法，統計手法，倫理的な手続きなどについて記述する．研究方法の妥当性の検討や結果の再現性の検証などにおいて重要な部分であり，再現可能な程度に詳細かつ正確に記述する必要がある．また，使用した既存の評価指標や測定方法などについて，参考文献を引用する.

　結果は，方法に従って得られた結果を客観的に示すことが重要であり，考察とは区別する．また，データをより明晰かつ効率よく表示できる図表を使用すべきである．図は読者の視覚に訴えることで，複雑な関係などを表すには最適であるが，データの正確さにおいては表が適している.

　考察では，はじめに（緒言）に記述した課題に対する解答・回答とその説明を記述し，さらに研究の限界，結果の臨床応用の可能性，今後の課題などに分けて記述する．考察は論文の構成のなかで最も難解な部分であるが，理路整然と論述し，自己完結していることが重要である．専門領域以外の読者においては，はじめに（緒言）における研究の背景や意義と同時に，研究結果に注目することが要点となる.

　参考文献については，原則として引用した文献を投稿規定に準じて記述する．論文の構成を理解することは，研究の手続きを理解することにつながるため，質の高い論文を習慣的に読むことが求められる.

7　学問的体系化の限界

　理学療法学としての体系が整ってきており，今後さらに理学療法の有効性を科学的に検証し，臨床実践における1人ひとりの対象者への理学療法の提供においても，科学的根拠を重視した臨床思考過程のさらなる発展が望まれる．しかし，すべてが科学的に体系化されるという点ではいくつかの限界があることを理解し，謙虚かつ真摯な態度で対象者に対応することが大切である.

1）研究における限界

　EBPT の確立に重要な RCT の実践において，特に盲検化が困難である．対象者と治療者（理学療法士）が，いかなる手段で介入するかを知らない状況を設定することは困難である．多くの介入場面では，対象者自身が介入の目的や内容を十分に理解して，理学療法に対する動機づけを高めることが必然的な常識になっているからである.

　また，理学療法の目標や介入の内容は極めて多様であり，それらの単純化や定量化が困難な側面があり，さらにある期間の対象者へのサービスは多くの専門職によって提供されるため，理学療法のみの介入効果を厳密に抽出することは極めて難解である．対象者に対する倫理性を十分に考慮したうえで，理学療法での運動強度や回数，時間などを可能な範囲で定量化することや理学療法以外の状況を十分に統制することである程度対処が可能である.

2) 臨床実践における限界

　臨床実践においては，ハンドリングや徒手療法など，特殊な治療技術を使用することが多い．比較的単純な他動的な関節可動域運動にしても，用手接触の方法や外力の加え方など，理学療法士の手・手指の繊細な感覚や微妙な運動の制御が必要であり，対象者の知覚や病態の変動を絶えず感知しながら常に調整される．また，対象者のどの部位に手・手指を置くかや手・指の使い方，理学療法士自身の身体の位置などは重要となる．このような技術は，用語や方法を統一する観点から体系化を進めることが求められるが，個々の理学療法士の技能の獲得については常に研鑽する姿勢で臨床的な経験を蓄積する以外に方法はない．さまざまな講習会に参加したり，技術の優れた先輩の指導を受けたりするなどの方法で技能を高める，いわゆる徒弟制度的な側面がある．高い技能を修得することは，対象者の機能損傷・不全を軽減できること以外に，対象者を全人的に理解することや対象者の潜在能力を最大限引き出す意義もある．1回の理学療法の場面であっても，最初と最後では対象者の容態をよりよい方向に誘導したいとの心構えが肝要であろう．

　研究との関連もあるが，対象者の運動・動作に対する観察や分析の定量化にも限界がある．理学療法士の主に視覚を介した情報処理の過程をすべて明文化し，定量的に扱うことは不可能である．角度変化や変位の量，速さなどの主要な要素に分けて整理することは可能であるが，要素に分けることでかえって対象者の全体像を見失うことにもなりかねない．特に臨床実践の場面では，対象者が呈する病状のわずかな変調などに対する気づきが重要である．そのためには，関連する知識を基盤として，注意深く観察することや観察する際の視点を工夫すること，観察した内容に対する論理的な思考などが必要となる．

　対人サービスに関わる専門職として，理学療法士の人間性※は極めて重要である．科学的な知識や技術はあくまでも手段であり，それを駆使する理学療法士もサービスを受ける対象者も生身の人間である．理学療法士と対象者の相互関係において，人間に対する関心や共感する姿勢，対象者のニーズを多角的に把握し，支援する気持ちが大事であろう．そして，対象者と理学療法士とがともに感動できるような臨床の場を構築できるよう，理学療法（学・士）のいっそうの発展が望まれる．

（臼田　滋・森山英樹）

■文献

1）奈良　勲（編）：理学療法学教育論．医歯薬出版，2004．
2）社団法人日本理学療法士協会（編）：理学療法白書．1997．
3）社団法人日本理学療法士協会（編）：理学療法白書．2005．
4）奈良　勲，内山　靖（編）：理学療法研究法　第2版．医学書院，2006．
5）福井次夫（編）：EBM実践ガイド．医学書院，1999．
6）木原雅子，木原正博（訳）：医学的研究のデザイン　第2版．メディカル・サイエンス・インターナショナル，2004．
7）江藤裕之・他（訳）：APA論文作成マニュアル．医学書院，2004．

※ 人間としての本性．人間らしさ．（岩波書店『広辞苑』より）

第7章

理学療法の対象と治療手段

1 はじめに

　理学療法の定義については本書第8章でも触れているが，それらを要約する．世界理学療法連盟（World Phisiotherapy）においては，"Physical therapy is art and science of physical treatment by means of therapeutic exercise, instruction, heat, cold, light, massage and electricity"：「治療体操，指導，温熱，水，光線，マッサージ，電気を手段とする身体的治療の技術であり科学である」と定義されている．日本における理学療法士及び作業療法士法においては，「身体に障害のある者に対し，主としてその基本動作能力の回復を図るため，治療体操その他の運動を行なわせ，及び電気刺激，マッサージ，温熱その他の物理的手段を加えることを理学療法という」と定義され，「身体に障害のある者」と理学療法を施す者として対象を規定している．双方とも具体的な症状や徴候，機能損傷・不全といった理学療法の直接的な対象については言及せず，理学療法の目的と介入手段について定義づけしている．

　米国理学療法協会は理学療法に関する Philosophical statement として，"In 1983, the House of Delegates adopted the philosophical statement defining physical therapy as a health care profession whose primary purpose is the promotion of optimal human health and function through the application of scientific principles to prevent, identify, assess, correct, or alleviate acute or prolonged movement dysfunction"：「健康管理の専門職として，急性あるいは慢性の運動能力低下を予防，確認，評価，治療，軽減するために科学的原理を応用し，人の最適な健康と機能を増進すること」と定義している．それを踏まえ，Sahrmann SA は，第29回 Mary McMillian Lecture：Physical Therapy '98：Scientific Meeting and Exposition of the American Physical Therapy Association（1998年6月5日）にて，理学療法士は単なる理学療法の施術者ではなく，身体運動機能に関する知識に基づいて特徴づけられる専門職であり，解剖・生理学的システムとしての運動の概念を展開させ，疾病（病変）により機能損傷・不全として発現する症状・徴候を運動能力低下との観点から捉えた病態運動学を基盤とすると主張している．ここに理学療法学および理学療法士のアイデンティティを確認することができる．

　このようなことから，治療手技としての理学療法の対象は，病変に基づく構造と機能の損傷・不全，さらに具体的運動や ADL もしくは生活機能の低下といえる．一方，人が実際の生活環境においていかに適切に運動行動（Exercise Behavior：日常的な身体活動の習慣）を遂行できるかを専門職が連携統合し支援するリハビリテーション（以下，リハ）もしくは社会参加の観点からしても，理学療法士は，解剖学，生理学，運動学，病理学，心理学，行動科学などの基礎的学際分野の知識を統合

応用する能力が要求される．さらに，理学療法士は，身体機能と実際の生活における活動制限の関連性を十分に理解し，患者（以下，対象者）のみならず，高齢者のように機能低下（dysfunction）の予防や健康増進が求められる対象者のための効果的な保健サービス（health-care service）にも配慮することが求められる．よって，理学療法の対象は，disability モデルや生活機能分類の構成概念に基づいて定義づけることが肝要である．本章では，疾病に基づく機能分類の観点から対象を定義し，理学療法の治療手技について論述する．

2　身体運動機能と構成要素

　自立した ADL を営むための能力は，身体に内在するさまざまな機能システムのシステム間相互作用によって創発される個体としての全体的機能と，環境および課題から求められる制約によって定まる．身体に内在する機能システムの要素は，筋・骨格機能，神経筋機能，内部機能，感覚・知覚機能，認知機能，姿勢制御機能，協調運動機能などから構成される（図 7-1）．

1）筋・骨格機能

　筋・骨格機能は，筋と骨それぞれの機能だけではなく，関節包や靱帯などの関節運動を制御する要素を加えた総合的な機能である．骨格は，身体の支えとなる骨体と骨体間連結による関節の 2 つの構造からなり，骨および関節は靱帯や筋腱の制約も加わり支持と運動の骨格機能をもつことになる．筋は，筋収縮によって発生する筋張力と筋持久性が骨格機能と統合され支持と運動の筋機能をもつが，筋組成や筋の容量，形状によって個々の筋の機能に差異が生じる．筋・骨格機能は，筋組織の損

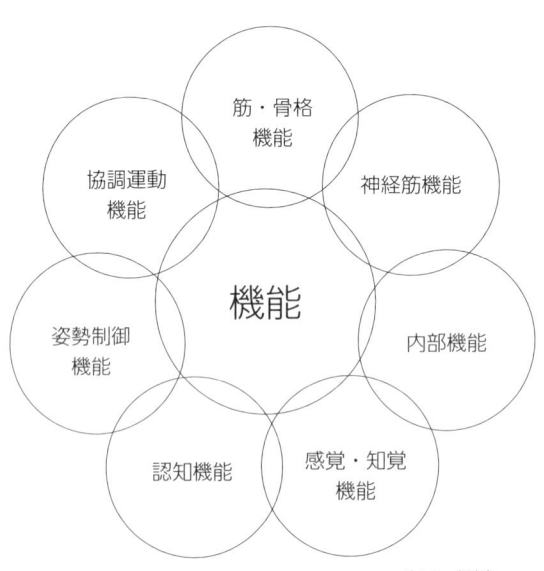

図 7-1　身体機能の要素と相互作用[6)より一部改変]

傷による筋萎縮や筋張力の減少，筋持久性の低下，骨関節の変形や発育異常，骨折，拘縮などによる姿勢異常や可動性低下などの機能不全を呈する．

2) 神経筋機能

　神経筋機能は，筋が収縮するための運動神経の作用による機能である．運動神経の損傷は随意運動の低下として顕在化する．運動神経は，末梢神経と中枢神経とに区分されるが，末梢神経損傷では支配領域における筋の緊張や張力，持久性の低下が末梢性運動麻痺の症状および機能不全として出現する．一方，中枢神経損傷では，筋に直接接合していないため，末梢神経損傷とは全く異なり，疾病や病変による多様な症状および機能不全を呈する．中枢神経損傷の代表例として，脳卒中では，麻痺側四肢の筋緊張の低下もしくは亢進や痙縮，個別の筋および関節の運動が困難になる病的共同運動の出現が代表的症状および機能不全である．

　また，個別の筋および関節の運動が可能な段階となり運動の自由度が増すと，筋力低下や筋持久性（muscle durability）の低下などの要因となる機能不全が顕在化する．麻痺の程度を表す指標として，ブルンストロームの回復段階やフーグル・メイヤー評価などが用いられている．小脳性失調症では，筋緊張の低下と協調性低下によって，筋力低下や筋持久性の低下に加え，持続的筋収縮や遠心性筋収縮が困難になる機能不全を呈する．パーキンソン病では，筋緊張の亢進と主動筋と拮抗筋の同時収縮，無動症などの症状によって自動運動の可動域低下や急速運動の低下，筋力低下などの要因となる機能不全を呈する．

3) 内部機能

　身体障害者福祉法で定める機能不全のうち，心臓機能不全，腎臓機能不全，呼吸器機能不全，膀胱・直腸機能不全，小腸機能不全，ヒト免疫不全ウイルスによる免疫機能不全（エイズ），肝臓機能不全を内部疾患と総称する．これらの機能は，身体運動能力を支えるための極めて重要な機能であり，本章では総称して内部機能と記述した．特に心臓機能と呼吸器機能，いわゆる心肺機能は，骨格筋への酸素供給や代謝を保証するもので，それらの低下は運動や生活活動における耐久力の低下の要因となる機能不全を呈する．また，腎臓，膀胱・直腸，小腸などの植物性機能は代謝およびエネルギー供給を保証するものであり，運動耐性の低下をもたらし運動練習の進展をも制限することになる．

4) 感覚・知覚機能

　感覚は音，光，物理的刺激などがそれぞれに対応する感覚受容器に入力して発信される情報のことであり，特に感覚受容器から大脳皮質感覚野の第一次中枢に至る過程をいう．一方，知覚は大脳皮質感覚野の第一次中枢から第二次中枢（連合中枢）への連結過程で，刺激の強さや質の鑑別や感覚を意識する．しかし，人間は感覚と知覚を弁別することは難しく，運動行動への寄与も区別することが困難であることから，本章では感覚・知覚機能として記述した．

　感覚・知覚機能は，運動のきっかけ（トリガー）・目標設定・運動過程・運動終了といった一連の運動相への情報を提供するもので，運動行動には必須の機能である．これらの機能損傷は，物品操作や歩行において協調運動やバランスの低下などの要因となる機能不全をきたす．

5) 認知機能

　運動行動を情報の入出力の観点から捉えると，感覚・知覚機能によって情報が入力され，情報が処理され神経筋機能により出力される．情報処理は，過去の情報を保持している記憶（貯蔵機能）に基づき，諸々の情報を整理照合，判断，実行するために思考（処理機能）する過程であり，記憶と思考から構成されている．記憶と思考は，覚醒や注意，集中，言語機能が影響し，構成・抽象思考・判断・計算などの高次の能力であり，いわゆる認知機能である．

　認知機能の低下は，感覚・知覚機能や神経筋機能不全がないのにもかかわらず，コミュニケーション能力の低下や課題・環境への不適応などの機能低下を招く．疾病症状としては失認や失行，失語なども含まれる．

6) 姿勢制御機能

　姿勢制御機能は，椅座位での食事，立位での作業，立ち上がり，歩行，動く電車の中で立位を保持するなど諸々の課題・環境下で姿勢を適正化する機能である．

　姿勢制御は，脊髄や中脳，大脳皮質などの種々の姿勢調整に関わる神経系の姿勢反射機構を基盤とし，感覚・知覚機能や神経筋機能，筋・骨格機能，認知機能が総合的に関連して編成される機能である．基盤となる姿勢反射機構は，乳幼児の運動発達過程にみられる陽性支持反射や緊張性非対称性頸反射，立ち直り反射，平衡反射などの姿勢反射中枢に関連する階層的反射機構に加え，自発的に運動を開始するときに必要な姿勢調整を司る予測的姿勢制御機構（anticipatory postural control system）からなる．予測的姿勢制御機構は，自発運動に伴う姿勢平衡の乱れを予測し，事前に姿勢筋の活動によって身体重心位置を調整するもので，立位での上肢挙上運動課題において，上肢の筋活動に先行する下肢筋の活動によって明らかにされている．

7) 協調運動機能

　協調運動機能は，食べ物を口に運ぶ，飛んでくるボールをキャッチする，指定された位置まで図面上に線を引くなど，運動課題の遂行時に四肢の運動を適正化し，運動の開始・過程（軌跡）・終点を調整する機能である．それらの機能低下は測定異常（dysmetria）とよばれ，目標点を超過あるいは未達になる．また，目標点の近くや途中で動揺する（動揺：oscillation，振戦：tremor），指先が目標に向かって直線的軌跡を描かず三角形の2辺を通るような軌跡を描く運動の分解（decomposition movement），多関節運動における関節運動のタイミングの異常を呈し，反復運動の遂行が拙劣になる反復運動機能低下（adiadochokinesis）などの異常運動として確認できる．

　これらの異常運動は小脳性疾患に伴う特徴的臨床症状として認められるが，感覚・知覚低下や軽度の痙性麻痺などでも認められる．協調運動の低下は，物品操作や歩行，階段昇降時のステップの正確な運動を困難にする要因となる機能不全を呈する．

3 理学療法の対象と disability 構造

理学療法の専門性は，身体機能の知識に基づき，機能損傷・不全の回復あるいは改善に向けたその臨床応用にある．それらは，疾病や外傷，発達異常などを要因とし，その連続性のなかにあると同時に個人と環境との関係性のなかに認められるが，理学療法は，機能損傷・不全の解消，拡大予防，個人の能力の環境適応への拡充，さらに健康管理が主要な業務となる．

Disability 構造および生活機能分類と理学療法の関係については，本書第 5 章で詳細に記述されているので定義などの解説は省き，理学療法の対象という観点から論述することとする．

ここでは，理学療法およびリハ医療の disability 像の実態に最も適していると考えられる The National Center for Medical Rehabilitation Research（NCMRR）のなかで提唱された disability モデルに準拠することとする．NCMRR モデルは，病理（pathology）-機能損傷（impairment）-機能的制限（functional limitation）-能力低下（disability）-社会的制約（social limitation）の 5 つの階層構造で構成され，それぞれへの評価手段は，身体検査-各種機能計測-現象観察・動作遂行計測-実態・環境適応調査-意識・役割調査であり，介入手段としては，疾病治療-治療的介入-機能的介入-適応的（代償的）介入-改革的介入である（図 7-2）．健康管理は，新たな疾病および損傷の予防を含むものである．

疾病治療は薬物療法や手術療法などの医学的治療が主であるが，理学療法においても，身体のホメオスタシスに対する介入として炎症抑制や循環促進，痛みの寛解のために物理療法や運動療法などが病理改善のために適応される．治療的介入は疾病の症状によって生じる筋力低下や関節拘縮による ROM 制限に対する筋力増強運動や ROM 改善運動などの機能損傷に対する理学療法が適応となる．機能的介入は，機能損傷によって生じる起居移動動作の機能的制限に対して，たとえば，椅子からの立ち上がり運動パターンや歩行運動パターンなどを再学習することによって可能な限り本来の合理的で適切な動作へ改善するための運動練習を中心とした理学療法である．

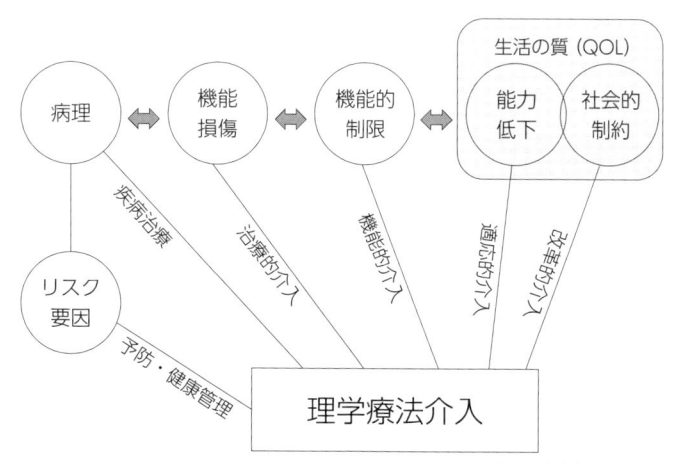

図 7-2　disability 構造と理学療法介入[10]より一部改変

　適応的（代償的）介入は低下改善が困難で，たとえば，脊髄損傷による両下肢の機能を代償し両上肢で車いすに移乗し移動する練習，または脳卒中片麻痺においては健側上肢で食事をするなどの利き手交換時の練習である．さらに，その程度に合わせて生活環境条件を工夫するとか補助具などを利用して自立性を高める練習も理学療法に含まれる．改革的介入は機能評価に基づき住宅改造や職場環境を調整するため助言することで，直接的に理学療法介入するものではない．

　予防は，疾病予防と低下予防の2つの観点から捉えることができる．予防医学では疾病予防の立場から，一次予防（primary prevention），二次予防（secondary prevention），三次予防（tertiary prevention）に分類され，リハ医療では機能や能力の低下を予防する立場から第1レベル予防（first-level prevention），第2レベル予防（second-level prevention），第3レベル予防（third level prevention）に分類される．

　予防医学の立場から，一次予防は幼児や高齢者などの疾病感受性の高い段階に対して実施する予防対策である．高血圧や肥満などの危険因子の消去，感染症に対するワクチン接種などが挙げられる．理学療法においては，食生活の調整や適度な運動処方による体力向上を目的とした有酸素性運動や筋力，筋持久性，柔軟性改善のための運動療法が含まれる．二次予防は早期発見，早期治療の原則に基づいた予防対策であり，疾病に罹患しながらも無症状の状態に対する介入である．たとえば，初期の糖尿病に対して薬物療法や食事療法とともに運動療法による代謝機能の改善が含まれる．三次予防は臨床症状が認められ，疾病による症状が増悪することを最小限にあるいは遅延させることが目標となる．理学療法においては，機能低下の改善と機能的制限への進行を予防するための治療的介入が含まれる．

　リハ医療の立場からは，第1レベル予防は機能低下の発生を予防することが大切である．予防医学における，主に第1次および第2次の予防対策が含まれる．第2レベル予防は，機能低下によって生じる機能的制限および具体的生活環境での能力低下や活動制限に進行することを最小にあるいは遅延させるための介入である．理学療法においては，機能低下の改善のための治療的介入や機能的制約を改善するための機能的介入，さらに生活環境条件での代償的介入が含まれる．第3レベル予防は能力低下が社会参加における制約条件にならないための介入である．理学療法においては，治療的介入や機能的介入を駆使するとともに，適切な機能評価に基づく社会環境改善への情報提供を行う改革的介入が含まれる．

4　理学療法の分類

　理学療法の定義については，「1. はじめに」で記述しているが，理学療法を分類するうえであらためて整理することにする．

　理学療法の定義は，世界保健機関（WHO）では，「理学療法とは，治療的運動療法，温熱，寒冷，光線，水，マッサージ，電気刺激などを用いる身体的治療の科学および技術であって，治療目的は鎮痛，循環促進，機能損傷の予防と矯正，筋力，可動性，協調性などの最大の回復である」と定義している．

　1983年に米国理学療法協会（American Physical Therapy Association：APTA）は，理学療

法を「健康管理の専門職として，急性あるいは慢性の運動能力低下を予防，確認，評価，治療，軽減するために科学的原理を応用し，人の最適な健康と機能を増進すること」として，哲学的健康観（philosophical statement）を表明した．また，前述のように，第29回 Mary McMillian Lecture（1998年）で APTA 会長歴任者である Sahrmann SA は，理学療法士のアイデンティティを「単なる理学療法の施術者ではなく，身体運動機能に関する知識に基づいて特徴づけられる専門家である」として，病態運動学の知識の重要性について言及した．

　世界理学療法連盟は，2007年のロンドン大会でより包括的な政策（policy statement）を表明した．「理学療法は，生涯を通して人びとが最大の運動や機能的能力を発達，維持，改善するためのサービスを提供することであり，運動や機能が加齢や外傷，疾病，機能損傷，健康状態，環境などの因子により脅かされている生活環境へのサービスも含まれる」としている．

　このような歴史的表明を踏まえ，理学療法（士）の定義を整理すると：

- 身体運動機能を対象にすること
- 身体運動機能を脅かす因子である疾病や外傷，加齢，健康状態，環境要因など広範な知識が必要であり，その現象についての学問的拠り所は病態運動学にあること
- 生涯を通して疾病と機能損傷の予防，治療，維持，環境調整などに関わること
- 理学療法の具体的介入手段としては，身体運動に関わる広範な物理的刺激および理学的手段が含まれること
- 理学療法士は単なる施術者ではなく身体運動機能に関する知識に特徴づけられる専門家であること

などが定義の構成要素として挙げられる．

　APTA による理学療法実践ガイドでは，理学療法の介入手段を，運動療法，ADL や仕事場における機能向上練習，徒手療法，補装具療法，呼吸療法，皮膚管理（褥瘡）療法，電気刺激療法，物理療法に分類している．なお，理学療法を能動的と受動的という観点から分ける場合がある．能動的理学療法は，対象者や社会参加制約者が諸活動を自ら遂行するものであり，治療体操や筋力増強運動，歩行練習などの運動療法が含まれる．一方，受動的理学療法は対象者や社会参加制約者の患部に対して直接的に手当てする物理療法やマニピュレーション・モビリゼーション・ストロークなどが含まれる．

　しかし本章では，理学療法における運動療法を中心に記述した．

5　運動療法

　運動療法は，therapeutic exercise の訳語である．exercise（語源：強くする意味）は，①（身体）運動，②練習，体操，課題練習，③（精神）活動などの意味があり，therapeutic exercise は治療的体操や治療的運動などとも訳される．

　運動療法の目的は，健康関連体力（health-related physical fitness）の向上と運動制御機能の向上を図ることである．健康関連体力は，呼吸循環器系の持久性（cardiorespiratory endurance, 心肺フィットネス：cardiopulmonary fitness），筋力や筋持久性（muscle strength and muscular endurance），体組成（body composition），柔軟性（flexibility）などが含まれる．また，運動制御機能には協調運動やバランス機能が含まれる．具体的な目的は，関節可動域（以下，Range of

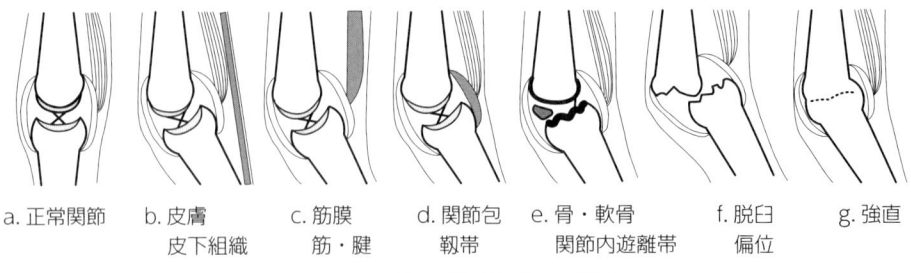

a. 正常関節　　b. 皮膚　　　c. 筋膜　　　d. 関節包　　e. 骨・軟骨　　f. 脱臼　　g. 強直
　　　　　　　　　皮下組織　　筋・腱　　　靱帯　　　　関節内遊離帯　　偏位

図 7-3　関節可動域制限の原因[25]

Joint Motion：ROM）（正式な英語では Joint が記載される）の拡大と筋力増強，筋持久性の向上，呼吸循環器系の持久性，協調運動，バランス機能などの向上を図り，日常生活活動に必要な起居移動動作や上肢の操作機能，体力を獲得することにある．

　運動療法では，身体運動を自ら筋を収縮させての運動か，理学療法士や運動機器が四肢を動かしての運動か，あるいはその双方による運動かによって，自動運動（active exercise），他動運動（passive exercise），自動介助運動（active-assistive exercise）に区分される．また，自動運動に抵抗を加える際には，抵抗運動（resistive exercise）とよぶ．

　運動に関わる筋の収縮様態には，等尺性筋収縮（isometric muscle contraction）と等張性筋収縮（isotonic muscle contraction），等速度性筋収縮（isokinetic contraction）がある．等尺性筋収縮は，筋の収縮によって発生した張力と抵抗する力が均衡し，関節運動が生じない状態の収縮様態であり，関節を固定・安定させるときの微妙な共同収縮に際しても生じる．等張性筋収縮は，筋の収縮によって発生した張力が一定の状態で関節が運動するときの筋収縮様態で，筋が短縮するのを求心性収縮（concentric contraction）と称し，筋が伸張されるのを遠心性収縮（eccentric contraction）と称する．等速度性筋収縮は，関節運動が一定の角速度で収縮することで，特定の機器を用いて等速度収縮を発生させる．理学療法士は，運動療法において，これらの運動区分（exercise）や筋の収縮様態を対象者の機能低下の程度や治療目的に合わせて使い分ける．

　運動療法の主要な分類を次に示す．運動療法における基本的な項目である関節可動域運動，筋力増強運動，呼吸練習，運動負荷練習，バランス練習，協調運動練習，機能的動作練習などについて概説する．

1）関節可動域運動（Range of Joint Motion Exercise：ROME）

①関節可動域制限

　ROM とは，関節を自動的あるいは他動的に運動したときの可動範囲である．その制限は ROM 制限であり，理学療法士は，ROM 制限の要因や病態を評価し，その評価に基づいて関節可動域運動（以下，ROME）を行う．関節可動域制限は，その起因によって強直（ankylosis）と拘縮（contracture）に大別される．強直は関節軟骨や骨など関節構成体そのものの病変に起因するもので，拘縮は，皮膚や皮下組織，骨格筋，腱，靱帯，関節包などの関節周囲に存在する軟部組織の病変に起因する（図 7-3）．先天性の骨癒合症や関節リウマチによる関節軟骨破壊に伴う骨性に癒着し可動性が全く消失した状態を特に骨性強直と称し，結合組織が癒合したものを線維性強直と称す．関節の損傷や変形に伴う ROM

制限は，関節周囲の軟部組織と関節構成体の変性が合併していることが多く，拘縮と強直を明確に区別することは困難である．臨床的には他動的 ROM がほとんどないか全くない状態を強直と称し，関節内外の組織に不可逆的変性が生じているとされる．そのため，ROME による改善は困難である．

拘縮の分類は，Hoffa の分類が一般的で，次の 5 つに分類される．

- 皮膚性拘縮：熱傷や挫創，術後による瘢痕治癒後に生ずる瘢痕による拘縮．
- 結合組織性拘縮：皮下組織や靱帯，腱，腱膜などの結合組織に起因する拘縮．
- 筋性拘縮：筋線維の短縮や萎縮が起因する拘縮．
- 神経性拘縮：神経疾患に由来するもので，痛みによる反射性筋スパズムや逃避的な筋収縮は長時間続くと筋線維の短縮が生じ拘縮となる．また，脳卒中などの中枢神経疾患による痙縮や筋緊張亢進により筋線維が短縮し拘縮を呈する．
- 関節性拘縮：関節構成体に属する軟部組織である滑膜や関節包，関節靱帯などに由来する拘縮であり，組織病態としては結合組織性拘縮と同様と考えられる．

②ROME の方法

理学療法士は，前述した ROM 制限について評価して運動の内容を検討する．関節可動域の評価は，関節の解剖学的知識に基づいて，ROM の程度（関節可動角度）を計測し各関節の標準可動域と比較すると同時に制限の要因を推察する．関節可動域は自動運動と他動運動とを比較して確認する．自動運動による可動域は，筋力や運動協調性，拮抗筋の状態，痛みなどの影響を受けるため，関節の構築学的異常や関節周囲組織の柔軟性や伸張性の低下などによる ROM 制限の要因についての把握は困難である．よって，必ず他動運動を含めた ROM を確認することが重要である（表 7-1）．他動運動による最終可動域での抵抗感（最終域感：end feel）や可動域内での抵抗感や痛みの発生，運動中の軋音などを判断情報として要因を把握する必要がある．運動に際しては，関節の解剖学的特徴や運動自由度，標準可動域の基本知識が重要となる．運動自由度とは，関節の運動方向を決める関節運動軸の数により決定されるもので，一軸性の関節（屈曲-伸展のみ）では自由度 1，二軸性の関節（屈曲-伸展，外転-内転）では自由度 2，多軸性の関節（屈曲-伸展，外転-内転，内旋-外旋）では自由度 3 と表現する．たとえば，肘関節は一軸性・自由度 1，手関節は二軸性・自由度 2，肩関節は多軸性・自由度 3 である．

③他動運動による可動域運動（passive ROM Exercise）

ROME の基本は，対象者がリラックスした状態で，痛みを感じない範囲で可能な限り可動域全域にわたり，ゆっくりと滑らかに，関節の近位部を固定して遠位部を動かす他動運動である．理学療法士は，運動中可動域内で抵抗感を感知したときには，他動運動を停止もしくは開始肢位へ戻して，痛みの発生や筋緊張の変化など抵抗感の要因を推察しながら運動を進める．他動運動による可動域運動は，主に関節可動域の維持や筋のリラクセーションを目的に用いられる．

④自動介助運動による可動域運動（active-assistive ROM Exercise）

対象者の自動運動に加え，理学療法士が適切な運動の方向と速度を誘導しながら愛護的に行う可動域運動である．筋力低下や拮抗筋の筋緊張亢進，痛みなどがある場合に適応となる運動である．運動の進行とともに介助量の軽減，速度調整などによって対象者の自動性を高めながら可動域の拡大を図ることが肝要である．

表7-1　関節運動の生理的（正常）最終域感と病的最終域感[28]より改変

最終域感	生理的（正常）最終域感		病的最終域感	
	特徴	例	特徴	例
軟部組織性	弾力性のある軟部組織の接触による制限	膝関節の屈曲（大腿と下腿の軟部組織の接触）	通常のROMより早くまたは遅く起こる．または，最終域感が正常では結合組織性もしくは骨性である関節でも起こる　何かが介在している感じ	軟部組織に浮腫　滑膜炎
結合組織性	筋，関節包，靱帯などの伸張による制限で，少し弾性のある感覚	膝関節伸展位での股関節屈曲（ハムストリングスの緊張）手指のMP関節伸展（関節包の緊張）前腕回外（橈尺関節の掌側橈尺靱帯などの緊張）	通常のROMより早くまたは遅く起こる．または，最終域感が正常では軟部組織性もしくは骨性である関節でも起こる　ROMの最終域以前に抵抗が現れ，最終域に近づくに従い抵抗が増加する	前緊張増加　関節包，筋，靱帯の短縮
骨　性	骨と骨が衝突する弾力の欠けた硬い感覚	肘関節の進展（尺骨の肘頭と上腕骨の肘頭窩との接触）	通常より早くまたは遅く起こる．または最終域感が正常の場合は軟部組織性もしくは結合組織性である関節でも起こる．骨性の軋轢または骨性の制動を感じる	軟骨軟化症　骨関節炎　関節内遊離体　化骨性筋炎　骨折
虚　性	−	−	疼痛により最終ROMに至ることがないので真の最終域感ではない．防御性筋収縮または筋スパズムを除いては抵抗感を感じることはない	急性関節炎　骨液包炎　骨折　心理的原因：防御反応

⑤自動運動による可動域運動（active ROM Exercise）

　対象者が自ら関節全可動域を運動する可動域運動である．関節の全可動域を通じて運動できる筋力があり，痛みがないケースに適応され，主に対象者の自主運動によるROMの維持改善を目的として用いられる．

　• 伸張運動による可動域運動，ストレッチング（stretch ROM exercise, Stretching）

　関節の最終可動域において，理学療法士が他動的に筋を伸張運動する可動域運動である．積極的なROM拡大を目的とした手法であり，痛みを伴うことがあるため，ゆっくり持続的に筋を伸張することが肝要である．なお，急激な筋の伸張は痛みや筋緊張の亢進を誘発し逆効果になるため禁忌である．ストレッチングの効果を高めるために，補助的手段を加えることがある．

a. ストレッチング前に行う伸張対象筋の等尺性抵抗運動（hold-relax）

　制限されたROMの最終域において，筋を伸張する前に，伸張する筋に対して理学療法士が等尺性抵抗運動を行い，その運動終了直後に対象者にリラクセーションを促し，筋を伸張する可動域運動

である．たとえば，肘屈筋（上腕二頭筋）のストレッチングを行う場合，ストレッチングを行う前に，動筋である肘屈筋（上腕二頭筋）の等尺性抵抗運動を行い，その後，対象者に肘屈筋のリラクセーションを促しながら肘屈筋のストレッチングを行う可動域運動である．これは，筋の最大収縮後に筋活動の抑制が生じるという生理学的機序を適応したものである．

b. ストレッチングとともに行う自動運動（hold-contract）

対象者の自動運動あるいは最終可動域での自動運動とともに筋を伸張する可動域運動である．たとえば，肘屈筋（上腕二頭筋）をストレッチングするときに，それと同時に肘伸筋（上腕三頭筋）の自動運動を促す可動域運動である．随意運動時には，主動筋の活動に対して拮抗筋の活動が抑制される相反抑制の生理学機序を適応したものである．

c. ストレッチング前に行う物理療法

痛みが強いケースには，可動域運動を実施する前に，ホットパックやパラフィン浴，極超短波，アイスマッサージなどの物理療法（後述）を適応し，痛みのある筋のリラクセーションを図っておくと効果的である．これは温熱による生理学的効果を適応したものである．

2）筋力増強運動（muscle strengthening exercise）

①筋力の生理学的背景

筋力あるいは筋張力は，骨格筋の構造と神経筋機構，いわゆる筋の因子（muscle factor）と神経の因子（neural factor）によって得られる．筋力低下あるいは増強は，この2つの因子の変化に応じて顕在化する．筋力の維持あるいは増強には，筋が収縮し適度な緊張（荷重による）が生じることが不可欠である．

筋の主要な構成体は，結合組織と腱，毛細血管，神経筋接合部，筋線維（赤筋線維と白筋線維）からなる．筋線維はさらにアクチンフィラメントとミオシンフィラメントからなる筋原線維の束から構成され，筋収縮の機能単位となっている（図7-4）．原則的に筋力増強は筋線維の直径が太くなり，筋の肥大によって得られる．筋線維の肥大は収縮蛋白である筋原線維の増加と筋形成成分の増加によるものである．これらを筋の因子による筋力増強とよぶ（図7-5）．また，毛細血管も増加し栄養補給機構も向上する．筋線維は，ミオグロビンという色素蛋白の量の違いによって，赤筋と白筋に分類される．赤筋は筋原線維が太く筋収縮は遅く，姿勢筋に多い，白筋は筋原線維が細く筋収縮は速く動筋に多い（表7-2）．神経筋接合部（neuromuscular junction）は，神経と筋を連結し運動神経からのインパルスを筋線維に伝達する一種のシナプスの役割を担い興奮収縮連関の過程を経て筋収縮が生じる．一本の運動神経は，複数の筋線維を支配（神経支配比）しており，それを運動単位（motor unit）と称する．運動単位の発射頻度（temporal recruitment）と活動する運動単位の数（spatial recruitment），各運動単位の活動のタイミング（synchronization）により筋収縮の程度，筋力が変化する．運動単位の活動順序は，活動電位の小さな運動単位から活動し，しだいに活動電位の大きな運動単位が活動に参加するHennemanのサイズの原理に従う．また，運動単位には，それに含まれる筋線維群（筋単位：muscle unit）と対応した機能的分化がある．運動単位は連続収縮で起こる疲労の程度と単収縮の速度から，FF（fast twitch, fatigable），FR（fast-twitch, fatigue-resistant），F（int）（fast-twitch, intermediate），S（slow-twitch）に区分される（図7-6）．これらの運動単位の活動の変化による筋力増強は神経因子の機序によって生じる．筋力増強運動の効果は，最初は神

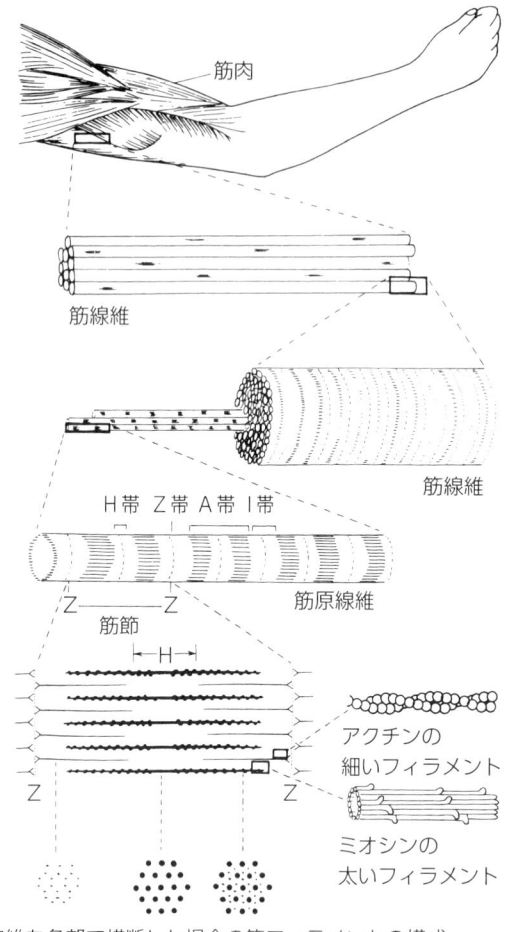

筋肉

筋線維

筋線維

H帯 Z帯 A帯 I帯

筋原線維

Z　筋節　Z

H

アクチンの
細いフィラメント

ミオシンの
太いフィラメント

Z　　　　　　　　Z

筋原線維を各部で横断した場合の筋フィラメントの構成
　・太いフィラメント　　・細いフィラメント

図7-4　骨格筋を構成する各単位間の関係を示した図[29]
（下へ行くほど拡大が強くなっている）

筋原線維の各部分に顕微鏡で見たときの濃淡の差によってA帯，I帯，H帯，
Z帯といった名前がつけられているが，A帯の中でH帯を除いた部分が太い
フィラメントと細いフィラメントとが重なった部分で最も濃く見え，I帯は細
いフィラメントだけからなる部分であるために淡く見える．I帯の中央にある
Z帯は筋節と筋節のつなぎ目でこの部分も濃く見える．

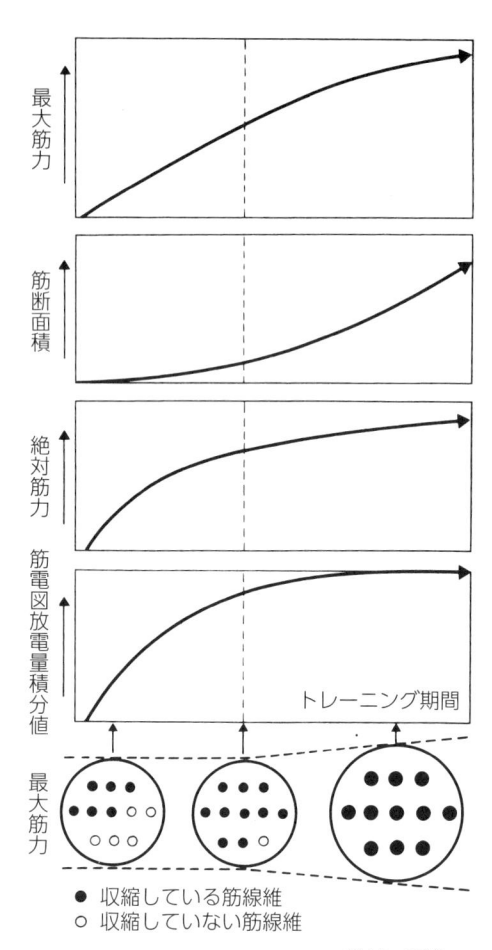

最大筋力

筋断面積

絶対筋力

筋電図放電量積分値

トレーニング期間

最大筋力

● 収縮している筋線維
○ 収縮していない筋線維

図7-5　筋力増強運動の効果[46]より一部改変

経の因子によって，後に筋の因子が加わり，3～5週間後以降に筋肥大を伴う筋力増強が得られる．
筋肥大は，筋力の増強のみならず，基礎代謝量増やインスリン感受性の改善，循環血液量増にもなる．
　筋の張力（筋力）は，筋の長さや運動速度により変動する（図7-7）．筋の張力は，アクチンフィ
ラメントとミオシンフィラメントの重なり合う部分で生じるため（滑走説），筋の過度もしくは過小
な伸張で張力は低下する．効果的な筋力発揮には適切な筋の長さが必要となる．筋の求心性収縮する
方向を（＋），筋の遠心性収縮する方向を（－），筋の等尺性収縮を（0）とすると，運動速度が（＋）
方向へ速い程筋張力は減少する．最大筋張力は，遠心性収縮＞等尺性収縮＞求心性収縮の順で高くな

表 7-2　筋線維とその特色（菊池によるものに一部追加）[42]

名称	遅筋線維（Ⅰ型筋）	速筋線維（Ⅱ型筋）
	ST 線維	FT 線維
	赤筋線維	白筋線維
構成	筋原線維が太い 横紋が少ない 主に tonic NMU より構成される 前柱細胞が小さく古い 神経支配比が大である	筋原線維が細い 横紋が多い 主に kinetic NMU より構成される 前柱細胞が大きく新しい 神経支配比が小である
機能	主として錐体外路性 postural adjustment を司る緩筋 長い潜伏期をもってゆっくり反応する 長時間の収縮あるいは持続的収縮を必要とする 興奮性が低く収縮の強度は大きい 呼吸酵素性が強い	主として錐体路性 phasic movement を司る速筋 短い刺激間隔で反応し，すぐれた技巧的な働きに分化 短時間の収縮をする 興奮性が高く，収縮の強度は小さい 呼吸酵素性が弱い
化学的成分	myoglobin 量が多い mitochondria が大きく，数も多い creatine および creatinine 量が少ない glycogen 量が少ない 高エネルギーリン酸保有量が少ない タンパク質 75% 多くの顆粒を含む	myoglobin 量が少ない mitochondria が小さく，数は少ない creatine および creatinine 量が多い glycogen 量が多い 高エネルギーリン酸保有量が多い タンパク質 85% 顆粒が少ない

る．筋力増強運動を効果的に行うためには，これらの筋機能の特徴を考慮することが重要である．

②**筋力低下の要因**

　筋力低下は，加齢性，廃用性，筋原性，神経接合部性，神経原性に区分される．加齢性筋力低下は，全体として筋線維が萎縮し，結合組織と置き換えられて筋容量が減少する．廃用性筋力低下は，長期臥床やギプス固定などによる不動によるものであり，筋線維の萎縮のみならず神経因子である運動単位の活動性も低下する．筋原性筋力低下は，筋ジストロフィー症や多発性筋炎など筋病変によるものである．神経接合部性筋力低下は，重症筋無力症が代表的であり，アセチルコリン受容体の変調で，脱力，易疲労性が特徴である．神経原性筋力低下は，末

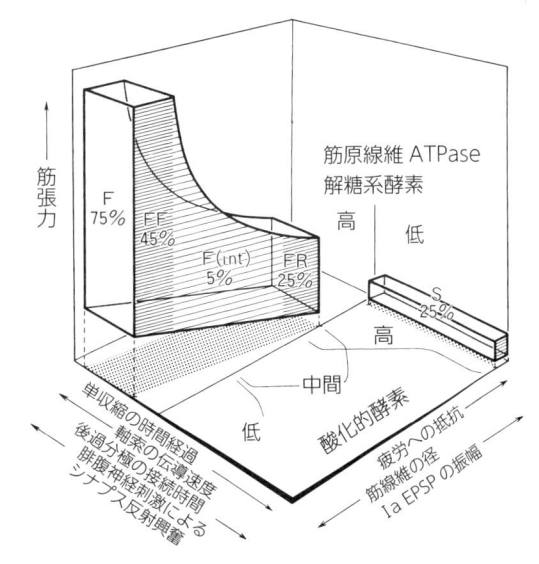

図 7-6　ネコの内側腓腹筋運動単位の性質の 3 次元表示[5]

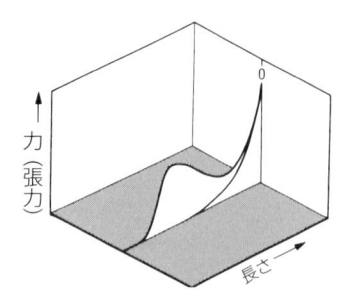

(a)長さ–張力曲線 (length-tension curve). 筋の種々の静止長で発生する張力, 上の曲線は随意的収縮時, 下の曲線は他動的伸展時を示す.

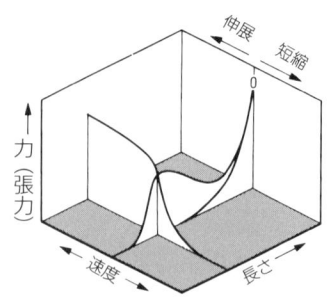

(b)長さ–張力曲線に直交する力–速度曲線 (force-velocity curve) を示す. 両曲線の交点 (筋の長さは変化せず, 速度 0 の場合) から発生し得る力が求められる.

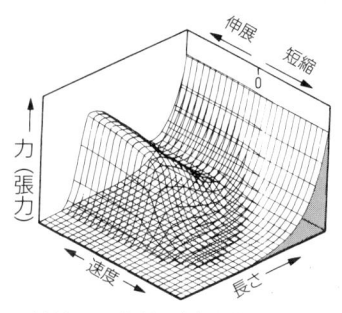

(c)種々の条件で(b)を描くと 2 つの曲面, 随意的収縮時 (上面) と他動的伸展 (下面) の曲面が得られる.

図 7-7 筋収縮における筋の長さ (length), 筋力 (tension) と速度 (velocity) の関係[4]

梢神経不全によるもので筋力低下に加え筋萎縮が著明である.

③筋力増強運動の方法

筋力増強のためには, 一定以上の負荷を与える必要がある. これを過負荷の原理という. 過負荷の原理は, 運動の強度と運動の持続時間, 運動の頻度, および運動の期間の基本条件が必要である. 運動の強度と持続時間については, 過負荷の原理に基づく DeLorme による漸増抵抗運動 (Progressive Resistance Exercise：PRE) の理論や Hettinger による等尺性収縮運動練習の理論が参考になる (表 7-3a, b). 筋力増強効果を得るためには最大筋力の 40～60％以上の強度が必要であり, すべてのタイプの筋線維を動員するためには最大筋力の 70～80％以上の強度が必要である. また筋力を維持するためには, 最大筋力の 20～30％の強度が必要である. 筋の疲労は, エネルギー源であるアデノシン三リン酸 (ATP) とクレアチンリン酸 (CP) の消費と乳酸などの代謝産物の蓄積によって決定し, 運動終了後 ATP と CP は 90～120 秒で 90％回復するとされている. 筋肥大が生ずるまでには, 3～5 週間の運動期間が必要とされている.

筋力増強運動には, 等張性運動と等尺性運動, 等運動性運動がある.

a. 等張性運動 (isotonic exercise)

等張性運動は等張性筋収縮による運動で, 漸増抵抗運動と漸減抵抗運動, 漸増頻度運動がある.

漸増抵抗運動は, DeLorme (1945 年) が提唱したもので, はじめに練習する筋に対して 10 回繰り返し運動がやっと可能な負荷量 (10 repetition maximum：10 RM) を設定し, 運動は 10 RM の 50％, 75％, 100％の負荷量の順序で, それぞれ 10 回ずつ, 合計 30 回を 1 セットとして行う. 1 週間ごとに 10 RM の負荷量を増していく.

漸減抵抗運動 (regressive resistance exercise) は, 1 日の運動では最大負荷から開始し, 10 回反復運動後負荷量を 10％ずつ減らす練習方法である. オックスフォード法 (Oxford technique) ともいう.

漸増頻度運動 (progressive rate training) は, 負荷量を一定にして, 単位時間あたりの反復回数

表 7-3a　等張性運動の負荷強度と反復回数の関係と主な効果[26]

最大筋力に対する割合（%）	最高反復回数（回）	期待できる効果
100	1	集中力 UP
90	3〜 4	
80	8〜10	筋肥大・筋力 UP
70	12〜15	
60	15〜20	筋持久力 UP
50	20〜30	
33.3	50〜60	

表 7-3b　等尺性運動の負荷強度と時間の関係[26]

負荷強度 最大筋力に対する割合（%）	筋収縮時間（秒）	
	最低限度	適正限度
40〜50	15〜20	45〜60
60〜70	6〜10	18〜30
80〜90	4〜 6	12〜18
100	2〜 3	6〜10

（rate）を増やす方法である．頻度の設定にはメトロノームなどを利用する．

b. 等尺性運動（isometric exercise）

　等尺性筋収縮による負荷量は，強度と収縮時間によって決定する．最大負荷量を定め，毎日負荷量を増していくことで筋力増強が得られる．等尺性運動は，骨折後のギプス固定中や関節の運動痛がある場合に，廃用性筋萎縮予防に適応となる．

c. 等運動性運動（isokinetic exercise）

　等運動性運動は，等速度（角速度）の関節運動を可能にする専用機器（BIODEX）を使用して行う．設定した運動速度（角速度）を超えたときに発生する力を筋に負荷して筋力増強を図る方法である．求心性筋収縮運動と遠心性筋収縮運動および運動速度ゼロの等尺性筋収縮運動で筋力増強運動が可能である．等運動性運動は，全可動域にわたり最大筋張力を発揮した運動が可能である．高速度での運動は筋持久性向上に，低速度での運動は瞬発力の筋力増強に効果的である．

3）筋持久性向上運動（muscular durability exercise）

　筋持久性は，筋線維のタイプⅠおよびタイプⅡA に分類されるミトコンドリアの容量が多い赤筋が重要な役割を果たす．筋の持続的収縮を維持する能力（静的筋持久性）と反復収縮を行う能力（動的筋持久性）に分けられる．いわゆる一定負荷に対する持続時間の延長と回数の増加により評価される．運動負荷量は，筋血流を遮断しない最大筋力の 60% 以下で行うことが効果的であるとされてい

る．筋持久性向上運動によって毛細血管網と動静脈吻合が発達し，筋酸素摂取量の増加や筋に蓄積される グリコーゲン量が増加する．

4）呼吸練習（breathing exercise）

①呼吸機能低下

呼吸（respiration）とは，生体が生命維持のため外界から酸素を取り入れて体内で物質代謝を行い，代謝の廃棄物としての二酸化炭素を体外に排出するといった体内と外界の間のガス交換のことである．呼吸には，外呼吸（external respiration）と内呼吸（internal respiration）とがある．外呼吸は肺や皮膚における大気と血液とのガス交換（肺呼吸，皮膚呼吸）を，内呼吸は体内における細胞組織と血液との間のガス交換を指しており，通常の呼吸とは肺呼吸を意味する．

呼吸に関与する器官系を呼吸器系とよび，鼻腔，咽頭，喉頭，気管，気管支，肺で構成されている．さらに，肺は気道系，血管系，リンパ系，神経系などから構成されている．大気が肺に至るまでの経路となる気道は，鼻腔から喉頭までの上気道と気管以下，終末細気管支までの下気道に区別されている．終末細気管支はガス交換が行われる呼吸細気管支，肺胞道，肺嚢胞に至る．血管系には肺動脈系と気管支動脈系の 2 種類の動脈があり，前者はガス交換に直接関与し，後者は肺の栄養血管である．肺動脈系は，肺胞を取り巻く毛細血管を形成し，肺胞と血流との間のガス交換を行っている．肺におけるガス交換は，拡散と換気血流分布によって規定されている．

肺にはそれ自体の力で拡張する性質はないため，肺胞と外気との間の換気（ventilation）は胸郭の拡大・縮小と横隔膜の移動からなる呼吸運動によって行われている．呼吸運動は主に，肋間筋と横隔膜によって行われ，これらは呼吸筋とよばれ，吸気筋と呼気筋とに分類される．呼吸機能不全は，肺疾患による気道系の構造の病理と胸郭や胸膜，呼吸筋などの異常が起因となる．呼吸機能不全には，換気に関する機能およびガス拡散に関する機能低下がある．換気機能不全は，閉塞性換気機能低下，拘束性換気機能低下，混合性換気機能低下の 3 つに分類される．呼吸機能の検査（スパイロメトリー）によって，1 秒率が予測値の 70%未満のものを閉塞性換気機能不全，%肺活量が予測の 80%未満のものを拘束性換気機能不全，1 秒率と%肺活量の両者が低いものを混合性換気機能不全と称する．閉塞性換気機能不全には，慢性閉塞性肺疾患（Chronic Obstructive Pulmonary Disease：COPD），肺気腫，慢性気管支炎，気管支喘息などがある．拘束性換気機能不全には，胸郭の拡張不全，胸膜肥厚，肺線維症などによる肺実質の拡張不全が起因となる．肺におけるガス交換機能不全の要因として最も大きなものが，換気血流比の不均等分布であり，それによって血液ガスに異常が生じる．

②呼吸と理学療法

呼吸リハ（pulmonary rehabilitation）とは，呼吸器の病気によって生じた機能不全のあるケースに対して，可能な限り機能を回復，あるいは維持させて，これによって対象者自身が自立できるように継続的に支援していくための医療と定義されている．

呼吸リハは，多くの職域からなる医療関連専門職チーム（医療チーム）によって対象者およびその家族に対して，多次元的医療サービスが提供される．医療チームの構成は，医師，看護師，理学療法士，作業療法士，栄養士，薬剤師，メディカル・ソーシャルワーカーなどである．呼吸理学療法は，対象者の評価に始まり，精神面を支援しながら，対象者・家族教育（禁煙，日常生活全般），薬物療法，酸素療法，栄養指導，呼吸理学療法，社交活動などすべてを含んだ包括的な医療プログラムを実

施する．なかでも，呼吸理学療法は中核的な存在であり，呼吸機能不全の予防と治療のために理学療法の手段を適用することで，急性から慢性呼吸機能不全，新生児から高齢者まで，すべての病態の呼吸機能不全および呼吸器合併症を対象としている．

呼吸理学療法の内容としては，リラクセーション，呼吸練習，呼吸筋運動，呼吸介助法（胸郭可動域運動），排痰法などで構成される．

③呼吸練習の方法

呼吸練習の目的は，呼吸様式の学習と呼吸運動の制御である．

a. 口すぼめ呼吸

口すぼめ呼吸とは，口をすぼめてゆっくりと息を吐く（呼気）ことで，気道内圧を高め，末梢気道を開存させる呼吸法である．これによって，気道の虚脱を防ぎ，呼気が十分に行えるようになる．口すぼめ呼吸は，主に COPD などの閉塞性換気機能不全のケースに対して行われ，気道虚脱の防止，呼気時間の延長，呼吸困難感の軽減，呼吸数の減少，酸素飽和度の増加，呼吸仕事量の減少，横隔膜の関与の減少などに有用とされている．

b. 横隔膜（腹式）呼吸

横隔膜呼吸とは，吸気時の横隔膜増大に伴い腹壁の拡張運動を強調させる呼吸法で，横隔膜が収縮すると前腹壁が間接的に膨らむことを利用したものである．横隔膜呼吸は，呼吸補助筋の活動抑制，呼吸困難感の軽減，1 回換気量の増大と呼吸数の減少，ガス交換改善に，長期の理学療法プログラムでは，最大換気量や肺活量の改善，運動耐容能や ADL 遂行能力の改善に有用とされている．

実際の呼吸練習は，呼吸理学療法適応の確認後，事前に排痰法，薬物療法を済ませるなどの準備，呼吸困難感の有無による開始姿勢の選択，呼吸様式の選択，起居動作，歩行などの動作に協調した応用的な呼吸方法の指導の手順に従って行われる．

5）運動負荷練習（aerobic exercise）

①身体活動と体力

身体活動（physical activity）とは，骨格筋の収縮によって生じる身体の動きのことであり，実質的にエネルギー消費を増加させるものである．それは，日常生活における労働，家事，通勤・通学，趣味などの「生活活動」と，体力の維持・向上を目的として計画的・意図的に実施する「運動」に分けられる．

体力（physical fitness）とは，人間の活動や生存の基礎となる身体的能力と定義され，健康関連体力（health related fitness）と運動技能関連体力（skill related fitness）に分けられる場合がある．健康関連体力は，全身持久性（心肺持久性），身体組成，筋力，筋持久性，柔軟性で構成される．また，運動技能関連体力は，敏捷性，調整力，バランス，パワー，反応時間，スピードで構成される．体力の果たす役割や意義は，時代や社会背景，ライフステージ，生活環境やライフスタイル，心身の状況などによって大きく異なる．

日本では，1950 年代の高度経済成長を契機に機械化や情報化などが急速に進展し，現在の快適で利便性の高い生活が実現している．そのような社会の近代化と急速な高齢化により，運動不足，人間関係の希薄化や精神的ストレスの増大，生活習慣病や新たな職業病の増加などの健康上の変調が大きな社会的課題となっている．よって，これらの課題を予防し健康を維持・増進させるための体力レベ

ルの向上が求められている.

②全身持久性と運動負荷試験

　全身持久性とは，歩行や走行などの全身を使った動的な運動をいかに長く持続できるかという能力である．筋活動を持続するためには呼吸・循環系の機能が重要な役割を果たすことから，心肺持久性ともよばれている．米国スポーツ医学会（American College of Sports Medicine：ACSM）によると，全身持久性が健康と関連している理由として，①全身持久性が低いと，すべての疾患による死因，とりわけ心血管疾患による早期死亡のリスクが著しく増加する，②全身持久性の増加はあらゆる疾患の死亡率の減少と関連する，③高い全身持久性レベルは日常の高い身体活動レベルと密接に関連し，それによって健康状態が順次改善することが挙げられている．

　全身持久性の代表的な指標は，最大酸素摂取量（VO_2max）である．その測定方法は，最大下運動負荷試験などによって直接的・間接的に測定する身体資源（physical resource）からの測定方法と，一定時間内での歩行・走行距離を測定し，測定値から最大酸素摂取量への変換式を使用し推定する作業成績（performance test）の測定方法に分けられる．

　運動負荷試験の目的は，①循環器疾患，呼吸器疾患の診断，治療効果判定，スクリーニング，②身体機能評価，③トレーニングの処方，効果判定などである．運動負荷試験には，トレッドミル，自転車エルゴメータ，階段などの運動負荷機器を用い，各種プロトコールに沿って測定する．測定指標には，心電図や血圧，酸素摂取量，自覚的運動強度などを用いる．

　医学的リハにおいては，運動負荷試験とそれに続く運動処方に先行し，医師によるメディカルチェック（medical check）を行い，運動中の筋骨格系損傷，心臓突然死や心筋梗塞などのリスクを評価する必要がある．メディカルチェックは，病歴問診，身体所見に関する理学検査，臨床検査などで構成され，運動負荷試験の際の安全確保，安全で効果的な運動処方のための指針となる．通常の運動負荷試験を行えない肢体不自由のある対象者に対しては，入念なメディカルチェックと対象者の機能不全の要因や程度をもとに運動負荷方法を検討する．

③運動処方の要素

　運動負荷練習（有酸素運動：aerobic exercise）の処方には，FITT の原則を適応する．運動処方の FITT の原則とは，実施する運動の頻度（F：frequency），強度（I：intensity），持続時間（T：time or duration），タイプ（T：type of exercise）を個々の対象者に合わせた運動プログラムを作成することである．ACSM は，標準的な成人を対象とした有酸素運動の FITT の推奨法を以下のように提示している．

・運動の頻度

　健康・体力の改善と維持の目的で，多くの成人に対し，中等度の有酸素運動を少なくとも週 5 日，または高強度の有酸素運動を少なくとも週 3 日，あるいは中等度と高強度の運動を組み合わせた週 3〜5 日の運動が推奨される．

a. 運動強度

　中等度と高強度の組み合わせが，多くの成人に推奨される．運動強度の推定には，心拍数予備能（HRR），酸素摂取予備量（VO_2R），％最大心拍数，％推定 VO_2max，主観的運動強度などを用いる．

b. 運動持続時間

　中等度の運動を 1 日 30 分以上，週 5 日以上（週合計 150 分以上），または，高強度の有酸素運動

を 20～25 分以上，週 3 日以上（週合計 75 分），または両
者の組み合わせを 20～30 分以上，週 3～5 日行うことが，
ほとんどの成人に推奨される．

c. 運動のタイプ

すべての成人に対して，中等度以上の運動強度の有酸素運
動（持久性運動）で，ウォーキングや自転車エルゴメータの
ような大きな筋群をリズミカルに使い，特別な熟練が要求さ
れない運動が健康・体力を改善させるために推奨されている．

高齢者，生活習慣病などによる有疾患者（心疾患，呼吸器
疾患，糖尿病など）を対象とした場合，各疾患別に運動療法
の目的が異なることから，医学的管理を重要視し，個人的要
因と目的別に FITT を設定する．なかでも運動強度の設定に
は細心の注意を払い，運動負荷試験によって運動負荷量を決定することができないときは，非常に軽
度な負荷量から段階的に増加させ，運動中の訴え，表情等の観察，負荷後の翌日の疲労感などを考慮
して負荷量の増減を調整する．

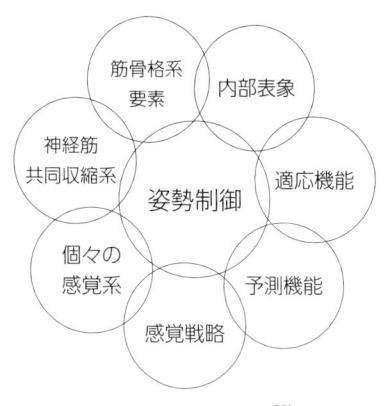

図 7-8　姿勢制御[32]

6）バランス練習（balance exercise）

日常生活では，座位や立位の維持，椅子からの立ち上がり，歩行，あるいは揺れる電車の中で手す
りにつかまらずに姿勢を維持するなど，さまざまな場面でバランス機能が求められる．バランス機能
は，転倒することなく日常活動を遂行することを可能にするもので，目標とする運動課題を遂行する
ために姿勢を定位し，姿勢の安定性を維持する姿勢制御と同義語であると考えられる．バランス機能
の概念モデルとして，身体のもつ多くの副次的機能，いわゆる種々のシステムが目標とする運動課題
を遂行するために相互交流し合う機能と考えられる（図 7-8）．この概念はシステム理論といわれる．
神経系に関わるシステムは，①全身の筋を神経筋系の共同収縮系に組織化する運動処理過程，②視覚
系，前庭感覚系，体性感覚系の組織化と統合からなる感覚/知覚過程，③活動へ感覚をマッピングし
て姿勢制御に関する予測と適応の側面を確実にする高次処理過程に大別される．姿勢を維持するため
には特に①と②との過程で相互交流が重要で，バランス機能の組織化は運動発達過程における姿勢反
射の発達が基盤となっている．

子どもは，生後 3 か月頃に頸が座り，6 か月を過ぎてから座位や四つ這い，1 歳頃に立位が可能と
なり，1 歳半をめどに歩行が可能となる運動発達過程を経るが，これはそれぞれの獲得姿勢とともに
原始反射が消失し，立ち直り反応や平衡反応が洗練されてくる姿勢反射の発達に並行している．立ち
直り反応は，重力空間において頭部・体幹を重力線と平行に配列しようとする反応であり，平衡反応
は維持している姿勢に対して姿勢を不安定にする外力が加わった際に姿勢を維持しようと作用する反
応である．これらの姿勢反射の発達に四肢体幹の運動を引き起こす筋力と関節の可動性・柔軟性など
の筋骨格システムの機能の発達や環境を認知する高次神経システムの機能の発達が加わり総合的なバ
ランス機能が成立し，運動課題や環境条件に対応した運動戦略を用いることで姿勢を維持することが
可能となる（図 7-9）．

また，バランス機能が関連する行動事象は時系列的に 3 つの姿勢制御に区分できる．①予期的制

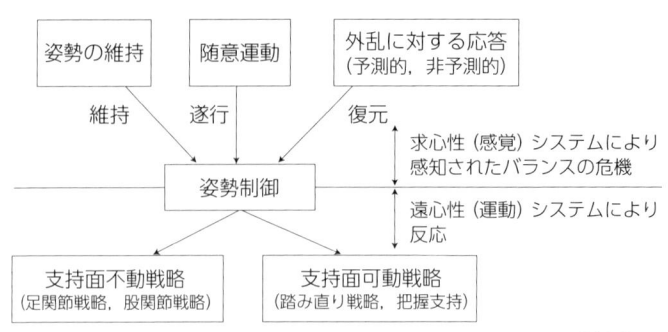

図 7-9　姿勢制御と姿勢制御戦略に必要な機能クラス[12]より訳

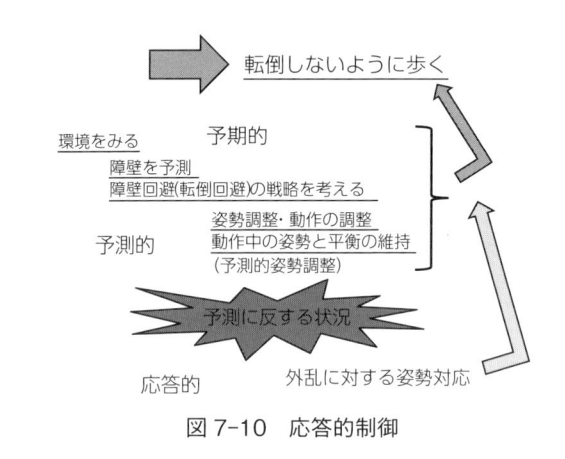

図 7-10　応答的制御

御（proactive control mechanism），②予測的制御（predictive control mechanism），③応答的
制御（reactive control mechanism）である（図 7-10）．1 つ目の予期的制御は，視覚情報から環
境を把握し，過去の経験に基づきどのように損傷を回避するかの行動計画を立てることである．2 つ
目の予測的制御は損傷回避運動として足を高く挙げる，歩行軌跡をバリアの対象物から遠ざけるよう
に大きく体位を変換するなどして，身体重心位置を前もって大きく変位させることである．3 つ目の
応答的制御は，回避運動の予想が外れ，大きく姿勢が崩れた際に手足を広げて踏み直りをすることで
ある．これらの制御は，①・②・③の各システムが統合されたバランス機能である．
　バランス機能は物体が転倒せず安定性を保つための物理的メカニズムとして，支持基底面に対して
身体重心を制御する能力と生体力学の観点から捉えることができる．支持基底面は床面に接している
身体を結んだ範囲であり，身体重心の制御とは支持基底面に投影した身体重心位置を支持基底面内に
維持する能力である．バランス機能は，支持基底面に対する身体重心制御の観点から 3 つのレベル
に大別できる（図 7-11）．レベル 1 は固定された支持基底面内で重心位置を一定の位置に保つ能力，
レベル 2 は固定された支持基底面内で重心位置を自由に移動できる能力，レベル 3 は支持基底面を
変化させ，その新たな支持基底面内に重心位置を維持する能力である．レベル 3 は歩行や電車の中
で一歩踏み出して転倒を回避する動作などである．

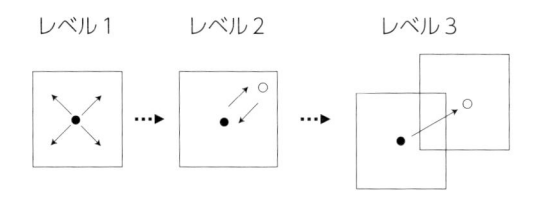

レベル1　　　レベル2　　　　レベル3

●○：重心位置　　□：支持基底面

図7-11　重心位置と支持基盤面の制御レベル[47]

①バランス機能低下

　バランス機能は，姿勢を制御する神経機構が中核をなすが，種々のシステムが統合された身体機能であるため，バランス機能低下は特定の疾病に限定して出現するものではなく，神経疾患だけでなく高齢者や運動器の機能損傷・不全でも出現して，運動課題の難易度によってより顕著になる．難易度は，支持基底面の広さや重心位置の高さによる力学的，開眼や閉眼などの感覚入力，複数の運動課題や認知課題を同時に行う情報処理，靴の種類や路面の状態などの環境要因，要求される運動課題の速さや正確さに応じて変化する．たとえば，発達過程で獲得される背臥位から立位になるまでの動作は，①背臥位から腹臥位，四つ這い位，高這い位，立位へと移行する1歳児のレベル，②背臥位から片肘立ち位，横座り位，膝立ち位，片膝立ち位，立位へと移行する3歳児のレベル，③背臥位から一気に上半身を起こし，蹲踞（そんきょ）の姿勢から立位へ移行する6歳児のレベルの順に動作は難しくなる．これらの変化は発達の過程である（図7-12）が，支持基底面が広く重心位置が低い安定した姿勢から支持基底面が狭い重心位置が高い不安定な姿勢への移行であり，発達の過程とともにより高度なバランス機能が獲得される．起居移動動作におけるバランス機能低下はこの発達過程を逆行するように重症化する．

②バランス練習方法

　a．支持基底面に対する身体重心位置の制御からの練習手順

　姿勢の維持は，支持基底面が広く身体重心位置が低く支持基底面の中心にある姿勢が容易で，支持基底面が狭く身体重心位置が高く支持基底面の境界にある姿勢が困難であり，姿勢維持の難易度は支持基底面の広さと重心位置の関係で決定され，より難易度が高い姿勢を維持できるほど，バランス機能はよい．さらに各姿勢において，姿勢の安定を乱す外力が加わった際に姿勢を維持できるか，支持基底面の形や広さが変化しても重心位置をその変化に対して制御し，最終的に支持基底面内に重心位置を保持し姿勢の安定を維持する能力が高いほど，バランス機能はよい．

　b．バランス練習の手順

　姿勢の維持の難易度に従って次のように進める．

　姿勢は，腹臥位・座位・四つ這い位・膝立ち・片膝立ち・立位の順で姿勢を維持する練習を行い，次に各姿勢において，身体重心位置を制御する練習を行う．たとえば，①四つ這い位で軽い外力を徒手で多方向から与え姿勢を維持する練習，②四つ這い位で外力を徐々に強くして身体重心位置を最初の位置に戻し姿勢を維持する練習，③四つ這い位で前後左右へ身体重心位置を自ら移動して姿勢を維

図 7-12　背臥位から立位になる運動課題（動作）の運動分析[39]
（発達系列）

A−P パターン：1 歳児
B−K パターン：3 歳半児
C−S パターン：6 歳児

持する練習，④四つ這い位で一側の下肢や上肢を挙上，対側の上肢下肢を同時に挙上，同側上肢下肢を同時に挙上するなど，自ら支持基底面の広さや形を変えて姿勢を維持する練習，⑤四つ這いで移動，強い外乱に対して一歩踏み出して姿勢を維持する練習を，①→⑤へ順序立て静的練習から動的練習へと対象者が転倒しないように支え，運動を誘導しつつ練習を進める．これらは，立ち直り反応や平衡反応の促通や予測的制御，応答的制御を対象としたバランス練習である．

・運動課題を用いたバランス練習

座位や膝立ち位，立位など上肢の支持を必要としない姿勢が可能で，その姿勢で自ら重心位置を前後左右へ移動可能な対象者に対しては，ビーチボールやゴムボールなどでキャッチボールをしたり，床からボールを拾い上げたり，運動課題に合わせて自ら支持基底面内で重心位置を制御する練習を課す．バランスの難易度は，姿勢変化やボールの大きさ，速度，運動範囲などを変化させて，段階的に進める．さらに，ドリブルしながら歩く，キャッチボールしながら歩く，バリアの対象物を避けて歩くなど，より複雑な運動課題へと難易度を高めて練習を進める．これらは，環境変化を察知予測し，どのようにバランスを維持し，運動課題に対処するかといった高次処理機能を含む予期的制御や予測的制御機能の改善を目的としたバランス練習であり，日常活動への適応のためには重要である．

7）協調運動練習（coordination exercise）

協調性は，生物学的観点から「身体の無限の自由度を 1 つの効率のよい機能単位に制限する機能である」と定義される．協調運動機能低下は小脳の損傷および固有感覚受容器の機能低下のケースにみられ，運動の滑らかさや巧みさ，姿勢の安定性などが低下し，日常の物品操作や起居移動動作における能力低下として顕在化する．小脳性疾患の臨床症状としては，共同運動不能症（asynergia），

測定異常（dysmetria），運動分解（dyskinesia），反復運動能力低下（adiadochoki-nesia）などが挙げられ，姿勢の保持や四肢の物品操作などに特徴的な症状を呈する．協調運動を運動学的な観点から捉えると，運動課題に参加する筋群の定型化と筋活動の時間的・空間的適正化に伴い，運動軌跡が直線あるいは曲線化しスムーズできれいな軌跡を描くことであり，結果として課題遂行時間が短縮し誤りが減少する．

　運動療法の課題は，寝返りや立ち上がり・歩行などの粗大運動（gross movements）と，一定の姿勢で行うような物品操作や食事動作・卓上作業などの微細運動（fine movements）に区分される．粗大運動は姿勢保持や動的バランス，四肢の運動が要求され，大きな筋群の活動による主に平衡維持運動である．一方，微細運動は，主に一定の姿勢を保つための静的バランスと上肢および手指の微細な運動が要求され，小さな筋群の活動と認知活動による目的運動である．

　一般的に協調運動は，微細運動に興味が注がれる傾向にあるが，理学療法士が対象とする協調運動能力低下は，むしろ起居移動動作である粗大運動の過程でみられる．つまり，理学療法の目標は，立ち上がりや歩行などの動作中の平衡の乱れをつくり出している不規則な筋活動や運動パターンが定型的で規則性のある適切な筋活動や運動パターンに集約・制限され，結果として身体重心の軌跡が滑らかな曲線を描き平衡を保ったまま起居移動動作が可能となることである．ゆえに，起居移動動作を対象とした協調運動能力低下については，前述したバランス機能を考慮した捉え方が大切である．

①協調運動能力低下の運動学的課題

　協調運動は，滑らかで効率的で正確な運動が遂行されるように，適正な時期に適切な量の力が活性化される筋群とその力が作用する多関節によって得られる．協調運動能力低下の運動学的課題は，共同収縮系（synergy）と動筋と拮抗筋の協調性，筋収縮様式の協調性の低下に区分されるが，実際の動作はそれらが複合的に影響し動作遂行の低下として協調運動能力の低下をきたす．

a. 共同収縮系（synergy）の機能不全

　特定の運動に対して，定形化された活動筋群を共同収縮筋系（synergic muscles）と称し，その症状は姿勢保持やリーチ動作，物品操作において協調運動機能低下をきたし，姿勢保持のための共同収縮系と四肢の運動のための共同収縮系の機能不全が起因となる．

b. 姿勢保持のための共同収縮筋の協調機能不全

　歩き始めや段差，階段に足を乗せようとする際に，踏み出そうとして挙上する下肢と身体を支持しようとする下肢との協調運動が必要であり，一側下肢の挙上運動が開始される前に支持側への身体重心の移動と姿勢を維持するために必要な筋が共同収縮する．これらの機能不全は，身体重心移動や下肢挙上運動の過剰もしくは過小となり，転倒を引き起こすことになる．

c. 近位-遠位共同収縮筋の協調機能不全

　お菓子をつまんで食べるとか，ネクタイを締めるなどのADLのなかで物品操作の際に，肩関節周囲筋には緊張性筋収縮がみられ，遠位部の運動性に対して近位の機能分化した支持性が必要である．これらは目的運動中の適切な筋の組み合わせと活動順序性によるもので，その定型的筋活動パターンを筋共同収縮系（muscle synergy）と称する．この協調機能不全者に失調症の検査である指鼻試験を行うと，運動の乖離現象（運動の分解），つまり肘を外転位に保持不可能なため指先の軌跡が三角形の2辺を通る現象が現れる（図7-13）．

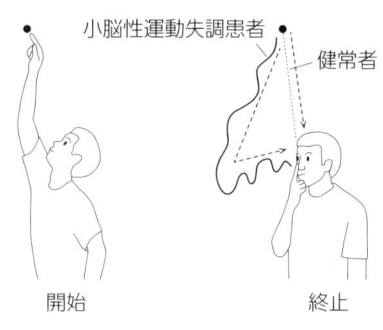

開始　　　　　　　　　　終止

図7-13　指鼻試験運動の乖離現象

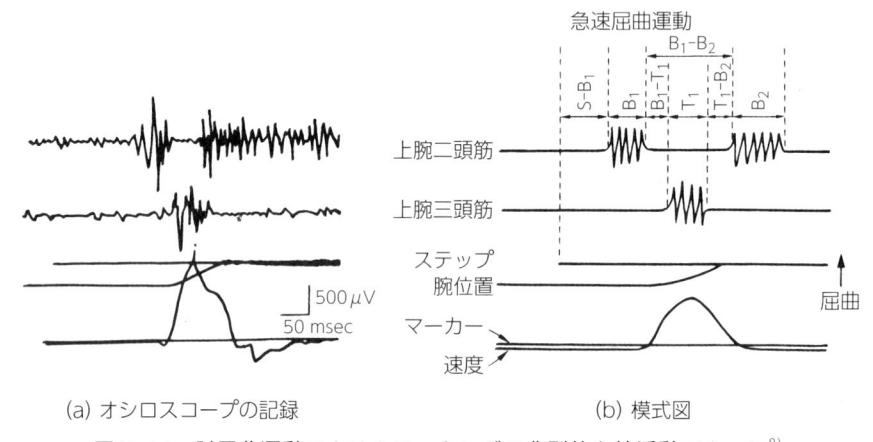

(a) オシロスコープの記録　　　　　　　(b) 模式図

図7-14　肘屈曲運動によるトラッキングの典型的な筋活動パターン[8]

　まず上腕二頭筋（B_1）が活動し，沈黙期が現れ，続いて上腕三頭筋（T_1），沈黙期，上腕二頭筋（B_2）が活動する．拮抗筋間の3相性の活動パターンが特徴的である．

②動筋-拮抗筋の協調機能不全

　テーブルの上にある物へ手を伸ばすリーチ動作（reach）や物を指す指示動作（pointing）では，動筋と拮抗筋間の加速-減速・停止に関わる協調性が必要である．肘関節屈曲運動による標的追跡運動では，動筋の上腕二頭筋-拮抗筋の上腕三頭筋-動筋の上腕二頭筋の順序で活動する3相性パターンを示し，中枢による制御と仮定されている（impulse-timing model）（図7-14）．実際のリーチ動作では，運動軌跡が滑らかで速度は頂点が1つの釣鐘型プロフィールを示す．

　この協調運動の機能不全は，失調症の検査の測定異常（dysmetria）や反応時間の遅延が要因とされている．動作としては，バランス反応の出現の遅れや歩行・四つ這い移動時の過剰踏み出しなどをきたす．また，肘関節90°屈曲位で前腕の回内・回外運動を行うと，その可動域が過剰もしくは過小になり反復運動のリズムが乱れる．

③筋収縮様式の協調機能不全

　立位で"その場ジャンプ"するとき，最初に膝を屈曲し，身体を押し上げるように膝を伸ばしジャンプする．着地するときは膝を屈曲し停止する．これらの一連の膝関節伸筋の筋収縮様態は，遠心性収縮-求心性収縮-遠心性収縮-等尺性収縮と変化し，急速なジャンプののち緩やかに着地し荷重衝撃

を和らげ停止する．軽度の失調症の対象者が"その場ジャンプ"すると，両膝を伸展した状態で着地し転倒する．筋収縮様式からみた協調性の機能低下として，求心性-遠心性-静止性の各筋収縮様式の変換が難しいことが挙げられる．失調症の対象者が平行棒につかまり，両膝を軽度屈曲し保持すると身体が上下に動揺する．また，背臥位で両股関節・膝関節を90°屈曲位に挙上して保持すると体幹部の動揺が観察され，下部体幹に手を当てると間欠的な筋収縮によって動揺していることを触診でき，持続した等尺性収縮が困難となり，筋収縮様式の協調機能不全が認められる．

④協調運動練習の手順

協調運動練習を進めるための基本的考え方を記述する．

a. 運動技能の要素

運動技能は，①フォーム（form），②正確性（accuracy），③速さ（speed），④適応性（adaptability）の要素に分けて検討される．運動技能の練習は，はじめによいフォームを獲得し，次に正確性，速さや適応性の順に練習を進めるのが一般的である．

b. 筋収縮様式の変換

筋収縮様式の制御は，運動発達過程で求心性収縮から始まり静止性収縮，遠心性収縮と獲得される．協調機能不全のケースでも求心性収縮は可能であるが，目的とする可動域を一定の速度で運動することや急速に運動を開始し停止することが難しい．各筋収縮様式での持続的収縮や急速な収縮と弛緩を求心性収縮から静止性収縮，遠心性収縮へと練習を進め，それぞれの収縮間の変換，たとえば，求心性収縮から静止性収縮，求心性収縮から遠心性収縮へと収縮様式を変換する練習などを加え，非重力下と重力下での練習に進める必要がある．

c. 遅い運動から速い運動へ

協調運動において遅い運動から速い運動が可能になる過程は，感覚入力に依存した運動であるフィードバック制御から間歇的フィードバック制御を経て，感覚入力ではないフィードフォワード制御で運動ができるようになることである．協調運動練習は，ゆっくりとした運動から急速な運動へと進める必要がある．

d. 重心位置変位と支持基底面移動

動作を姿勢の変化として捉えると，動作を姿勢の表象である身体重心位置と支持基底面の関係に置き換えることができる（図7-11）．ある一定の姿勢を維持しているとき，支持基底面は変化せず重心位置はほぼ一定の場所に維持される（レベル1）．座位や立位などの一定の姿勢で物に手を伸ばしたりキャッチボールしたりするときには支持基底面は変化せず重心位置が多方向へ変位する（レベル2）．四つ這い移動や歩行などの移動動作は重心位置の変位と支持基底面の移動を伴う（レベル3）．協調的な動作獲得練習もバランス機能の改善を考慮し，レベル1からレベル2，レベル3と進めることが肝要である．

e. 四肢の運動パターンの組み合わせ

四肢の協調運動は，次に示す単純なもの（①）から複雑な運動パターンの組み合わせ（④）の順序で進める（図7-15）．①両側対称（bilateral-symmetrical），②片側（ipsilateral），③両側非対称（bilateral-asymmetrical）―交互（alternating）・相反（reciprocal），④対角線―相反（diagonal-reciprocal）．

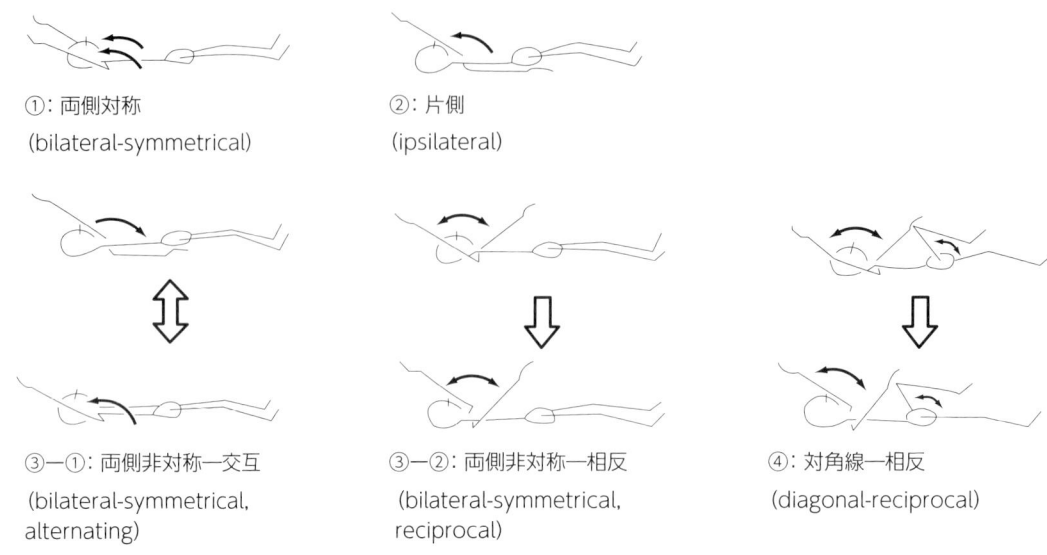

①: 両側対称
(bilateral-symmetrical)

②: 片側
(ipsilateral)

③−①: 両側非対称—交互
(bilateral-symmetrical,
alternating)

③−②: 両側非対称—相反
(bilateral-symmetrical,
reciprocal)

④: 対角線—相反
(diagonal-reciprocal)

図 7-15　上下肢の運動パターンの組み合わせ[41]

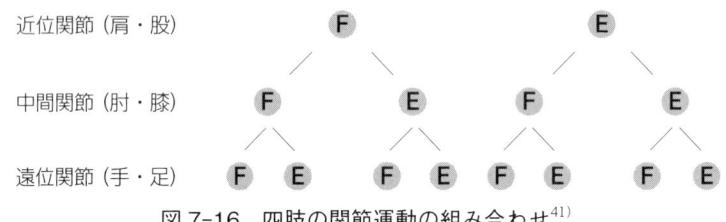

近位関節 (肩・股)

中間関節 (肘・膝)

遠位関節 (手・足)

図 7-16　四肢の関節運動の組み合わせ[41]

手関節では F：掌屈，E：背屈，足関節では F：背屈，E：底屈を表している．
普通の身体運動では，トータルパターン (total pattern) とよばれている F−F−F，あるい
は E−E−E の組み合わせは起こらない．痙性不全麻痺患者では F−F−F や E−E−E が出現し
て，ほかの組み合わせは困難になる．健常者では"その場ジャンプ"のような極度の緊張状態
を除けば，トータルパターンは出現しない．

f. 四肢の関節運動の組み合わせ

　四肢の関節運動の組み合わせは，肩・肘・手の各関節を近位・中間・遠位とすると屈曲・伸展の組み合わせとしては 8 通りとなる（図 7-16）．さらに，外転・内転，回旋運動が加わり複雑化するが目的とする四肢の運動はどの関節運動の組み合わせパターンなのかを意識して練習することが重要であり，Proprioceptive Neuromuscular Facilitation（PNF）の基本運動パターンを参考にするとよい．PNF は，1940 年代に Kabat, Knott によって，四肢体幹の合理的な運動パターンを用いて，筋力増強や協調運動を促通するための練習方法として開発されたものである．

g. 部分法と全体法

　背臥位からの起き上がりや椅子からの立ち上がりなどの動作を練習する際，それぞれの運動分析に基づきその異常性を修正するような操作を通じた練習を課す．たとえば，椅子からの立ち上がり動作は，体幹前傾（股関節屈曲）−殿部離床（体幹前傾・股関節屈曲・膝関節伸展・足関節背屈）−伸展（体幹伸展・股関節伸展・膝関節伸展・足関節底屈）の 3 相に区分される（図 7-17）．部分法ではそれ

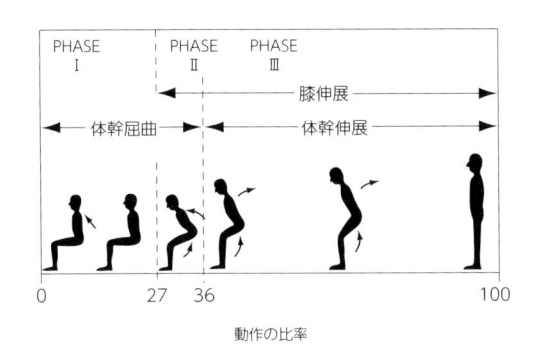

図 7-17　椅子からの立ち上がり動作の運動区分[48]

PHASE Ⅰ（第 1 相）：体幹前傾
PHASE Ⅱ（第 2 相）：殿部離床と体幹前傾
PHASE Ⅲ（第 3 相）：膝・股関節伸展，体幹伸展

ぞれの相における操作を通じて 1 相ずつ練習し，全体法では 3 相全体を通して練習する（図 7-18）．練習は部分法から全体法へと進める．操作中は，課題動作の理想とする運動パターン，重心位置と支持基底面の変化，関節の運動方向，筋収縮様式，筋活動量などを対象者およびセラピストがともに意識することが重要である．

8）運動発達過程に基づく運動動作の獲得

運動発達の過程は一定の系列に従って推移する．運動発達過程においては，生後 3 か月頃に頭部のコントロールができ，6 か月頃に座位，1 歳頃に立位の姿勢が獲得されるように姿勢の獲得は頭尾方向に獲得される．背臥位からの立ち上がり動作は，姿勢の獲得過程に伴う運動パターンの獲得（伸展-回旋-屈曲），支持基底面（広い-狭い）と重心位置（低い-高い）の変化という順序性に基づき系列化されている（図 7-12）．生後 1 年間の運動発達過程の推移を考慮することが重要である．

9）感覚情報の利用

運動に関わる感覚情報は，欠損した体性感覚を視覚による代償，四肢への重錘負荷，緊縛帯の活用，抵抗運動などによって体性感覚情報を増加させることで運動パターンを制御することができる．特に練習の初期においては視覚情報を利用することが重要である．視覚による代償運動練習は，脊髄性運動失調症に対する治療体操として 19 世紀に提案された Frenkel 体操が有名である．

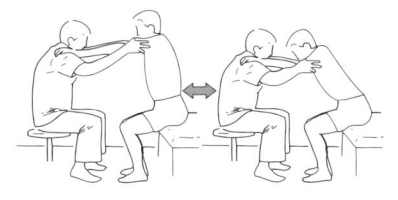

部分法（第 1 相）：体幹前傾運動
（体幹前傾・股関節屈曲運動）

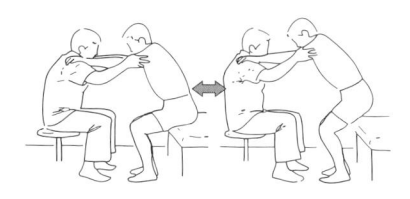

部分法（第 2 相）：殿部離床運動
（体幹前傾を維持したまま膝関節伸展運動）

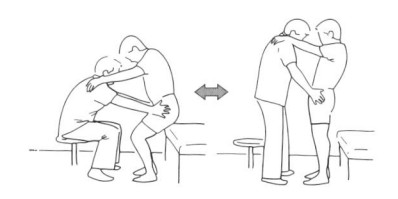

部分法（第 3 相）：伸展運動
（体幹・股関節・膝関節同時伸展運動）

図 7-18　椅子からの立ち上がり動作練習
手順[57]

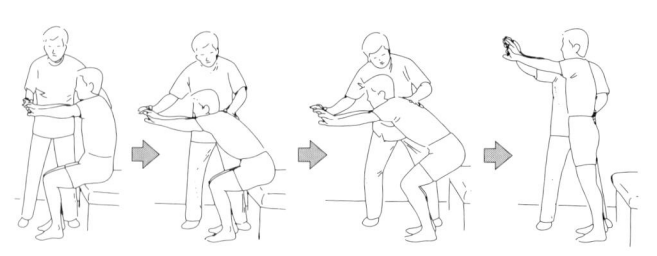

椅子からの立ち上がり動作練習．椅子からの立ち上がり動作を，図 7-18
で示した各相に分けて行った練習を全体として行う（全体法）

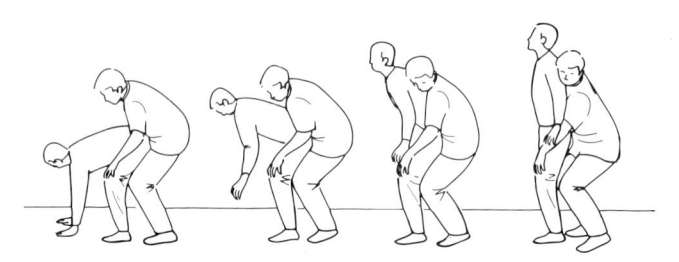

床からの立ち上がり動作練習．高這い姿勢からの立ち上がり動作を全体
として行う

図 7-19　立ち上がり動作練習[57)]

10）機能的動作練習（functional exercise）

　体育やスポーツでより高い運動技能を習得しようとする際，筋力や柔軟性などの基本的な身体機能を高めるとともに，習得しようとする種目，たとえば，走り高跳び，短距離走，野球，サッカーなどで用いられるフォームや運動パターンをシミュレーション（複雑な事象・機構を定式化して実行）して繰り返し練習する．さらに，最後に運動戦略の多様化や適応性の改善を目的とした実践練習を行う．運動療法においても，同様に ADL に必要な運動技能である起居移動動作の再獲得や向上のためには，前述してきた筋力増強，ROM の拡大や柔軟性の向上，バランス機能，協調運動機能，呼吸循環機能などの基本的身体機能の改善に加え，具体的な椅子からの立ち上がりや歩行などの正常パターンあるいは理想とされるフォームや運動パターンをシミュレーションし，理学療法士が誘導しながら繰り返し練習を課す（図 7-19）．これを機能的動作練習という．これは，健常者がどのような運動パターンで，どの筋がどのようなタイミングで活動して椅子から立ち上がるのか，歩いているのか，そして対象者は健常者が遂行する運動とどこがどのように違うのかとの運動学的分析に基づくものである．次に，個々人の回復の段階に合わせ，具体的生活環境下であるいは必要に応じて補助道具を活用して環境に工夫を加え，環境適応のための実践的練習を課す．これを適応的動作練習と称し，いわゆる ADL 練習である．

　なお，適応的動作練習においても，生活動作がどのような運動パターンや動作により構成され，対象者が不十分な運動パターンや動作は何か，どのようにすれば補われるのかとの運動学的分析の知識と能力とが必要である．このような動作練習の目標は，運動課題を繰り返し練習し，運動遂行能力の向上を図ることであり，運動学習の手順に基づいて進められる．

6　理学療法実践のための基盤

1) 理学療法の起点

　理学療法は，医師の包括的処方に基づき実施されるが，理学療法士は具体的介入手段を決定するために検査・測定に基づく評価を通じて課題点を抽出する．そして，その課題を解決するための理学療法介入手段を考案する．理学療法士は，医師の包括的処方に基づく独自の理学療法管理あるいは臨床的意思決定過程に責任をもつ必要がある．

　理学療法管理あるいは臨床的意思決定過程は，検査・評価・方針・計画・介入・結果の一連の要素をらせん状に循環する（図7-20）．理学療法臨床的意思決定過程は，理学療法処方を起点とし他部門からの情報・面接・観察・検査測定のデータの収集となる「検査」データの集積をもとに，個々の疾病の症状の特性や対象者本人と家族らのニーズに関連する社会環境に対する適合性や可能性を検討し，disabilityモデルのレベルにどのような課題があるのかを明確にするために「評価」する．次にdisabilityモデルのレベルに焦点を当ていかなる目標設定を行うかを検討し，目標を達成するための治療戦略あるいは「方針」を立案する．その戦略や方針に基づき具体的な到達目標と到達期間，治療介入手段（理学療法プログラム）を「計画」する．実際に理学療法プログラムを実践し「介入」，その「結果」を確認する．これらの一連の意思決定過程のなかで，特に評価は検査で得られたデータを対象者のニーズと照らし合わせて解釈し，対象者の全体像をdisabilityモデルの理論的枠組みに沿って課題を整理分類し，疾病特性や経過を考慮して機能や能力の改善の可能性を判断することである．評価は，方針および計画を設定するうえで「要」となる大きな意義がある．

2) 運動・動作分析

　理学療法の目標は，ADLへの適応性を高めることである．日常の活動は，多くの意図的身体活動，いわゆる運動行動が総合されたものであり，理学療法士は日常活動に支障をきたしている運動行動の課題を分析する必要がある．

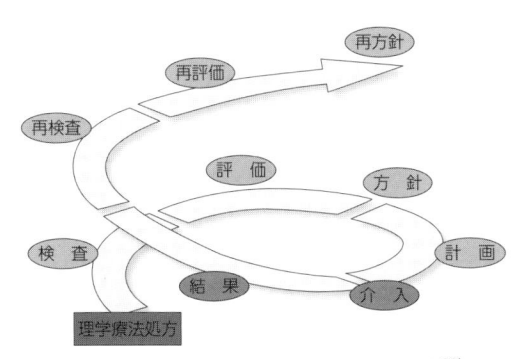

図7-20　臨床的意思決定過程（管理）[50]

①運動行動の記述レベル

　人間の運動行動は，行為（action）・動作（motion）・運動（movement）の3つの記述レベルで記述され分析される．行為（action）とは，社会文化や環境との関わりで生ずる個人の運動行動を説明しようとするときの記述レベルである．動作（motion）とは，歩く・食べるなどの特定の課題を遂行する個人の運動行動を説明しようとするときの記述レベルである．運動（movement）とは，関節角度や姿勢の変化で表出される個人の身体活動を説明しようとするときの記述レベルである．行為は動作を，動作は運動を包含する階層的構造関係で成り立つ．よって，特定の動作はいくつかの運動から構成されていると同時に，動作はいくつかの運動に分解することができる．理学療法士には，疾病や病変に基づく機能損傷・不全や機能的制限を改善する立場から，日常活動を動作や運動の記述レベルで分析する能力が求められる．

②分析のレベルと手法

　分析とは，言語的には，「複雑な事柄を一つひとつの要素や成分に分け，その構成などを明確にすること」である．分析のための要素や成分は，分析対象や分析的観点から多様である．臨床において，身体運動の分析は，主に動作と運動のレベルで行われる．動作の分析レベルでは，課題の遂行水準を分析する．可能・不可能，所要時間，頻度，精度，ばらつきなどを分析の観点とする．運動の分析レベルでは，課題の遂行方法について，どの関節をどのように動かし，どのような筋群を使ったかについて分析する．関節角度の変化や運動パターンなどの運動学的分析，重力やモーメントなどの運動力学的分析が分析手法として用いられ，どのようなやり方で身体運動が遂行されたかを分析的観点とする．さらに，触診や筋電図を用いた生体活動の生理学的分析や中枢神経系の制御の分析などがある．

③動作の連合

　単一の動作を詳細に分解するときの基本動作を単位動作とよび，たとえば，椅子から立ち上がる，歩く，回転する，座る動作は単位動作に該当する．動作の時間的・空間的組み合わせから次の4つの動作の連合に区分される．

　連続動作：単独の基本動作が切れ目なしに次々に遂行される
　結合動作：同一の身体部位で同時に2つ以上の基本動作が含まれている
　同時動作：異なる身体部位で同時に2つ以上の基本動作が含まれている
　複合動作：同時動作と結合動作とが合体して1つになる

　たとえば，3m離れた椅子間を移動する動作においては（図7-21），椅子から立ち上がりながら歩き始め（結合動作），歩きながら方向転換と着座を行う（同時動作）．動作の連合は，動作の滑らかさや高度なバランス機能を含み，動作遂行能力の質的分析の方法となる．

④運動動作の記録法の区分

　身体運動の記録方法は，次の3つに区分される．臨床では，理学療法士によるモトスコピーとモトメトリーがよく用いられる．

a. モトスコピー（motoscopy）

　検者による視診や触診，観察により記録する方法である．背臥位からの立ち上がり動作や歩容を観察し線画で記録するなど，臨床場面では最もよく用いられる記録方法である．この方法は検査者の観察技量により相違が生じるため，基準となるチェックリストや歩行分析における一般的な比較基準が

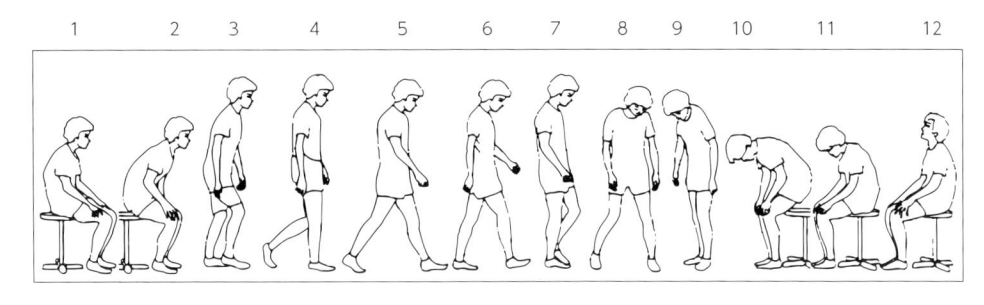

健常者の歩行移動パターン

STD：立ち上がり，W：歩行，TB：方向転換，SIT：座り
＊：結合動作，＊＊：同時動作

図 7-21　3 m 椅子間歩行（健常者）[31]

あると検査者内および検査者間の誤差は少なくなる.

b. モトメトリー(motometry)

動作のパフォーマンスを測定する記録方法である. 10 m 歩行の所要時間や歩数の計測, 単位時間あたりの遂行回数など, 臨床場面における定量的分析として用いられる方法である.

c. モトグラフィー(motography)

動作そのものを VTR や筋電図などの計測機器を使用して記録する方法である. 臨床においては, 歩行を

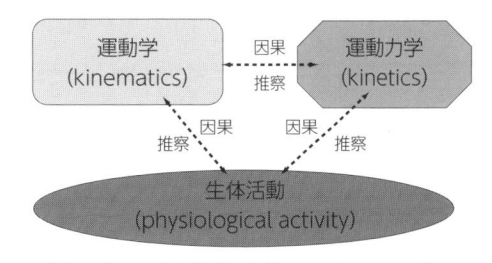

図 7-22　身体運動分析のトライアングル

観察するとき, VTR に録画した歩容を繰り返し再生し, モトスコピーにて分析するために補完的に用いられる. また, 介入結果や経過中の再評価のための記録として有効である.

⑤身体運動の分析のためのトライアングル

身体運動の分析は, 次の 3 つの分析方法による相互の推察関係により成立する（図 7-22）.

a. 運動学的分析（kinematic analysis）

身体の空間での位置関係を記述分析する. 観察や VTR, 三次元動作解析装置などの方法が用いられる.

b. 運動力学的分析（kinetic analysis）

身体からの発力と環境との作用関係を記述分析する. 床反力計やひずみ計などの計測方法が用いられる.

c. 生体活動分析（physiological activity analysis）

身体運動を発生する身体内部の生理学的活動を記述分析する. 筋電図や心拍数などの生体情報の記

録により分析される.

　臨床では，観察による運動学的分析から生体に働く力や活動している筋群などを推察することで身体運動を分析する.

3) 運動学習の概念

　理学療法は，疾病や外傷によるROM制限や筋力低下などの基本的身体機能損傷の回復改善を図るとともに，立ち上がりや歩行など具体的な生活動作を繰り返し練習し対象者が生活活動に適応することを目的としている．さらに，スポーツ損傷であれば，その適応レベルはより高度なものとなる．なお，中枢神経損傷の運動療法においては，寝返りや立ち上がり，歩行など具体的な運動課題の練習により，脳損傷後の大脳皮質のシナプス伝導効率や形態学的変化などの可塑性に基づく脳機能の改善が期待される．これらの運動課題の練習は運動学習理論に基づき展開される.

　運動学習は，「巧みな課題遂行の能力（運動技能）を比較的永続する変化に導くような実践あるいは経験に関する一連の過程である」と定義される．理学療法においては，「巧みな課題遂行の能力」は起居移動動作や生活に必要な生活活動を遂行する能力を想定する．スポーツ損傷や特殊な職業などの高度なパフォーマンスが要求される際には種目や課題特異性に対応する運動技能の獲得が目標となる.

　運動学習の帰結は，運動技能を測定することで可能となる．運動技能は，①フォーム（form），②正確さ（accuracy），③速さ（speed），④適応性（adaptability）の4つの要素から構成される．練習の順序は，①→②→③→④と進めるのが一般的であり，理学療法においても，たとえば，椅子からの立ち上がり動作を練習するときは，一定の椅子の高さから立ち上がり運動パターンを正確にできるように練習し，次に速い運動で可能となるように練習する．最後に低い椅子や高い椅子，食卓やソファー，トイレなどいろいろな環境条件で椅子から立ち上がりができるように練習を進める.

　運動学習の理論背景は，運動制御の理論を考慮することが必要であるが，Schmidt（シュミット）のスキーマ理論とFitts（フィッツ）の三相説の運動学習理論が有用である.

①スキーマ理論

　スキーマ理論は，文字を書くとき，ペンを口にくわえても，手に持っても同じように文字を書くことができるように，学習された動作は，個々の具体的な運動プログラムによって記憶されるのではなく，抽象化されたスキーマ（図式）によって記憶されているとする理論である（図7-23）．スキーマは，過去の経験や応答，遂行帰結により構成され運動プログラムの選択を行う"再生スキーマ"（recall schema）と，動作遂行中あるいは遂行帰結の修正や調整の参照としての機能ももつ"再認スキーマ"（recognition schema）からなっている．動作の発現は，提示された課題と個人が置かれた状況，さらには動機などの初期条件と望ましい帰結によって想起される再生スキーマによって具体的運動プログラムが選択されて生じる.

　動作の発現は，身体運動と環境との相互作用によって1つの帰結が得られるが，その結果は固有受容器や外受容器などの感覚器を通して再認スキーマと照合され，再生スキーマの修正が行われる．また，動作帰結の是非やその程度（帰結の知識：Knowledge of Result：KR），課題遂行過程の情報（遂行の知識：Knowledge of Performance：KP）も再生スキーマの修正に関与する．これらの過程を繰り返すことにより運動学習が進行し，新たなスキーマが編成され長期記憶へ貯蔵される.

　固有感覚器からフィードバックされる誤差信号により意図した軌道を修正する運動学習（フィード

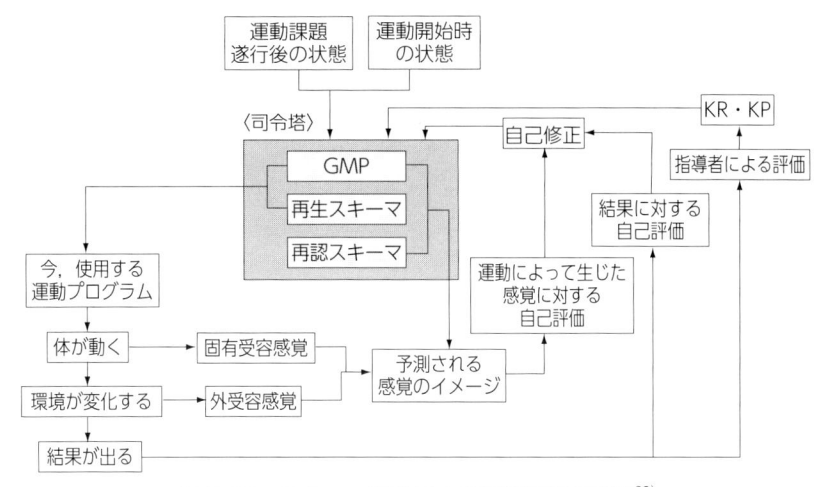

図 7-23　スキーマ理論による運動制御の解釈[23]

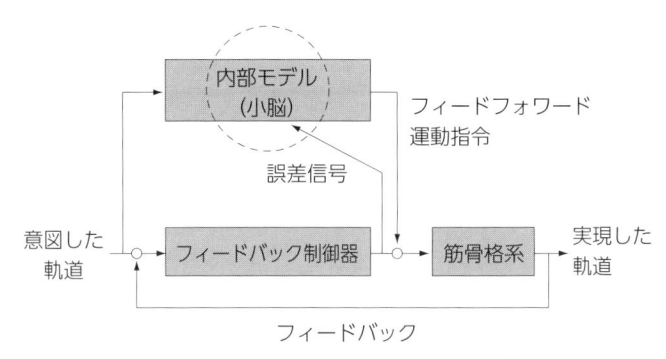

図 7-24　フィードバック誤差学習[37]

バック誤差学習）のツールとして内部モデルが提案され，そこでの小脳の役割は，意図した軌道と実現した軌道のずれを伝達する"教師からの助言（supervised learning）あり学習"を担っているとされている（図 7-24）．

②三相説

　Fitts は，運動学習が進む過程を運動技能の向上として捉え初期相，中間相，最終相の 3 段階に区分した（図 7-25）．初期相は認知相ともいわれ，運動課題や目標達成のための方法についての言語的理解から学習が始まる，いわゆる宣言的知識の獲得段階である．そして，次に動作は，協調性のある滑らかな中間相の運動段階となる．中間相は連合相ともいわれ，感覚フィードバックや"帰結の知識"により自ら運動の誤りを修正できるようになり，運動の言語的説明が困難となる．いわゆる宣言的知識から手続き的知識への変換が生じる段階である．さらに，動作は時間的・空間的により高度に統合され，無駄なく速く滑らかとなる最終相に到達する．

　最終相は自動相ともいわれ，手続きは自動化され，運動に対する注意は減少し，言語的説明は運動行動に不必要となる．この段階になると動作は無意識下で遂行可能となり，別のことを続けていても

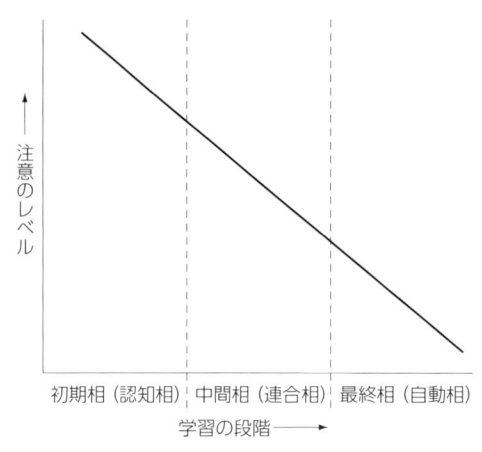

図 7-25　運動技能の獲得レベルに伴う注意力の変化[58]

課題を遂行できるようになる．このような理論背景に基づき運動練習を展開する際，学習者の運動課題への能動的取り組みや意識の集中，課題の宣言的理解から手続き的理解への変換，イメージ化など，対象者の学習活動を促すための環境や条件を整備し，理学療法士自身が学習の媒体として機能できるか否かが問われることになる．

③運動療法と学習過程

　運動学習は，学習者の課題解決のための自発活動と具体的な運動課題を自ら遂行することによって獲得されるため，運動療法介入に際しては次のような事項が重要である．

- 理学療法士自身に治療目標である運動課題の理想型，いわゆる理想的運動パターンが表象化できていること．
- 対象者も練習を行う前に，運動課題を言語‒認知段階の学習として表象化に努める．よって，理学療法士は，運動課題に関する十分な説明と，イメージ化しやすいようにデモンストレーションやビデオなどの手段を使って理想的運動課題を提示することが大切である．
- 対象者が実際に行う運動や動作の練習は内外受容器からの情報をフィードバックしている過程であり，特に運動学習には運動感覚に基づく内在的フィードバックが重要であるため，理学療法士による介助や各手技，いわゆるハンドリングは，理想型の運動パターンや姿勢変化の情報を付与する源となる．
- 適切なハンドリングによる反復練習は，より適切な理想型へと誘導し，宣言的知識から手続き的知識へと記憶形式を変換させる運動感覚の情報媒体となる．
- 学習段階の後半にあたる適応性を獲得するためには，理想型に近い運動パターンで課題遂行が可能になった時点で，具体的な生活環境下での課題解決型学習へと進み，運動戦略の多様化と意思決定能力の向上を目指す．

4) 対象者と理学療法士との関係

　理学療法の治療的介入は，前述したような運動療法や物理療法，義肢装具療法など，さまざまな手

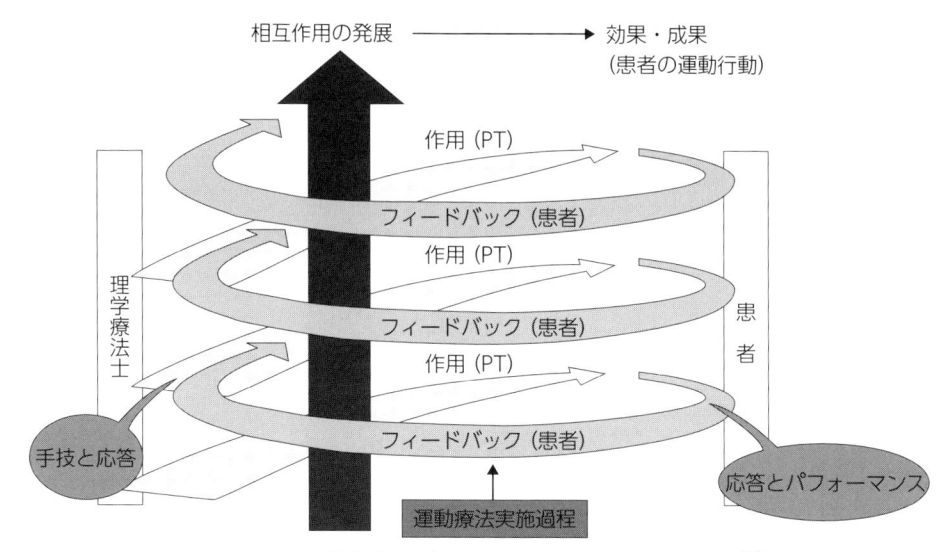

図 7-26　理学療法（士）患者のらせん形相互作用関係[58]

段を駆使することであるが，対象者の反応や帰結の結果を常に観察確認し介入方法を修正しながら進めることが重要である．たとえば，運動療法において，寝返りや立ち上がり動作などの練習を行う際，理学療法士が寝返りや立ち上がり動作に必要な四肢体幹の運動パターンを誘導するために，自動介助運動や他動運動，抵抗運動などの適切な運動方法を選択し対象者の動作課題の獲得に努める．これは，健常者が体育やスポーツで運動技能を学習する場面でより的確で理想的な運動を目指してコーチの教示や誘導を受けながら繰り返し練習することと同じ過程を踏む．

　“対象者と理学療法士との関係”は，“学習者と指導者（教師）の関係”と同様であり理学療法は対象者と理学療法士とのらせん状の相互関係性によって展開される（図 7-26）．この関係は，対象者と理学療法士との治療目標の共有化と相互理解に基づいたものでもある．この関係を確立するためには，対象者の積極的な理学療法への参画と理学療法士が対象者の応答を敏感に察知し，目標に合致すべく適切にフィードバックする能力が求められる．

7　機能損傷・不全に対する理学療法

1）運動器機能損傷・不全に対する理学療法

　運動器とは，人体の器官の分類の1つとして身体を構成し，支え，身体運動を可能にする器官の総称である．ヒトを含む脊椎動物では，身体の支柱である全身の骨格，関節（骨格系），筋，腱，靱帯などが運動器に属する．運動器はそれぞれが連携して働いており，そのなかの1部分に機能損傷・不全が生じても身体活動に不具合が生じる．従来，これらは主に整形外科的機能損傷・不全に含まれていたが，2000 年以降は WHO を中心に身体運動には神経や脳のコントロールや協調性の関与が

大きいことから，これらも含めて運動器と称されるようになり，運動器機能損傷・不全と称する.

①ROM制限

　運動器損傷・不全でのROM制限は，前述したHoffaの分類の皮膚性拘縮（熱傷や挫創，術後による瘢痕治癒後に生ずる瘢痕による拘縮）や結合組織性拘縮（皮下組織や靱帯，腱，腱膜などの結合組織に起因する拘縮）が中心となる. しかし，創部の安静や活動制限が長期間にわたると関節構成体の制限，関節周囲の筋短縮や萎縮に伴い関節性拘縮（滑膜や関節包，関節靱帯などに由来する拘縮）や筋性拘縮（筋線維の短縮や萎縮に起因する拘縮）によって，ROM制限が生じる.

　ROM制限に対する理学療法として，一般的にはROMEを中心として筋ストレッチングなどが実施されるが，前処置としてホットパックなどの温熱療法を併用することでより効果的に可動域の改善を図ることができる.

　また，特に運動器疾患の術後には，クリニカルパス（clinical path：入院中に行われる検査・処置・看護・食事などを入院から退院までの時間順にまとめた診療計画表）によって，術後からの期間で目標とするROMの角度が示されていることも少なくないため，術式とパスの確認は必須となる. このための一般的評価として日本整形外科学会によるROM検査が用いられており，正常可動域との比較や損傷側と非損傷側の比較が重要となる.

②筋力低下

　運動器機能損傷・不全に起因する筋力低下は，損傷部位付近の筋は損傷後すぐに腫脹や疼痛の影響で運動単位（motor unit）レベルでの筋力発揮低下が生じる. さらに，安静や活動制限による廃用によって，筋力低下は助長される.

　一般に運動器機能損傷・不全では，損傷や術直後には等尺性収縮から筋力増強を開始して，徐々に求心性収縮による増強，遠心性収縮による増強によってADLで用いることの多い収縮様式での筋力増強につながる.

　また，この際の一般的評価として徒手筋力検査（Manual Muscle Testing：MMT）が用いられるが，抵抗に抗する4・5以上の判定の客観性や妥当性が低いとの課題があり，筋力測定機や徒手筋力計（Hand Held Dynamometer：HHD）を用いて損傷側と非損傷側の比較（患側/健側比）を行うことがより客観的となる.

③筋疲労

　筋疲労とは長時間の運動などにおいて筋収縮を連続するとき，強い筋収縮が生じがたくなることである. その要因としては，酸素不足（循環機能低下），筋エネルギー源（グリコーゲン）の消耗，乳酸や代謝産物の蓄積，カルシウムイオンおよびアセチルコリン放出などが十分でない状態に陥ることである.

　運動器機能損傷・不全では，損傷部に炎症や浮腫による循環機能低下を起こしていることが多い. この改善のためには，最大随意収縮力（Maximal Voluntary Contraction：MVC）の40%以下での軽度の筋収縮を頻回に行うことが推奨されている.

④痛み・感覚知覚

　運動器機能損傷・不全において，損傷後の炎症や浮腫に伴う痛みなどは随伴症状として発生する. 現在，痛みに関与する化学伝達物質として，ブラジキニン（bradykinin：BK），プロスタグランジン（prostaglandin：PG），ヒスタミン（histamine），炎症性サイトカインなどがあり，なかでも

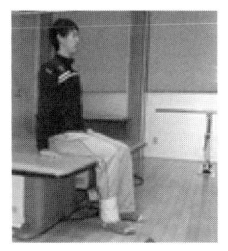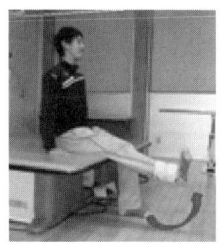

膝関節伸展運動
単関節運動（Open Kinetic Chain：OKC）

スクワット運動
多関節運動連鎖（Closed Kinetic Chain：CKC）

図 7-27　単関節運動と多関節運動連鎖

BK や PG は急性炎症による痛みとの関連が高い.

　組織損傷が生じると，細胞内では Ca イオンや水素イオンの流出，血液内皮の侵害が生じると BK が産出され，痛みの受容器であるポリモーダル受容器を刺激する. また，BK の産出により PG が合成されてこの刺激は増強する.

　このような状況に身体が曝されると，侵害刺激である痛みに対する感受性が高まる. このため痛みに対する閾値が低下し，通常では痛みを感じない微小な刺激がすべて痛みとして認知される. このような感覚の異常を異痛症（allodynia）ともよぶ. さらに，この状況が長期間にわたり持続すれば感作（sensitization）が起こり，痛みに対してさらに敏感になる.

　よって，痛みに長く曝さない，痛みの閾値が異常にならないように正常な感覚刺激を四肢末梢から入力することが必要となる. 前者には物理療法やストレッチングによる関節運動を介して血流の循環を改善し，後者では機械受容細胞（mechanosensory cell）である触覚・聴覚・重力覚・平衡覚・圧覚・張力覚・振動覚などに関する感覚受容器へ正常な刺激を入力することが必須となる. 具体的な方法としては，足底刺激の入力および可能な限り荷重をさせることが最も重要とされる.

　また，この際に等尺性収縮によるセッティングや重錘での単関節運動（Open Kinetic Chain：OKC）よりも，スクワットなどの多関節運動連鎖（Closed Kinetic Chain：CKC）での理学療法が筋力増強としての効果も高く，異常な痛みの発生を抑制して正常な身体運動の獲得が容易となる（図 7-27）.

2）中枢神経損傷・不全に対する理学療法

　中枢神経損傷・不全は，脊髄から大脳皮質までの広範な領域に起因する疾患の総称である. したがって，疾病や損傷領域により症状や機能低下は多岐にわたり，同時に機能の回復と予後は疾病と重症度に左右される. しかし，中枢神経損傷・不全の回復は，自然回復に加え経験や学習によりその可塑性が影響することから，運動療法による四肢の運動，バランス運動，協調運動，寝返りや立ち上がり，歩行などの起居移動動作の練習運動の再学習が重要な治療手技となる.

　中枢神経損傷・不全の理学療法の理論背景は，神経科学における運動制御理論や人間の運動行動の発現に関する捉え方によって変遷してきた. 1960 年代の捉え方は，脊髄・中脳・大脳の階層的構造とそれぞれの階層における反射機構を基盤として，反射運動から随意運動までの運動行動が規定されていた. 中枢神経損傷・不全はより上位の階層の崩壊に伴う反射的行動の優位性を陽性徴候として，随意的行動の制限を陰性徴候として疾病症候学が確立され，理学療法においては陽性徴候の抑制と陰

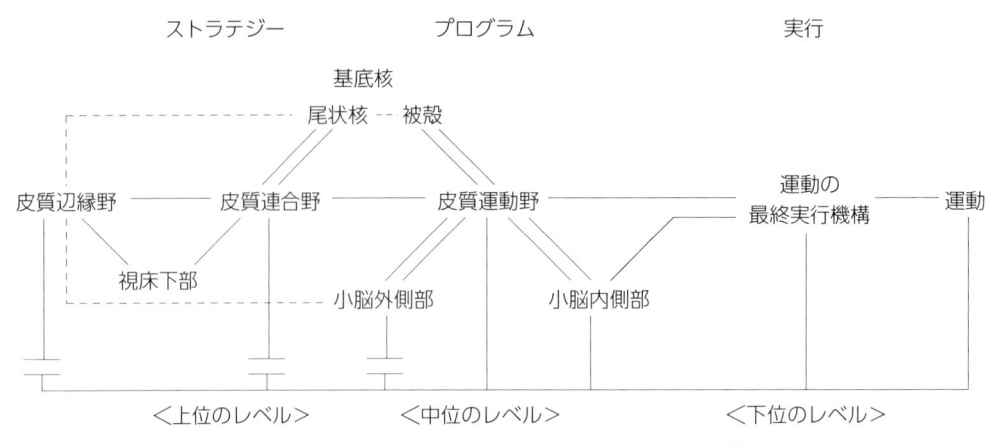

図 7-28　随意運動の制御に関わる中枢神経機構[56]

この図において，視床下部は皮質連合野と皮質辺縁野を結びつける位置にあるが，運動制御の最高中枢には含めない．視床はこの図では示していない．外界に表出された運動から始まる体性感覚の一部は破線で示してある．

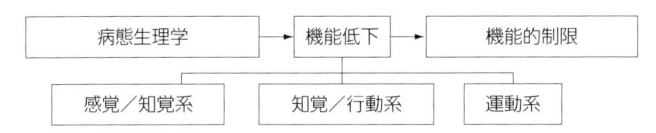

図 7-29　中枢神経の病理と結果としての機能低下や機能的制限との関係[32]

機能障害は感覚／知覚系や認知系，運動系の一部あるいは全体に影響を及ぼす．

性徴候の促通および随意運動の改善が治療目標となっていた．

　それらの治療として，理論と手技の違いによって，ボバース法やブルンストローム法，ルード法，PNF など，神経生理学的介入と称される介入が提案され，現在でも基本的技術とされている．それらの治療手技の詳細は文献を参照されたい[2, 32, 41]．

　1990 年代以降は，これまでの運動行動の発現のための反射機構と随意機構の捉え方は中枢神経機構（システム）の一部である運動システムであり，その他の感覚知覚システムや認知システムなどが運動課題や環境へ適応するために総合的に作用し合い運動行動が制御され，新たな運動行動は学習の帰結として発現するという捉え方へ変遷し現在に至っている．

①中枢神経システムの変調

　中枢神経は，解剖学に基づく構造が相互に作用し合い機能として中枢神経システムを構成している．運動行動の想起と実行は，階層的に制御され，脊髄を中心とする下位機構，脳幹や大脳皮質の運動野を中心とする中位機構，そして大脳皮質連合野を中心とする上位機構として想定されている．さらに，小脳や基底核はこれらの機構の活動様式をモニターし，それらの機構の働きを制御している（図 7-28）．

　中枢神経システムは，末梢感覚器からの情報と筋や関節の運動出力を担保している末梢の神経および筋骨格システムからも影響を受け，課題と環境との相互作用により運動行動が決定表出される．中枢神経システムは，感覚／知覚システムと認知（知覚／行動）システム，運動システムに大別され，それらが機能低下をきたす（図 7-29）．

　中枢神経の病変は，これらのシステムに直接的な影響を与え，麻痺や痙縮，感覚鈍麻・異常，バランス機能低下など多種多様な一次性機能低下をきたす．また，一次性機能低下は関節拘縮や筋の短縮，廃用性筋萎縮などの中枢神経の病変の直接的な結果ではない二次性機能低下の要因ともなる．これらの一次性および二次性機能低下が総合されて寝返りや立ち上がり，歩行，リーチ，把握などの機能的制限を招くことになる．

②運動システムの変調

　中枢神経病変による運動システムの変調としては，不全麻痺による筋力低下，筋緊張の異常，協調運動の低下，不随運動などが挙げられる．筋力低下は，随意運動における運動単位の動員数や発火率の減少によるもので，等尺性や等張性，等運動性の筋張力低下として定量化できる．筋緊張の異常は，痙縮や固縮の筋緊張の亢進と筋緊張の低下があり，アシュワース尺度改訂版が検査方法として用いられる．協調運動の低下は，脳卒中でみられる共同収縮系の異常として病的共同運動がある．病的共同運動には，病的屈筋共同運動と病的伸筋共同運動があり，脳卒中では上肢が肩甲帯の後退と挙上，肩関節の外転と外旋，肘関節屈曲，前腕回外，手関節と手指の屈曲を呈する病的屈筋共同運動，下肢が股関節の伸展と内転，内旋，膝関節伸展，足関節底屈と内反，足指屈曲という

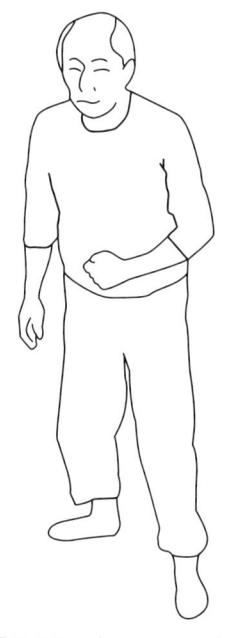

図7-30　ウェルニッケ・マンの姿勢

病的伸筋共同運動が著明で，その立位姿勢をウェルニッケ・マンの姿勢と称する（図7-30）．

　その他，協調運動の症候として，動筋・拮抗筋の同時収縮，筋活動のタイミングの課題として運動開始や運動時間，運動停止の遅延，筋活動の維持の困難性などが挙げられる．不随意運動には，ジストニアや病的連合運動，振戦，アテトーゼ様運動などがある．

③感覚・知覚システムの変調

　中枢神経病変による感覚・知覚システムの変調は，体性感覚と視覚，前庭感覚に分けられる．体性感覚鈍麻・異常は脊髄の後索-内側毛帯系と前側索の2系統を介して大脳皮質へ情報伝達するものと体性感覚野の損傷によるものがある．後索-内側毛帯系は触覚や運動覚の鈍麻によって運動協調性に影響を及ぼす．前側系は痛覚や温度覚などの低下をきたし，体性感覚野の症状は固有覚や二点識別覚，立体覚，触覚局在など知覚機能の症候を引き起こす．

　視覚神経損傷では同名半盲や視野の欠損をきたし，前庭損傷はめまいの症状やバランスに影響を及ぼす．これらの感覚機能の低下は身体像や身体図式の知覚にも影響を及ぼし，空間関係の機能の低下や失行症などの要因となる．

④認知システムの機能不全

　中枢神経病変による認知システムの変調は，注意や見当識，記憶に支障をきたす．認知とは知覚した情報を処理し，過去の記憶や情報を検索して，新たな行為を想起し操る能力である．これらの変調について，理学療法が直接改善に寄与することは難しいが，運動練習への動機づけや運動課題の理解，練習への集中，学習効果などに対する制限要因となるため，症状や重症度の理解が不可欠である．以下に，中枢神経損傷・不全の運動療法の手順を示す．

表 7-4　アルファ運動神経の興奮性を修正するための緊張性反射群の利用[13]

求める筋緊張の変化	利用する姿勢	関係する反射
全身の伸筋抑制	腹臥位，頸部屈曲背臥位・側臥位	緊張性迷路反射
全身の屈筋抑制	背臥位，側臥位	緊張性迷路反射
上肢の伸筋抑制	中等度頸部屈曲位	対称性緊張性頸反射
下肢の屈筋抑制	中等度頸部屈曲位	対称性緊張性頸反射
上肢の屈筋抑制	中等度頸部伸展位	対称性緊張性頸反射
下肢の伸筋抑制	中等度頸部伸展位	対称性緊張性頸反射
一側の上下肢の伸筋抑制	伸展位側と対側への頸部回旋位	非対称性緊張性頸反射
一側の上下肢の屈筋抑制	屈曲位側への頸部回旋位	非対称性緊張性頸反射
頸部・体幹・四肢近位部伸筋抑制	頭部を心臓部より下げた腹臥位，座位，膝立ち位	逆緊張性迷路反射
体幹の屈曲・伸展の柔軟性（体幹筋緊張標準化）	体幹の部分回旋（捻り）	特別な反射なし

a. 麻痺性運動

　中枢神経損傷・不全による運動麻痺の特徴は，筋緊張の異常と筋張力の低下である．筋緊張は，伸張に対する筋の受動的な抵抗として特徴づけられ，痙縮と固縮として現れる過緊張と低緊張に相対的に大別される．また，筋の緊張は緊張性姿勢反射の影響も受け背臥位や側臥位などで変化する．筋張力の低下は，神経因性の要因である運動単位の数とタイプおよび発火頻度が反映しており，随意的に動員される運動単位の減少と定義される．

　筋緊張の調整は，ROM の確保と姿勢の維持，随意運動の発揮のための基盤として重要である．筋緊張を調整する介入は，姿勢の変換を用いる方法（表 7-4）と筋に対する緊張性の刺激（tonic stimuli）や相動性の刺激（phasic stimuli）を用いる方法（表 7-5）がある．特徴的な姿勢の影響として，背臥位は伸筋の緊張が，腹臥位は屈筋の緊張が高まり，側臥位は筋緊張を抑制する．筋に対する直接的な伸張では，持続的なゆっくりとした伸張は筋緊張を抑制し，急速な強い伸張は筋緊張を高める．筋腹への振動刺激や冷却など物理療法も適応され，持続的な振動刺激や急激な冷却刺激は筋緊張を高め，持続的な冷却は筋緊張を低下させる．四肢の自動介助運動は，動筋の緊張を高めると同時に拮抗筋の緊張を抑制する．

　筋力低下に対する介入は，四肢の自動介助運動により筋緊張を調整し，随意性を高めながら漸増的に抵抗運動を加え，筋力増強を図る．四肢の自動介助運動や抵抗運動のみならず，椅子からの立ち上がり動作や歩行などの動作練習においても筋力の改善がなされる．また，不全麻痺筋に対する機能的電気刺激は筋収縮に伴う感覚運動システムの改善につながる．さらに，脳卒中片麻痺に対して両側性運動課題も麻痺肢の改善に影響する．

b. 協調運動機能不全

　中枢神経損傷・不全による協調運動機能不全は，脳卒中片麻痺者のように共同収縮系の異常，いわ

表7-5　局部アルファ運動神経の興奮性を修正するための持続性および相動性刺激[13]

刺　　激	応　　答
持続性刺激	
筋腹・腱への持続的振動刺激	刺激されて筋の緊張増加，拮抗筋の緊張減少
持続的可変性伸張刺激（緊張性伸張反射）	伸張筋の緊張増加：拮抗筋の緊張減少
可動最終域での持続的一定の伸張刺激（折りたたみ反射）	拮抗筋の緊張増加：伸張筋の緊張減少
筋腹（あるいは腱）への持続的圧迫	刺激された筋の緊張減少：拮抗筋の緊張増加
皮膚や筋への持続的冷却	冷却筋の緊張減少
荷重関節への体重より少ない関節加圧	関節をまたぐ筋の緊張減少
荷重関節への体重程度の関節加圧	関節をまたぐ筋の緊張増加
関節牽引	関節をまたぐ屈筋の緊張増加（手の牽引は屈筋と伸筋の緊張を増加させる）
相動的刺激	
筋への急速な伸張（相動的伸張反射）	伸張筋の緊張増加：拮抗筋の緊張減少
筋上の皮膚への急速な擦り刺激	刺激筋の緊張増加
筋上の皮膚への反射，軽いタップ刺激（軽いタップやつまみ）	刺激筋の緊張増加
筋上の皮膚への短時間の冷却刺激	刺激筋の緊張増加

ゆる病的共同運動の出現や動筋・拮抗筋の同時収縮，分離運動の低下のように随意性の回復過程における協調運動の機能不全と小脳病変やパーキンソン病のケースが呈する関節間協調運動や運動の開始と終了における協調運動，筋収縮様式間の協調運動などの機能不全がある．

　脳卒中疾患のような随意性による協調運動の機能不全に対する介入としては，肩関節・肘関節・手関節など多関節による多様な運動パターンの自動介助運動による反復練習を行う．また，物品操作や寝返り，起き上がり，立ち上がり，歩行といった具体的な動作練習を理学療法士による適切な運動パターンの誘導によって動作の再獲得のための反復練習を行う．小脳病変やパーキンソン病のケースの協調運動機能不全に対する介入も，基本的に同様であるが，運動方向性の誘導や関節間および筋群間の協調性を高めるために運動パターンを妨げない程度の抵抗運動を用いる．協調運動の練習で最も重要なことは，対象者に対して運動課題の正確さを意識してもらうことである．そのために，理学療法士による練習過程や練習後のフィードバック（KRやKP）が重要となる．また，小脳性協調性運動機能不全のケースには，運動に関する感覚情報を促進する目的で手首や足首に重錘を負荷することが効果的なこともある．

　小脳性協調運動機能不全として，多関節が同時に運動を急速に開始する特徴があるため，ゆっくりとした運動で，固定や支持する関節と運動する関節が明確になる運動課題を選択する必要がある．たとえば，両膝屈曲位のままの歩行（モンキーウォーク）練習や両膝を屈曲位に維持したまま高這いか

ら立位への立ち上がり練習をゆっくり行う．一方，パーキンソン病による協調運動機能不全では，関節の運動範囲が狭くゆっくりとした運動が特徴であるため，急速でダイナミックな運動課題を選択することが必要である．たとえば，椅子からの立ち上がり動作では，体幹を大きく素早く前方へ傾けて，反動をつけるように一気に立ち上がる練習を行う．

c. バランス機能低下

中枢神経損傷・不全によるバランス機能低下は，立ち直り反応や平衡反応などの姿勢反射の低下と動作開始における姿勢を制御する予測的姿勢制御の低下および協調性運動機能不全が要因となる．立ち直り反応や平衡反応は，生後 6 か月以降の運動発達過程で成立する重力環境下における姿勢維持のための反射制御であるが，この反射制御の低下は，成人の中枢神経疾患においても重力に抗して座位保持が困難であり，体幹が傾くとそのまま転倒してしまうバランス機能低下の要因となっている．動作開始の予測的姿勢制御の代表的事象は歩行開始にみられる立脚側への重心移動である．パーキンソン病の歩行開始困難などのバランス機能低下の要因となっている．小脳性協調運動機能不全によるバランス機能低下は反応時間の遅延が要因で，小脳性失調症では転倒回避のためのステップの遅れや過剰なステップなどの運動機能低下の起因となっている．このような疾病によって特徴づけられる運動機能低下を考慮しながら，バランス機能低下に対して介入する．

バランス機能低下に対する介入は，神経生理学を背景とする姿勢制御，重力環境下における生体力学，運動発達における姿勢の獲得過程，それに加え運動課題を遂行するにあたっての課題指向性の考え方を総合的に適応することが必要である．

座位や立位などの体位における運動練習課題の順序を列挙する．①抗重力姿勢を維持すること，②理学療法士による左右前後への外力に抗して姿勢を維持すること，③大きな外力に対して肢位を維持すること，あるいは自ら身体重心を前後左右へ移動し元の姿勢に戻ること，④理学療法士による大きな外力に対して手を横についたり，足を一歩踏み出したりすることで体位を維持すること，あるいは椅子座位であれば自ら片方の殿部を座面から挙上すること，一側下肢を挙上すること，立位では片足立ち運動や前後左右へステップすること，⑤具体的な四つ這いや歩行などの移動動作へと容易な課題から複雑な課題へと順序立てて，理学療法士が身体重心の移動や四肢の運動パターンを誘導しながら進めることが必要である．

運動課題の複雑さや高度化は，運動発達過程で獲得する体位や姿勢の困難さに従うことと運動課題と環境条件を変えることでなされる．運動発達過程の観点では，寝返り，起き上がり，座位，四つ這い位，四つ這い移動，膝立ち，膝歩き，立位，歩行，跨ぎ歩行，蛇行歩行，跳躍などへと機能レベルに合わせて順序立てて進めていく．④と⑤レベルの運動練習課題では，椅子座位や立位でビーチボールやバレーボール，メディシンボール（おもり負荷ボール）などを使ったキャッチボールや輪投げ，ボールをドリブルしながら歩くなど，物品操作やゲームのような活動を利用することによって，予測性の制御や課題指向性の考え方を強調した運動練習となる．課題環境条件の変化の観点では，課題環境は慣れた変化しない環境で一定の運動課題，課題環境は変化するが一定の運動課題，課題環境が一定の速度で変化する運動課題，課題環境が不規則に変化する運動課題に区分され，運動課題の環境構造に関する考え方が有用である（表 7-6）．

表 7-6　運動課題の環境構造[6]

課題条件	試行間環境変動	
	なし	あり
静的	閉鎖性課題 自宅の階段昇降 歯を磨く ドアの鍵を外す 浴室の段差に乗る	可変性・不動課題 さまざまな路面を歩く 高さの違う階段昇降 マグやグラス，カップで 水を飲む
動的	一定速度運動課題 エスカレーターに乗る 空港の運搬コンベヤーから 荷物を取る 回転ドアを通る	開放課題 動いている自動車に座っている ボールを受け取る 混雑している廊下を歩く 動く子どもを抱えて移動する

3）運動発達不全に対する理学療法

　発達不全は，一般的に先天的なさまざまな要因によって主に乳幼児期にその特性が現れ始める発達遅延であり，自閉スペクトラム症や限局性学習症，注意欠如・多動症などの総称とされ，主に精神発達不全が対象となるが，本章では先天性および周産期疾患である筋ジストロフィーや脳性麻痺による運動発達不全に対する理学療法について概説する．

　発達不全に対する評価と治療の原則は，暦年齢と発達年齢とを比較して多様な発達の領域と全体を総合的に捉えることである．発達の領域は運動行動，適応行動，言語，個人・社会行動などに分類され，それぞれの領域の暦年齢と発達年齢の格差を評価し，各領域の専門職間連携のもと発達過程の格差の解消に努めることが発達的介入の目的である．理学療法では，運動発達の促進に主眼が置かれる．

　正常な運動発達は，生後1年程度で，出生以来の運動の源である原始反射による非合目的運動から姿勢や動作の獲得に必要な立ち直り反応や平衡反応の出現と随意運動の多様化による合目的な起居移動動作や物品操作の運動へと移行する．脳性麻痺のような中枢神経疾患のケースでは，原始反射の残存と立ち直り反応や平衡反応，随意運動の未発達により運動発達の遅延が生じる．理学療法士は，発達過程に沿って原始反射を抑制するとともに立ち直り反応と平衡反応を促通し，起居移動動作や遊びなどの運動課題を介して予測的姿勢制御や随意運動の誘導を行い合目的動作の獲得を図る．筋ジストロフィーのような筋疾患のケースでは，筋力低下やROM制限に対して選択的に運動・練習を行うとともに日常の遊びや生活動作の工夫を通していろいろな環境体験を整備して運動機能の維持のみならず言語，認知，社会性の発達を支援する．

4）内部（心肺）機能不全に対する理学療法

　内部機能不全とは，呼吸，循環，消化，排泄，内分泌など生命を維持するうえで必要な諸機能の低下である．本章では，主要な内部機能不全である呼吸・循環機能（心肺機能）不全に対する理学療法

について概説する.

　呼吸器疾患に対する介入は，対象者の病態や病期によって対応はさまざまである．COPDや拘束性肺疾患（Restrictive Lung Disease：RLD）に対する介入は，呼吸器疾患患者のリハと称され，関連専門職間の包括的な連携によって対応される．その内容は，対象者教育（禁煙，日常生活全般），薬物療法，栄養指導，酸素療法，肺理学療法，運動療法，社交活動支援などである．理学療法士は，肺理学療法および運動療法，ADL指導を担う．肺理学療法の主要な目的は安楽肢位の確保，呼吸筋の伸張，呼吸介助，呼吸練習，排痰など，いわゆるコンディショニングである．運動療法は筋力・筋持久性の維持および改善のための運動・練習である．ADL指導は，日常生活での息切れや苦痛を軽減するための動作速度や休息の仕方などの指導になる．

　COPDにおいては，気流閉塞が特長的な症状であり，呼吸練習が理学療法の適応となる．口すぼめ呼吸や横隔膜呼吸は，一回換気量を増加させ換気効率の改善を図る．RLDは，肺の容量の減少や伸展性による換気機能低下であり，病態は肺内病変と胸郭病変によって多様である．特に肺内病変による肺血管床の崩壊では低酸素血症が生じ，換気機能低下と循環機能低下によって運動制限をきたす．理学療法においては，腹式呼吸練習において肺活量の確保と胸郭の可動性および呼吸筋を増強して換気能力の改善を図る．

　心疾患患者に対する介入も心筋梗塞を対象疾患とし，医学的評価や運動処方，冠危険因子の是正，教育およびカウンセリングなど長期にわたる包括的プログラムの必要性から包括的心臓疾患患者のリハと称され，関連専門職間の連携が重要である．理学療法は運動療法とADL指導が主体となる．心筋梗塞に対する理学療法は急性期と維持期に大別される．急性期の理学療法は，残存心筋機能への適応評価のための運動負荷試験を兼ねたバイタルサインや心電図，自覚症状，身体所見の観察などのモニタリングが主となる．経過のモニタリングは，安静臥床から座位，立位の肢位の確保と時間延長，ADLや歩行範囲の拡大などの経過を通じて行う．維持期の理学療法は，運動耐容能の向上と社会生活への適応を図ることである．それと同時に運動習慣の維持と予防管理のための教育が重要である．運動耐容能のトレーニングの目標至適心拍数は，最大心拍数の70～85％で，20～60分，週3回程度が基本とされている．

8 活動制限に対する理学療法

　活動制限を改善するための理学療法では，前述してきた機能低下や機能的制限に対して直接的に介入し，個々の対象者の機能を回復させ，活動制限の改善を図る．そして，個々の対象者の機能に適合した環境整備をすることによって活動制限の改善を図ろうとするものである．理学療法士の役割は，日常活動に対する能力評価，いわゆるADL評価を行い，能力と環境との適合性を高めるために具体的な提案をして，運動機能に準じた方法や代償運動を工夫して特定の動作を実際の生活場面で反復練習を重ね，生活環境を整備することである．

　活動制限を改善するための介入では，機能損傷・不全をきたす以前の動作の再獲得を目的にするのではなく，生活に必要な動作の可能性を探ることに注目する必要がある．

1）ADL と理学療法

ADL とは，人が自立して生活するために必要な基本的かつ共通して毎日繰り返される一連の身体的動作群である．これは，家庭における身の回りの動作（self-care）であり，食事，整容，更衣，入浴，起居，移動などを含む．一方，交通機関の利用や家事などの応用動作は生活関連活動（動作）（Activities parallel to daily living：APDL）と称する．ADL は通常の生活環境のなかで，朝起きてから就眠するまでの間に誰もが行う活動であり，APDL は各自の役割や特定の目的に基づいた活動である．ADL 評価は運動機能が具体的な生活環境のなかでどのように反映されているかを明確にすることが目的であり，実際の生活の場で評価することが肝要である．

ADL 評価法の代表的なものに，機能的自立度評価法 FIM（**表7-7**）とバーセル指数（Barthel Index：BI）（**表7-8**）がある．これらの評価基準は自立や部分介助，完全介助など，可否による遂行能力を評価する量的テストであり，どのような方法，手段で行ったかとの質的な観点は排除されている．理学療法においては，機能障害や機能的制限の治療に加え，いかなる方法手段，あるいは代償運動を応用すれば動作が可能になるのかを工夫する．つまり，ADL 評価時に観察による動作分析を通した質的評価を行うことが重要である．特に理学療法においては，起居動作や移動動作に関する評価が重要となる．ADL 低下は疾病に基づき，その重症度はさまざまであるが，脳卒中片側性麻痺や脊髄損傷の両側性麻痺に代表されるように症状の特性によって動作の方法は限定され，ADL 指導や動作練習が特徴づけられる．

①脳卒中片麻痺患者の ADL 指導・練習

脳卒中片麻痺患者の場合は健側上下肢を活用した動作となる．理学療法士は口頭による説明をし，動作を誘導しながら練習プログラムを指導する．以下に代表的動作例を示す．

a. 背臥位からの立ち上がり（図7-31）

床からの起き上がり動作は，健側の肘で支えて上体を起こし，肘を伸ばしながら長座位となる．次に患側下肢を伸ばしたまま健側片膝で支持し，健側上肢と両下肢で3点高這いとなり立ち上がる．

b. ベッドからの立ち上がり（図7-32）

ベッドからの立ち上がりでは，健側上肢で支持し重心を健側へ移し，健側足部を後方へ引いて健側へ重心を維持したまま，手すりなどを利用して立ち上がる．

c. ベッドから車いすへの移乗（図7-33）

起立後，車いすの肘かけを健側上肢で支持し，重心を健側下肢に維持しながら健側下肢を軸に方向転換し車いすに腰かける．

d. 杖歩行

杖歩行には，杖と両下肢の運動順序により，常時2点支持歩行と2点1点交互支持歩行があり，常時2点支持歩行は足部の着く位置により後ろ型・揃え型・前型に区分される（図7-34）．患側下肢の機能改善と立位バランスの改善に従い，2点1点交互支持歩行へと移行する．

e. 階段昇降

階段昇降では，昇りは健側上肢で手すりあるいは杖をついて健側下肢を先に上段へ置き，次に患側下肢を上げて揃える．降りる場合は患側を先に下段へ置き，次に健側を降ろし揃える．

表 7-7　機能的自立度評価法（FIM）

レベル	7. 完全自立（時間，安全性） 6. 修正自立（補助具使用）	介助者なし
	部分介助 　5. 監視 　4. 最小介助（患者自身で 75％以上） 　3. 中等度介助（50％以上） 完全介助 　2. 最大介助（25％以上） 　1. 全介助（25％未満）	介助者あり

セルフケア		入院時	退院時	フォローアップ時
A．食事	箸 スプーンなど			
B．整容				
C．入浴				
D．更衣（上半身）				
E．更衣（下半身）				
F．トイレ動作				
排泄コントロール				
G．排尿				
H．排便				
移乗				
I．ベッド				
J．トイレ				
K．風呂，シャワー	風呂 シャワー			
移動				
L．歩行，車いす	歩行 車いす			
M．階段				
コミュニケーション				
N．理解	聴覚 視覚			
O．表出	音声 非音声			
社会的認知				
P．社交的交流				
Q．問題解決				
R．記憶				
合計				

注意：空欄は残さないこと．リスクのために検査不能の場合はレベル 1 とする．

(Research Foundation of the State University of New York, 1990 より)

表 7-8　Barthel Index

	介助	自立
1. 食事（食物を切ってもらう場合は介助とみなす）	5	10
2. 車いすからベッドへの移乗およびその逆（ベッド上での起き上がりを含む）	5〜10	15
3. 整容（洗面，整髪，髭そり，歯磨き）	0	5
4. トイレへの出入り（衣服の始末，拭き，水流しを含む）	5	10
5. 洗体	0	5
6. 平地歩行 （歩行不能の場合は車いす操作） ＊歩行不能の場合のみ採点	10 0*	15 5*
7. 階段昇降	5	10
8. 更衣 （靴ひも結び，留め具の使用を含む）	5	10
9. 排便コントロール	5	10
10. 排尿コントロール	5	10

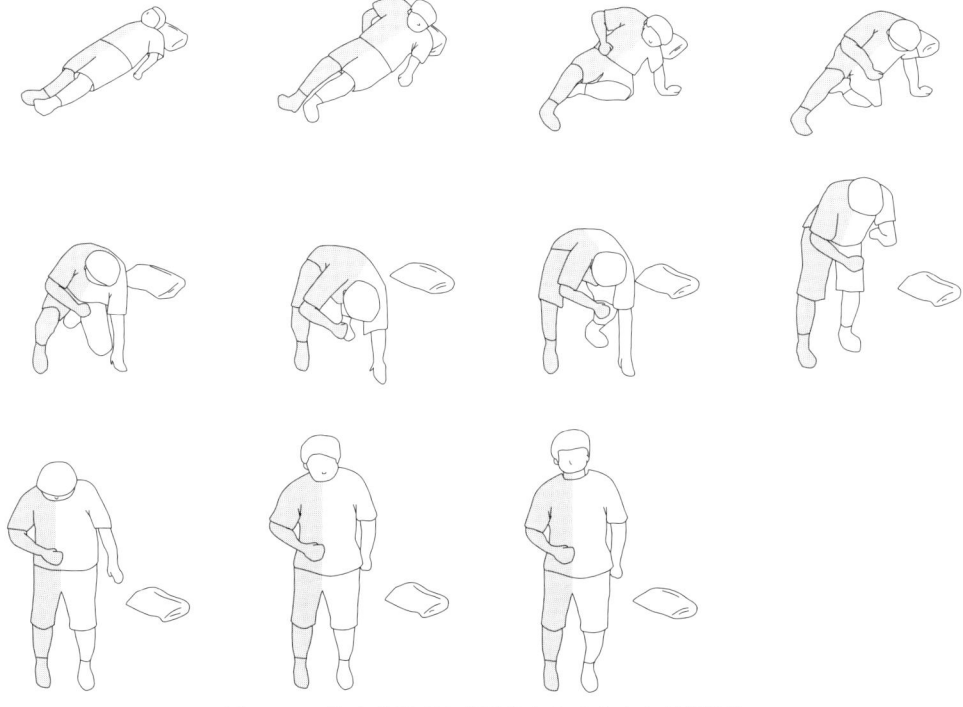

図 7-31　片麻痺患者の背臥位からの立ち上がり動作

②脊髄損傷者の ADL 指導・練習

　脊髄完全損傷のケースでは，損傷レベルによって日常活動における機能的帰結がおおむね示されている（表7-9）．第3-4頸髄損傷では完全依存となる．第5頸髄損傷では工夫によって一部介助の動作もあるが依存度が高い．第6頸髄損傷では，環境調整や工夫で自立性が高まるが移乗動作は介助を要する．第7頸髄損傷では食事整容など身辺動作は自立となり，改造車の運転も可能となる．胸髄損傷以下では歩行以外はほぼ自立し，第3腰髄以下で実用歩行が可能となる．ベッド上での起き上がりは（図7-35），第6頸髄損傷では肘屈筋の機能が残存していることからストラップを使用し肘立て位まで可能である．第7頸髄損傷では肘伸筋群を使い起き上がることが可能となる．ベッド-車いすへの移乗は（図7-36），第6頸髄損傷では，体幹を前傾し可能である．第7頸髄損傷では，上肢の支持で可能となる．

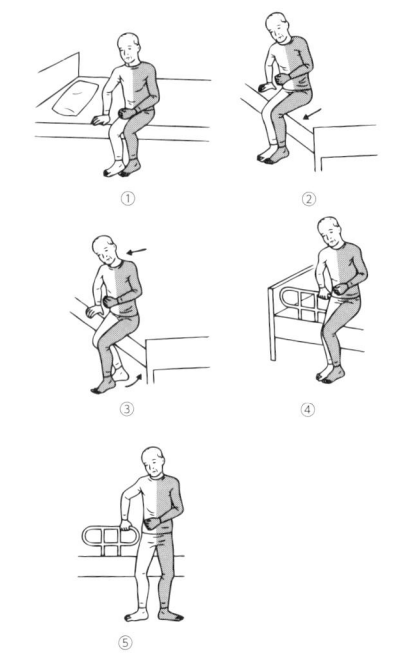

図 7-32　片麻痺患者のベッドからの立ち上がり動作[36]

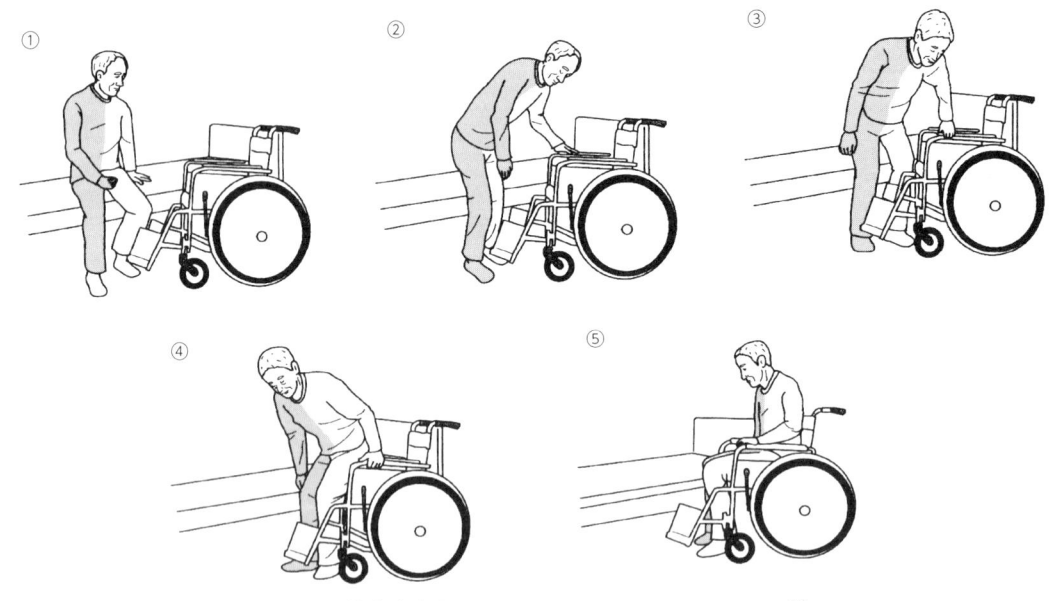

図 7-33　片麻痺患者のベッドから車いすへの移乗動作[18]

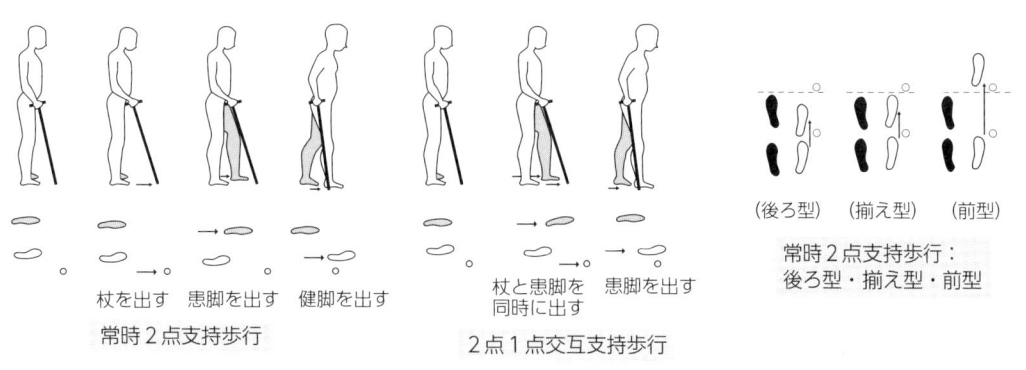

杖を出す　患脚を出す　健脚を出す

常時2点支持歩行

杖と患脚を　患脚を出す
同時に出す

2点1点交互支持歩行

（後ろ型）（揃え型）（前型）

常時2点支持歩行：
後ろ型・揃え型・前型

図 7-34　片麻痺患者の杖歩行動作[45]

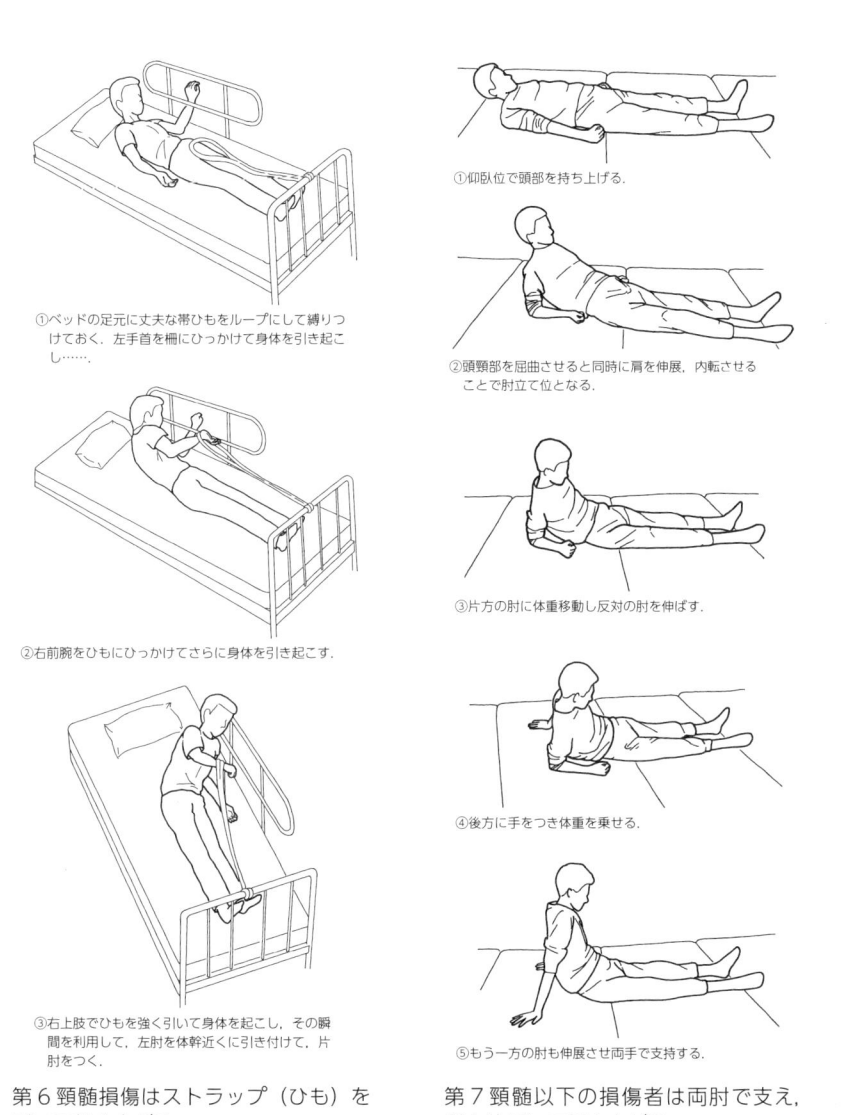

①ベッドの足元に丈夫な帯ひもをループにして縛りつ
　けておく．左手首を柵にひっかけて身体を引き起こ
　し……．

②右前腕をひもにひっかけてさらに身体を引き起こす．

③右上肢でひもを強く引いて身体を起こし，その瞬
　間を利用して，左肘を体幹近くに引き付けて，片
　肘をつく．

第6頸髄損傷はストラップ（ひも）を
引いて起き上がる

①仰臥位で頭部を持ち上げる．

②頭頸部を屈曲させると同時に肩を伸展，内転させる
　ことで肘立て位となる．

③片方の肘に体重移動し反対の肘を伸ばす．

④後方に手をつき体重を乗せる．

⑤もう一方の肘も伸展させ両手で支持する．

第7頸髄以下の損傷者は両肘で支え，
肘を伸展して起き上がる

図 7-35　頸髄損傷患者のベッド上起き上がり[27]

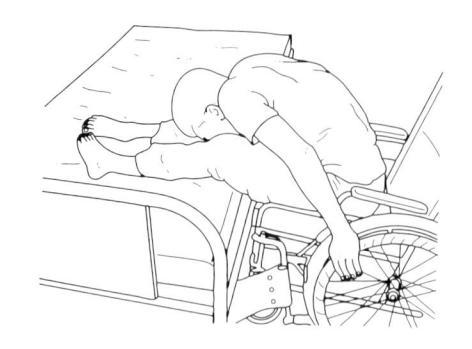
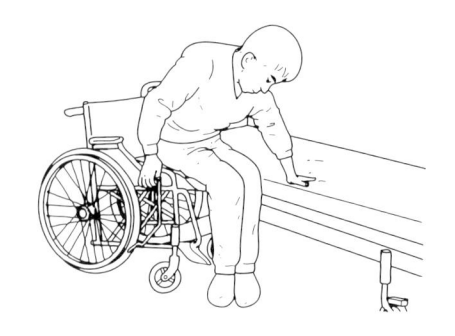

a. 車いす–ベッド間の移乗①
第 6 頸髄損傷者，車いすからベッドへ移るときは，前傾して両手でタイヤあるいはアームレストを押す．ベッドから車いすへ移るときは，手でベッドを押しながら，骨盤を交互に後方へ押しやる．

b. 車いす–ベッド間の移乗②
第 7 頸髄以下の損傷者，車いすを斜めにつけ，足はフットレストから下ろしておく．

図 7-36　頸髄損傷患者の車いす–ベッド間の移乗動作[36]

表 7-9　脊髄完全麻痺者の機能的帰結[36]

損傷高位	肺管理	朝の身辺処理	食事	整容	更衣	入浴	排便・排尿管理
C3・C4	咳の完全介助	完全依存	独力での摂食は不可能．ユニバーサル・カフと適正な生活用具の適応による BFO（バランス式前腕装具）の使用．セットした長いストローで飲む	完全依存	完全依存	完全依存	完全依存
C5	介助による咳	所定どおりにセットした特定の自助員で自立	所定どおりにセットした特定の摂食器具で自立	所定どおりにセットした特定の整容器具で自立	上肢更衣の介助．下肢更衣の依存	完全依存	完全依存
C6	背臥位での部分介助，座位での自立	自助具で自立	器具で自立．グラスで飲む	器具で自立	上肢更衣の自立．下肢更衣の要介助	器具使用で上下肢を洗うことの自立	排便手順の自立．排尿手順の要介護
C7	同上	自立	自立	器具で自立	器具使用で上下肢更衣自立の可能性あり	器具で自立	自立
C8・T1	同上	自立	自立	自立	自立	自立	自立
T2〜T10	T2〜6 同上 T6〜10 自立	自立	自立	自立	自立	自立	自立
T11〜L2	適用なし	自立	自立	自立	自立	自立	自立
L3〜S3	適用なし	自立	自立	自立	自立	自立	自立

表 7-9　脊髄完全麻痺者の機能的帰結（つづき）

損傷高位	ベッド上起居	徐圧	車いす移乗	車いす走行操作	歩行	四肢装具	輸送	コミュニケーション
C3・C4	完全依存	動力リクライニング付き車いすで自立. ベッドあるいは手動車いす上では依存	完全依存	空気圧あるいは顎で制御する動力リクライニング付き電動車いすで自立	適応なし	上肢装具, 外動力装具. 背側の手背屈スプリント, BFO	リフト付きの通常バンで他人に依存. 運転は不可能	特定の改造機器を使って読書. 特別な改造電話機の適応. 書字は不可能. 特別な改造器具でタイプ
C5	人と器具による介助	ほとんどが要介助	トランスファーボード使用あるいは非使用で要人的介助	電動車いすで屋内外自立. ノブ付き手動車いすで屋内短距離走行	適応なし	同上	同上	同上
C6	器具で自立	自立	トランスファーボード使用で自立の可能性あり	プラスチックコーティングリムまたはノブ付き手動車いすで屋内自立. 屋外は要介助でエレベーター使用	適応なし	駆動用手袋 (wrist-driven orthosis)	特別改造車 (バン) の運転自立	電話機の使用自立. 器具使用で書字. 器具使用でタイプ. ページめくり自立
C7	自立	自立	介助による床からの昇降を除きトランスファーボード使用あるいは非使用で車への乗降自立	縁石・段差を除き手動車いすで屋内外自立	適応なし	不要	通常の運転操作あるいは特別改造車 (バン) の運転自立. 車いすの車内への積み込み自立	電話, タイプ, 書字は器具で自立. ページめくり自立
C8・T1	自立	自立	床や車への移乗自立	手動車いすで屋内外自立. 縁石乗り越えエスカレーター使用自立	適応なし	不要	同上	自立
T2〜T10	自立	自立	自立	練習のみ (装具使用での機能性なし). 要動作介助あるいは要監視	KAFO (長下肢装具) と Lofstrand クラッチまはた歩行器	自立	同上	自立
T11〜L2	自立	自立	自立	器具使用での機能的屋内歩行自立の可能性あり. 手すり使用での階段昇降もある程度可能	KAFO あるいは AFO (短下肢装具) と Lofstrand クラッチまはた歩行器	自立	同上	自立
L3〜S3	自立	自立	自立	実用歩行. 装具使用での屋内外歩行自立	AFO と Lofstrand クラッチあるいは T 字杖	自立	同上	自立

9 おわりに

　本章では，理学療法の対象について，理学療法の歴史を振り返り理学療法の定義とアイデンティティおよび disability モデルの観点から捉え，症状・機能損傷・不全・機能的制限・活動制限の各記述レベルを対象とし，理学療法の主軸となる運動療法について概説した．併せて理学療法の代表的対象となる運動器損傷と中枢神経損傷，発達不全，内部機能不全に対する介入について要約した．また，理学療法の実践のための基盤として，理学療法評価・治療過程，運動・動作分析と記録，運動学習，対象者と理学療法士との関係性について概説した．なお，超高齢化と生活習慣病の低年齢化に鑑み，今後は保健と予防という観点から健康増進に関わる理学療法のあり方がさらに求められると思われる．

（星　文彦・金村尚彦）

■文献

1) American Physical Therapy Association：Guide to Physical Therapist Practice, ed 2. Phys Ther **81**：9-744, 2001.

2) An Exploratory and Analytical Survey of Therapeutic Exercise, Proceeding of the Northwestern University Special Therapeutic Exercise Project. Am J Phys Med, **46**：19-1108, 1967.

3) Basmajian JV, Wolf SL：Therapeutic Exercise 5th edition. William & Wilkins, 1990.

4) Brooks VB：The Neural Basis of Motor Control. Oxford UnivPress. New York 1986.

5) Burke RE：Motor unit types. Functional specialization in motor control Trends in Neurosci, **3**：255-258, 1980.

6) Carr J, and Shepherd R；Movement Science Foundations for Physical Therapy in Rehabilitation 2nd ed. An Aspen Publication, 2000.

7) Contemporary Management of Motor Control Problems. Proceedings of the II STEP Conference. pp1-126, pp265-268, Alexandria, 1991.

8) Hallett M, et al：EMG analisis of stereotyped voluntary movement in man. J neurol Neurosurg Psychiat, **38**：1154-1162, 1975a.

9) Kumar S：Muscle strength. CRC press, 2004.

10) Kisner C, Colby AL：Therapeutic Exercise Foundations and Techniques 5th ed. F.A. Davis Company, 2007.

11) Oatis AC：Kinesiology The Mechanics & Pathomechanics of Human movement. Wippincott Williams & Wilkins, 2004.

12) Pollock AS, et al：What is balance? Clinical Rehabilitation, **14**：402-406, 2000.

13) Sahrmann SA（The Twenty-Ninth Mary McMillian Lecture：Physical Therapy '98：Scientific Meeting and Exposition of the American Physical Therapy Association. June 5, 1998)：Moving Precisely? Or Taking the Path of Least Resistance? Phys Ther, **78**：1208-1218, 1998.

14) Scully RM, Barnes MR：Physical Therapy. pp797-843, J.B. Lippincott company, 1989.

15) Thomson A, et al：Tidy's Physiotherapy 12th Ed. Butterworth/Heinemann, 1991.

16) 穐山富太郎, 川口幸義（編著)：脳性麻痺ハンドブック　療育にたずさわる人のために．医歯薬出版, 2007.

17) 伊藤俊一・他：PT・OT のための測定評価 DVD シリーズ 1，ROM 測定．三輪書店，2006.

18) 伊藤利之，鎌倉矩子（編）：ADL とその周辺　第 2 版．医学書院，2008.

19) 上田　敏・他：リハビリテーション基礎医学　第 2 版．医学書院，1994.

20) 内山　靖（編）：エビデンスに基づく理学療法　活用と臨床思考過程の実際．医歯薬出版，2008.

21) 内山　靖（編）：標準理学療法学理学療法評価学．医学書院，2005.

22) 小川芳徳，宮野佐年：筋力増強のメカニズム．理学療法，**16**（6）：437-441，1999.

23) 大橋ゆかり：セラピストのための運動学習 ABC．文光堂，2004.

24) 大井淑雄，博田節夫（編）：運動療法　第 3 版．医歯薬出版，2002.

25) 沖田　実（編）：関節可動域制限　病態の理解と治療の考え方．三輪書店，2008.

26) 金久博昭：筋のトレーニング科学．高文堂出版，1989.

27) 神奈川リハビリテーション病院脊髄損傷マニュアル編集委員会：脊髄損傷マニュアル第 2 版．医学書院，1996.

28) C．ノーキン・他（著），木村哲彦（監訳）：関節可動域測定法　改訂第 2 版．協同医書出版社，2002.

29) 小林庄一，根来秀雄：新しい教養の生理学—保健理論の基礎．関東出版，1978.

30) 高柳清美，吉村　理：骨・関節疾患の筋力増強．理学療法，**16**（6）：442-447，1999.

31) 高橋正明，山本澄子（編）：理学療法 MOOK6（星　文彦：3 m 椅子間歩行）．三和書店，2000.

32) 田中　繁，高橋　明（監訳）：モーターコントロール運動制御の理論から臨床実践へ　原著第 3 版．医歯薬出版，2009.

33) 調枝孝治（監訳），リチャード・A・シュミット（著）：運動学習とパフォーマンス．大修館書店，2006.

34) 対馬栄輝：自重による筋力増強．理学療法，**24**（7）：923-931，2007.

35) 土屋弘吉・他（編）：日常生活活動（動作）—評価と訓練の実際—．医歯薬出版，1992.

36) 鶴見隆正（編）：標準理学療法学　日常生活活動学・生活環境学　第 3 版．医学書院，2009.

37) 道免和久，吉田直樹：運動学習にかかわる小脳の働き．体育の科学，**2**：945-955，2002.

38) 中村隆一，横地房子：小脳性失調症の Physiotherapy．神経進歩，**23**：124-130，1979.

39) 中村隆一・他：基礎運動学　第 6 版．医歯薬出版，2003.

40) 中村隆一（監修）：入門リハビリテーション医学　第 3 版．医歯薬出版，2007.

41) 中村隆一（監修）：理学療法テクニック—発達的アプローチ—．医歯薬出版，2004.

42) 永田　晟：筋と筋力の科学—筋収縮のスペクトル解析—．不昧堂，1984.

43) 奈良　勲（編著）：理学療法概論　第 5 版．医歯薬出版，2007.

44) 奈良　勲，岡西哲夫（編）：筋力．医歯薬出版，2006.

45) 服部一郎・他：リハビリテーション技術全書．pp524-556．医学書院，1980.

46) 福永哲夫：ヒトの絶対筋力．杏林書院，1978.

47) 星　文彦：失調症に対する運動療法．理学療法，**5**：109-117，1988.

48) 星　文彦，武田涼子：起き上がり動作のメカニズム—椅子からの立ち上がり動作．理学療法，**20**：1028-1036，2003.

49) 星　文彦：中枢神経障害に対する理学療法理論の変遷と動向．PT ジャーナル，**45**：541-549，2011.

50) 細田多穂（監修）：理学療法評価学テキスト．南江堂，2010.

51) 細田多穂（監修）：内部障害理学療法学テキスト　第 2 版．南江堂，2012.

52) 細田多穂（監修）：運動療法学テキスト．南江堂，2010.

53) 細田多穂，柳沢　健（編）：理学療法ハンドブック　第 4 版，第 2 巻．協同医書出版社，2010.

54) 丸山仁司（編）：系統理学療法，神経障害系理学療法学．医歯薬出版，2008.

55) 宮村実晴（編）：最新運動生理学—身体パフォーマンスの科学的基礎—．真興交易医書，1996.

56) 宮本省三・他（選）：セラピストのための基礎研論文集 1．運動制御と運動学習［蔵田　潔：運動制御の情報処理機構］．協同医書出版社，1997.

57) 柳沢　健（編）：運動療法　第 2 版．金原出版，2010.

58) 吉尾雅春（編）：標準理学療法学　運動療法学総論　第 3 版．医学書院，2010.

第8章

理学療法（士）の役割とその職域

　「理学療法士及び作業療法士法」が 1965 年に制定され，日本に理学療法士が誕生してもうすぐ 60 年になる．この法律において理学療法士はリハビリテーション医療に携わる専門職として位置づけられている．日本では，法的には身体に障害のある者を理学療法の対象としているが，他国では対象を限定することはほとんどみられない．理学療法士は運動学を中心に教育を受けた数少ない専門職である．理学療法が運動療法を主な治療手段とした動作改善を目指す技術体系であるとするなら，医療分野で対象となる身体に機能損傷・不全のある者に限らず，保健分野，健康増進分野，介護予防分野なども理学療法の対象となる．つまり，国民すべてが理学療法の対象となり，私たちの職域も広がっていく可能性がある．法的な枠内で理学療法士の業務拡大を考えていくことも大切であるが，理学療法はどのような対象者に何ができるのかという可能性を探り，実行に移す段階で生じる課題に対処していくことが，私たちの職域を拡大していく効果的な方策と思われる．

　「理学療法士及び作業療法士法」には，理学療法の目的を「基本的動作能力の回復」と記載されている．しかし，基本的動作能力の回復に維持および向上を加え，保健，医療，介護，福祉，健康増進，スポーツ，教育などの分野で理学療法を実践していくことは国民中心の社会保障を担保するうえでも有用と思われ，理学療法士の需要拡大にも結びつく．

　近年，理学療法士の活動範囲は医療，介護，福祉領域にとどまらず健康・スポーツ分野，産業保健など多方面に広がっている．本章では理学療法士の役割に関して日本の現状を整理し，今後，理学療法士はどのような分野で活動が期待されているのかを考察する．

1 理学療法士の業務

1) 理学療法の定義

①法律上の定義と業務

　「理学療法士及び作業療法士法」では，理学療法士を医療職と位置づけ，基本的動作能力に障害のある者に対し，その能力を回復するため運動療法，物理療法などを行うことを理学療法と定義している．また，理学療法士の業務に関しては，理学療法士が医療行為である診療の補助として理学療法を行うことを 業（ぎょう）とすることができると記載されている．

②診療報酬上の解釈

　医科診療報酬点数表[1) の第 7 部リハビリテーション〈通則〉には「リハビリテーション医療は，基本的動作能力の回復等を目的とする理学療法や，応用的動作能力，社会的適応能力の回復等を目的

とした作業療法，言語聴覚能力の回復等を目的とした言語聴覚療法等の治療法より構成され，いずれも実用的な日常生活における諸活動の実現を目的として行われる」と記載されており，リハビリテーション医療の種類とその範囲が示されている．よって診療報酬上，理学療法は作業療法，言語聴覚療法とともにリハビリテーション医療を構成する治療法として位置づけられ，実用的な ADL の再獲得を目的とするとされている．

　診療報酬制度上，過去には理学療法は「理学療法料」，作業療法は「作業療法料」，言語聴覚療法は「言語聴覚療法料」として算定されていた[2]．しかし，現在これらの名称は医科診療報酬点数表のなかに存在しない．「疾患別リハビリテーション料」として理学療法も作業療法も言語聴覚療法もひとくくりにされていることは，各々の専門性を揺るがしかねないと危惧する声[3]もある．

③世界理学療法連盟（World Physiotherapy）の説明[4]

　世界理学療法連盟は理学療法士，理学療法や理学療法士を表 8-1 のように説明している．

④英国での定義

　英国理学療法協会の定義（Syllabus and Regulation, the Chartered Society of Physiotherapy より）[5]は「理学療法とは，疾病と傷害の予防と治療ならびに ADL 能力を含む機能の発達と回復を図るため，物理的手段を使い，リハビリテーションの過程を援助すること」とある．この定義では理学療法は疾病と傷害の予防と治療を行うとしている．

⑤米国での定義

　米国理学療法協会（APTA）の Careers in physical therapy[5]によると「理学療法は，ヘルス・ケアのプロフェッションであり，病院，クリニック，ナーシングホーム，開業などの場で行われる．理学療法士は，病気，けが，事故，先天性疾患などによって機能不全のある対象者に働きかける．理学療法士は神経筋系，骨格筋系，感覚運動系，そして心肺機能の検査・測定/評価を行う．理学療法士は対象者の主治医である医師または歯科医師の依頼を受けて，評価結果に基づいて初期・中期・長期の治療計画を立てる．さらに，理学療法士は対象者を動機づけ，対象者とその家族に対する教育と回復に関与する他の医療職種への教育を行う」としている．

　米国の理学療法は，ヘルス・ケアのプロフェッションとして位置づけられていることが特徴である．医療の枠内だけで理学療法を捉えるのではなく，対象者，健常者すべてに共通して重要な健康を基軸に理学療法を捉えている点は注目に値する．

⑥日本での定義

　日本の「理学療法士及び作業療法士法」が成り立った歴史的背景をみると，法律の制定以前より医療の現場で実施されていた物理療法的手段とその従事者の存在があり，その上に立ちリハビリテーション医療の一分野として理学療法を担う技術者を理学療法士と位置づけた[6]．よって，医療の枠内でその対象を身体に障害のある者と限定した法律が成立したものと思われる．

　一方，世界理学療法連盟や英国では疾病と傷害の予防と治療，米国ではヘルス・ケアのプロフェッションと理学療法を定義づけている．これらに共通しているのは生活機能が低下している者（disable persons）のみでなく虚弱高齢者や健常者をもその対象としていることである．さらに，その目的として予防や健康増進も含んでいる．つまり，生活機能が低下している者も含むすべての人が健康を回復，維持，増進していくための方法論として理学療法を位置づけ，健康を基軸にして理学療法を捉えている．そもそも，日本の理学療法士が育んできた知識や技能は，活動制限の克服のみではなく，疾

表 8-1　理学療法の説明（Description of physical therapy）[4]

What is physical therapy?
Physical therapy is services provided by physical therapists to individuals and populations to develop, maintain and restore maximum movement and functional ability throughout the lifespan. The service is provided in circumstances where movement and function are threatened by ageing, injury, pain, diseases, disorders, conditions and/or environmental factors and with the understanding that functional movement is central to what it means to be healthy.
Physical therapy involves the interaction between the physical therapist, patients/clients, other health professionals, families, care givers and communities in a process where movement potential is examined/assessed and goals are agreed upon, using knowledge and skills unique to physical therapists (appendix 1). Physical therapists are concerned with identifying and maximising quality of life and movement potential within the spheres of promotion, prevention, treatment/intervention and rehabilitation. These spheres encompass physical, psychological, emotional, and social wellbeing. Physical therapists are qualified and professionally required to :
 • undertake a comprehensive examination/assessment of the patient/client /population or needs of a client group
 • evaluate the findings from the examination/assessment to make clinical judgments regarding patients/clients
 • formulate a diagnosis, prognosis and plan
 • provide consultation within their expertise and determine when patients/clients need to be referred to another professional
 • implement a physical therapist intervention/treatment programme and education in agreement with the patient/client
 • evaluate and re-evaluate the outcomes of any interventions/treatments/education
 • make recommendations for self-management
 • collaborate with health professionals and other key stakeholders.

理学療法は，生涯にわたって可動性や機能性を最大限に養い，維持し，回復させるために理学療法士が個人や集団に向けて提供するサービスである．身体の可動性や機能が加齢，損傷，痛み，疾患，不調，状況および/または環境的要因などによって脅かされた時にサービスを提供する．機能の向上は，健康に不可欠であるという理解のもと，サービスを提供する．理学療法は，理学療法士，患者/クライアント，その他の医療従事者，家族，介護者，地域共同体との関わり合いの中で行われる．理学療法士が持っている独自の知識や技能を使って，潜在する運動能力を調査/評価し，お互いに納得する目標を設定する（付録 1 参照）．理学療法士は，プロモーション，予防，治療/介入，リハビリテーションなどを通じ，生活の質と潜在する運動能力を最大化する．この過程は，身体的，心理的，感情的，社会的健康すべてに関係している．理学療法士は，資格を持つ専門家として以下の行動が求められる．
 • 患者/クライアント/集団，またはクライアント集団のニーズを総合的に調査/評価する．
 • 診察/評価から出た結果を見て，患者/クライアントに対して臨床的判断を下す．
 • 診断，予後診断，計画を作成する．
 • 自分の専門範囲内で患者/クライアントの相談に乗り，他の専門家に診てもらう時期を決める．
 • 患者/クライアントからの了承を得て，理学療法による介入/治療プログラムや教育を実施する．
 • 介入/治療/教育の結果すべてを評価，または再評価する．
 • 自己管理を勧め，その方法を伝授する．
 • 他の医療従事者やその他関係者と協力し合う．

病を予防し，健康の維持・改善に十分活かすことを志向してきた．国民がこの概念を認識すれば，医療の枠内のみにとどまることなく健康を基軸にして理学療法を理解してもらうことは自然であるし，理学療法の広がりを予感させる．
　ちなみに奈良[7]は国際生活機能分類（ICF）に準じた理学療法定義の私案を「理学療法とは，心身の機能・身体構造に変調のある者に対し，それらの回復を図るため，主として運動，治療体操，徒手

的治療および電気，温熱などの物理的介入を適用して，活動と生活機能の向上および健康増進を促進し，社会参加を支援することをいう」と提示している．現代社会の動向にあわせて，急性期・回復期・維持（適応・生活）期，緩和ケア，内部疾患などのさまざまな疾患を対象に，健康増進や社会参加をも含めた内容となっている．

2) 理学療法士の業務

　2000年の介護保険制度開始以降，理学療法士が働く職場として通所リハビリテーションや訪問リハビリテーションなどの地域リハビリテーション領域が増加している．また，産業保健領域，ウィメンズヘルス・メンズヘルス領域，精神・心理領域においても理学療法の位置づけが確立しつつあり，その業務範囲が拡大している．

　日本理学療法士協会は2022年『理学療法士業務指針』[8]を発表した．理学療法の実践に関して「理学療法士は，特有の知識と技術を用いて，基本的動作能力や生活（人生）の質を見極め，その実現可能性を判断し関係者と共有する」また「理学療法士は，対象者の参加の制限，あるいは環境による障壁を克服し，障がいを有しても最適な身体的，精神的，社会的，職業的，経済的に能力を発揮できることを目指すことで，家庭や職場などにおける社会参加を促し全人的復権を目指す」としている．そして理学療法士が専門的に行う領域として以下の6つを挙げている．「健康増進（health promotion）」「予防（prevention）」「治療（treatment）」「介入（intervention）」「リハビリテーション」「ハビリテーション」．

　また，同協会の『理学療法士ガイドライン』[9]には「業務全般に関する事項」「医師の指示に関する事項」「理学療法士の個別業務に関する事項」「特記事項」の4章にわたり理学療法士の標準的な業務とその役割に関することが記載されている．

　「業務全般に関する事項」には，目的，研鑽および資質の向上，基本姿勢，チーム医療での協調，法の遵守，守秘義務，対象者・家族への説明，記録の整備・保守，安全性の配慮・事故の防止，教育の10項目にわたり標準的な業務に関することが記載されている．

　「医師の指示に関する事項」では，本来医師が自ら行う医行為の一部を理学療法士が補助行為として施行することから，医師自らが実施した場合と同等の優れた医行為でなければならないとし，質の高い理学療法の提供を自らに課している．そのため担当医師から留意すべき事項についての情報，たとえば理学療法施行上，対象者に生じる可能性のある生命および保健管理上の危険性，効果的な理学療法のために考慮すべき医学的所見，適用される理学療法手段に関する担当医師の意見などを入手しておくことが必要としている．さらに，理学療法士は医師の処方を受けて理学療法を実施することから，疑義が生じた際には担当医師と十分に相談して，意見を統一する必要があり，それが対象者への適切で良質なサービスを提供することにつながるとしている．また，処方内容の施行がさまざまな要因で困難なときには，それに代わる治療方法について医師の同意を得ておくことも必要であり，医師との意思疎通の重要性を強調している．

　「理学療法士の個別業務に関する事項」では，対象，評価，理学療法計画作成，治療，予防，記録，機器の保守・点検の8項目について記載されている．

　「特記事項」として，理学療法士は既存の医療職種として，リハビリテーション医療のチームの一員として，医師，看護師，作業療法士，医療ソーシャルワーカー，言語聴覚士などの関連専門職と連

携を保ち，効果的な医療を進めるためのチーム医療を必須のものとして実践してきたことを確認し，さらに広範な関連専門職との連携を視野において，チーム医療の発展に寄与すべく努力することが明記されている．

3) 新たな業務「喀痰などの吸引」

　厚生労働省は 2010 年 4 月「医療スタッフの協働・連携によるチーム医療の推進について」[10] という文書を発し，理学療法士，作業療法士，言語聴覚士に医療行為として喀痰などの吸引を行うことを認めた．これまで喀痰などの吸引は医師，看護師が行っていた．理学療法士が体位排痰法を実施する際，作業療法士が食事動作を，言語聴覚士が嚥下機能の改善を目的としたプログラムを実施する際など，喀痰などの吸引が必要となる場合がある．この喀痰などの吸引については，それぞれのプログラムを安全かつ適切に実施するうえで当然必要となる行為であることを踏まえ，「理学療法士及び作業療法士法」第 2 条第 1 項の「理学療法」，同条第 2 項の「作業療法」および「言語聴覚士法」第 2 条の「言語訓練その他の訓練」に含まれるものと解し，理学療法士，作業療法士および言語聴覚士が実施することができる行為として取り扱うとしている．

4) 理学療法士の名称使用に関する厚生労働省の通知

　厚生労働省は 2013 年 11 月「理学療法士の名称の使用等について」（図 8-1）[11] を医政局医事課長名で通知した．「理学療法士が，介護予防事業等において，身体に障害のない者に対して，転倒防止の指導等の診療の補助に該当しない範囲の業務を行うことがあるが，このように理学療法以外の業務を行うときであっても，「理学療法士」という名称を使用することは何ら問題がないこと．また，このような診療の補助に該当しない範囲の業務を行うときは，医師の指示は不要である」と記載されている．診療の補助に該当しない範囲の業務を行うときは「理学療法士」の名称を用いることや医師の処方を不要とする通知が厚生労働省から出されたことを私たちは重く受け止める必要がある．介護予防，生活習慣病予防，腰痛予防など身体に損傷や変調の発生のおそれのある対象者に対する理学療法は予防理学療法と称することもでき，医療という枠組みを超えて，予防の領域で理学療法士の業務が認められたことになる．私たちは理学療法士に求められる社会的な責任を自覚し，その期待に応えていく必要がある．

5) 理学療法業務の現状

　「理学療法士及び作業療法士法」では理学療法士は医療職と位置づけられ，医療の枠内で理学療法業務が語られてきた．しかし，諸外国の定義にみるように，その対象は身体に機能損傷・不全を有する者だけでなく，虚弱高齢者や健常者をも含んだものである．このことは介護予防や健康増進分野にも理学療法のニーズが高まりつつあることからも確認できる．実際，厚生労働省は介護予防事業などを通じて身体に機能不全や変調のない対象者に対する転倒防止などの指導において「理学療法士」の名称使用を認め，医師の処方も不要とした．このように理学療法業務が拡大しつつある現在，約 60 年前に制定された法律上の定義は実情と乖離（かいり）しつつある．「理学療法士及び作業療法士法」の改正も視野に入れ，理学療法の定義やその業務範囲を再検討する必要があると思われる．

医政医発 1127 第 3 号
平成 25 年 11 月 27 日

各都道府県医務主管部（局）長　殿

厚生労働省医政局医事課長

理学療法士の名称の使用等について（通知）

　厚生労働省に設置されたチーム医療推進会議及びチーム医療推進方策検討ワーキンググループにおいて，本年6月から10月にかけて，医療関係団体から提出された医療関係職種の業務範囲の見直しに関する要望書について議論してきました．
　この要望書における要望の1つとして，理学療法士が，介護予防事業等において身体に障害のない者に対して転倒防止の指導等を行うときに，理学療法士の名称を使用することの可否や医師の指示の要否について，現場の解釈に混乱がある実態に鑑み，理学療法の対象に，「身体に障害のおそれのある者」を追加してほしい旨の要望がありました（別添1）．
　これに対しては，本年10月29日に開催された第20回チーム医療推進会議において別添2のような方針が決定されたところですが，このような議論があったことを踏まえ，理学療法士の名称の使用等について，下記の事項を周知することとしましたので，その内容について十分御了知の上，関係者，関係団体等に対し周知徹底を図っていただきますようお願い申し上げます．

記

　理学療法士が，介護予防事業等において，身体に障害のない者に対して，転倒防止の指導等の診療の補助に該当しない範囲の業務を行うことがあるが，このように理学療法以外の業務を行うときであっても，「理学療法士」という名称を使用することは何ら問題ないこと．
　また，このような診療の補助に該当しない範囲の業務を行うときは，医師の指示は不要であること．

図 8-1　理学療法士の名称の使用等について[11]

2　理学療法士の主な職場

1）医療施設

　病院は医師または歯科医師が医業または歯科医業を行う場所で，20人以上の対象者を入院させるための施設を有する．また，診療所も医師や歯科医師が診療を行う場所であり，19人以下の対象者

を入院させる施設を有する有床診療所と有しない無床診療所とに二分される.

　疾病の経過をその病態の特徴によって区分した時期を病期とよぶが，よく使用されている病期として急性期，回復期，維持期がある．急性期では症状を速やかに安定させるため集中的な治療が実施される．疾患の治療が優先されるため安静を強いられることもあり，廃用性の機能低下や体力・持久力の低下などが起こりやすく，これらを防止する目的の理学療法が実施されることが多い．その期間は通常2～3週間と想定されている．回復期は症状が落ち着き，離床が許可され始めた時期で，失われた機能が回復する時期であり，期間としては2～3か月と想定されている．この時期の理学療法は在宅復帰に向け最大限に機能の回復を図り，ADLを再獲得することが主な目的となる．維持期は慢性期または在宅での療養生活が想定されるので生活期・適応期とも称される．再獲得した機能を維持し，実際の生活の場で生活機能として活かしていくことや社会生活を営むうえでの役割の再獲得が望まれる.

　日本の理学療法士の多くが医療施設を職場としている．大学病院は大学の医学部の附属施設の1つであり，臨床，教育，研究の3つの機能をもつ．病期のうち主に急性期の対象者の理学療法が実施されるが，研究に関わることも多い．総合病院ではさまざまな急性期や回復期の疾患が理学療法の対象となる．医療療養病床は医療区分（患者の医療の必要度を評価するための指標で1～3の3区分あり，区分3が最も重い）2～3の患者を優先的に受け入れて，医療的ケアなどを中心に提供する病床である.

2) 介護保険施設

　医療機関でのリハビリテーションが終了すると，対象者は次に介護保険サービスなどを利用した在宅での療養生活や施設入所を選択することになる．介護保険下でのサービスは数多くあるが，大きく分けると通所サービス・訪問サービス・施設入所の3つである．特に理学療法士の関わりが大きいものについて，以下に説明する.

①通所サービス

　通所サービスには，通所リハビリテーションと通所介護とがある．通所リハビリテーションはデイケアともよばれ，その事業所は介護老人保健施設や医療機関などに開設されている．医師の処方を受け，日帰りで入浴，食事などを含む理学療法や作業療法などが実施される．専任の常勤医師の配置や理学療法士または作業療法士，言語聴覚士の配置が義務づけられている．所要時間が1～2時間の通所リハビリテーションでは，定期的に適切な研修を修了している看護職員，柔道整復士またはあん摩マッサージ指圧師を配置することも可能としている.

　通所介護はデイサービスともよばれ，通所介護事業所（デイサービスセンター）にて入浴，排泄，食事などの介護が提供される．機能訓練指導員が常勤で1人以上配置されている．機能訓練指導員は看護師，准看護師，理学療法士，作業療法士，言語聴覚士，柔道整復師，あん摩マッサージ指圧師のいずれかの資格が必要であり，同じ通所介護事業所での他の職務との兼務が可能である.

②訪問サービス

　訪問サービスにおいて，理学療法士の関わりが大きいのは訪問リハビリテーションである．訪問リハビリテーションでは医師の処方に基づき理学療法士や作業療法士，言語聴覚士が利用者の居宅を訪問し，利用者の心身機能の維持・回復，生活機能の自立を助けるためのサービスが提供される．介護

保険制度が始まった頃には供給量が少ないことが指摘されていたが，現在，地域偏在はあるものの，以前に比べ充足されつつある．制度上，医療機関などに併設した訪問リハビリテーション事業所から提供される．また，訪問看護ステーションから理学療法士などによる訪問看護として提供される場合がある．訪問看護ステーションから提供される際には，看護師と連携・協働を図ることが求められている．

③施設入所

　介護老人福祉施設（特別養護老人ホーム）は常に介護が必要で在宅での生活が困難な者が，日常生活上の世話，心身機能の維持・改善，看護などのサービスを受けながら生活する施設である．介護老人保健施設は介護が必要であるが病状は安定している対象者が，在宅復帰できるように医師による医学的管理のもと，介護や心身機能の維持・改善のための介入が実施される施設で，理学療法士などリハ専門職の配置が定員100人に1人以上義務づけられている．基準以上のリハ専門職が配置されている施設も多い．介護療養型医療施設（療養病床など）は急性期の治療を終え，長期の療養を必要とする対象者のための施設である．この施設は2024年3月末に廃止され，2018年4月に新設された介護医療院にその役割を引き継ぐ．

3) 障害児・者福祉施設

　障害児福祉施設のうち肢体不自由児施設，肢体不自由児通園施設では，運動や動作に機能不全を呈する児童に対し，自立に必要な知識や技能などを習得するための指導や心身機能の維持・改善のプログラムが実施されている．重度心身障害児施設では重度の知的症状と重度の肢体不自由が重複する児童が入所し，治療および日常生活の指導を受けている．障害児は子どもとして発達の途上にあるので，障害児福祉施設の理学療法士は発達に関するさまざまな知識を習得しておく必要があり，両親への助言や指導も重要な役目である．

　身体障害者施設のうち身体障害者療護施設や身体障害者福祉センターでは，対象者のADLの向上を図り，社会生活への適応を目指すことが主眼であり，理学療法士をはじめとした関連専門職の関与が求められている．

4) 介護予防，健康増進施策

　病気や変調の可能性のある者に，その要因と思われるものを除去し健康の増進を図り，病気や変調の発生を防ぐ措置をとることを一次予防とよぶ．また，病気や変調をきたした者をより早期に発見して対策を講じ，病気や変調の進行を抑え重度化しないように努めることを二次予防とよぶ．三次予防は，病気や変調をきたした者が重度化しないように治療，再発の防止，残存機能の強化などによって個々人の役割の再獲得を支援し，社会参加を促すことをいう．リハビリテーション医療は三次予防とみることもできる．

　前述の予防策を整理すると介護予防，転倒予防，要介護状態とならないための予防は一次予防，既に発生した機能低下の重度化を予防するために行う全身調整運動などは二次予防であり，いずれも理学療法が取り組むべき課題と見なすことができる．

　2015年4月に施行された厚生労働省の施策「介護予防・日常生活支援総合事業（新しい総合事業）」は高齢者が住み慣れた地域で生活を継続するために必要なサービスを提供する事業である．こ

のなかに組み込まれている「通所型サービス B（住民主体による支援）」や「地域リハビリテーション活動支援事業」において，理学療法士をはじめとしたリハビリテーション専門職は“通いの場”での運動，体操指導，運動機能評価，地域ケア会議での自立に資する助言や提案など地域の介護予防の取り組みに関わることが多い．

5）行政や教育の現場

　都道府県や市区町の役場，保健センターなどにも理学療法士が勤務している．保健や介護，福祉に関連した部署に配属され，高齢者，障害児・者の施策に関わっている．

　教育機関や研究機関に勤務する理学療法士も多い．特に教育機関に勤務する理学療法士は養成校の急増に伴い増加している．

3 わが国の理学療法士の現状

1）国家試験合格者の推移と養成校の現状

　2023 年 3 月現在，日本の理学療法士国家試験合格者累計[12] は 213,735 人である．1966 年第 1 回国家試験合格者数は 183 人であった．1984 年以降急激に増え始め，1990 年 1 万人，2006 年 5 万人，2012 年には 10 万人，2020 年には 20 万人を超えた．

　理学療法士の養成校 1 学年定員数，国家試験の受験者数，合格者（図 8-2）[12] についても 1990 年代に入り急激に増加し始め，2000 年以降もさらにその傾向は続く．この背景には養成校の急増がある．医療，介護，福祉の現場では理学療法士の配置が非常に少なく，理学療法士養成の社会的要請が高まっていたことに加え，政府の規制緩和政策のもと指定規則の改正でカリキュラムが大綱化され，養成校新設に関する許認可も以前に比べ容易になったことが主な要因である．しかし，1 学年定員数は 2010 年頃から微増傾向となっている．

　養成校は 1980 年頃より専門学校と短期大学が増え始めるが，1992 年からは短期大学が減少傾向に転じ，4 年制大学が増え始める．専門学校はこの間も増え続けるが，2009 年以降は減少傾向に転じている．現在，理学療法士養成課程の数と 1 学年定員は大学 119 課程 6,555 人，専門職大学 5 課程 350 人，短期大学 4 課程 240 人，4 年制専門学校 72 課程 3,260 人，3 年制専門学校 93 課程 4,237 人，特別支援学校等 2 課程 18 人，合計 295 課程 14,660 人である（表 8-2）[13]．

2）理学療法士の需給推計

　厚生労働省は 2019 年 4 月 5 日医療従事者の需給に関する検討会 第 3 回 理学療法士・作業療法士需給分科会[14] で 2040 年までの理学療法士・作業療法士の需給推計を行っている．理学療法士・作業療法士の供給数は，現時点においては，需要数を上回っており，2040 年頃には供給数が需要数の約 1.5 倍となる結果を示している（図 8-3）．供給推計は全体の平均勤務時間と性年齢階級別の勤務時間の比（仕事率）を考慮して行い，需要推計は 3 つのパターンを示した．ケース 1 は需要が最も大きくなると仮定，ケース 2 は需要が一定程度大きくなると仮定，ケース 3 は需要が最も小さくな

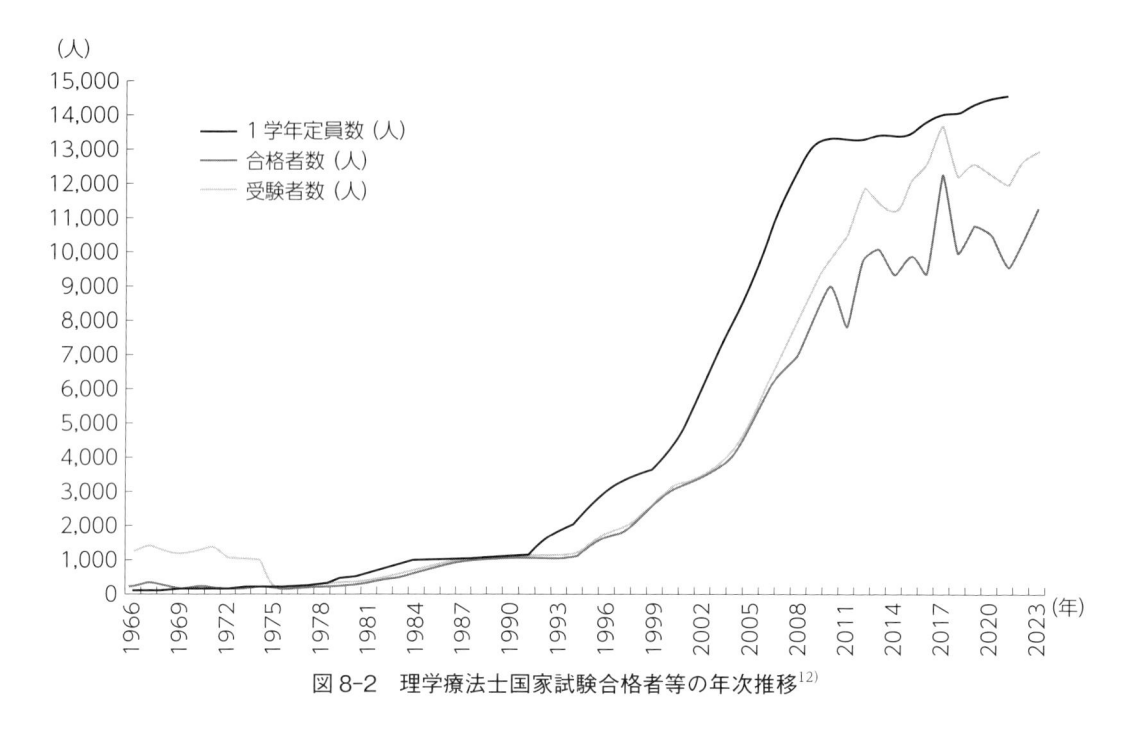

図 8-2　理学療法士国家試験合格者等の年次推移[12]

表 8-2　理学療法士養成校の現状[13]

		課程数	1 学年定員（人）
大学	国公立	25	622
	私立	94	5,933
専門職大学		5	350
短期大学		4	240
4 年制専門学校	昼間	57	2,705
	夜間	15	555
3 年制専門学校	昼間	82	3,807
	夜間	11	430
特別支援学校等		2	18
		295	14,660

＊募集停止 12 課程除く

　ると仮定したものである．需要の拡大として予防分野，学校保健など理学療法士・作業療法士の活用やタスクシフトやタスクシェアなどが想定に含まれていないが，供給数が需要数の約 1.5 倍となる結果を私たち理学療法士は真摯に受け止め，理学療法の質向上に努めるとともに職域拡大にもいっそう取り組んでいく必要がある．

　理学療法士の需要が増加する契機となったのは 1989 年の「高齢者保健福祉推進 10 か年戦略」（いわゆるゴールドプラン）の策定である．たとえば，老人保健施設（現介護老人保健施設）を 1999 年には 28 万床にするとの目標値があった．当初，老人保健施設 100 床につき理学療法士または作業療法士 1 人を配置することが施設基準で定められていたので，老人保健施設の増加に伴って理学療

図 8-3　理学療法士・作業療法士の需給推計について（案）[14]

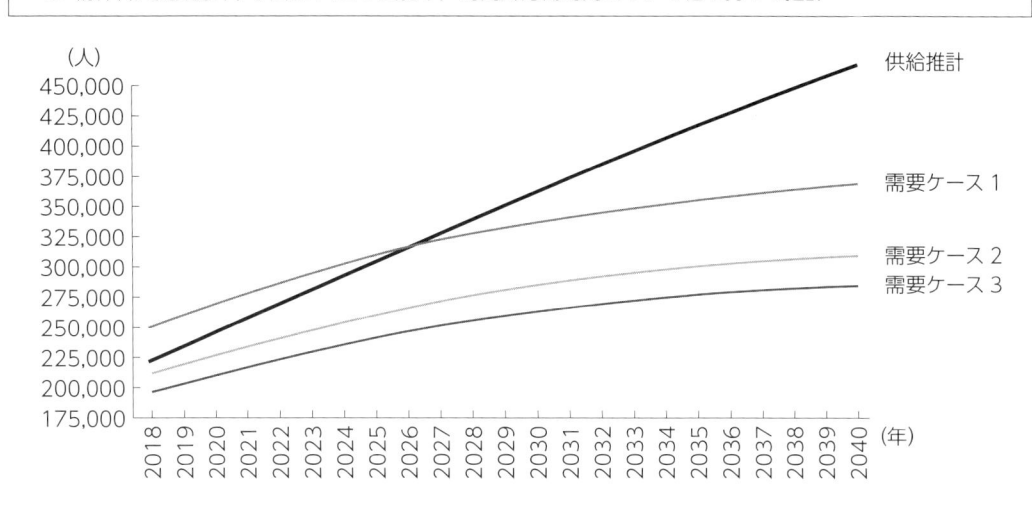

PT・OT の供給数は，現時点においては，需要数を上回っており，2040 年頃には供給数が需要数の約 1.5 倍となる結果となった．
　供給推計　全体の平均勤務時間と性年齢階級別の勤務時間の比（仕事率）を考慮して推計．
　需要推計　ケース 1，ケース 2，ケース 3 について推計[※]
　※ 精神科入院受療率，外来リハビリ実施率，時間外労働時間について幅を持って推計

法士や作業療法士の雇用も増えていった．現在は 100 床につき理学療法士，作業療法士または言語聴覚士を 1 人配置となっているが，この基準よりも多くの療法士が配置されていることが多い．訪問リハビリテーションや通所リハビリテーションでもマンパワーとして理学療法士や作業療法士の配置の要望が高まったことが需要増加の要因であり，2000 年介護保険開始以降もこの傾向は続くことになる．また，2000 年に新設された回復期リハビリテーション病棟には一般病床や療養型病床からこの病棟に変更する病院が増え始め，理学療法士をはじめとした療法士が必置であったことも理学療法士の需要を押し上げる大きな要因となっている．

　供給の面では，養成校は 1980 年頃より専門学校が，1992 年頃から 4 年制大学が増え始めている．前述のように医療，介護，福祉の各領域から理学療法士の不足が指摘されていたことや，1998 年「規制緩和推進 3 カ年計画」，1999 年「理学療法士作業療法士学校養成施設指定規則」，2001 年「規制改革推進 3 カ年計画」などが特に大学新設急増の契機となった．このように理学療法士の需要に養成校の増加が呼応したかにみえるが，急激な理学療法士の増加によって，1999 年に行った需給推計では 2016 年には供給過多になると予測された．また，2019 年に厚生労働省が発表した調査では，2040 年頃には理学療法士と作業療法士は供給数が需要数の約 1.5 倍となる結果を示している．また，理学療法士の質の低下を指摘する意見もある[15]．近い将来，理学療法士の供給数が需要数を上回ることが予測され，職域拡大など速やかな対応が望まれる．

3）理学療法士の就労状況

　日本の理学療法士はさまざまな施設で就労している．2022 年日本理学療法士協会の会員数（休会者含む）調査（表 8-3）[12] では，医療施設人数が一番多く 87,509 人（78.5％），施設数 12,215 施

表8-3　日本理学療法士協会会員の施設別の分布[12]

(2023年3月末現在)

施設			会員数(休会者除く)	会員数(休会者含む)	施設数(休会者除く)	施設数(休会者含む)	会員数合計(休会者除く)	会員数合計(休会者含む)	施設数合計(休会者除く)	施設数合計(休会者含む)
医療施設	病院・センター	高度急性期	6,565	6,720	406	408	84,561 (79.1%)	87,509 (78.5%)	11,819 (51.0%)	12,215 (49.8%)
		急性期	28,481	29,273	3,001	3,032				
		回復期（回復期リハビリテーション病棟）	15,889	16,485	1,134	1,161				
		回復期（地域包括ケア病棟）	2,698	2,867	807	870				
		慢性期（療養病棟）	2,843	3,019	934	995				
		慢性期（特殊疾患）	805	855	213	235				
		精神病床	215	221	79	84				
		感染症病床	1	1	1	1				
		結核病床	11	11	7	7				
		小児（病院・発達センター・療育センター等）	282	293	57	60				
		その他	23,645	24,473	4,074	4,207				
	診療所（クリニック）	診療所（有床）	2,574	2,706	749	781				
		診療所（無床）	552	585	357	374				
介護サービス施設・事業所	訪問型	訪問リハビリテーション	598	679	412	473	15,569 (14.6%)	17,004 (15.3%)	8,475 (36.6%)	9,262 (37.8%)
		訪問看護ステーション	4,274	4,746	2,376	2,595				
		定期巡回・随時対応型訪問介護看護	10	12	5	7				
		訪問介護	30	39	28	35				
	通所型	通所リハビリテーション	1,049	1,186	745	840				
		通所介護	1,560	1,702	1,154	1,266				
		地域密着型通所介護	260	298	196	227				
		療養通所介護	1	1	1	1				
		認知症対応型通所介護	14	15	13	14				
	施設型	介護老人保健施設	6,370	6,741	2,458	2,562				
		介護療養型医療施設	22	28	21	26				
		介護医療院	58	71	36	47				
		介護老人福祉施設（特別養護老人ホーム）	795	856	657	705				
		有料老人ホーム	127	157	111	138				
		軽費老人ホーム（ケアハウス）	14	16	12	13				
		サービス付き高齢者向け住宅	9	10	8	9				
		認知症対応型共同生活介護（グループホーム）	18	21	13	16				
		小規模多機能型居宅介護	15	20	11	16				
		看護小規模多機能型居宅介護	13	18	13	17				
	ケアプラン	居宅介護支援	129	147	85	102				
	福祉用具	福祉用具貸与	17	23	14	19				
		特定福祉用具販売	7	8	3	4				
	ショートステイ	短期入所生活介護	29	31	26	28				
		介護老人保健施設	88	112	72	93				
		介護療養型医療施設	62	67	5	9				
障害福祉施設	障害者支援施設等	障害者支援施設	182	188	129	134	1,115 (1.0%)	1,154 (1.0%)	516 (2.2%)	542 (2.2%)
		地域活動支援センター	19	19	13	13				
		福祉ホーム	1	2	1	2				
	身体障害者社会参加支援施設	身体障害者福祉センター(A型, B型)	29	31	23	25				
		障害者更生センター	16	17	15	16				
		補装具製作施設	2	2	2	2				
	児童福祉施設等	障害児入所施設（福祉型）	330	343	134	141				
		障害児入所施設（医療型）	3	3	3	3				
		児童発達支援センター(福祉型)	175	180	75	79				
		児童発達支援センター(医療型)	294	301	80	82				
		その他	1	2	1	2				
	老人福祉施設	有料老人ホーム	29	31	21	23				
	その他の社会福祉施設等	老人福祉センター(特A型, A型, B型)	25	26	10	11				
		授産施設	9	9	9	9				

表 8-3　日本理学療法士協会会員の施設別の分布[12]（つづき）

(2023 年 3 月末現在)

施設			会員数(休会者除く)	会員数(休会者含む)	施設数(休会者除く)	施設数(休会者含む)	会員数合計(休会者除く)	会員数合計(休会者含む)	施設数合計(休会者除く)	施設数合計(休会者含む)
障害福祉サービス事業所	障害福祉サービス事業所及び相談支援事業所	居宅介護	2	2	2	2	278 (0.3%)	321 (0.3%)	236 (1.0%)	274 (1.1%)
		生活介護	38	41	35	38				
		計画相談支援	20	22	17	18				
		地域相談支援（地域定着支援）	4	4	2	2				
		自立訓練（機能訓練）	70	78	46	52				
		自立訓練（生活訓練）	1	1	1	1				
	障害児通所支援事業所及び障害児相談支援事業所	就労継続支援（B 型）	1	1	1	1				
		児童発達支援	42	51	40	49				
		放課後等デイサービス	97	118	89	108				
		保育所等訪問支援	3	3	3	3				
教育研究施設	専門学校	3 年制専門学校	618	623	83	85	2,935 (2.7%)	2,954 (2.6%)	492 (2.1%)	498 (2.0%)
		4 年制専門学校	488	492	69	69				
	大学（院）	短期大学	38	38	4	4				
		専門職大学	61	61	7	7				
		大学	1,475	1,479	193	194				
		大学院	100	101	36	37				
		理学療法以外の大学（院）	12	12	9	9				
	研究施設	国公立の研究施設	54	57	22	23				
		民間の研究施設（シンクタンク等）	28	28	17	17				
	特別支援学校	肢体不自由児特別支援学校	25	25	19	19				
		知的障害児特別支援学校	4	4	4	4				
		その他特別支援学校	31	32	28	28				
	その他教育施設		1	2	1	2				
行政・自治体・団体・機構等（病院・介護保険・障害者関連施設を除く）	行政機関	国	7	8	6	6	711 (0.7%)	747 (0.7%)	504 (2.2%)	522 (2.1%)
		都道府県（本庁）	58	62	42	44				
		政令指定都市	8	9	7	8				
		市区町村	264	276	222	229				
	保健所		1	1	1	1				
	市町村保健センター		1	2	1	2				
	地域包括支援センター	直営	28	29	27	27				
		委託	218	231	119	124				
	精神保健福祉センター		2	2	2	2				
	職業センター		2	3	2	3				
	団体	日本理学療法士協会	21	21	1	1				
		都道府県理学療法士会	17	17	11	11				
		その他団体	84	86	63	64				
法人本部等	医療法人		10	10	4	4	338 (0.3%)	352 (0.3%)	135 (0.6%)	138 (0.6%)
	社会福祉法人		5	5	5	5				
	個人		6	6	6	6				
	その他法人本部等		317	331	120	123				
企業, 起業, 公的保険外（ヘルスケア産業・予防等）サービス	ヘルスケア産業（健康保持増進）	知識分野	12	14	12	14	1,336 (1.3%)	1,410 (1.3%)	962 (4.2%)	1,013 (4.1%)
		測定分野	5	5	4	4				
		健康経営を支えるサービス	3	3	3	3				
		運動及び運動に関する教育指導サービス	99	106	75	81				
		衣・食・住・睡眠	52	53	36	37				
	ヘルスケア産業（患者/要支援・要介護者の生活を支援するもの）	患者向け商品・サービス	8	8	7	7				
		要支援・介護者向け商品・サービス	5	5	3	3				
	スポーツ関連	スポーツトレーナー（プロチーム契約）	17	19	14	16				
		スポーツトレーナー（企業チーム提携）	5	7	5	7				
	その他企業等	介護サービス（公的保険外）	220	227	172	177				
		一般企業	910	963	631	664				
その他（上記すべてに該当なし）	その他（上記すべてに該当なし）		29	41	29	40	29 (0.0%)	41 (0.0%)	29 (0.1%)	40 (0.2%)
合計			106,872	111,492	23,168	24,504	106,872	111,492	23,168	24,504

表8-4　職場人数別分類[12,16-18]

数別分類	2007年		2012年		2018年3月		2023年3月	
	施設数	割合（%）	施設数	割合（%）	施設数	割合（%）	施設数	割合（%）
1人職場	4,353	40.4%	5,232	37.6%	7,100	39.8%	10,288	45.9%
2人職場	1,857	17.2%	2,369	17.0%	2,885	16.2%	3,455	15.4%
3人職場	1,123	10.4%	1,447	10.4%	1,738	9.8%	1,927	8.6%
小計	7,333	68.0%	9,048	65.1%	11,723	65.8%	15,670	69.9%
4人職場	749	6.9%	971	7.0%	1,063	6.0%	1,226	5.5%
5人職場	574	5.3%	675	4.9%	732	4.1%	793	3.5%
6人職場	473	4.4%	551	4.0%	549	3.1%	621	2.8%
7人職場	329	3.1%	407	2.9%	477	2.7%	502	2.2%
8人職場	262	2.4%	323	2.3%	392	2.2%	378	1.7%
9人職場	197	1.8%	238	1.7%	289	1.6%	300	1.3%
10人職場	176	1.6%	227	1.6%	257	1.4%	281	1.3%
小計	2,760	25.6%	3,392	24.4%	3,759	21.1%	4,101	18.3%
11-15人職場	424	3.9%	672	4.8%	851	4.8%	889	4.0%
16-20人職場	134	1.2%	337	2.4%	507	2.8%	568	2.5%
21-30人職場	98	0.9%	274	2.0%	507	2.8%	593	2.6%
31人以上	34	0.3%	181	1.3%	471	2.6%	585	2.6%
小計	690	6.4%	1,464	10.5%	2,336	13.1%	2,635	11.8%
合計	10,783	100.0%	13,904	100.0%	17,818	100.0%	22,406	100.0%
（＊参考）自宅	3,599		6,357		20,924		24,765	
（＊参考）海外	46		48		106		62	

設（49.8%）である．次に多いのは介護サービス施設・事業所で17,004人（15.3%），9,262施設（37.8%）．ここには老人保健施設，訪問看護ステーション，通所リハビリテーション，通所介護などが含まれる．次いで障害福祉施設が1,154人（1.0%），542施設（2.2%），教育研究施設2,935人（2.6%），498施設（2.0%）となっている．

　日本理学療法士協会の調査（表8-4）[12,16-18]によると，会員が勤務する医療機関・施設のうち1〜3人の少人数施設の比率は2007年68.0%，2012年65.1%，2018年65.8%，2023年69.9%と横ばい傾向にあるもの，いずれの年度も施設数では約2/3を占め，構成比率は一番高い．4〜10人の中規模施設は2007年25.6%，2012年24.4%．2018年21.1%，2023年18.3%とおおむね施設総数の1/4〜1/5を占め構成比率は減少傾向にある．一方，11人以上の多人数施設は2007年6.4%，2012年10.5%，2018年13.1%，2023年11.8%と直近10年間では施設総数の約1割を占めている．

4）年齢分布および男女比

　理学療法士の年齢分布を表8-5[12,16-18]に示す．2023年では26〜30歳の比率が一番多く23.8%，次に31〜35歳が20.5%，36〜40歳で15.6%と続く．21〜35歳が全体の6割近くを占める傾向

表 8-5　理学療法士年齢分布[12,16-18]

年齢	2007年				2012年				2018年				2023年			
	男性(人)	女性(人)	合計(人)	割合	男性(人)	女性(人)	合計(人)	割合	男性(人)	女性(人)	合計(人)	割合	男性(人)	女性(人)	合計(人)	割合
21-25	4,123	5,520	9,643	22.1%	8,996	6,988	15,984	22.2%	12,446	9,223	21,669	18.7%	10,639	8,291	18,930	13.9%
26-30	5,971	6,721	12,692	29.1%	10,600	9,707	20,307	28.1%	18,952	12,234	31,186	26.9%	19,209	13,271	32,480	23.8%
31-35	5,362	3,772	9,134	20.9%	8,532	6,001	14,533	20.1%	14,014	8,989	23,003	19.9%	17,449	10,455	27,904	20.5%
36-40	3,372	1,950	5,322	12.2%	6,372	3,522	9,894	13.7%	9,712	6,649	16,361	14.1%	13,201	8,019	21,220	15.6%
41-45	2,306	1,198	3,504	8.0%	3,432	1,869	5,301	7.3%	7,134	4,434	11,568	10.0%	9,061	6,100	15,161	11.1%
46-50	1,246	361	1,607	3.7%	2,220	1,154	3,374	4.7%	3,843	2,176	6,019	5.2%	6,550	4,059	10,609	7.8%
51-55	678	167	845	1.9%	1,172	326	1,498	2.1%	2,213	1,264	3,477	3.0%	3,488	1,926	5,414	4.0%
56-60	390	98	488	1.1%	588	130	718	1.0%	1,199	393	1,592	1.4%	1,931	1,036	2,967	2.2%
61-65	139	20	159	0.4%	280	45	325	0.5%	470	89	559	0.5%	821	244	1,065	0.8%
66-70	127	9	136	0.3%	70	13	83	0.1%	220	31	251	0.2%	309	49	358	0.3%
71歳以上	87	9	96	0.2%												
71-75					67	7	74	0.1%	61	8	69	0.1%	149	16	165	0.1%
76歳以上					45	3	48	0.1%	65	6	71	0.1%	72	10	82	0.1%
総計(男女比)	23,801 (54.6%)	19,825 (45.4%)	43,626		42,374 (58.7%)	29,765 (41.3%)	72,139		70,329 (60.7%)	45,496 (39.3%)	115,825		82,879 (60.8%)	53,476 (39.2%)	136,355	100.0%
平均年齢(歳)	34.0	30.3	32.3		33.2	31.3	32.4		33.9	33.0	33.5		35.6	34.7	35.2	

表 8-6　理学療法士平均年齢[12,16-18]

	男性(歳)	女性(歳)	男女(歳)
2007年	34.0	30.3	32.3
2012年	33.2	31.3	32.4
2018年	33.9	33.0	33.5
2023年	35.6	34.7	35.2

が続いている．2023年の男女比は60.8％：39.2％である．平均年齢（表8-6）[12,16-18] は2023年35.2歳と徐々に高くなる傾向にある．

5）都道府県別人数

　総務省統計局[19] による2022年10月の都道府県別人口，日本理学療法士協会[12] による都道府県別理学療法士会員数，都道府県別人口10万人あたりの理学療法士数を表8-7に示した．人口に対し理学療法士の数が一番多いのは高知県で243.0人，次に多いのは鹿児島県193.2人，そして徳島県184.9人と続く．九州や四国は人口に対し理学療法士数が多い．一方，一番少ないのは東京都で71.9人，次いで神奈川県75.4人，宮城県82.6人，栃木県83.0人と続く．関東・東北は理学療法士の比率が少ない．全国平均は108.2人である．

表 8-7　都道府県別人口と理学療法士数[12,19]

	都道府県名	2022年10月 人口（千人）	2023年3月 会員数（人）	10万人あたりの PT数（人）
1	北海道	5,140	7,055	137.3
2	青森県	1,204	1,109	92.1
3	岩手県	1,181	1,226	103.8
4	宮城県	2,280	1,883	82.6
5	秋田県	930	785	84.4
6	山形県	1,041	1,129	108.5
7	福島県	1,790	1,802	100.7
8	茨城県	2,840	2,535	89.3
9	栃木県	1,909	1,584	83.0
10	群馬県	1,913	2,386	124.7
11	埼玉県	7,337	6,150	83.8
12	千葉県	6,266	5,837	93.2
13	東京都	14,038	10,095	71.9
14	神奈川県	9,232	6,964	75.4
15	新潟県	2,153	1,877	87.2
16	富山県	1,017	1,070	105.2
17	石川県	1,118	1,343	120.1
18	福井県	753	1,063	141.2
19	山梨県	802	1,065	132.8
20	長野県	2,020	2,605	129.0
21	岐阜県	1,946	2,022	103.9
22	静岡県	3,582	4,266	119.1
23	愛知県	7,495	6,977	93.1
24	三重県	1,742	1,704	97.8
25	滋賀県	1,409	1,314	93.3
26	京都府	2,550	3,178	124.6
27	大阪府	8,782	9,906	112.8
28	兵庫県	5,402	6,558	121.4
29	奈良県	1,306	1,629	124.7
30	和歌山県	903	1,566	173.4
31	鳥取県	544	890	163.6
32	島根県	658	841	127.8
33	岡山県	1,862	2,303	123.7
34	広島県	2,760	3,756	136.1
35	山口県	1,313	1,796	136.8
36	徳島県	704	1,302	184.9
37	香川県	934	1,291	138.2
38	愛媛県	1,306	1,910	146.2
39	高知県	676	1,643	243.0
40	福岡県	5,116	6,999	136.8
41	佐賀県	801	1,401	174.9
42	長崎県	1,283	2,231	173.9
43	熊本県	1,718	3,036	176.7
44	大分県	1,107	1,973	178.2
45	宮崎県	1,052	1,299	123.5
46	鹿児島県	1,563	3,019	193.2
47	沖縄県	1,468	1,865	127.0
	全国平均	125,928	136,238	108.2
	海外		119	

4 医療法および社会保障制度と理学療法士

1）医療法の趣旨と目的

　医療法は医療施設や医療行政の基本法であり，医療提供の理念や病院，診療所の開設および管理，人員構成など医療に関する全般について規定している．1985年に第1次医療法改正が行われ，現在まで大きな改正が9回行われている．

2）医療法の改正[20]

①第1次医療法改正（1985年）

　制定後約40年を経て初めて大きな改正が行われた．この改正の要点はa）都道府県における医療計画の策定・医療計画の対象区域の設定・必要病床数の算定，b）医療法人に対する指導監督規定の整備である．この改正で重要な点は，地域医療計画が初めて国の施策として盛り込まれたことである．都道府県内を数地域から十数地域に分けた2次医療圏ごとに必要病床を定め，必要病床数以上は増床が認められないようにした．第1次改正は，病床の無秩序な増床に歯止めをかけ，医療供給体制を見直すことがその目的であったといえる．

②第2次医療法改正（1992年）

　第2次改正の要点はa）医療提供の理念規定の整備，b）医療施設の体系化，c）医療に関する適切な情報提供，d）医療法人の附帯業務の規定である．特に重要であるのは医療施設機能の体系化である．特定機能病院（大学病院などを想定）と，主として長期にわたり療養を必要とする対象者を収容する療養型病床群が制度化されたのは本改正からである．また，医療法人の附帯業務として健康増進施設の設置が規定された．

③第3次医療法改正（1998年）

　第3次改正はa）有床診療所への療養型病床群の設置，b）地域医療支援病院制度の創設，c）広告規制の緩和，d）医療計画の見直し（療養型病床群の整備を目標）などが主要項目である．2年後の介護保険制度開始を見据え，介護保険制度に関連した内容も多く，その基盤整備の一環をなす改正であったといえる．総合病院制度を廃止して地域医療支援病院を新設したのもこの改正であった．

④第4次医療法改正（2001年）

　第4次改正の主要項目はa）入院医療提供体制の整備，b）医療における情報提供の推進，c）医療従事者の資質向上（医師，歯科医師の臨床研修必修化）である．少子高齢化の進展に伴う疾病構造の変化に対応し，良質な医療を効率的に提供する体制の確立を目指すものである．病床区分の見直しでは従来の「その他の病床」を「療養病床」と「一般病床」に区分した．療養病床は主として長期にわたり療養を必要とする対象者を入院させる病床であり，一般病床は結核病床，精神病床，感染症病床以外の病床である．

⑤第5次医療法改正（2006年）

　医療法全般にわたり大幅に手が加えられたのが第5次改正である．要点はa）対象者への医療に関する情報提供の推進の一環としての入院診療，b）退院計画書作成の義務づけ，c）医療計画の見直

しを通じた医療機能の分化，d）連携の推進・地域や診療科による医師不足への対応，e）医療安全の確保，f）医療法人制度改革，g）有床診療所に対する規制の見直しなどである．対象者の視点に立ち，対象者のための医療供給体制の改革をこの改正の基本的視座としている．

⑥第6次医療法改正（2014年）

2014年「地域における医療及び介護の総合的な確保を推進するための関係法律の整備等に関する法律」（「医療介護総合確保推進法」）が成立し，これを受け第6次改正が行われた．地域における医療と介護を総合的に確保していくため，高度急性期から在宅医療まで，対象者の病態に応じた適切な医療を，地域において効果的かつ効率的に提供する体制を整備する．そして，対象者ができるだけ早く社会に復帰し，地域で継続して生活を送れるようにする医療提供体制改革の方向性を提示した改革であった．すなわち，「地域包括ケアシステム」の構築を意識した医療と介護の改革を一括した改正であったといえる．

⑦第7次医療法改正（2015年）

第7次改正では特に「地域医療連携推進法人制度の創設」で，医療機関相互間の機能の分担および業務の連携を推進することをその目的としている．これは，複数の病院（医療法人など）を統括し，一体的な経営を行うことによって，経営効率の向上を図るとともに，地域医療・地域包括ケアの充実を推進し，地域医療構想を達成するための1つの選択肢とすることである．地域医療構想は，各都道府県が2018年3月までの策定を義務づけるもので，2025年に向けて，病床の機能分化・連携を進めるために，医療機能ごとに2025年の医療需要と病床数の必要量を推計し定めるものである．

⑧第8次医療法改正（2017年）

この改正では特定機能病院の管理および運営に関する規定の創設，医療機関開設者に対する監督規定の整備，医療機関のウェブサイトなどにおける虚偽・誇大などの表示規制が創設された．いずれも医療機関の管理運営に関することが取り上げられているのが特徴である．

⑨第9次医療法改正（2021年）[21]

この改正ではa）医師の働き方改革，b）各医療関係職種の専門性の活用，c）地域の実情に応じた医療提供体制の確保の3点が挙げられる．医師の働き方改革では，医師の長時間労働を緩和し，質の高い医療の提供ができる体制を目指している．診療に従事するすべての医師が対象となる基準では，年間の時間外労働時間の上限を原則960時間としている．各医療関係職種の専門性の活用では，医師以外の各医療関係職種の専門性を活用した医師の業務のタスクシフト・タスクシェアである．診療放射線技師，臨床検査技師，臨床工学技士，救急救命士の4職種において実施できる業務が拡大された．地域の実情に応じた医療提供体制の確保では，平時からの取り組みとして感染拡大に対応可能な医療機関・病床などを確保することなどが明記された．

3）2022年度診療報酬の改定[22]

今回の改正は具体的な方向性として以下の4点が挙げられる．

①新型コロナウイルス感染症等にも対応できる効率的・効果的で質の高い医療提供体制の構築

今般の新型コロナウイルス感染症の感染拡大においては，地域医療のさまざまな課題が浮き彫りとなった．各々の医療機関等がその機能に応じ地域医療を守るための役割を果たしており地域医療全体を視野に入れ，適切な役割分担のもと，必要な医療を面として提供することの重要性も再認識された．

当面は新型コロナウイルス感染症の対応に注力しつつ，そのなかでも着実に進む高齢化に対応できるよう在宅医療や訪問看護の医療機能，そして地域包括ケアシステムの体制を構築していくことが求められる．

②安心・安全で質の高い医療の実現のための医師等の働き方改革等の推進

地域医療構想の実現に向けた取り組み，実効性のある医師偏在対策，医師等の働き方改革等を推進し，総合的な医療提供体制改革を実施していくことが求められている．医療機関内における労務管理や労働環境の改善のためのマネジメントシステムの実践に資する取り組みの推進や，各職種がそれぞれの高い専門性を十分に発揮するための勤務環境の改善，タスク・シェアリング，タスク・シフティング，チーム医療の推進が求められている．

③患者・国民にとって身近であって，安心・安全で質の高い医療の実現

患者にとって安心・安全に医療を受けられるための体制の評価や医薬品の安定供給の確保，不妊治療の保険適用などをはじめとした新たなニーズに対応できる医療実現の取り組みを進めていく．また，オンライン診療やオンライン服薬指導の普及・促進，医療情報の標準化など，ICTの活用による医療連携の取り組みや質向上も目指す．

④効率化・適正化を通じた制度の安定性・持続可能性の向上

高齢化や技術進歩などにより，将来的に医療費が増大することが予測される．こうしたなか，国民皆保険制度を維持するには，制度の安定性や持続可能性を高める取り組みが必要不可欠である．費用対効果評価制度の活用，市場実勢価格を踏まえた適正な評価，重症化予防の取り組みの推進など，加えて医療資源を効率的かつ重点的に配分しつつ，医療関係者が協働して医療サービスの維持・向上と効率化・適正化することが求められる．

4) 2021 年度介護報酬の改定[23]

2021年度の介護報酬改定は次の5点にまとめることができる．

①感染症や災害への対応力強化

感染症や災害が発生した場合であっても，利用者に必要なサービスが安定的・継続的に提供される体制の構築を目指し，感染症対策の強化，業務継続に向けた取り組みの強化，地域と連携した災害への対応の強化，通所介護等の事業所規模別の報酬等に関して対応がなされた．

②地域包括ケアシステムの推進

住み慣れた地域において，利用者の尊厳を保持しつつ，必要なサービスが切れ目なく提供されるよう取り組みを推進するため，認知症への対応力向上に向けた取り組みの推進，看取りへの対応の充実，医療と介護の連携の推進，在宅サービス，介護保険施設や高齢者の住まいの機能・対応強化，ケアマネジメントの質の向上と公正中立性の確保，地域の特性に応じたサービスの確保などが盛り込まれた．

③自立支援・重度化防止の取り組みの推進

制度の目的に沿って，質の評価やデータ活用を行いながら，科学的に効果が裏付けられた質の高いサービスの提供を推進するため，リハビリテーション・機能訓練，口腔，栄養の取り組みの連携・強化，介護サービスの質の評価と科学的介護の取り組みの推進，寝たきり防止等，重度化防止の取り組みの推進が盛り込まれた．特に，リハビリテーションマネジメントの強化，計画作成や多職種間会議

でのリハ・口腔・栄養専門職の関与の明確化，退院退所直後のリハの充実，通所介護や特別養護老人ホーム等における外部のリハ専門職等との連携による介護の推進などが推奨されている．これらは私たち理学療法士の業務に大きく関わることであり，介護保険領域での理学療法の有効性を示していくことにもつながる．

④介護人材の確保・介護現場の革新

　喫緊・重要な課題として，介護職員の処遇改善や職場環境の改善に向けた取り組みの推進，テクノロジーの活用や人員基準・運営基準の緩和を通じた業務効率化・業務負担軽減の推進，文書負担軽減や手続きの効率化による介護現場の業務負担軽減の推進などが盛り込まれた．

⑤制度の安定性・持続可能性の確保

　必要なサービスは確保しつつ，適正化・重点化を図るとして，訪問看護のリハの評価・提供回数等の見直し・長期間利用の介護予防リハの評価の見直しなど評価の適正化・重点化が盛り込まれた．また，月額報酬化（療養通所介護）や加算の整理統合（リハ，口腔，栄養等）など報酬体系の簡素化が図られた．

5）医療法改正，報酬制度改定と理学療法士

　診療報酬は医療行為の対価として算定される治療費のことである．私たち理学療法士が医師の処方を受けて理学療法を実施したとき，その技術料として疾患別リハビリテーション料を算定できる．診療報酬は2年ごとに改定される．介護報酬は介護保険サービスの価格を示したもので，3年ごとに改定される．

　医療法の改正や診療報酬，介護報酬の概要を知ると，日本の医療，介護が抱える課題に対し国や厚生労働省がどのように対応しているかがわかる．リハビリテーション関連の診療報酬の変更点は，刻々と変動する医療情勢，理学療法士を取り巻く環境を色濃く反映している．リハビリテーション医療では急性期，回復期のリハビリテーションが重視される一方，いわゆる維持期（生活期）のリハビリテーションを介護保険領域に誘導するための改定が行われてきた．また，団塊の世代が75歳以上になる2025年，さらには団塊の世代が90歳以上，団塊ジュニア世代が65歳以上になる2040年に予測される社会情勢を見越し，地域医療構想と地域包括ケアシステムの推進を国は大胆に推し進めている．このような動きを察知し，理学療法士が社会から求められていることを的確に認識し，日々の業務や職能団体の活動に関わっていくことは理学療法士の業務範囲と職域の拡大に結びついていく．

5　ヘルスプロモーションと理学療法士

1）ヘルスプロモーションとは

　1986年，世界保健機関（WHO）はカナダのオタワで開催されたヘルスプロモーションに関する国際学会で「オタワ憲章」を採択した．この憲章においてヘルスプロモーションは「人びとが自らの健康とその決定要因をコントロールし，改善することができるようにするプロセス」と定義されている[24]．また，その目標を「すべての人びとがあらゆる生活舞台―労働・学習・余暇そして愛の場―で

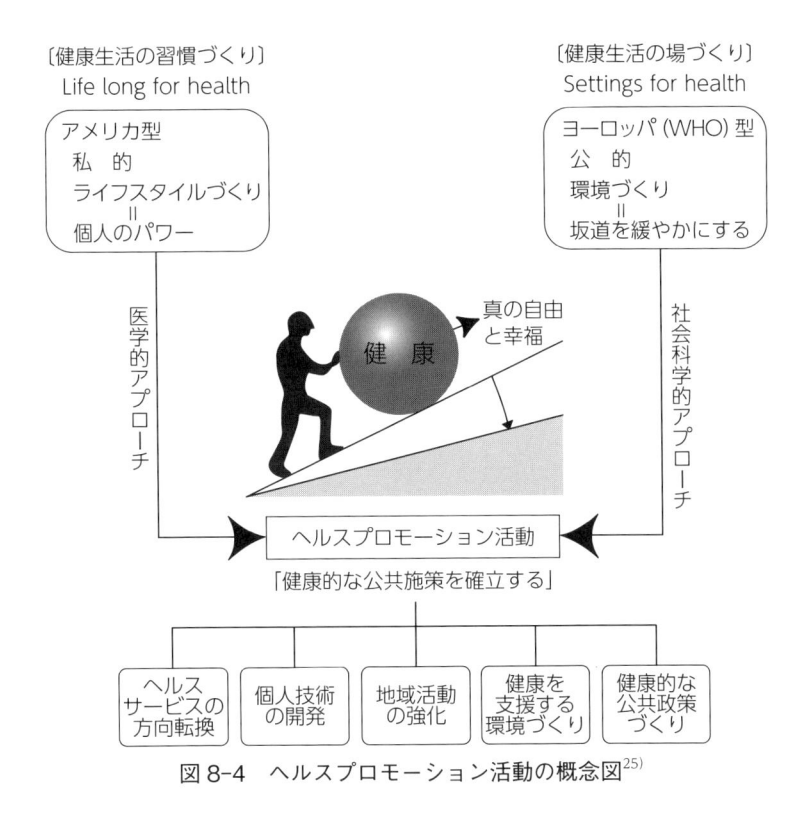

〔健康生活の習慣づくり〕
Life long for health

〔健康生活の場づくり〕
Settings for health

アメリカ型
私 的
ライフスタイルづくり
＝
個人のパワー

ヨーロッパ (WHO) 型
公 的
環境づくり
＝
坂道を緩やかにする

医学的アプローチ

社会科学的アプローチ

健 康

真の自由
と幸福

ヘルスプロモーション活動

「健康的な公共施策を確立する」

| ヘルスサービスの方向転換 | 個人技術の開発 | 地域活動の強化 | 健康を支援する環境づくり | 健康的な公共政策づくり |

図 8-4　ヘルスプロモーション活動の概念図[25)]

健康を享受することのできる公正な社会の創造」としている．従来の健康づくりといえば，医師，保健師，栄養士などの専門職が指導を行い，健康へと導くものとされていた．しかし，人任せではなく，自らの力で健康や豊かな人生を手に入れることができるよう関連専門職が知識や技術を相互に提供し，加えて環境づくりなどを通して支援していくのがヘルスプロモーションの考え方である．図 8-4[25)] にヘルスプロモーション活動の概念図を示した．人が「健康」という球を押しながら坂道を昇っている．球を押しながら坂道を昇っていくには力を要する．坂道の勾配が急であれば，うまく押し上げ，押し続けることができない．球を押し上げる力とは「健康生活の習慣づくり」，すなわち，健康に関する知識や技術を習得し実践していくことである．しかし，力の強い人もいれば，弱い人もいるので，坂道の勾配を緩やかにすることで力の弱い人でもなんとか球を押しながら坂道を昇ることができる．坂道の勾配を下げることが「健康生活の場づくり」，すなわち，健康を支援する環境づくりである．このように健康生活の習慣づくりと健康生活の場づくりとの相互作用により健康を保ち，真の自由と幸福を得ることが基本概念である．つまり，ヘルスプロモーションとは個人のライフスタイルから公共の政策までを含む概念であり，健康を維持させるのは個人の努力だけでなく，環境やそれを保障する政府の責任をも含むのである[26)]．

2) 日本の健康づくり施策と健康日本 21

日本は 1950 年代後半から 1970 年代初頭にかけ高度経済成長を経験する．同時に，産業構造や人口構造の変動，医学の進歩，公衆衛生の発展に伴う疾病構造の変容が生じ，国はさまざまな健康づく

り対策を講じてきた．1978 年からは「第一次国民健康づくり対策」が，1988 年からは「第二次国民健康づくり対策（アクティブ 80 ヘルスプラン）」が開始された．しかし，これらは早期発見，早期治療といった二次予防に重点を置いた取り組みであった．2000 年から開始される「第三次国民健康づくり対策（21 世紀における国民健康づくり運動：健康日本 21）」は健康を増進し発病そのものを予防する一次予防を重視した新たな健康づくり対策である．

「健康日本 21」はすべての国民が健康で明るく元気に生活できる社会の実現を図るために，壮年死亡の減少，認知症や寝たきりにならない状態で生活できる期間（健康寿命）の延長を目標に，国民の健康づくりを総合的に推進することを基本理念としている．健康改善の目標を明らかにするため，2010 年までに達成すべき健康づくりに関する目標を栄養・食生活，身体活動・運動，休養・こころの健康づくり，歯科，たばこ，アルコール，糖尿病，循環器病，がんの 9 分野に分けて提示している．「健康日本 21」の取り組みは 2000 年から 2012 年を運動期間とし 2010 年から最終評価を行い，その評価を 2013 年以降の施策に反映させる．

「健康日本 21」を引き継いだ「健康日本 21（第二次）」[27] は国民健康づくり運動を推進するため，目標設定後 5 年を目途にすべての目標について中間評価を行うとともに，目標設定後 10 年を目途に最終評価を行うことにより，その後の健康増進の取り組みに反映させていくとしている．基本的な方針として，①健康寿命の延伸と健康格差の縮小，②生活習慣病の発症予防と重症化予防の徹底，③社会生活を営むために必要な機能の維持および向上，④健康を支え，守るための社会環境の整備，⑤栄養・食生活，身体活動・運動，休養，飲酒，喫煙および歯・口腔の健康に関する生活習慣および社会環境の改善の 5 つを掲げている．

2024 年度からは，国民の健康の増進の総合的な推進を図るための基本的な方針に基づき，第 5 次国民健康づくり対策である「21 世紀における第三次国民健康づくり運動（健康日本 21（第三次））」[28] が開始されるが，その推進にあたっては，これまでの取り組みの変遷に留意しつつ，新たな健康課題や社会背景，国際的な潮流等を踏まえながら，取り組んでいくことが必要である．

3）特定健診・特定保健指導

「健康日本 21」は 2000 年から開始されたが，その中間報告で健康状態および生活習慣の改善がみられない，もしくは悪化していることが明らかになった．そこで，これまでの成果と課題を踏まえ，生活習慣病予防の徹底を図るため，国は 2008 年から「高齢者の医療の確保に関する法律」（「老人保健法」に替わり制定された法律で「高齢者医療確保法」ともよばれる）に基づき，医療保険者に対し，40～74 歳の加入者（被保険者，被扶養者）を対象とした「糖尿病等の生活習慣病に関する健康診査（「特定健診」）」および「特定健診の結果により健康の保持に努める必要がある者に対する保健指導（「特定保健指導」）」の実施が義務づけられることとなった[29]．

「特定健康診査及び特定保健指導の実施に関する基準」（2007 年 12 月 28 日厚生労働省令第 157号）の第 7 条と第 8 条に「医師，保健師，管理栄養士又は食生活の改善指導若しくは運動指導に関する専門的知識及び技術を有すると認められる者」といっ記載がある．ここに記載された関連専門職が特定保健指導の一部を行うことができるとしている．その実施者に関しては 2008 年 1 月 17 日の厚生労働省告示第 10 号には「看護師，栄養士等であって，内容が別表第 2 に定めるもの以上である運動指導担当者研修を受講した者」とある．この「看護師，栄養士等」には「特定健康診査及び特定

保健指導の実施について」[30] に，看護師，栄養士のほかに歯科医師，薬剤師，助産師，准看護師，理学療法士を含むとの記載があり，理学療法士が運動指導に関する専門的知識および技術を有すると認められ，特定保健指導の一部をできることとされている．

　実際に特定保健指導に携わっている理学療法士は決して多くはないと思われる．しかし，理学療法士が特定保健指導のスタッフとして参入することは可能であり，これを有効に活かす体制づくりと環境が必要であろう．

4) 日本のヘルスプロモーション

　健康日本 21（第二次）最終評価報告書概要[31] が 2022 年に報告された．53 項目について達成状況を評価・分析すると，目標値に達した項目は 8 項目（15.1％），現時点で目標値に達していないが，改善傾向にある項目は 20 項目（37.7％），変わらない項目は 14 項目（26.4％），悪化している項目は 4 項目（7.5％），評価困難は 7 項目（13.2％）であった．

　また，分野別の評価において「身体活動・運動」では，日常生活における歩数の増加と，運動習慣者の割合の増加に関しては変わらないという評価であった．住民が運動しやすいまちづくり・環境整備に取り組む自治体数の増加では，現時点で目標値に達していないが，改善傾向にあるという評価であった．このように「身体活動・運動」に関しては目標に達しなかった項目が多かった．日常生活における歩数の確保は肥満，生活習慣病の発症，高齢者の虚弱化を予防する．速やかに対策を実施する必要がある．具体的には，個人の置かれている環境（地理的・インフラ的・社会経済的）や地域・職場における社会支援の改善などが挙げられている．

　理学療法士はこれまで機能損傷・不全のある人を対象にその基本動作の回復を図るために，主に医療という領域で運動療法や物理療法を行ってきた．しかし，今日，理学療法士に対するニーズは治療という観点にとどまらず，病気やけがの予防，高齢者が要介護状態になることを防止する，介護の重度化の予防，生活機能低下者の健康維持増進など生活・人生の質（Quality of Life：QOL）向上の立場からも高まっている．ヘルスプロモーションの考え方が国家的戦略に盛り込まれつつある現在，疾病予防，介護予防および健康増進に理学療法士がこれまで培ってきた技能を活かすことは国民からも支持されることと思われる．機能損傷・不全をきたす可能性のある人びとが体操や運動を習慣化していく活動を下支えする専門職として，ヘルスプロモーションを理学療法士が活躍する新たな領域として捉え，多くの理学療法士が関わりをもっていくことが必要であろう．

6　今後期待される領域

　本書の第 14 章「理学療法の開拓領域」には，今後，さらに開拓が期待される理学療法領域が紹介されているが，ここでは，4 つの領域について記述する．

1) スポーツと理学療法士

　日本では 1980 年代からスポーツ整形外科としてスポーツ外傷・機能不全を専門的に治療する医療機関が開設されて以来，専門医療機関の増加とともに理学療法士がスポーツ外傷・機能不全に関わる

機会が多くなってきた．さらに，理学療法士の活動の場は医療機関にとどまらずスポーツ医科学の専門施設や地域のスポーツ団体，大学，実業団，プロスポーツ選手の健康管理にも広がっている．また，通常の業務とは別に，理学療法士が野球やサッカーなどのスポーツ大会においてコンディショニングを担う医療チームの一員として関わる機会も増えている[32]．さらに，車いすマラソン[33]，義足装着者の陸上競技[34]，車いすテニス[35]，ボッチャ競技[36] などの社会参加制約者のスポーツに対する理学療法士の関わりも報告されている．

　スポーツ医療は，スポーツ選手や愛好家など，スポーツ活動を実践している者を対象とした医療[37] とされ，外傷後の機能回復とともに競技パフォーマンスの向上が求められる．現在，スポーツ医療で理学療法士が担う役目を運動器への対応に限局する際，a）リハビリテーション，b）リコンディショニング，c）スポーツ外傷（急性，慢性）予防対策，d）身体的コンディショニング，e）外傷後の急性期処置とされており，スポーツ理学療法の目標は，対象者が安全で効率よくスポーツに取り組むことができる身体機能の維持，獲得にある[32]．

　スポーツ活動の現場で，主にスポーツ競技選手の健康，体調管理，技術指導を担う専門職をトレーナーとよんでいる．トレーナーに関し，日本で唯一制度化された資格に「日本スポーツ協会公認アスレティックトレーナー」がある．日本スポーツ協会が定めるカリキュラムを修了し，検定試験に合格することで認定される．2022年10月現在有資格者は全国で5,002人である[38]．

　近年，スポーツを楽しむ人びとが増えると同時に外傷・機能不全の発生も増えていく傾向にあり，これらの予防に対する重要性が叫ばれている．外傷を予防していくには，各競技種目に発生しやすい特有の外傷，それぞれの動作や特に負担がかかる肢位などの外傷発生機序を分析し，対象者の機能水準と照らし合わせて予防策を提案し実行することが求められる．理学療法士は，対象者の動作を分析し，外傷の要因を明らかにして対策を講じる技能を有する専門職の1つである．しかし，ヘルスケア産業やスポーツ関連施設に従事する理学療法士は全国で220人とまだまだ少ない（表8-4）．今後この分野で理学療法士が大いに活躍することが望まれる．

2）理学療法士の起業

　理学療法士の新卒者の増加により需要と供給のバランスが整いつつあるいま，理学療法士の活動は医療施設以外の分野にも広がり，起業する者の数も急速に増加している．理学療法士の業界内で起業はかつて批判的なイメージで受け止められていた時期があった．しかし，専門性を活かして地域・社会にいかに貢献し，それに関わる人びとをいかに幸せにするか，ひいては集団としての組織価値を地域内でどのようにつくっていくかが重要であり，起業は広義の社会貢献が前提であると山根[39] は述べている．

　理学療法士の起業の形態としては，介護保険サービス事業所，医療福祉施設，フィットネス事業所，研修企画運営などが挙げられる．理学療法士の起業が増えてきたきっかけは介護保険制度の創設であり，通所事業所の開設例が多い．

　理学療法士は医療を基盤にした知識をもち，加えてさまざまな運動機能低下に対する評価や生活という切り口で分析し対応する能力を有する専門職である．このような能力を発揮できるフィールドは，在宅医療や福祉に関わる分野，予防分野，健康産業にまで広がっている．理学療法士の資質が理学療法士による起業を通じて，これらの分野をさらに成長させていくことが望まれる[40]．

3) プライマリ・ケアと理学療法士

　プライマリ・ケアとは米国国立科学アカデミーの定義（1996年）では，「primary care とは，患者の抱える問題の大部分に対処でき，かつ継続的なパートナーシップを築き，家族および地域という枠組みのなかで責任をもって診療する臨床医によって提供される，総合性と受診のしやすさを特徴とするヘルスケアサービスである」とされている．専門診療科別の医師を専門医とするなら一般医，総合医（general physicians），家庭医（family physicians）がプライマリ・ケアを担う医師である．米国では主治医のことを Primary Physicians とよんでいる．日本では医学部を卒業し，医師免許を取得した医師は，医師臨床研修制度のもとで2年以上の臨床研修を行う．この医師臨床研修制度に関し，厚生労働省は「医師法第16条の2第1項に規定する臨床研修に関する省令の施行について」[41] において，「医師が，医師としての人格を涵養し，将来専門とする分野にかかわらず，医学および医療の果たすべき社会的役割を認識しつつ，一般的な診療において頻繁に関わる負傷または疾病に適切に対応できるよう，プライマリ・ケアの基本的な診療能力（態度・技能・知識）を身につけることのできるものでなければならない」とし，プライマリ・ケアへの対応能力習得の必要性を述べている．

　理学療法士は0歳児から高齢者まですべての年齢層の人びとの生活機能の再建と社会参加に関わっている．活動の場も病院，施設，地域，教育，健康増進施設など多彩である．効果的な関わりをもつために，精神面や社会面をも含めた広い視点から対象者を把握し，全人的に対象者の社会参加の支援に貢献しようとしている[42]．これは，プライマリ・ケアが目指すところでもあり，特に地域ケア活動において全人的視点をもって対象者を評価し対策を立てられる専門職として理学療法士の活躍には大きな期待が寄せられている．

4) NST と理学療法士

　NST（Nutrition Support Team）は栄養サポートチームとよばれ，医師や管理栄養士，薬剤師，看護師，臨床検査技師などの関連専門職が連携し，知識や技術をもち寄り，対象者に最もふさわしい方法で栄養支援を行うことを目的としたチームのことである．栄養状態がよくないと，いくらよい治療介入をしても回復を見込むことができず，また手術後であれば感染症や合併症を起こす危険が高まる．このような課題を解決するために組織されたチームが NST である．理学療法を行う高齢者や生活機能低下者の多くは低栄養状態であることが多く，抵抗運動や持久力の向上を目的とした運動療法だけでは効果が得られないだけではなく，逆に過用により筋力や持久力を悪化させることもある．

　日本静脈経管栄養学会は「栄養サポートチーム（NST）専門療法士」認定制度[43] を設け NST 活動の普及に努めている．認定の対象となる国家資格は管理栄養士，看護師，薬剤師，臨床検査技師，言語聴覚士，理学療法士，作業療法士，歯科衛生士，臨床放射線技師である．5年以上の実務経験に加え所定の教育セミナーや指定された学会への参加後に認定試験を受けることができる．NST 専門療法士の資格を有する理学療法士は少ないと思われるが，NST 専門療法士の資格を取得していなくても，NST のメンバーとして活動している理学療法士は多い．チームの一員としてその専門性をより発揮するには，栄養管理に関する知見を深めていくことも必要と思われる．

（岩井信彦）

■文献

1）診療点数早見表—［医科］2022年4月現在の診療報酬点数表：医学通信社，600-603，2022.
2）日本理学療法士協会白書委員会：理学療法白書2007. p130，日本理学療法士協会，2008.
3）日下隆一：理学療法料の変遷と理学療法士の専門性. Jpn J Rehabili Med，**44**：334-338，2007.
4）World Physiotherapy ホームページ：Description of physical therapy（和文：理学療法の説明）（2023年11月8日確認）
5）松村　秩：理学療法の定義の変遷について. 理学療法学，**14**：410-411，1987.
6）中屋久長：理学療法の定義—教育の立場から—. 理学療法学，**14**：412-416，1987.
7）奈良　勲：私の考える理学療法定義. PTジャーナル，**44**：686，2010.
8）公益社団法人日本理学療法士協会：理学療法士業務指針. 2022年4月 https://www.japanpt.or.jp/about/disclosure/PT_Business_guidelines.pdf（2023年8月27日確認）
9）理学療法士ガイドライン（公益社団法人日本理学療法士協会）：日本理学療法士協会規程集，2020.9. pp272-290.
10）厚生労働省医政局長　医政発0430第1号，医療スタッフの協働・連携によるチーム医療の推進について，2010年4月30日.
11）厚生労働省医政局長　医政医発1127第3号，理学療法士の名称の使用等について（通知），2013年11月27日.
12）日本理学療法士協会ホームページ：理学療法士国家試験合格者の推移，会員の分布統計，情報｜協会の取り組み｜公益社団法人 日本理学療法士協会（japanpt.or.jp）（2023年8月13日確認）
13）日本理学療法士協会ホームページ：理学療法士養成校一覧. 養成校一覧｜理学療法士を知る｜公益社団法人 日本理学療法士協会（japanpt.or.jp）（2023年8月14日確認）
14）厚生労働省ホームページ：医療従事者の需給に関する検討会第3回理学療法士・作業療法士需給分科会資料1（2018年4月5日開催）Microsoft PowerPoint-04【資料1】理学療法士・作業療法士の需給推計の結果（mhlw.go.jp）（2023年8月13日確認）
15）厚生労働省ホームページ：医療従事者の需給に関する検討会第3回理学療法士・作業療法士需給分科会資料2（2018年4月5日開催）Microsoft PowerPoint-05【資料2】今後の方向性について190326（mhlw.go.jp）（2023年8月13日確認）
16）日本理学療法士協会：第36総会並びに代議員会資料，2007年5月23日.
17）日本理学療法士協会：第41定時総会議案書，2012年6月9日.
18）日本理学療法士協会：第47定時総会議案書，2018年6月2，3日.
19）総務省統計局ホームページ：人口推計（2022年10月1日現在）. 統計局ホームページ/人口推計/人口推計（2022年（令和4年）10月1日現在）-全国：年齢（各歳），男女別人口・都道府県：年齢（5歳階級），男女別人口-(stat.go.jp)（2023年8月28日確認）
20）本井　治：よくわかる医療・福祉関係法規の手引き. 共和書院，2008.
21）厚生労働省ホームページ：第79回社会保障審議会医療部会「良質かつ適切な医療を効率的に提供する体制の確保を推進するための医療法等の一部を改正する法律」の成立について令和3年6月3日，03資料1（mhlw.go.jp）（2023年8月30日確認）
22）厚生労働省ホームページ：令和4年度診療報酬改定の基本方針，000870401.pdf（mhlw.go.jp）（2023年8月30日確認）
23）厚生労働省ホームページ：令和3年度介護報酬改定について，令和3年度介護報酬改定について（mhlw.go.jp）（2023年8月30日確認）
24）川口浩太郎：ヘルスプロモーションにおける理学療法士の役割と可能性. PTジャーナル，**42**：551-558，2008.
25）ヘルスプロモーション学会ホームページ：ヘルスプロモーション活動の概念図，https://plaza.umin.ac.jp/~jshp-gakkai/intro.html（2023年8月22日確認）
26）工藤禎子，中島紀恵子：ヘルスプロモーションの概念と動向. 看護研究，**30**：3-11，1997.

27) 厚生労働省ホームページ：健康日本 21（第二次）．健康日本 21（第二次）|e- ヘルスネット（厚生労働省）（mhlw.go.jp）（2023 年 8 月 30 日確認）

28) 厚生労働省ホームページ：「健康日本 21（第三次）」を推進する上での基本方針を公表します，「健康日本 21（第三次）」を推進する上での基本方針を公表します | 厚生労働省（mhlw.go.jp）（2023 年 8 月 30 日確認）

29) 厚生労働省保険局医療介護連携政策課医療費適正化対策推進室：特定健康診査・特定保健指導の円滑な実施に向けた手引き（第 3.2 版）2021 年 2 月，特定健診・保健指導ハンドブック（mhlw.go.jp）（2023 年 8 月 30 日確認）

30) 厚生労働省健康局長，厚生労働省保健局長：健発第 0310007 号，保発第 0310001 号，平成 20 年 3 月 10 日，特定健康診査及び特定保健指導の実施について，untitled（mhlw.go.jp）（2023 年 8 月 30 日確認）

31) 厚生労働省ホームページ：健康日本 21（第二次）最終評価報告書概要，000999445.pdf（mhlw.go.jp）（2023 年 8 月 30 日確認）

32) 小林寛和：スポーツと理学療法のかかわり．PT ジャーナル，**46**：579-584，2012.

33) 大川裕行，指宿　立：車いすマラソンにおける理学療法の関わり．PT ジャーナル，**44**：855-860，2010.

34) 駒場佳世子：義足装着者の陸上競技における理学療法の関わり．PT ジャーナル，**44**：861-865，2010.

35) 蛭江共生：車いすテニスにおける理学療法の関わり．PT ジャーナル，**44**：875-879，2010.

36) 奥田邦晴：ボッチャ競技における理学療法の関わり．PT ジャーナル，**44**：881-886，2010.

37) 星川吉光・他（編）：スポーツ外傷学・―スポーツ外傷学総論．pp8-19，医歯薬出版，2001.

38) 日本スポーツ協会ホームページ：スポーツ指導者に関するデータ．公認スポーツ指導者登録者数．スポーツ指導者に関するデータ-スポーツ指導者-JSPO（japan-sports.or.jp）（2023 年 8 月 30 日確認）.

39) 山根一人：「起業」から「安定した経営」へ移行するために必要なこと．PT ジャーナル，**43**：313-316，2009.

40) 松井一人：わが国の理学療法士による起業の現状と課題．PT ジャーナル，**43**：291-295，2009.

41) 厚生労働省医政局：医師法第 16 条の 2 第 1 項に規定する臨床研修に関する省令の施行について，医政発第 0612004 号，2003 年 6 月 12 日（一部改正 2016 年 7 月 1 日），中期目標（案）（mhlw.go.jp）（2023 年 8 月 31 日確認）

42) 神沢信行：生活機能向上への理学療法士の貢献―脳血管障害を中心に―．甲南女子大研究紀要創刊号看護学・リハビリテーション学編：7-14，2008.

43) 日本臨床栄養代謝学会ホームページ：栄養サポートチーム専門療法士認定規程，栄養サポートチーム専門療法士認定規程 | 日本臨床栄養代謝学会（jspen.or.jp）（2023 年 8 月 31 日確認）

理学療法部門における管理

　管理とは，管轄し処理すること，よい状態を保つように処理すること，最良・最善の結果を生むために効率的な方法を選択すること，人間がある特定の目標に対して行う合目的行為の過程であるといわれる．2023年3月末（第58回国家試験発表時点）で理学療法士免許有資格者は累計213,735人（作業療法士同113,879人）であり，毎年1万人を超える理学療法士の有資格者が誕生している．2023年3月末の公益社団法人日本理学療法士協会ホームページによれば，現在協会会員数は休会者を含め136,357人（組織率約64%）で，2018年度の組織率約73%（累計有資格者115,825人）と比較して約10%減少している．母数が国家試験合格者累計とはいえ，協会加入率が減少傾向にあり，危惧されるところである．性別構成率は男性会員が60.8%（平均年齢35.6歳），女性会員39.2%（平均年齢34.7歳）で，5年前と男女比はほぼ変わらいものの，平均年齢は男性会員で2.5歳，女性会員で1.7歳上昇している．協会員の約3/4が20〜30歳代である（図9-1）．

　主たる職場では，医療施設（病院・診療所）が64%で，その大半を急性期・回復期施設で占めている．医療福祉中間施設（介護サービス施設・事業所系では訪問型：訪問リハ，訪問看護ステーションなど，通所型：通所リハ，通所介護など，施設型：老健，特養施設など）12.5%，障害福祉施設（障害者支援施設，身体障害者福祉センター，障害児入所施設，児童発達支援センター，放課後等デイサービスなど）1.1%，教育・研究施設（養成校，研究施設，特別支援学校など）2.2%，行政など0.8%，企業・起業・公的保険外サービス1.0%となっている．5年前（2018年）と比較しても，介護保険関係施設の医療福祉中間施設や予防活動をはじめ，企業に所属，起業している者，さらには行政関係などに所属している者が増加しており，医療職に留まらず職域拡大に向けた新しい展開が伺える．また，休会中で自宅会員が増加傾向にあるが．介護保険認定審査会員，さらには各自治体等の諸

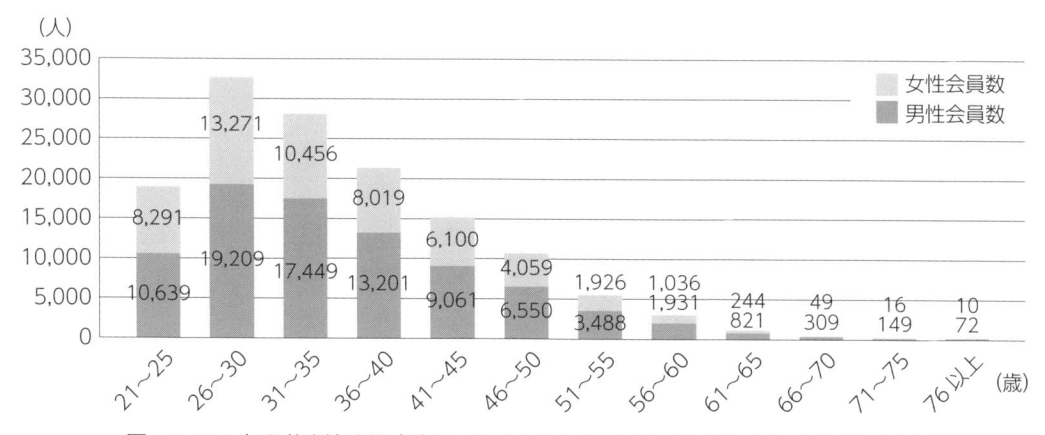

図9-1　日本理学療法士協会会員の年齢および性別会員構成（2023年3月現在）

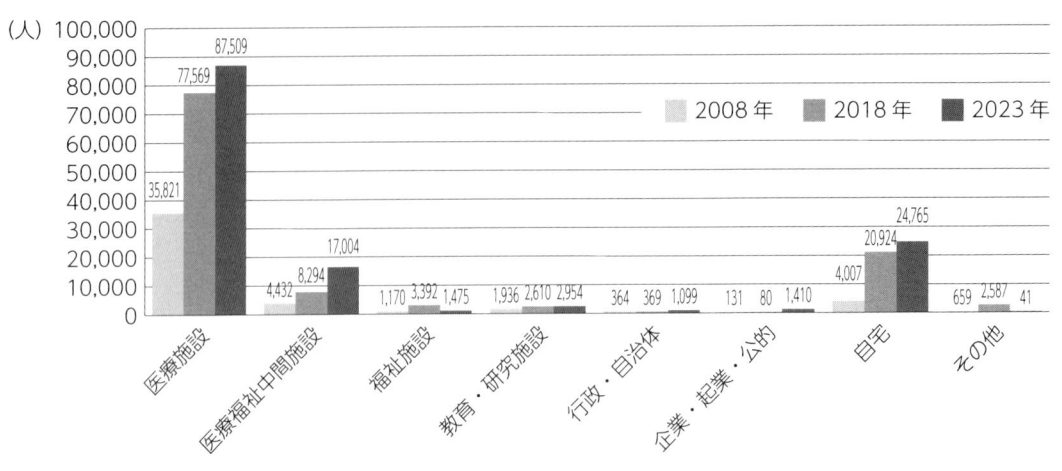

図 9-2　日本理学療法士協会会員の主たる職場区分
2008 年，2018 年，2023 年の比較[1, 2, 3]

委員会構成員として地域での活動，さらには再就職に向けたキャリア教育システムの構築も望まれる
（図 9-2）.

1 組織について

1）組織とは

　組織（organization）とは，特定の目標を達成するために，特定の個人および専門分化した特定
集団の活動を動員し調整するシステムをいう．現代社会においては形式化され整備された組織・集
団，とりわけ団体が発達しているので，組織という概念はこのような集団や団体そのものを指すこと
が多い．一般に組織が成立するためには目標・参加協働意欲，そしてこの両者を媒介して実現してい
く具体的活動としてのコミュニケーションの 3 つが構成要件となる．また，組織が存続していくた
めの機能的要件として目標の達成，構成員の欲求充足の 2 つが必要となる.

2）組織的集団と非組織的集団

　組織的集団（organized group）とは，集団構成員間に役割分担がなされ，その役割に基づいて各
構成員の活動が相互に調整され，共同目標に向けて協働し合う集団をいう．人びとの集まりが組織的
集団である要件は，共同目標，構成員の活動を規定する地位と役割の配分，地位と役割を規定する規
則・規範，そして地位と役割に基づく協働関係である．一方，非組織的集団（unorganized group）
はこのような要件を備えていない人びとの集合体である．その典型的なものが街頭の「群集」であっ
たり，スポーツや映画を観るために集まった「観客」であったり，また，マス・メディアなどを媒介
にして，一定の世論を形成する「公衆」などである．これらの非組織的集団には，たとえば，「観客」
のように共通目標はあってもその目標を協働して達成しようとする相互関係はない.

　私たちの職場は当然，組織的集団であり，所属施設の構成員である以上，規定された役割分担を遂行する必要性がある．そこには順守する規定・規範があることはいうまでもなく，決して群集や観客であってはならない．

　理学療法士国家試験に合格し，理学療法士免許有資格者である者としてその専門性の探求とともに，専門職として自己規制に基づいた行動と社会的規範の順守に努めることが求められる．

2　病院組織とリスクマネジメント

1）病院組織と管理

　病院組織においては，管理構成として全般管理と部門管理に大別される．この全般管理を担うのが施設の代表者で，病院であれば理事長・院長がこの任にあたる．部門管理にあたるのが診療部門，看護部門，診療技術（協力）部門，事務部門として部署化（局化）される．各部門の管理は部長や科長があたることになるが，理学療法士は診療部門あるいは診療技術部門に位置づけされる．その所属部門は，多くがリハビリテーション専門医や専任医師のもとで部門管理されたリハビリテーション科（課），理学療法科に属しているが，整形外科や内科あるいは回復期リハビリテーション病棟では病棟所属となる．その部門管理のなかで監督的立場として職制があり，公立系では技師長，民間系では主任や科長の呼称で管理指導が行われている（図9-3，9-4）．1人の管理者が直接管理できる部下の人数は，係長，主任クラス（下部管理層）で7～8人，部長，科長クラス（上部管理層）で3～4人が適当とされている．しかし，部門管理職の多くは，患者（以下，対象者）治療に携わるとともに，職員の管理監督や対象者の担当割など勤務体制，部門の採算性，物品管理，さらには施設全体のさまざまな委員会への出席なども含まれるため責任の重い立場となる．

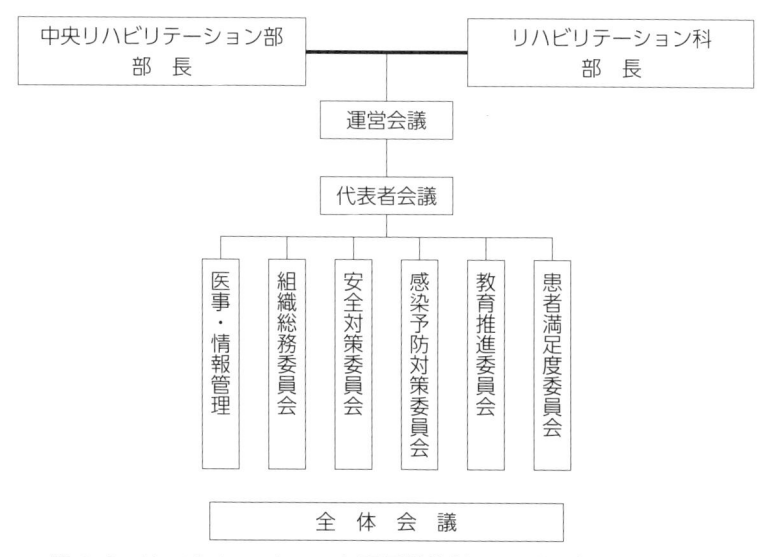

図9-3　リハビリテーション部門運営体制図の一例（九州労災病院）

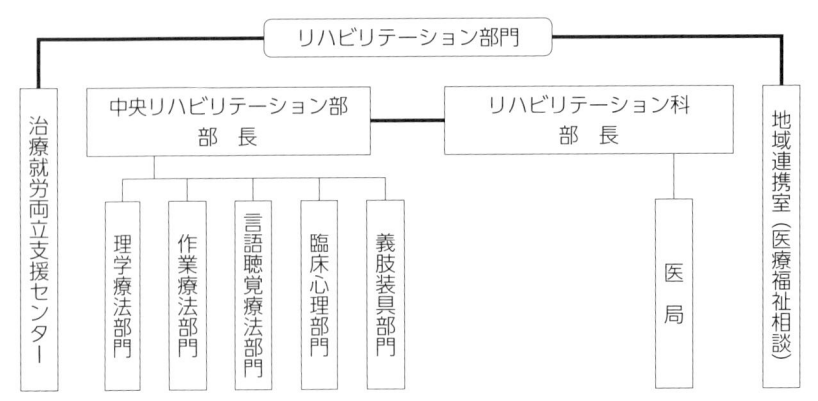

図9-4　リハビリテーション部門診療連携図の一例（九州労災病院）

2）医療安全管理のための取り組み

①医療安全対策の基本的な考え方

　病院の使命は，適切かつ安全な医療を提供することにあり，その使命を妨げる要因は取り除く必要がある．よって，取り組む必要のある事故防止対策は，事後的な対応（危機管理）とともに，事故などを未然に防止する観点からの取り組み（リスクマネジメント）が求められる．これは，医療は病院の医療提供システムに則って提供されるものであり，同時に医療関連専門職の医療行為は連動して提供されるものであることから，一人ひとりの自覚や注意に訴えるだけではなく，病院における医療提供システムの課題として，組織的・継続的に取り組む必要がある．この観点から，事故などの発生につながる要因を取り除き，適切かつ安全な医療を提供する体制を整備し，ひいては医療の質の向上を図ることは極めて重要である．

②用語の定義

a. 医療事故

　医療事故とは医療に関わる場面で，医療の全過程において発生する予測できない事故であって，対象者の死亡，生命の危機，症状の悪化などの身体的もしくは精神的不利益が生じるすべての状況を指し，医療関連専門職の過誤，過失の有無を問わない．なお，①対象者が院内で転倒し負傷した事例のように，医療行為とは直接的関連性がないケース，②対象者ではなく，注射針の誤刺によって医療関連専門職に不利益が生じたケースも医療事故に含まれる．ただし，臨床医学水準上，適切な医療行為を実施したにもかかわらず，対象者が期待する治療効果が得られなかったなどのケースは含まれない．

b. 医療過誤

　医療事故の一類型であって，医療関連専門職が医療の遂行に際して，医療的準則に違反して対象者の不利益の要因になった行為をいう．

c. インシデント事例

　医療事故に至らないまでも，その要因となる危険がある行為を実施またはその直前に避けられた事例をいう．具体的には，次のようなケースを指す．

表 9-1　リハビリテーション実施時における事故観

項　目	従来の考え方	これからの考え方
リハ時における事故	リハ時における事故という考え方，ことばがない もみ消し型の対応	リハ時に事故は起こり得ることを事故から学ぶ 情報開示して議論する
エラーの考え方	注意さえすれば起きない 起こすことは専門職の恥	人は誰でもエラーをする 援助過程のミスは防げる
事故事例の検討	限定的，個人的，原因の特定	総合的，組織的，再発の防止
当事者の人間関係	謝罪なく，対立的	謝罪あり，協力的
安全管理	個別的，経験的	現任研修，体系的

- ある医療行為が対象者には実施されなかったが，仮に実施されたとすれば，何らかの不利益が予測されるケース．
- ある医療行為が対象者には実施されたが，結果的に不利益がなく，その後の観察も不要であったケース．

d. 院内感染

感染症の課題となるのは新型コロナウイルスやインフルエンザをはじめ，風疹・麻疹・水痘・ムンプス・結核や B 型肝炎ウイルス（HBV）などが挙げられ，それらの抗体検査は重要である．よって，感染症の症状，疫学，感染経路，予防方法の正しい理解が大切となる．

③リスクマネジメントとは

リスクマネジメント（risk management）とは医療・介護事故を予防する準備運営のことで，リスクアセスメント（リスク分析）によるリスクの特定，確認を行い，事故発生の予想と予測を事前に考慮することによって事故を回避し，あるいは被害を最小限にとどめ，事業やサービスの効果を最大限引き出すことが目的である．

予知・予後予想することは，事故の発生を未然に防ぐことである．リスクマネジメントの必要性が提唱されるようになったのは，過去には訴訟や紛争の支払いに関連する保険・財政対策として考えられていたが，今日ではサービスの質と組織の健全経営を確保することで国民から選ばれる組織の構築が重視されるようになったからである（表 9-1）．ちなみに危機管理とは，すでに起きてしまった不祥事に関して，事態がそれ以上悪化しないように状況を管理することをいう．たとえば，地震発生時に対象者を迅速に安全な場所へと避難させ，2 次災害を生じさせない対応をとるのが危機管理である．

④ヒヤリ・ハット（インシデント）レポート

ヒヤリ・ハット（インシデント，incident：事故などの危難が発生するおそれのある事態）レポートが事故防止に役立つ理由としては，以下のようなことが挙げられる（表 9-2）．

a) 報告件数が多いインシデントは事故の要因となる危険性が高い．

b) インシデントと事故との差異は，点検・防御機能が作動したか否かであり，影響度が高いインシデントは，重大事故へ発展する可能性が高い．

c) 身近な事例で共有可能な未然の事象であり，開かれた議論がしやすい．現実的にはインシデントを報告されない事例も数多いが，その理由としては以下のような点が指摘される．

表9-2 ヒヤリ・ハットレポート（インシデントレポート）の書式

経験年数： 2年未満 ・ 2〜5年 ・ 6〜15年 ・ 16年以上
日　時： 平成　　年　　月　　日午前・午後　　時　　分頃　　場所
その状況の多忙度：　非常に多忙・多忙・普通・やや余裕がある・余裕がある

具体的内容
1. インシデントの内容
　（インシデントの具体的状況を記述して，その際の担当者の注意点と対象者の意識度はいか
　なる状況でしたか？）

2. 未然に防げたとすれば，いかなる防止策がありましたか？

3. 体験で得た反省点や今後の留意点はありますか？

リスクマネジャーの記載欄
1. リスクの評価　　2. リスクの予測　　3. システム改善の必要性　　4. 教育研修への活用
　① 重大性　　　　① 可能　　　　　　① 既に改善済み　　　　　① あり
　② 緊急性　　　　② 不可能　　　　　② 改善の必要性　　　　　② なし
　③ 頻度　　　　　　　　　　　　　　③ 改善の必要性なし

- 報告の必要性を認識していない：上司に口頭で報告したが，「インシデントレポートは提出しなくてよい」と言われた，「対象者に悪影響がなかった」「告げ口をするようだから」「事態を認知していなかった・報告を怠った」など．
- 余計な仕事をしたくない：記入に時間がかかる，煩わしいことに巻き込まれるなど．
- 人事考課に使われる：悪い評価を受ける，上司に怒られるなど．

以上のような状況に対して，リスクマネジャーの役割が重要となる．

⑤リスクマネジャーの役割

対象者の安全を重視し，ヒヤリ・ハットの報告，また皆で取り組む体制，雰囲気づくりなどの組織の体制づくりを促進する．また，危険な状況を事前に察知するための感性を高め，ヒヤリ・ハットレポートをリスク対策に活かすなどの役割が挙げられる．

また，中間管理者・リーダーの責務として，①自己の地位・役割を認識している，②組織の目的・目標を熟知している，③影響力を有している（業務内容を把握して管理する，医療関連専門職に浸透させる，意見を吸い上げ，まとめ，上司へ提言する）が挙げられる．

⑥事故発生の主な要因

a) 知識・情報不足
b) 正確さを欠いた技能・自己流の介護手順（段取りの悪さ）
c) 単純ミス（不注意によるミス）
d) 倫理上の対応：不審を抱いても確認しない
e) 管理上の対応：複雑な手順，機器の管理不備

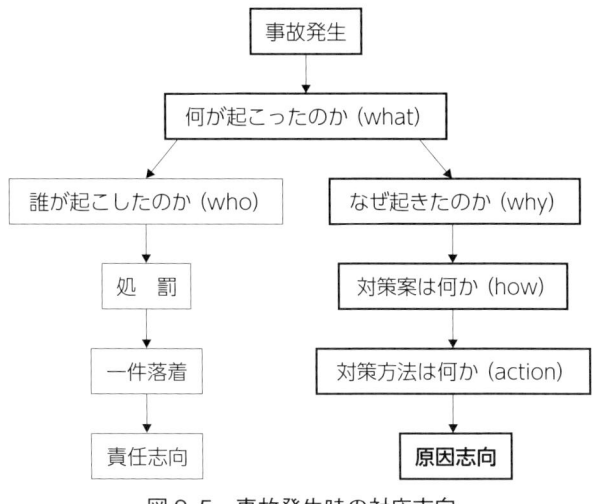

図 9-5　事故発生時の対応志向

⑦システムによる事故発生の可能性

a）処方を受けた者・準備者・実施者がそれぞれ異なるケース

b）治療期間の経過に伴って実施者が複数に及ぶケース

c）担当者と実施者が異なるケース

d）処方内容に変更があったケース

⑧事故に対する 2 つの志向方向

　事故が生じた際の基本的対策は，誰が起こしたのか（責任志向）ではなく，なぜ起きたのかを分析し，今後の対策案とその具体的対策を考えること（原因志向）が重要である．個人の責任を追及する責任志向のみでは事故の解決にはならない（図 9-5）．

⑨安全への取り組み

　いかなる熟練者でも，十分に注意していても，人間には間違いを起こす性分（ヒューマンエラー）があることを念頭に置き，リスク回避機能が働くように慎重にその対策法を講じることが大切である．

　安全対策の基本的事項としては，①事故防止対策に関わる組織の編成，②事故に関する専門知識を有する担当者の設置，③事故防止指針の作成・整備，④施設内事故報告体制の確立，⑤対象者との信頼関係の確立と説明と同意（インフォームド・コンセント：informed consent）の充実，などに留意することが求められる．また，事故報告体制による事故体験の共有，事故分析による事故発生要因の明確化と改善への取り組み（以下に示す 4M4E 方式：事故の要因を 4 つに大別し，それぞれを 4 つの視点からみて対策を講じる）なども必要である．

【要　因】	【視　点】
人（man）	教育・指導（education）
物（machine）	技術（engineering）
環境（media）	強化・徹底（enforcement）
管理（management）	模範（example）

　さらには，法的責任を明確化し自覚の喚起を促すことも必要であり，結果予見義務（行為に伴う危険発生の予測をする義務），結果回避義務（予測した危険発生を回避する行為をする義務）などを周知徹底する.

⑩**医療安全対策マニュアルの作成**

　医療事故の発生を防止するための取り組みは，病院全体で組織的・継続的に遂行することが原則である. そのためには医療事故やインシデント事例の情報を全職員が共有し，医療安全の必要性・重要性を職員一人ひとりが認識して，医療安全に努めることが大切である.

　医療事故やインシデント事例の情報収集を恒常的に実行するとともに，その発生状況・要因の分析，対応策を検討し，その防止策のために欠かせない業務手順・方法などについて定期的に見直す必要がある. そして，それを各職場において習慣づけること，病院全体の医療安全管理マニュアルを作成しておくことは必須である.

　その具体的内容としては，①医療安全のための委員会の設置，②医療安全のための責任者などの配置，③医療事故および医療事故の要因になる情報の早期把握，④報告された情報の分析，⑤分析結果を踏まえた対応策の構築，⑥情報の提供，⑦医療安全対策のための職員研修などの項目について整備することである.

3　理学療法部門の管理

　管理対象となるのは，人（対象者，職員，実習生など），物（物品：治療機器・什器備品，物品台帳など），経済性採算性（診療報酬，部門の採算性など），情報（処方箋から記録・報告，研究・教育など）である.

1）人の管理

　組織において最も重要な課題となるのが人間関係である. 私たち理学療法士が構成する人間関係には，家族を含む対象者との人間関係や，職場での人間関係（同僚理学療法士・医療関連専門職・事務職，実習学生，その他，業者など）である. さらには職場外での人間関係（協会・士会など理学療法士間，他団体の医療関連専門職，保健・福祉あるいは行政職，地域住民など）とさまざまである. リハビリテーションにおける鍵は，チームプレー，チームワークといわれている. よって，医療関連専門職による総合的プログラムに基づいて効果的かつ効率的に目標を達成するためには，チームメンバーが協働し，円滑な人間関係を構築することが前提条件となる. メンバー間においては，チームの一員としての自覚に徹し，業務上の連絡調整をうまく保つことはもとより，個々人が進んで協力し合うように努めることが大切である. そのためには日頃からのコミュニケーションは不可欠である.

　コミュニケーションの方法や姿勢は，同じ理学療法士，あるいは作業療法士，医師，看護師などの専門分野の違いによってその姿勢を変える必要はない. ただし，相手の専門分野と立場を十分に理解・認識し，適切な情報入手を心がけるなど，よりよいコミュニケーション・技能・手段を身につける必要がある. 必ずしも長く話し合う会話が最善のコミュニケーションとは限らない. また，業者などに対しても専門職であることをわきまえ，一人の人間として常に公正・公平に対応することも当然である.

①対象者への対応

　一般的に多くの対象者の心理状態は「羞恥心」「不安」「焦り」「苦痛・苦悩」…など，複雑な様相を呈している．したがって，対象者の気持ちをいかに和らげ，安心して治療に臨めるようにするかを心がけることが肝要となる．そのためには日頃から私たちの感受性（sensitivity）を覚醒させるさまざまな活動を通じて，「臨床の知」を豊かに洗練することが求められよう．

a. 表情

　人の表情は，相手の受け止め方を定める第一印象に大きく影響する．よって，気持ちが対象者に十分に伝わっているか否かが課題となる．たとえば，私たちが買い物に出かけた際に店員の対応を無視することはないように，対象者も医療関連専門職の表情を観察している．ビジネススマイル（商売用の笑顔）と同様，不自然なわざとらしい笑顔はむしろ反感を買うことにもなりかねないので，自然体であることが双方にとって望ましい．

b. 身だしなみ

　臨床において何よりも重要なことは，「清潔感」であろう．対象者に直接触れる機会の多い理学療法士にも清潔な身だしなみが要求される．

c. しぐさ，動作

　対象者の「安心感」と「信頼感」とを得るためには，コミュニケーション時のしぐさや動作が大きな要素となる．しぐさとして「目を見て向き合う」や「傾聴」，言語的コミュニケーションのみではなく身振り言語（ボディランゲージ）も要点となる．また，対象者は，活発な身のこなしやきびきびとした無駄のない動作に対して技能の高さを感じ，安心感や信頼感を抱くことになろう．

d. ことばづかい

　ことばは，物事を思考すると同時に意思を伝えるための最も理性的なヒト（ホモ・サピエンス）らしい重要な手段である．対象者とはもちろんのこと，職員同士や部外者と円滑なコミュニケーションを図るためにも，より適切なことばづかいを身につけることは社会人としての作法でもある．特に挨拶はコミュニケーションの第一歩であり，笑顔で挨拶することは，対象者への心づかいの基本である．

②職場での対応

　職場の同僚の協力は，自ら主体的に協力することによって，初めて得られることになる．そのためには以下の事項を心がけるとよい．

- 組織全体のなかで自分の立場と職務とを認識する．
- 同僚の職務を理解し，尊重する．
- 仕事に関連して十分に報告・連絡・相談（ほうれんそう）する．
- 積極的に人間関係をよくするように努める．

③臨床実習学生への対応

　施設実習における臨床実習教育者と学生との人間関係は，往々にして縦の関係であり，学生側からみればいかに臨床実習教育者と相性が合うか（合わせるか）が大きな課題となる．これは決して好ましいことではない．また，セクシャル・ハラスメントやパワーハラスメント，言語的暴力で悩んでいる学生も少なくない．臨床実習教育者として臨床教育の本質論を熟考することが期待される．

　（本書の編著者奈良は，臨床教育の重要性に鑑み，臨床実習指導者の名称を臨床実習教育者との名称に改訂することを推奨している）

④管理と指導

　集団活動を統一的に組織する機能は，それを統一する側，行う側とそれに従う側との間の「働きかけ方」の相違によって区別する「管理」と「指導」に分けることができる.

　管理とは，集団の共同の実務を執行するために，集団成員相互の関係行動を律するものとして機能するが，その際に何らかの規制・制約，拘束力，強制力によって律することである.

　一方，指導とは，自ら判断し行動することのできる自由な個人や集団に働きかけて，自主的・自発的な行動へと誘うことであり，その際には相手に対して非強制的に働きかける.

　指導力とは，第 1 に指導する者とされる者との間に人間的な交流関係を確立し（感情的交流や信頼関係），第 2 に指導内容が相手に納得できる正当性，合理性，客観性を包含していること，すなわち相互に支え合うものであり，相手を沈黙させる力ではなく，相手の意欲を触発する力である. つまり，自らの課題解決の能力を高めるような指導が望まれる.

⑤よき指導者，リーダーの資質

　管理，指導者やリーダー的立場の人が心がける姿勢としては，話すことよりも聴くことであり，人の心を開かせるのは説得ではなく傾聴であるといわれる. また，リーダーとしての資格は年功序列によって自動的に授与されるものではなく，仕事の実践における誠実さ，知識と技能を兼ね備えた能力，指導力，行動力，洞察力，さらに管理能力を有することをチームメンバーに承認されることである. それに加えて心身ともに健康であることが挙げられる.

2）物の管理

①理学療法機器の選定

　理学療法部門における機器は運動療法，あるいは物理療法であれ施設の特性，対象疾患，取り扱い対象者数，運動療法室の広さ，職員数などによってその種類や台数が必然的に決められる. しかし，現在の診療報酬上のリハビリテーション施設認可を受けるための施設基準として，①人の規定（医師，理学療法士，作業療法士，言語聴覚士の人数の規定），②対象者数の規定（1 日に取り扱う対象者数：単位），③施設面積の規定（理学療法室・作業療法室・言語聴覚室），④器械・器具の規定が設けられているため，それに準じている施設が多い. さらに，2006 年 4 月からは医療保険の改正に伴い，リハビリテーションに関する診療報酬が疾患別区分に変更，2010 年 4 月にさらに変更されたことから，その施設基準によって必要機器も異なる（**表 9-3**）.

②機器の管理

　理学療法処方を受けて実施する治療プログラムに対して，何の機器を用いてその目的を果たすのか，その選択は理学療法士に任せられることがほとんどである. 多くの種類の機器のなかから最適なものを選択し，より効果的に効率よく活用する必要性があるため，理学療法士の責任は重いといえる. 運動療法において使用される機器は，構造が簡単で使いやすく（操作が簡単），効果的かつ安全性が保証されていることが第一である. また，部品などの消耗によって破損したときには，直ちに修理や交換可能な機器がよい.

a. 機器の正しい使用方法，安全性の確認

　機器の種類は著しく増加し，構造自体も複雑，高度なものが多くなってきた. また，機器の多様化につれ，操作も難しく，マニュアルを十分に理解せずに使用すると，機能自体の特性を活かせないほ

表 9-3　疾患別施設基準（2018 年 4 月現在）

疾患別区分	施設面積	従事者	具備すべき器械・器具
脳血管疾患等リハビリテーション（Ⅰ）	160 m² 以上 言語聴覚療法を行う場合：遮蔽等に配慮した個別療法室 8 m² 以上	専任常勤医師 2 名以上 （1 名は脳血管疾患等リハの経験を有すること） ①専従常勤 PT 5 名以上 ②専従常勤 OT 3 名以上 ③専従常勤 ST 1 名以上（ST 施行時） ④①～③の合計で 10 名以上	歩行補助具，訓練マット，治療台，砂嚢などの重錘，各種測定用器具（角度計，握力計等） 血圧計，平行棒，傾斜台，姿勢矯正用鏡，各種車いす，各種歩行補助具，各種装具（長・短下肢装具等），家事用設備，各種日常生活動作用設備　等．ただし，言語聴覚療法を行う場合は，聴力検査機器，音声録音再生装置，ビデオ録画システム等を有すること．必要に応じ，麻痺側の関節の屈曲・伸展を補助し運動量を増加させるためのリハビリテーション用医療機器を備えていること．
脳血管疾患等リハビリテーション（Ⅱ）	病院：100 m² 以上 診療所：45 m² 以上 言語聴覚療法を行う場合：遮蔽等に配慮した個別療法室 8 m² 以上	専任常勤医師 1 名以上 ①専従常勤 PT 1 名以上 ②専従常勤 OT 1 名以上 ③専従常勤 ST 1 名以上（ST 施行時） ④①～③の合計で 4 名以上	歩行補助具，訓練マット，治療台，砂嚢などの重錘，各種測定用器具（角度計，握力計等） 血圧計，平行棒，傾斜台，姿勢矯正用鏡，各種車いす，各種歩行補助具，各種装具（長・短下肢装具等），家事用設備，各種日常生活動作用設備　等．ただし，言語聴覚療法を行う場合は，聴力検査機器，音声録音再生装置，ビデオ録画システム等を有すること．必要に応じ，麻痺側の関節の屈曲・伸展を補助し運動量を増加させるためのリハビリテーション用医療機器を備えていること．
脳血管疾患等リハビリテーション（Ⅲ）	病院：100 m² 以上 診療所：45 m² 以上 言語聴覚療法を行う場合：遮蔽等に配慮した個別療法室 8 m² 以上	専任常勤医師 1 名以上 専従常勤 PT，OT または ST 1 名以上	歩行補助具，訓練マット，治療台，砂嚢などの重錘，各種測定用器具等．ただし，言語聴覚療法を行う場合は，聴力検査機器，音声録音再生装置，ビデオ録画システム等を有すること．必要に応じ，麻痺側の関節の屈曲・伸展を補助し運動量を増加させるためのリハビリテーション用医療機器を備えていること．
運動器リハビリテーション（Ⅰ）	病院：100 m² 以上 診療所：45 m² 以上	経験ある専任常勤医師 1 名以上 （運動器リハの経験 3 年以上または研修を修了した医師） 専従常勤 PT また OT が 4 名以上	各種測定用器具（角度計，握力計等），血圧計，平行棒，姿勢矯正用鏡，各種車いす，各種歩行補助具等
運動器リハビリテーション（Ⅱ）	病院：100 m² 以上 診療所：45 m² 以上	専任の常勤医師 1 名以上 ①専従常勤 PT 2 名以上 ②専従常勤 OT 2 名以上 ③専従常勤の PT または OT が合わせて 2 名以上 ①②③のいずれかを満たすこと	各種測定用器具（角度計，握力計等），血圧計，平行棒，姿勢矯正用鏡，各種車いす，各種歩行補助具等
運動器リハビリテーション（Ⅲ）	45 m² 以上	専任の常勤医師 1 名以上専従常勤 PT または OT 1 名以上	歩行補助具，訓練マット，治療台，砂嚢などの重錘，各種測定用器具等
廃用症候群リハビリテーション（Ⅰ）	脳血管疾患等のリハビリテーション料（Ⅰ）の施設基準を満たしたもの	脳血管疾患等のリハビリテーション料（Ⅰ）の施設基準における専任の医師，専従の PT，専従の OT および専従の ST は，それぞれ廃用症候群リハビリテーション料（Ⅰ）の専任者または専従者を兼ねるものとする	脳血管疾患等のリハビリテーション料（Ⅰ）の施設基準と併用
廃用症候群リハビリテーション（Ⅱ）	脳血管疾患等のリハビリテーション料（Ⅱ）の施設基準を満たしたもの	脳血管疾患等のリハビリテーション料（Ⅱ）の施設基準における専任の医師，専従する常勤の PT が 2 人以上勤務しているものに限る．PT，専従する OT および ST は，廃用症候群リハビリテーション料（Ⅱ）の専任者または専従者を兼ねるものとする	脳血管疾患等のリハビリテーション料（Ⅱ）の施設基準と併用

表 9-3　疾患別施設基準（2018 年 4 月現在）（つづき）

廃用症候群リハビリテーション（Ⅲ）	脳血管疾患等のリハビリテーション料（Ⅲ）の施設基準を満たしたもの	脳血管疾患等のリハビリテーション料（Ⅲ）の施設基準における専任の医師，専従する常勤の PT が勤務しているものに限る．運動療法機能訓練技能講習会を受講するとともに定期的に適切な研修を修了している看護師，あん摩マッサージ指圧師等．	脳血管疾患等のリハビリテーション料（Ⅲ）の施設基準と併用
呼吸器リハビリテーション（Ⅰ）	病院：100 m² 以上診療所：45 m² 以上	経験のある専任常勤医師 1 名以上①専従常勤 PT 1 名②常勤の PT または OT が①②合わせて 2 名以上	呼吸機能検査機器，血液ガス検査機器等
呼吸器リハビリテーション（Ⅱ）	45 m² 以上	専任常勤医師 1 名以上専従の常勤 PT または OT が 1 名以上	呼吸機能検査機器，血液ガス検査機器等
心大血管リハビリテーション（Ⅰ）	病院：30 m² 以上診療所：20 m² 以上	循環器科または心臓血管外科の医師が，心大血管疾患リハビリテーションを実施している時間帯において常時勤務しており，心大血管疾患リハビリテーションの経験を有する専任の常勤医師が 1 名以上専従常勤の PT および看護師が合わせて 2 名以上，または専任常勤 PT または看護師が 2 名以上また，必要に応じて，心機能に応じた日常生活活動に関する訓練等の心大血管疾患リハビリテーションに係る経験を有する OT が勤務していることが望ましい	酸素供給装置，除細動器，心電図モニター装置，トレッドミルまたはエルゴメータ，血圧計，救急カート，また，院内に運動負荷試験装置を備えていること
心大血管リハビリテーション（Ⅱ）	病院：30 m² 以上診療所：20 m² 以上	循環器科または心臓血管外科を担当する常勤医師または心大血管疾患リハビリテーションの経験を有する常勤医師が 1 名以上専従の PT または看護師のいずれかが 1 名以上	酸素供給装置，除細動器，心電図モニター装置，トレッドミルまたはエルゴメータ，血圧計，救急カート，また，院内に運動負荷試験装置を備えていること

ど高度工学的な機器も多い．ゆえに，わずかでも取り扱い方法を誤ると危険性の高い機器もあるので注意を要する．新しい機器を購入した際にはマニュアルとともに十分にオリエンテーションを受け，試行を繰り返し，正しい使用方法に精通しておく必要がある．特に，高齢者などに対しては機器の使用方法や誤操作に十分に注意を払い，治療中の観察を怠らないように心がけたい．また，製造物責任（product liability：PL）法への対応なども考慮しておくことが大事である．

　b.　メンテナンス

　なお，前述したこととの兼ね合いもあるが，機器を有効に使用すると同時に長期間にわたり機能を保つためには，固定ベルト，ネジ 1 つから確認して日々のメンテナンスを怠らないことが大切である．付属品の保守管理も重要であり（表 9-4），物品台帳の記録も必要である（表 9-5）．また，機器購入時の取り扱い説明書（保証書）などは一括して管理しておくとよい．

3)　経済性の管理

　診療報酬による収入と，リハビリテーション部門の運営経費や職員の人件費などの支出との採算性

表9-4　理学療法機器保守点検表

物品名	項　目	月			日		月			日		月			日		月			日	
		1	2	3	4	5	1	2	3	4	5	1	2	3	4	5	1	2	3	4	5
渦流浴	1. 電源が入るか. 2. 衛生的に管理されているか. 清掃の徹底 3. 水温（38〜42℃）は一定か. 4. 椅子の昇降は安全に稼働するか.																				
傾斜台	1. 電源が入るか. 2. 衛生的に管理されているか. 清掃の徹底 3. 台の起立は，正確に稼働するか. 4. ベルトの固定は丈夫であり，安全か. 5. ネジ，金具等の緩みはないか.																				
牽引	1. 電源が入るか. 2. 衛生的に管理されているか. 清掃の徹底 3. 牽引は正確に稼働するか. 4. 骨盤ベルトの固定性はしっかりしているか. 5. ネジ，金具等の緩みはないか.																				
自転車エルゴメーター	1. 電源が入るか. 2. 衛生的に管理されているか. 3. 正確に稼働するか. 4. ネジ，金具，椅子の固定等，安全か.																				
点検日																					
点検者																					
責任者																					

備　考

である．リハビリテーション部門においても「医は仁術」だけではなく「医は算術」の生産性の有無が問われることになる．

　2006年4月の診療報酬の改定によってリハビリテーションに関する診療報酬の大幅な見直しが行われた．これまでの理学療法料，作業療法料，言語聴覚療法料としての個々の算定はすべて廃止され，前掲した表9-3にもあるように疾患別となり，日数制限も加えられ，リハビリテーション料として一本化された（表9-6）．なかでも保険適用での日数制限は，対象者にとってリハビリテーション治療に対する不満，「リハビリ難民」との社会的現象を引き起こすことになった．しかし，臨床現場では，リハビリテーション料単価で1人の理学療法士が1日にどの程度の収入を得ることができるのかは，部門の採算性に関わってくることから，職員数や給与などの査定，中・長期にわたる施設の運営計画に影響を与えることになる．リハビリテーション部門では日集計表や週間集計，月間集計表などの診療実績（表9-7）の作成，事務（医事課）への提出なども現場管理者の大きな業務の1つとなる．現在では多くの施設でパソコン用ソフトが導入され，簡素化が図られている．診療報酬は2年ごと，介護報酬は3年ごとに改定される．2018年は診療報酬と介護報酬の同時改定年（6年ごと）であった．

表 9-5　理学療法備品管理表

2018年度	個　数	10月　日	11月　日	12月　日	1月　日	2月　日	3月　日
マッサージ台	5						
治療台	12						
傾斜台（Tilt table）	2						
平行棒	3						
肋木	2						
姿勢矯正用鏡	1						
各種車いす	3						
各種杖							
T cane	16						
アルミ製松葉杖	3						
四脚杖	5						
ロフストランド杖	3						
装具他							
AFO	1						
shoe hone	7						
Lies trap	4						
膝装具	6						
バーベル							
4.5kg	2						
4.0kg	2						
3.0kg	2						
2.0kg	2						
1.0kg	2						
リストマシーン	1						
リストロール	1						
ショルダーホイール	2						
足関節矯正台	2						
N・K テーブル	1						
階段	2						
ゴムチューブ（青）	1						
ゴムチューブ（赤）	1						
ゴムチューブ（黄）	1						
備考							
点検者							
責任者							

病院リハビリテーション部

表9-6　疾患別リハビリテーション点数表（2018 年診療報酬改定）

	脳血管疾患	運動器	廃用症候群	呼吸器	心大血管
標準算定日数	180 日	150 日	120 日	90 日	150 日
施設基準Ⅰ	245 点	185 点	180 点	175 点	205 点
	維持期リハ 147 点	維持期リハ 111 点	維持期リハ 108 点		
施設基準Ⅱ	200 点	170 点	146 点	85 点	125 点
	維持期リハ 120 点	維持期リハ 102 点	維持期リハ 88 点		
施設基準Ⅲ	100 点	85 点	77 点	―	―
	維持期リハ 60 点	維持期リハ 51 点	維持期リハ 46 点		

4) 情報の管理

①処方箋・診療録（カルテ）の管理

a. 処方箋

　理学療法業務は原則として医師の処方箋によって開始されるが，処方箋はリハビリテーションチームにとってコミュニケーションの重要な手段ともなる．そのため，処方内容は厳に順守する必要があり，仮に処方内容に疑義がある際には主治医に確認してコミュニケーションを図ることが大切である．また，説明と同意に準じて，情報の開示，内容の理解，自己決定の過程で理学療法を展開する．そのためには，処方された治療の目的，方法，効果，リスクなどを説明し，それぞれの項目について実施の同意を得たことを記録として保管することが求められる．

b. 診療録（カルテ）

　医師をはじめ，医療関連専門職の治療記録をまとめたものを診療録（英語：チャート，ドイツ語：カルテ）というが，理学療法士の日常的な診療内容も治療記録に含まれる．診療録は各担当者の治療責任を明確にするものでもあり，医療訴訟などの法的な事態が生じた際の証拠書類として貴重な資料となる．また，臨床研究の貴重なデータとしての価値も大きい．しかし，業務上知り得たすべての情報は倫理的にも守秘義務があり対象者の個人情報保護法も順守する．このため，診療録などは他者の手の届かない場所に保管し，廃棄（保存期間 5 年）するときは医療廃棄物の 1 つとして対処することになっている．

②文書の管理

　さまざまな文書（原議書・企画書・供覧書・報告書・依頼書・復命書など）の起案・決裁方法や文書作成要領（文書の内容・構成・表現，用紙の規格，文体や敬称の用い方，書式，用字用語の用い方など），文書取り扱い（閲覧，供覧，配布，保管など），報告などさまざまな規程を熟知しておく必要がある．理学療法士はこの方面に疎いと指摘されるところでもある．この種の知識を卒前教育で習得することは困難であり，それぞれの職場での仕事を通じて学ぶことが現実的と思える．

表 9-7　2019 年 1 月リハビリテーション科診療実績

診療日数　23 日

		診療行為件数	患者数	1 日平均患者数	診療点数	点／人
理学療法	入院					
	外来					
	その他					
	合計					
	1 日平均					
作業療法	入院					
	外来					
	その他					
	合計					
	1 日平均					
言語聴覚療法	入院					
	外来					
	その他					
	合計					
	1 日平均					
訪問リハビリ	作業療法					
	理学療法					
	合計					
	1 日平均					
当月総合計						
当月 1 日平均						

記録者	部長

病院／リハビリテーション科

③効果的な報告

　報告の形式には，口頭と文書とによる 2 つがある．以下の項目は効果的な報告をするための留意点である．

a) 正確であること．不正確な情報は，誤った判断や決定の起因となる．推測や憶測ではなく，事実・情報の出所・出典を明確にして報告する．

b) 適切な時期に報告する．時機を逸した報告は役に立たない．最新の情報を最も適切な時期に提供することが大切である．報告には「着手報告」「中間報告」「終了報告」があるが，特に「終

図 9-6　ペーパーレスが進み，端末機のみが置かれているスタッフルーム

了報告」は仕事（事業）が完了後すみやかに報告することが肝心である．

c) 内容が正しく効果的に伝わるように報告する．報告する内容は，要点を簡潔に，理解しやすいようにまとめる．

d) 結論を最初に出し，理由，経過の順に整理し，結論の要約だけでも大筋の内容を理解できるようにする．

e) 表現は簡潔でかつ誤解の生じないように記述する．

f) 意見と事実の区別を明確にする．

g) 必要資料を十分に準備する．視覚・聴覚などの感覚入力を介した報告は有効である．

h) 報告を終えたら，上司や同僚の確認を得て次回の参考にする．

i) 仕事の完成までに特定の期間（時間）を要するとき，規定の手続き・手順では進捗しない想定をしたときには，とりあえず中間報告をして，自ら遂行方法や課題に直面した状況を分析して前進する．

j) 内容が複雑で口頭では正確に表現できないとき，正確な数字を含み記録して保存する必要があるとき，関係部署に知らせる必要があるとき，その他，規程で定められているときなどのような場合には文書で報告する．

現在，多くの施設で診療録の電子化や一元化が図られている．また，関係書類のペーパーレスも進み，現場のスタッフルームには共有の端末機が据えられているのみで，従来のように個別の机の上に対象者の記録や書類が山積みされているような光景はなくなっている（図 9-6）．

5）研究・教育の管理

①研　究

　研究の目的は，日々の臨床的疑問に対する科学的根拠の究明，また理学療法に関する知識や技能を習得し，その専門性を向上することである．組織が存続していくための機能的要件として目標の達成，構成員の欲求充足の 2 つが必要となるが，研究課題に取り組み，それを学術大会などで発表し，成果を上げることは自らの質を高めることはもとより，職場の活性化を図ることにもつながる．研究課題は単年度で完結するのではなく，少なくとも 3 年間は継続し，チームとして取り組み，多面的に検証することが望ましい．

②教　育

　院内カンファレンスはもとより，症例検討会や抄読会，技能・技術講習会をはじめ，各都道府県理学療法士会などが催す地域での研修会や勉強会などに先輩理学療法士が積極的に参加することが重要である．また，形式的ではない日頃の会話が，新人職員には最高の卒後教育となる．知識・技能・技術だけでなく人間性や社会性についての教育も求められる．

4　質の管理

1）病院機能評価におけるリハビリテーション部門の項目

①病院機能評価とは

　病院機能評価は，第三者機関（財）日本医療機能評価機構として行政および多くの医療機関団体の支援のもとに，1995 年 7 月に設立されたものである．病院を対象に，組織全体の運営管理および提供される医療について，中立的，科学的・専門的な見地から評価し，病院の質改善活動の指標とするものである．

　評価対象領域は，4 つの評価対象領域（「患者中心の医療の推進」「良質な医療の実践 1」「良質な医療の実践 2」「理念達成に向けた組織運営」）から構成される評価項目を用いて，病院組織全体の運営管理および提供される医療について評価される．

　病院機能評価の効果として，病院は病院機能評価を通じ，組織横断的・継続的な改善活動を実践する過程で，組織の活性化，職員の自覚や改善意欲の醸成などの意識向上を図る．また，病院が審査を通じ，さらなる改善活動に取り組むことで，提供する医療サービスの質が向上し，安全で安心な医療提供の実現が図られるようになる．

②病院機能評価の変遷

　病院機能評価は，医療環境や社会の変化，病院のニーズなどに応じ，病院の機能をより適切に評価し，病院の質改善活動を支援できるよう，適宜改定される．2013 年 4 月より，第三世代（3rdG：Ver.1.0）として新たな運用が開始され，2015 年 4 月からは評価の強化として（3rdG：Ver.1.1）の運用がさらに実施される．

　病院は，病院の役割・機能に応じた最も適した「機能種別」を以下の表から選択し，受審する．

機能種別名	種別の説明
一般病院 1	主として日常生活圏の比較的狭い地域において地域医療を支える中小規模病院
一般病院 2	主として，二次医療圏などの比較的広い地域において急性期医療を中心に地域医療を支える基幹的病院
リハビリテーション病院	主として，リハビリテーション医療を担う病院
慢性期病院	主として，療養病床などによって慢性期医療を担う病院
精神科病院	主として，精神科医療を担う病院
緩和ケア病院	主として，緩和ケア病棟もしくはホスピスを保有している病院

③評価対象領域と評価項目および評価基準

病院機能評価では，病院の組織全体の管理・運営の実態や医療の質を適切に評価するため評価項目体系は，以下の 4 つの評価対象領域で構成されている．

第 1 領域：対象者中心の医療の推進

- 病院組織の基本的な姿勢
- 対象者の安全確保などに向けた病院組織の検討内容，意思決定

第 2 領域：良質な医療の実践 1

病院組織としての決定された事項の診療・ケアにおける確実で安全な実践

第 3 領域：良質な医療の実践 2

確実で安全な診療・ケアを実践するうえで求められる各部門における機能発揮

第 4 領域：理念達成に向けた組織運営

良質な医療を実践するうえで基盤となる病院組織の運営・管理状況

また，前述の評価対象領域はそれぞれ大項目，中項目の評価項目から構成される．

評価判定と認定について

評価対象である各中項目の評点は S，A，B，C の 4 段階で評価される．

S：秀でている

A：適切に行われている　＊「A」のうち，非常に優れている際には「S」とする．

B：一定水準に達している

C：一定水準に達していない

　＊「C」のうち，課題の重要性，改善の緊急性が高いときに【改善要望事項】が指摘される．

④病院機能評価の特長

この病院機能評価の原点は自己評価（点検）にある．いかなる内容を点検すればよいのかを確認できるという大きな特長がある．

a) 改善が望まれる課題点が明確になる．

b) 評価を受けるための準備が改善のきっかけになる．申請後に開始される書面審査の調査票を作成し，自己点検などによって訪問審査に向けた準備を進めること自体が診療の質の向上と効果

的なサービスの改善につながる.

c) 効果的で具体的な改善目標が設定できる.

d) 職員の自覚によって院内の改善意欲が向上する. 第三者から指摘される課題点について共通した意識をもつことができ, 管理者も各部門の職員も改善意欲が向上して主体的な取り組みが期待できる.

e) 改善に向けて的確な取り組みが可能となる.

f) 改善の成果を内外に開示することにより医療への信頼を高めることができる.

5　自己管理

1）マネジメントとリーダーシップ

コヴィー(Stephen Richards Covey) は, 「マネジメントは目標達成のため効率よく作業をすることであり, リーダーシップとはその方法, 方向が間違っていないかどうか判断することである」と述べている. さらに, 「リーダーシップを発揮するときは, 主に右脳の活用である. それは技能・技術というより芸術であり, 科学というより哲学である. ある課題に対して終極的な目的を呈示し, 効果的かつ効率的な自己管理とマネジメントが求められる. 右脳でリードし, 左脳で管理する」と述べている.

自己管理を可能にするのは, 個人の自由意思であり, 意思決定をし, その決定に沿って行動する力である. マネジメントは周りの環境に作用されず, 周りの環境に作用を及ぼし, 自ら決定した目標を主体的に実行する能力といわれている.

効果的なマネジメントは**「重要事項を優先する」**ことであり, リーダーシップは「重要事項」とは何であるかを決めることである. マネジメントとはこの優先された重要事項を実行する力であり, 自制力といわれる. この優先課題を中心に, 計画し実行するのか否かについては, さまざまな時間管理の手法を要する.

自己管理で重要なことは社会的規範の順守であることはいうまでもない. 専門職（professions）の条件の1つとして, 自己規制に基づいた利他主義的言動が求められる.

2）時間の管理

時間を管理することは, メモや点検表に始まり, 手帳, 優先順位づけ・価値観の明確化および目標を設定（短期・中期・長期目標の具体的な設定）し, 価値観との調和を図り時間とエネルギーとを集中させる手法である. この過程がリハビリテーション実施計画表であり, 職員配置表, 週間スケジュールとなる. しかし, それに大きく作用するのは人間関係であり, 各現場における役割, 目的の達成などが関わってくる時間管理となる大きな基軸は緊急度と重要度である.

緊急とは, 「すぐに対応する必要性があると思えること」で, 即座に私たちに要求されるものである. 他者の要求を最優先する場面も多い. たとえば, 対象者がトイレに行くために介助を求めているときに, 介助者が「ちょっと待ってください」と対応するのは望ましくない. 一方, 重要度は結果に関連しているもので「個人のニーズ, 価値観, 優先順位の高い目標の達成」に直結していることである.

表 9-8　時間管理のマトリックス

	緊　急	緊急でない
重要	第 1 領域 • 締め切りのある仕事 • 苦情処理 • 切羽詰まった問題 • 病気や事故 • 危機や災害	第 2 領域 • 人間関係づくり • 健康維持 • 準備や計画 • リーダーシップ • 真のレクリエーション • 勉強や自己啓発 • 品質の改善 • エンパワーメント（権限付与）
重要でない	第 3 領域 • 突然の来訪 • 多くの電話 • 多くの会議や報告書 • 無意味な冠婚葬祭 • 無意味な接待やつき合い • 雑事	第 4 領域 • 暇つぶし • 単なる遊び • だらだら電話 • 待ち時間 • 多くのテレビ • その他の意味のない活動

　私たちは，緊急度の高いものに対してはすぐに反応するが，緊急度が低いと感じると対象者の重要なニーズであっても対応しない傾向がある．しかし，状況に適切に対処する際には臨機応変な率先力と主体性が求められる．私たちのすべての活動を緊急度と重要度との2つの基軸によって，時間のマトリックスとして4つの領域に分けることができる（**表9-8**）．第1領域には即時の対応が必要で，通常「緊急事態の課題」「危機」とよばれる領域である．この領域に集中することになればその面積が拡大し，やがて生活が圧倒されることとなる．その結果ストレスがたまり，燃え尽き症候群に陥りかねない．第1領域だと錯覚して，緊急ではあるが実は重要でない第3領域に多くの時間を割いている人もいる．その生活は他者の優先順位や期待に振り回されることになる．効果的な人生を営む人は第3領域や第4領域を避けようとする．それは緊急性があろうがなかろうが，重要ではないからである．このような人びとは，第2領域に時間を使い第1領域の課題を無視する．第2領域に集中することは，効果的な自己管理の目的となる．第2領域は緊急ではないが，重要な事柄を取り上げていることから，人間関係やリーダーシップの形成，長期的計画，準備などに重要な領域となる．しかし，重要と理解していても，緊急性がないと思えばいつまでも着手しないのも事実である．この第2領域の活動を実際に実行・習慣化することが効果的な向上を図ることになる．

　第2領域の活動を実行するための4つの基本的なステップを以下に提示する．

a. 役割の定義：自身の主な生活の役割を書き留める．

b. 目標設定：自身の役割について，次の1週間で達成したい大切な目標を2～3項目設定する．

c. スケジュール化：目標を達成するための活動項目をスケジュール表に記載する．

d. 日常の対応：週単位で計画を立て，日常的な出来事に対応しながら必要に応じてスケジュールを変更する．人間関係づくりや重要事項を優先しながら生活を送る．毎朝数分間でもスケジュール表を確認して，1週間の目標を振り返り，自身が直面している状況を再確認する．これは組織でも同様であり，職場で毎朝短時間でも設ける連絡会議の大切さと同じことである．

3）ストレスへの対応

　現代社会は急激な変動に見舞われているため．労働状況や人間関係によるストレスの狭間に閉ざされ，その対応策が大きな課題となっている．元来，ストレスとは，物理学的には外からの力が加わったときに物体に生じる歪みである．一般的に生体に生じた歪みをはね返す力が作用するが，強い外力が長時間続くと元に戻そうとする作用が低下する．そのような状況下で生じるのがストレス症状である．

　ストレス度を点検するためには種々の質問表がある．表9-9に示す質問表では，30項目中該当するものが0〜5点：正常，6〜10：軽度（休養），11〜20：中度（相談），21〜30：重度（受診）となる．

　A型傾向判定表も30点満点で，各項目に表9-10のように配点されており，17点以上がA型傾向と判別される．これらのストレス点検表は，あくまでも自身のストレス度を知るための目安であり，全くストレスのない状況下で存在している人びとは想定できないことである．

　ある程度のストレスがあることで意欲が触発されたり，創造的活動を鼓舞することもある．ストレスには，役立つ方向に作用する「ユーストレス」と，不安や心配などのために気分が否定的方向に傾き，さまざまな身体症状が生じる「ディストレス」の2種類がある．

　一般的にはストレスの起因となるものとして，物理的要因（騒音や照明，温度など），化学的要因（煙りや臭いなど），生物的要因（細菌やウイルス，カビ，花粉など），社会的要因（学校や職場など），心理的要因（性格や想い，考え方など）がある．これらの要因がストレスになることを知り，特定の要因を明確にしてその対策を講じる必要がある．内因といわれる心理的ストレスは，その要因となる事象に対する考え方や見方を変えて，新たな対応を講じてみることも一案であろう．革新できることとそうではない状況をより明確にすることで，おのずとストレスへの対応策が想起されることもある．

　ちなみに，地球上の生物は自然環境下の重力，気温・湿度，気圧などの変動に適応して生きており，人工的社会環境下では家屋，街・都市などの構造物に適応して生きている．さらに，ストレスのない状況下では生物は心身機能が衰えてしまい（廃用症候群），退行・退化してしまうのである．つまり，心身の発達と維持のためには日常的に適度なストレスが必要であり，たとえば，筋力強化のためには筋に抵抗を加えて筋線維の肥大を図る必要があることと同じである．本章ではリハビリテーションのことにも触れたが，その語源はハビリテーション（適合・適応）であり，リ（re）が付くと再適合・再適応となる．

（橋元　隆・石橋敏郎）

表9-9　ストレスチェック表

お名前 _____　記入日：　　　年　　　月　　　日

あなたのストレス度をチェックしてみましょう

次の質問について，自分に当てはまるものがあれば番号に○をつけてください．
結果は，他者に知られることはありません．深く考えず，ありのままにお答えください．

1　頭がスッキリしていない
　　（頭が重い）

2　目が疲れる
　　（以前に比べると目が疲れることが多い）

3　ときどき鼻づまりすることがある
　　（鼻の具合がおかしいことがある）

4　めまいを感じることがある
　　（以前はまったくなかった）

5　ときどき立ちくらみしそうになる
　　（一瞬，くらっとする）

6　耳鳴りがすることがある
　　（以前はなかった）

7　しばしば口内炎ができる
　　（以前に比べて口内炎ができやすくなった）

8　のどが痛くなることが多い
　　（のどがヒリヒリすることがある）

9　舌が白くなっていることが多い
　　（以前は正常だった）

10　今まで好きだったものをそう食べたいと
　　思わなくなった（食べ物の好みが変わってきた）

11　食べ物が胃にもたれるような気がする
　　（なんとなく胃の具合がおかしい）

12　おなかが張ったり，痛んだりする
　　（下痢と便秘を交互に繰り返したりする）

13　肩がこる
　　（頭も重い）

14　背中や腰が痛くなることがある
　　（以前はあまりなかった）

15　なかなか疲れが取れない
　　（以前より疲れがたまりやすくなった）

16　このごろ体重が減った
　　（食欲がなくなる場合もある）

17　何かするとすぐ疲れる
　　（以前に比べると疲れやすくなった）

18　朝，気持ちよく起きられないことがある
　　（前日の疲れが残っているような気がする）

19　仕事に対してやる気が出ない
　　（集中力もなくなってきた）

20　寝つきが悪い
　　（なかなか眠れない）

21　夢を見ることが多い
　　（以前はそうでもなかった）

22　夜中の1時，2時頃に目が覚めてしまう
　　（その後寝つけないことが多い）

23　急に息苦しくなることがある
　　（空気が足りないような感じがする）

24　ときどき動悸がうつことがある
　　（以前はなかった）

25　胸が痛くなることがある
　　（胸がぎゅっと締めつけられるような気がする）

26　よく風邪をひく
　　（しかも治りにくい）

27　ちょっとしたことで腹が立つ
　　（イライラすることが多い）

28　手足が冷たいことが多い
　　（以前はあまりなかった）

29　手のひらや脇の下に汗をかくことが多い
　　（汗をかきやすくなった）

30　人と会うのがおっくうになっている
　　（以前はそうでもなかった）

表9-9　ストレスチェック表（つづき）

現在のあなたの状態で，あてはまるところに○をつけてください

質　問　項　目	いつも そうである	しばしば そうである	そんな ことはない
記入例：「いつもそうである」を選ぶ場合	○		
1　忙しい生活をしていますか?			
2　毎日の生活で，時間に追われるような感じが 　　していますか?			
3　仕事，その他何かに熱中しやすいほうですか?			
4　仕事に熱中すると，他のことに気持ちの 　　切り替えができにくいですか?			
5　やる以上はかなり徹底的にやらないと, 　　気がすまないほうですか?			
6　自分の仕事や行動に自信をもてますか?			
7　緊張しやすいですか?			
8　イライラしたり，怒りやすいほうですか?			
9　きちょうめんですか?			
10 勝気なほうですか?			
11 気性が激しいですか?			
12 仕事，その他のことで，他人と競争するという 　　気持ちをもちやすいですか?			

表 9-10　ストレス判定表

A 型傾向判定表

○をつけた項目の点数を加算して得点を出してください.

質　　問　　項　　目	いつも そうである	しばしば そうである	そんな ことはない
1　忙しい生活をしていますか?	2	1	0
2　毎日の生活で, 時間に追われるような感じがしていますか?	2	1	0
3　仕事, その他何かに熱中しやすいほうですか?	2	1	0
4　仕事に熱中すると, 他のことに気持ちの切り替えができにくいですか?	2	1	0
5　やる以上はかなり徹底的にやらないと, 気がすまないほうですか?	4	2	0
6　自分の仕事や行動に自信をもてますか?	4	2	0
7　緊張しやすいですか?	2	1	0
8　イライラしたり, 怒りやすいほうですか?	2	1	0
9　きちょうめんですか?	4	2	0
10 勝気なほうですか?	2	1	0
11 気性が激しいですか?	2	1	0
12 仕事, その他のことで, 他人と競争するという気持ちを持ちやすいですか?	2	1	0

合計得点

点／30 点

1.　あなたのストレス状態

合計得点が 0〜5点	今のところ問題ありません. 大きなストレスとなる出来事がなかったか, あるいは, ストレスをうまく解消しているようです.
合計得点が 6〜10点	軽度ストレス状態です. 休養, リラックスが必要です. とくに自分でストレスに気づいていない方は, 日常生活を見直し, 自分にあった休養を見つけましょう.
合計得点が 11〜20点	中等度ストレス状態です. 生活を振り返り, 過度なストレスを招いている問題の改善が必要です. 専門家にアドバイスをもらうほうがよいでしょう.
合計得点が 21〜30点	重度ストレス状態です. 今の状態でがんばり続けることは, さらにストレスを生み, 心身の不調をきたし, 悪循環となります. 早めに医師に相談されることをお勧めします.

　ストレスの解消も大事ですが, 人間関係をはじめ日常生活の嫌な出来事を冷静に受け止め, 衝撃を吸収できる心の柔軟性も大切です.「・・・しなければ, ・・・あるべき」と自分にも相手にも求めては, 柔軟に対応できなくなります. まずは休養とリラックス, そして軽い運動と栄養に心がけましょう.

2.　あなたの行動傾向

合計得点が 17 点以上	A 型気質です.
合計得点が 16 点以下	A 型気質ではありません.

　血液型のことではありません! ストレスを生じやすい人には性格・行動パターンがあり, タイプ A 型パターンとよばれ, 虚血性心疾患（心筋梗塞など）を起こしやすいといわれています. 仕事熱心で休むことを知らず, いつも時間が足りないと感じながら精神的に活動していませんか? 意識してゆとりある行動に心がけ, 気持ちをリラックスさせましょう.

■参考・引用文献

1）日本理学療法士協会（編）：第 47 回定時総会議案書. 日本理学療法士協会，2018.
2）日本理学療法士協会（編）：第 37 回（社）日本理学療法士協会　総会並びに代議員会資料. 日本理学療法士協会，2008.
3）日本理学療法士協会ホームページ：統計情報.（2023 年 7 月 29 日閲覧）
4）青井和夫・他：集団・組織　リーダーシップ. 培風館，1978.
5）上田利男：小集団リーダーの実践マニュアル. 日本能率協会，1982.
6）九州労災病院（編）：管理マニュアル. 2018 年版.
7）日本理学療法士協会（編）：新人教育プログラム教本　第 8 版. 日本理学療法士協会，2005.
8）祖慶　実・他：医療現場のリスクマネジメント入門. 同友館，2002.
9）砂原茂一：医者と患者と病院と. 岩波新書，1993.
10）柳沢富男：職場づくりと人間関係. 日本法令，1989.
11）八重樫敏雄：人間関係論. PT ジャーナル，**11**：471-475, 1990.
12）総合メディカル株式会社：病・医院職員の基本マナー. 接遇講座，2000.
13）（公財）日本医療機能評価機構　評価事業推進部：病院機能評価ガイドブック～病院機能評価ってなんだろう～　第 2 版（2016 年 12 月改訂版）. 2014.
14）石川　齋・他（編）：図解　理学療法技術ガイド. 文光堂，1997.
15）奈良　勲（編）：理学療法概論　第 6 版. 医歯薬出版，2013.
16）髙橋精一郎（編）：理学療法概論　第 2 版. 神陵文庫，2006.
17）Stephen R. Covey（著），川西　茂（訳）：7 つの習慣. キングベアー出版，2006.
18）小林展子：ストレス対処実践法　認知療法によるアプローチ. チーム医療，2002.

第10章

理学療法士の組織と活動

　「理学療法士法及び作業療法士法」が制定されたのは1965年である．法律の前文には，理学療法士と作業療法士が医学的リハビリテーションの専門技術者として，その普及を託された医療専門職として位置づけられていることが述べられている．1965年6月29日に法律第137号として「理学療法士法及び作業療法士法」が公布され，1966年に第1回国家試験が実施された．合格者183人のうち110人の理学療法士が会員となって，同年7月17日に日本理学療法士協会が任意団体として創立された．7月17日が理学療法の日とされているのは，この日が記念すべき活動開始の日だからである．ちなみに，世界の理学療法の日は，9月7日である．理由は後述する．

　協会創立から6年後の1972年に厚生労働省（当時は厚生省）から社団法人日本理学療法士協会の認可を受け，社会的人格をもった団体として認められた．2008年2月には，「改正公益法人制度対策特別委員会」が協会内に設置され，議論の結果，公益法人取得を目指すこととなった．2012年には，内閣総理大臣によって本会が公益社団法人として認可され，公益社団法人日本理学療法士協会（以下，協会）として新たな時代を迎えた．協会創立から数えて46年目のことである．

　現在の協会組織は，「戦略的な組織づくり」「業務分掌の見直し」「士会との協働・連携・分業のあり方」を念頭に置いて，意思決定機関として総会，理事会，常任理事会，執行理事会を位置づけ，これまでの局部制を廃止した組織となった．また，2013年に機関としての「日本理学療法士学会」を設置し（12分科学会，5部門），自律性を担保する方針で運営を目指すこととなった．その後，2017年には第52回日本理学療法士学会学術大会の開催（合同学術大会の終了）となり，2021年日本理学療法学会連合の設立（12法人学会，8研究部会）となった．

　2016年6月4日の総会において定款改正が提案され，第二章第4条の2項に，その実施地域を日本および海外とすることが盛り込まれた．世界を舞台にした活躍は，アジア健康構想の基本方針ならびに国際・アジア健康構想協議会の方向性と一体的な取り組みとして，アジア各国の政府および各国理学療法士協会との連絡・連携体制を構築し，相互協力体制を整備することを目的として，2017年9月27～28日にわたり協会主催，内閣官房 健康・医療戦略室共催のもと，第1回アジア理学療法フォーラムが開催された．今後も高齢化対策を含め，アジア地域での大きな役割を担っていくことが期待されている（協会ホームページより）．

1　日本理学療法士協会の目的と事業

　協会の目的は，「理学療法士の人格，倫理及び学術技能を研鑽し，わが国の理学療法の普及向上を図り，以って国民の医療・保健・福祉の増進に寄与すること」である．この目的を達成するために，

以下の事業を行うことと定められている（定款第 4 条）.

（事業）

第 4 条　この法人は, 前条の目的を達成するため, 次の事業を行う.

（1）国民の健康と福祉の増進並びに障害と疾病の予防に資する事業

（2）理学療法における学術及び科学技術の振興に資する事業

（3）国際協力及び貢献に資する事業

（4）教育機関に協力し, 健康並びに教育の向上に資する事業

（5）理学療法に関する刊行物の発行及び調査研究事業

（6）理学療法士の社会的地位の向上と会員の福祉に関する事業

（7）その他, この法人の目的を達成するために必要な事業

2　前項に定める事業は, その実施地域を本邦及び海外とする.

2　日本理学療法士協会の組織と活動 （図 10-1）

1）組　織

①会　員

　会員には, 正会員, 賛助会員の 2 種類がある. 正会員は,「理学療法士及び作業療法士法」（昭和 40 年法律第 137 号）第 3 条の規定による理学療法士の免許を有する者で, この法人の目的に賛同した者が該当する. 賛助会員は, この法人の事業を賛助するために入会した個人または団体である.

　会員数は, 1990 年代から急激な増加を示している（図 10-2）. 2023 年 3 月末現在では, 136,357 人（休会者を含む）となり, 理学療法士誕生からおよそ半世紀が経過し, 毎年 10,000 人以上の理学療法士が誕生するに至っている.

　会員の勤務先別割合は表 8-4 を, 職場人数別の分類は表 8-5 を参照いただきたい. 男女および年齢構成をみると, 以前は男性比率が高かったが, 若年層では相対的に男女差があまり目立たなくなってきている（図 9-1 参照）. 平均年齢では, 男性が約 35.6 歳（2018 年, 33.9 歳）, 女性が約 34.7 歳（2018 年, 33.0 歳）である.

②役　員

　2016 年 6 月 4 日の第 45 回定時総会において, 第 2 号議案の承認（12 項目の定款変更）を求める件が提案され, 業務執行理事を常務理事へ職名変更, 副会長については「3 名以内」へ変更および法人上の代表理事へ権限変更をした. また, 専務理事制を導入することや, 役員の選定において, 理事を総会で選任し, かつ「総会決議で選出された会長候補者を理事会で選定する方法によることができる」という事項を追加し承認された.

　役員には, 理事, 監事の 2 種類がある. 理事 21 人以上 23 人以内（理事のうち 1 人を会長, 3 人以内を副会長, 1 人を専務理事, 若干名を常務理事）, 監事 3 人以内を, 代議員総会（法人法上の社員総会）で選出する. また, 代議員については,「この法人の社員は, 正会員の中から概ね 300 人に 1 人の割合で選出される代議員をもって一般社団法人及び一般財団法人に関する法律（以下「法人法」

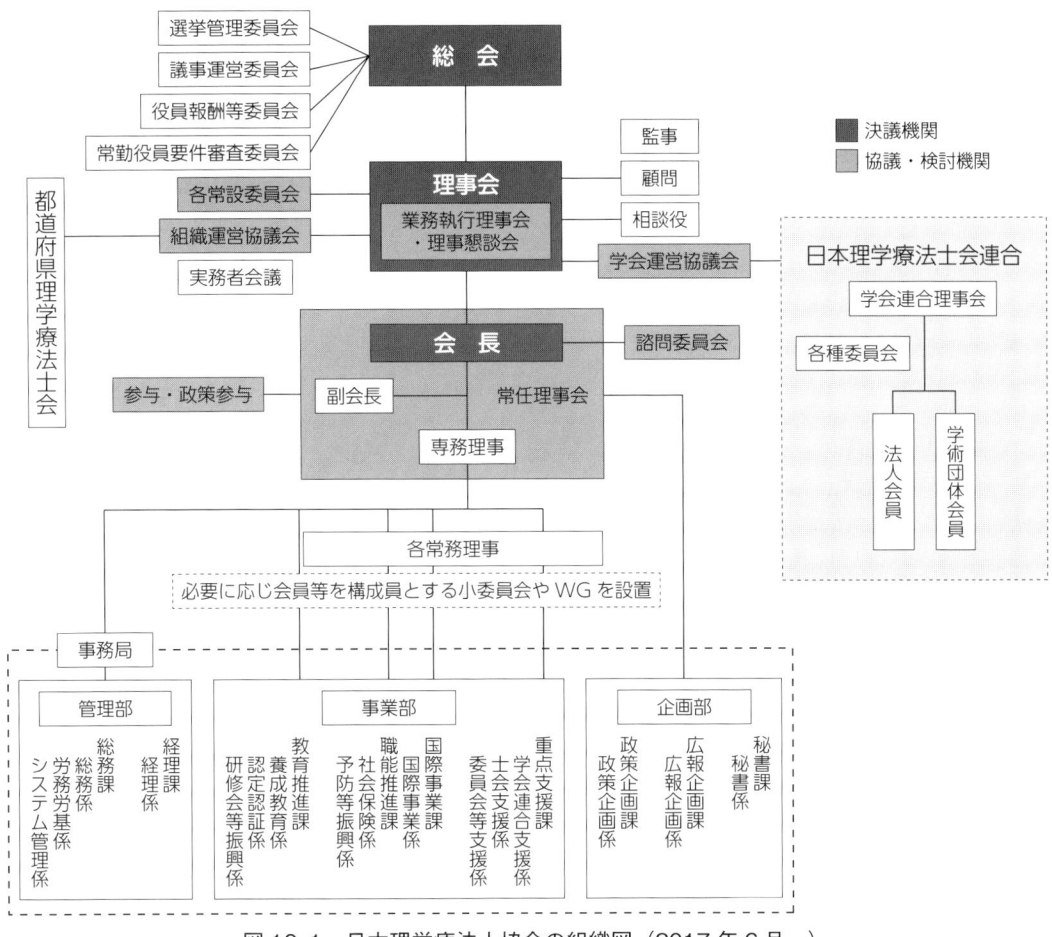

図 10-1　日本理学療法士協会の組織図（2017 年 6 月〜）

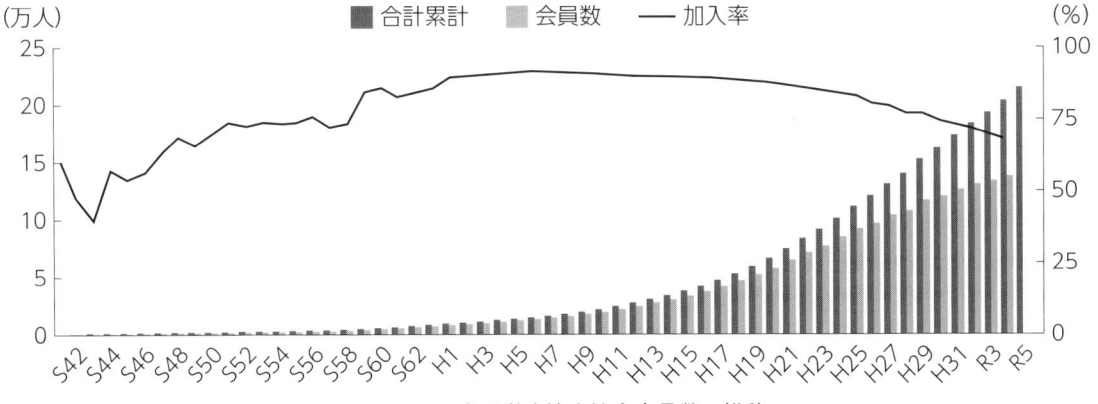

図 10-2　日本理学療法士協会会員数の推移

という）の社員とする」とあり，代議員の選出にあたっては，正会員による代議員選挙が行われる．「会長及び副会長をもって法人法上の代表理事とし，専務理事及び常務理事をもって業務執行理事とする」と定めている．

③議決機関

議決機関には，代議員総会，理事会がある．代議制導入については，公益法人移行前に，内閣府からの助言によって決定した．

---

①代議員総会（定款第 4 章　第 11 条から第 18 条）

総会は，毎年度 6 月に一回行われる．総会は，すべての代議員をもって構成とする（法人法上の社員総会）．総会は，以下の項目について決議を行う．

(1) 会員の除名
(2) 役員の選任及び解任
(3) 役員の報酬等の額
(4) 貸借対照表，損益計算書（正味財産増減計算書）及びこれらの附属明細書並びに財産目録の承認
(5) 定款の変更
(6) 解散及び残余財産の処分
(7) 議事運営委員等の選任・選出
(8) その他総会で決議するものとして法令又はこの定款で定められた事項

②理事会（定款第 6 章　第 28 条から第 32 条）

理事会では，以下の事項について決議する．

(1) この法人の業務執行の決定
(2) 理事の職務の執行の監督
(3) 会長の選定及び解職
(4) 副会長の選定及び解職
(5) 専務理事の選定及び解職
(6) 常務理事の選定及び解職

---

④その他の協会の会議，構成員と主たる議事

協会組織規則には，組織の基本を定め，職務の責任と権限，命令系統を明らかにし，業務の確実かつ効率的な執行と運用を図ることを目的にして，次の機関を置いている．

総会，理事会，常任理事会，将来構想戦略会議，業務執行理事会議

事務局，日本理学療法士学会，都道府県理学療法士会，執行委員会，委員会，諮問委員会

---

1. 常任理事会
   構成員：会長，副会長，専務理事
   (1) 緊急性の高い事案への対応
   (2) 理事会から負託された事項
   (3) 本会の将来展望に関する事項
   (4) 会長からの発議事項
   (5) その他
2. 将来構想戦略会議
   会長，副会長，専務理事及び会長が指名するものを構成員とし，本会の将来展望に基づく具体的方針等について協

議・検討する．
3. 業務執行理事会議

会長，副会長，専務理事，常務理事を構成員とし，業務執行調整や業務執行協力を協議する．
4. 委員会

委員会は，その目的に従って，構成員5名を原則として設置する．委員長は，理事会の議を経て会長が任命する．

(1) 委員会

1) 倫理委員会

2) 懲戒委員会

3) 表彰委員会

4) 組織・規則等検証委員会

5) 理学療法士労働環境委員会

(2) 総会の下に置く委員会

1) 選挙管理委員会

2) 役員報酬等委員会

3) 常勤役員要件審査委員会

(3) 諮問委員会

あらかじめ期間を定めたうえで必要に応じて会長が設置する．設置目的に従って，理事1名以上を含む5名を原則として構成し，委員長は理事が務める．

(4) 執行委員会

あらかじめ期間を定めたうえで，特定の目的達成のために理事会が設置する業務執行機関である．設置目的に従って，業務執行権を有する理事1名及び有識者5名の合名を原則として構成し，委員長は理事が務める．執行委員会は，必要に応じ，委員を長とした小委員会やワーキンググループを最小限の構成数で置くことができる．
5. 組織運営協議会

都道府県理学療法士会との協調・連携を図ることを目的として設置する．
6. 学会運営協議会

日本理学療法士学会との協調・連携を図ることを目的として設置する．学会運営協議会運営規則は別に定める．

学会運営協議会運営規程では，構成，協議事項について，以下に定めている．

(構成)

(1) 会長

(2) 副会長及び専務理事

(3) 学会運営審議員

(4) その他，会長が指名する者

(協議事項)

(1) 本会学術活動の事業運営に関する事項

(2) 学会の社会への発信に関する事項

(3) その他，会長が必要と認める事項

2) 事業活動

2019年度重点事業

- 理学療法士業務の「核」の設定
- 生涯学習システムへの推進および協力体制の構築

- 4 年制大学の推進
- 予防理学療法の創出，業務の確立
- 2020 年診療報酬改定，および 2021 年介護報酬改定への課題整理と対応
- 2024 年同時改定に向けて理学療法標準評価の確立
- 効率的な協会執行体制，および歯科医との役割分担の検討
- 学会組織の強化

2020 年度重点事業

- 理学療法士業務の「核」の設定
- 理学療法管理者のための人材育成プログラムならびに 2030 年に向けた実践管理者養成事業の検討
- 生涯学習の社会化事業
- フレイル予防人材育成事業
- 新人研修ガイドライン作成事業
- 新人職員研修体制整備推進事業
- 予防理学療法の創出，業務の確立
- 予防（公的保険外）理学療法の標準化事業
- 国家試験の厳格化
- 病棟・介護老人福祉施設における理学療法士の活動の明確化
- 産業分野へ参画できる人材の育成
- 海外（国民）向け有益な情報配信
- 事務局機能の改善
- 災害対応体制整備事業
- 会員の語学研修に資する事業

2021 年度重点事業

- 新型コロナウイルス感染症対策
- 予防理学療法の創出，業務の確立
- 予防（公的保険外）理学療法の標準化事業
- 国家試験の厳格化
- 病棟・介護老人福祉施設における理学療法士の活動の明確化
- 産業分野へ参画できる人材の育成
- スポーツ分野の支援事業
- 障害分野の支援事業
- 高齢者・障害者の就労支援事業
- 学童期の運動器障害予防事業
- 生涯学習システムの構築
- 地域リハビリテーション体制の構築
- 理学療法士関連団体との関係性強化
- 効果的な広報の実施

3）日本理学療法士学会等の組織とその位置づけ

2013 年度から，機関としての日本理学療法士学会（以下学会）が設立された．学会の中期計画骨子では，

1）協会委員，学会委員，都道府県理学療法士会員の三位一体の関係を堅持し，その枠組みで効果的な機能分化へと協働を模索する．

2）学会の使命は，①国の施策への提言，②学術成果の普及・啓発，③アカデミアの探求と位置づけ，目的に見合う組織体制を運用する．

3）現在の学術大会のあり方を第 53 回日本理学療法学術大会（2018 年）から見直すために，全国学術研修大会，ブロック学会，分科学会学術集会などとの調整を行い，開催の趣旨を明確にして効率的に運営する．

4）上記に資する学会運営審議会の権能と機能，担保した分科学会の法人化を含めた自立を推進する．

とされた．

定款の第 8 章に機関の名称および目的が定められ，「学会は，理学療法に関する学術・技術の研究並びにこれに関する事業を行う」とし，日本理学療法士協会内に，「日本理学療法士学会」ならびにその下部機関となる「分科学会」と「部門」が設立された．分科学会は，理学療法に必要な専門領域の学術（academy）を重視し，理学療法そのものを下支えする基盤としての役割を果たすものである．分科学会はその分野の学術交流を積極的に推進するための活動の場であり，一般演題やプロジェクト研究の発表・意見交換を本質とした学術交流会（conference）を開催する．また，部門とは「分科学会」が担うことができない学術領域や，明確な区分けができない領域について補完し，認定・専門理学療法士の認定とともに，理学療法に必要な領域の啓発（教育・研修）や各委員会の業務に協力するグループである．学会運営幹事は選挙によって選出され，選挙人は分科会登録会員，被選挙人は専門理学療法士を有する会員によって進められることになった．

学会規則には，第 5 条（分科学会）に，12 の分科学会を置くとされている．そして設立当初，「産業理学療法部門」「精神・心理領域理学療法部門」「徒手理学療法部門」「物理療法部門」「理学療法管理部門」の 5 部門が増設された．2017 年度からは，12 分科学会に，新たに「ウィメンズヘルス・メンズ ヘルス理学法部門」「栄養・嚥下理学療法部門」「学校保健・特別支援教育理学療法部門」「がん理学療法部門」「動物に対する理学療法部門」の 5 つの部門が加わり，10 部門体制で運営されている．2018 年 4 月 1 日時点での延べ登録者数は，133,959 人（実登録者数 18,287 人）であった（12 分科学会および 10 部門）．2017 年に開催された第 52 回日本理学療法学術大会は，12 分科学会および 10 部門が一堂に会する連合学術大会として開催された（参加者 7,771 人，演題数 1,780 題）．2018 年度の第 53 回の大会からは分散開催となり，これまで春に行われていた会期を 7 月から翌年 3 月までの間に開催している．

2021 年春，日本理学療法士学会は日本理学療法士協会から独立し，日本理学療法学会連合として 12 学会・8 研究会が設立された．2023 年春には，3 つの研究会が法人化し，現在 15 の法人学会および 5 つの学術団体会員で組織されている（図 10-3）．日本理学療法学会連合の活動は，理学療法に関する知識の普及，学術文化の向上に関する事業を行い，医療および社会福祉の充実に寄与することを目的としている．一方，学術研修大会は，2018 年 5 月に開催された第 53 回大会から，新たな

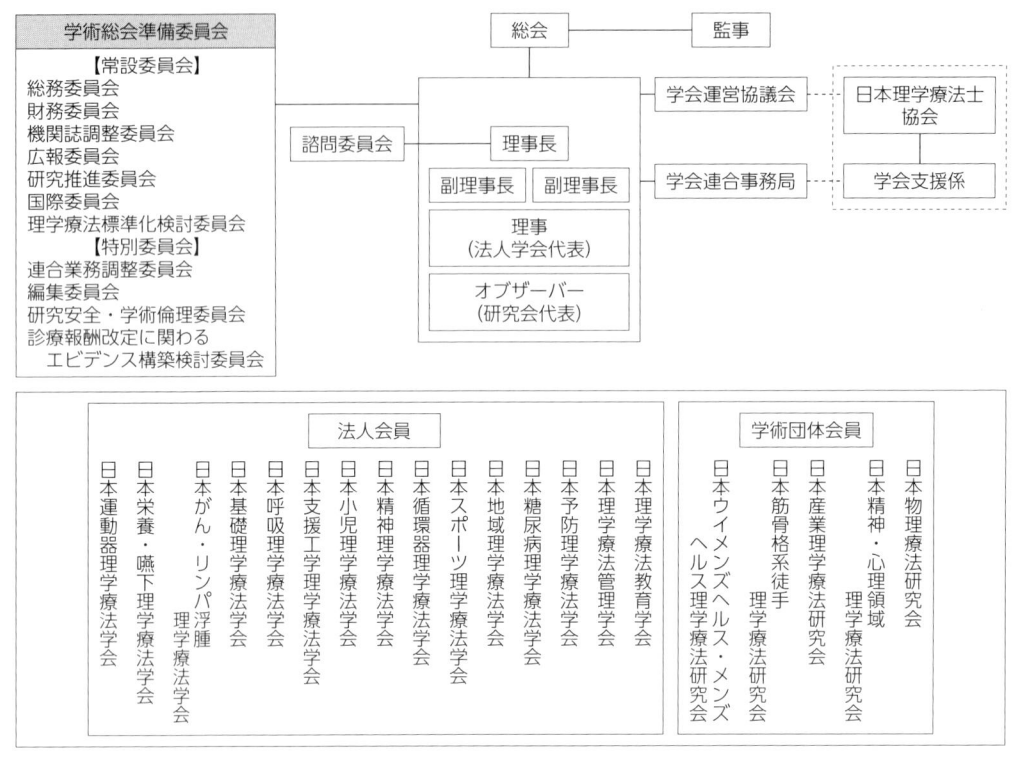

図 10-3　一般社団法人日本理学療法学会連合組織図

形式で開始された．これまで秋に開催されていた全国学術研修大会を春に開催し，多世代の会員が参加できる研修大会として，理学療法の基本的臨床技能，課題別臨床技能，階層別臨床技能の修得に重きを置いた内容とした（茨城大会ホームページより要約）．

3　世界理学療法連盟（World Physiotherapy）

1）歴史と目的

　世界理学療法連盟（World Physiotherapy）は 1951 年にデンマークのコペンハーゲンで創立された．当時は World Confederation for Physical Therapy（WCPT）との名称を使用していたが，2020 年 6 月末より運営上の名称（ブランド名称）を World Physiotherapy（ワールド・フィジオセラピー）に変更した．現在も，英国での登記上は World Confederation for Physical Therapy が使用されているが，本書で世界理学療法連盟を英語で表現するときには，運営上の名称である World Physiotherapy を使用することとする．発足は，大戦による戦争負傷者やさまざまな疾病による社会参加制約者への早急な対応をする必要性から，1948 年に 15 か国の代表者がロンドンに集い，国際的な理学療法士の組織を創立すべきだとの結論に至り，英国，米国を含む 11 か国の創立メ

ンバーになり世界理学療法連盟創立となった．1953 年には，第 1 回世界理学療法連盟総会・学術大会が開催され，4 年ごとに開催されてきた．日本の加盟は，1974 年のカナダのモントリオール開催の第 7 回世界理学療法連盟総会において正式に承認された．

学会は 4 年に一度各国で開催されてきたが，2015 年のシンガポール学会以降は，2 年に一度の開催となっている（総会は従来どおり 4 年ごと）．

2) 世界理学療法連盟の 2022 年以降の戦略計画

世界理学療法連盟の戦略計画とは，世界的な理学療法専門職の構築，理学療法士のサポート，場所に関係なく人々が理学療法サービスにアクセスできるよう提唱することである．この計画は，理事会，会員組織，地域，専門グループ，スタッフ指導グループとの一連の協議，調査，フォーカスグループを経て策定された．

世界理学療法連盟のビジョンは，誰もが，必要なときに，必要な場所で，質の高い理学療法サービスに普遍的にアクセスできることである．また，世界理学療法連盟の目的は世界中で理学療法士を代表し，われわれ専門職を前進させ，健康と福祉を改善するためにすべての人がアクセスできることを提唱することである．

3) 世界理学療法の日

毎年 9 月 8 日は，世界理学療法の日である．1996 年，世界理学療法連盟は世界理学療法の日をこの日に指定した．その理由は，1951 年 9 月 8 日に世界理学療法連盟が創立されたからである．世界理学療法連盟は世界理学療法の日を中心に，職業を促進し，専門知識の向上を図る目的でメンバー組織を支援することを目指し，世界的な理学療法コミュニティの団結と結束を促す日としている．

4) 加盟国

世界理学療法連盟は，現在 127 の加盟組織を通じて世界中の 60 万人以上の理学療法士を代表して活動している．世界理学療法連盟は，非営利団体として活動し，英国の慈善団体として登録されている．世界理学療法連盟は，1991 年から近隣の国同士がより密な連携をとれるように，5 つの地区（region）のブロック体制を敷き，その地区ごとに運営委員会を組織している．

世界理学療法連盟の地区は，アフリカ地区（Africa），アジア・西太平洋地区（Asia Western Pacific），ヨーロッパ地区（Europe：会員数が最も多い），北アメリカ・カリブ地区（North America Caribbean），南アメリカ地区（South America）の 5 つの地区に分割して組織化されている．日本は，26 か国からなるアジア・西太平洋地区（AWP）に所属しており，会員数が世界で最も多い加盟国である（図 10-4）．

5) 世界理学療法連盟サブグループ

世界理学療法連盟サブグループは，重要な独立した組織であり，特定の関心領域をもち，理学療法の発展と，その分野における科学知識の情報交換を促進する（表 10-1）．また，世界ではサブグループ入りを検討している世界理学療法連盟ネットワークが 12 存在している．

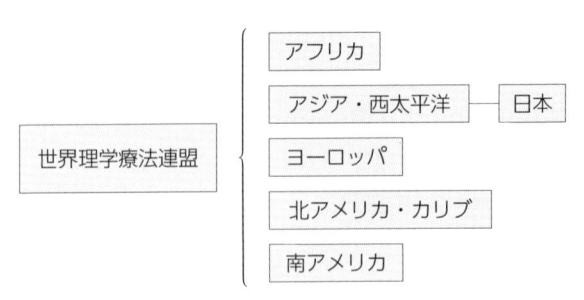

図10-4　世界理学療法連盟の組織

表10-1　世界理学療法連盟のサブグループ

Acupuncture	鍼
Aquatic	水中
Cardiorespiratory	心臓呼吸
Electrophysical	物理療法
HIV/AIDS, oncology, hospice and palliative care	HIV/AIDS，腫瘍，ホスピス，緩和ケア
Manual/musculoskeletal physiotherapy	徒手療法
Mental health	メンタルヘルス
Neurology	神経
Occupational health and ergonomics	産業保健とエルゴノミクス
Older people	高齢者
Paediatrics	小児
Pelvic and women' s health	骨盤と女性の保健
Private practice	個人開業
Sports	スポーツ

6）世界理学療法連盟総会と学術大会

　世界理学療法連盟の歴史と目的については前述した．ここでは1999年5月23〜28日にわたり，アジア地区では初めてとなる日本（横浜）において第13回世界理学療法連盟学術大会が奈良　勲大会長・準備委員長丸山仁司のもと開催されたことに触れておく（図10-5）．大会テーマは「Bridging Cultures」（文化を超えて）であり，このテーマで世界理学療法連盟会長および理事によるシンポジウムも行われた．この準備に4年間を要したが，協会が1990年に「日本学術会議」から「日本学術研究団体」としての承認を得ていたこともあり，多大な支援を得ることができた．ちなみに，協会が学術団体員でもあることは，会員が臨床家にとどまらず研究者でもあることの証である．

　特記すべきことは，この大会の開会式に天皇皇后両陛下が臨席され，天皇陛下の「おことば」を賜ることができたことである（図10-6）．両陛下は年に1つの国際学術大会にご臨席されるとのことで，その確率からしてこのうえなく光栄な出来事であった．さらに，両陛下は海外の参加者100人，国内の参加者100人合計200人の特別パーティーにも参加され，天皇陛下もしくは皇后陛下は一言二言全参加者とことばを交わされたため，参加者の誰もが感銘していた．

図 10-5　第 13 回世界理学療法連盟学術大会開会
式での奈良　勲大会長の挨拶

図 10-6　第 13 回世界理学療法連盟学術大会開会
式での天皇陛下のおことば

　2015 年のシンガポール学術大会以降は，2 年に一度の開催となっている．世界理学療法連盟学術
大会は 2019 年にスイス，2021 年にドバイで開催された．第 2 回目となる日本開催は，コロナ禍に
より延期となり，2025 年に協会の 60 周年記念事業と同時開催の予定である．

　なお，世界理学療法連盟会費は各国の会員数に比例して支払われるシステムであるが，数年前から
日本はトップであり，世界の理学療法をリードしていく立場にある．

（黒澤和生）

■ 参考文献

1）健康政策六法．p1257，中央法規出版，2004.
2）丸山仁司：第 11 章理学療法士の組織と活動［奈良　勲（編著）：理学療法概論　第 5 版．医歯薬出版，
　2007.
3）日本理学療法士協会ホームページ．
4）公益法人化に向けたスケジュール．JPTA News, No.263. pp14-15, February, 2010.
5）Physical Therapy：A Thinking Reed. JPTA News, No.285. pp30-32, October, 2013.
6）World Physiotherapy ホームページ．

（ホームページは 2023 年 9 月 30 日閲覧）

第11章
理学療法士としての適性と資質

　人は社会の一員として必要とされる役割を演じる．もっとも，ほとんどの人は社会のなかにおける役割を演じるとの意識をすることなく，いかに安全で楽に豊かな生活を送るか，また名誉・地位・権力を得ようかなど，さまざまな思惑と欲望に支配されて生きているのが事実であろう．第1章でも述べたが，人間は根本的に自己中心的な存在とされているが，精神の成熟度によって，それ相当に自己中心的で私欲的存在を超越することは可能であり，その事実は歴史上の人物のなかにも認めることができる．また，私たちの身近にもそれに該当すると思える人物は存在している．

　理想をいえば，数多くの人間が，個人の可能性に準じて精神的成熟を図り，徐々にでも自己中心的欲望を超越し，己の存在に伴う責任はもとより，他者，つまり社会に対する配慮をもてるだけの「こころの豊かさ」が熟成されることが望まれる．現実的に考えても，「誰も孤島ではない（No man is an island）」のごとく，1人だけでは生きていけず，何もなすことができない事実を認識すれば，他者への配慮は社会の秩序を保つ大切な要素であることがわかるであろう．つまり，己の存在は他者との相互関係性において成立するのである．

　自愛の精神は己の人間性を高揚させることによって他者への思いやりが深まると前提すれば，好ましい現象といえる．逆に自愛もできない己は他者への愛を育むことすらできないともいえる．ここでいう自愛とは，自己中心的愛もしくはナルシスト的愛を意味するのではなく，己の存在，可能性を大切にして，個人として自己実現するとの意味で用いている．つまり，まずは素直に己の生命，心身の健康，社会的活動を大切にすることが他者や社会への健全な関心を表明していることになる．換言すれば，個々人の「こころの豊かさ」は，社会の豊かさにつながるといえる．

　とはいえ，私たちは物質的豊かさも求めている．米国の社会学者・リースマンの著書『何のための豊かさ』（1969年）によれば，物質的豊かさを通じて「こころの豊かさ」に結びつけられるなら，それはそれでよいことであるとされている．もしそれらが反比例するとすれば，何のための豊かさであるのかと問うことの大切さが指摘されている．たとえば，インカ帝国，マヤ文明など，歴史的に一時期に繁栄し滅亡していった文明社会や国家を知るときに，その背景には，物質的貧困よりも侵略などを含む精神文化的貧困がはびこった結果ではないかと思える例がある．

　さて，「理学療法士としての適性と資質」について議論を展開するが，前述の内容を提示したのは，このテーマについて議論する価値の有無を確認しておく必要性があると考えたからである．社会における個々人の役割がより効率的かつ有意義的に演じられるか否かということは，単に個々人の課題であるだけではなく，社会に波及する重大な課題でもある．さらに，このテーマを除外して特定の職業への適性と資質について議論するのは無意味といえよう．ちなみに，学生の臨床実習評価表には，必ず理学療法士としての資質に関連した項目が設けられている．筆者も病院勤務時には学生の臨床実習を担当し，教員時代には，学生の理学療法に関連した知と技および資質の総合的成績を注視していた．

　奈良らは，学生の臨床実習の成績と入学試験の点数および学業成績との相関を調査して報告している[1]．それによれば，入学試験の点数との相関は認められず，傾向としては学業成績との相関は認められた．それでも，学業成績とは関係なく臨床実習の成績が優秀である学生がいたことから，学業成績には適性や資質面との関係性がさほど反映されていないと思われた．臨床実習で不合格になるケースや，途中で警告や中止に至るケースでは，知と技の水準よりもコミュニケーション不足によって対象者や臨床実習教育者との人間関係の構築に苦慮する学生がほとんどであった．このような側面からしても，学生の適性や資質について熟慮することの重要性を感じてきた．

1 出会い，選択，動機

1）出会い

　人生の過程で，私たちは数多くの人間，出来事，現象などに偶然的に遭遇する．ここではそれを出会いとよぶことにする．しかし，私たちは数多くの人間や諸々の事柄との出会いがあっても，すべての状況に関心を示すわけではない．人間についても己自身が必要としているか，他者に必要とされているかによって，関係の対象者が定まってくる．また，出会ったことのない対象物（者）については，少なくとも直接的な関係をもつことはあり得ず，それらの存在すら知るすべもない．

　身近な例を挙げると，デパートでショッピングするとか，食堂で食事を注文するときに，私たちは財布の中身と相談しながら好みのものを選択している．若者が恋人を選ぶとか，結婚相手を決める際にも選択をしている．もちろん，状況によっては選択の余地がないこともある．人間に選択権があるかないかということは，人間の自由意思と深い関係がある．よって，選択権が認められている社会は，人間の自由意思を認め合っていることになる．憲法のなかにも，種々の自由が約束されている．そのなかに，職業や思想などの自由に関した項目も含まれている．

　さて，私たちは人生の過程でいろいろな対象物（者）と数多くの出会いがあると述べた．これは人生自体が，選択（意思決定）の連続であることを意味している．私たちの人生は，個々人の価値観に基づく意思によって選択され，決定された方向に進むことになる．ちなみに，旅の行き先を destination とよぶが，これは destiny（運命）を定めることでもある．選択権がないとか，選択権を他者に委ねることは，個々人の自由意思によって己の人生を送ることを放棄することになる．やむなくそのような状況に陥る事情はあり得るが，人生の過程で意思決定しない，もしくはできなくなれば，生活に関する自由を失うのである．

2）選　択

　私たちが出会いのなかで選択をしていることは明らかな事実であるが，何を基準に選択しているのだろうか．おみくじや宝くじなどは選択基準に根拠がなく，一等賞を引きあてるか否かは確率性でしかない．己の人生の道程の選択をこのような基準に委ねるのはたいへん無謀と思える．

　何事の選択に際しても大切な要素は，何を求めているのかの価値基準とその認識水準であろう．仕事を通じて，人は生活の糧を得るが，それ以上に実在している証と他者，社会に対して己の能力を提

供できる．しかし，そのためには個々人の能力と将来的可能性が十分発揮し得る適切な職業または進路を選択する必要がある．

3）動　機

　現在，理学療法士として仕事に従事している人びと，これから理学療法士になろうとしている人びとは，理学療法との出会いがあり，何らかの理由でそれを選んだことになる．しかし，通常は最初の出会いで，選択の対象がいかなる内容であるのかを具体的に知るのはたいへん困難である．最終的には選択した分野の学習および実際に仕事を体験してみる以外に方法はない．さらに，高校卒業時に何を求めているのかを熟知している若者も稀であり，大多数は，理学療法に関する認識が不十分なまま入学しているのが事実のようである．理学療法を選んだほとんどの学生の動機が明らかでない事実は，当人を含めその関係者が，進路選択の適性と資質に関する課題をさほど考えていないのではないかと思えてならない．

　たしかに，初期の動機が高く，その内容が現実的でかつ当人の適性・資質にかなったものであれば，エネルギーは理学療法学の勉学に向けられ，その結果として当人の充実感が得られ，水準の高い理学療法士が輩出されると想定される．しかし，最も重要なことは，当人の動機が学習や卒業後の仕事の過程で継続的に維持あるいは高められるかである．初期の動機がいかに高尚であっても，それが途中で失われることもあり，逆に初期の動機が漠然としていても，徐々に明確になることもある．

　仮に当人の選択が不適切なものであり，選んだ対象に関心をもち続けることができなくなるとすれば，当人は新たな出会いを求め，没頭できる分野を探索するほうが賢明であろう．しかし，そのための決断と勇気そして情熱が当人にないとすれば，無為な一生を送ってしまうことになりかねない．これは当人と社会にとって不幸な出来事といえる．

2　適性と資質の基本概念

1）適性とは

　適性の「適」は，あるものとあるものがピッタリ合っていること，一致していること，ある状態にふさわしいことなどを意味している．たとえば，テニスをプレーするときは，テニスコートでテニスシューズを履き，スポーティな服装をして腕力に合った重さのラケットを用いて天候のよい日に行うとか，数学的才能と関心をもつ者が，高等数学に取り組むことなどが挙げられよう．つまり，人と人，人と状況，環境，物と物などの相互関係についていえることと考えてよい．

　性は性質，性格など人のもつ生物学的，心理的特性を示す．通常，適性ということばは，人がある特定の役割（仕事）をうまく遂行していくための素質，素養，能力といったようなものが備わっているかどうかという状況において用いられていることが多い．「彼は冷静さに欠け，他人のことばに耳を傾けないので，カウンセラーとしての適性は低い」といった具合に用いられる．

　適性という意味を表す類似英語は，①aptitude，②competency，③proficiency，④aptness，⑤suit など，他にもたくさんありそれぞれ使い分けられている．Aptitude は生来備わっている素質

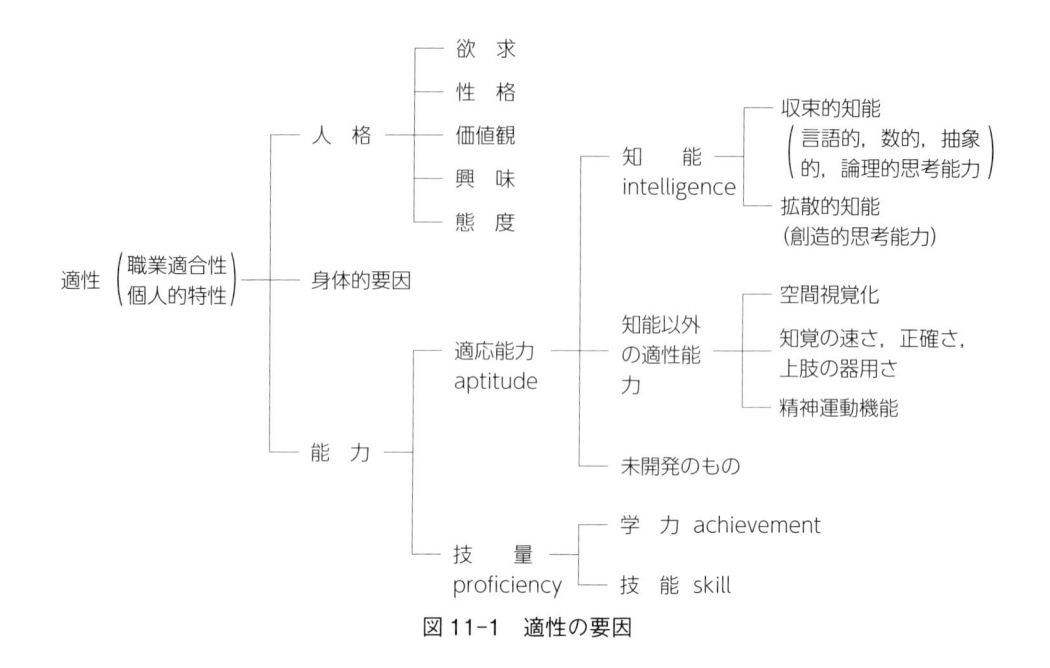

図 11-1　適性の要因

という意味で用いられ，aptitude test と称し，特定分野における就学，就職などに際して実施される，いわゆる適性テストのことである．一方，competency とは，人がある特定の仕事や作業を実際に満足いく水準で遂行できるか否かという意味での適性を示している．卒業試験や国家試験などは，この部類に入ると考えてよい．

　Proficiency も competency の意味に類似しているが，これは能力の達成水準との関連で用いられることが多く，たとえば，一応の英語能力のある人に対し，その人の能力水準（適性水準）を知るためのテストを English Proficiency Test とよぶ．適性とは，人間のもつさまざまな個人的特性の複合体であり，たとえば，知能といった単一の因子によってのみ定まるものではない．日本職業指導協会編の職業指導研究セミナー報告書（図 11-1）では，適性の要因は大きく人格的，身体的，能力的要因に分けられ，それぞれの要因がさらに細分化されている．図 11-1 では，技量を proficiency としてあり，筆者の定義と多少ずれがあるが，大差はない．

　適性の概念を心理学的な立場から定義したのは，米国の心理学者ウォーレンであるといわれている．彼によると，「適性とは，ある知識や技能または一組の反応を，修練によって獲得する個人の能力を見出すための徴候としての状態または一組の特性である」と定義している．つまり，適性とは，ある一定の目標とする進路に向かうための準備状態であるが，適性のあるなしの判定は，ある時点において目標へ向かうために必要とされるすべての特性を有しているか否かではなく，一定の修練を受けたのちに，これらの特性をどの程度備え得るかによって判定されるものであるという考え方である．この考え方によれば，aptitude よりも competency もしくは proficiency を重視することが望ましいことになるが，aptitude と competency の関連は深いと思われるので，双方を総合的に考慮することが大切であろう．

2）資質とは

　辞書などによると，資質とは，生まれつきの性質や才能，資性，天性などが遺伝子情報として伝承されることを意味している．つまり，生物学的には先天性な要素を指している．英語ではnature（性質），endowment（才能），disposition（気質，素質），quality（質），capacity（可能性），resource（資源）などがある．適性と資質との関係性から考えると資質は，前述した適性の基盤をなす要素として捉えられる．だが，適性は後天的に学習される可能性が高く，資質はその可能性が低いという相違点がある．

　第1章「4．人間としての責任」の項で「宿命」と「運命」との概念の違いについて述べた．その観点から資質は宿命的で，適性は運命的であるとの論理が成り立つと考える．よって，ソクラテスいわく「汝，自身を知れ」は，宿命的存在である己の資質を認知してそれを受容することと考える．次にさまざまな思考と学習を通じて己の人生を運命的に展開することで適性を知り，それを高めることが可能になると考える．ちなみに，宿命（fate）は文字どおり命が子宮という宿で育まれ，運命（destiny）は己の自由意思で命を運ぶことであると考える．

3　理学療法士としての適性（aptitude）

　前述のように，aptitudeとしての適性は，理学療法士になろうとする当人に備わっていることが望まれる要因であり，competencyおよびproficiencyは理学療法の教育，修業を一定期間受けた後に，当人が理学療法士として望ましい水準に達しているか否かである．理学療法士としてのaptitudeについて考えるとき，まず理学療法の業務，役割の背景を分析してみる必要がある．そして，人格，心身の能力面で基本的に何が要求されるかということを考えてみたい．

　国際生活機能分類（International Classification of Functioning, Disability and Health：ICF）に準じた理学療法士とは，何らかの変調・疾患によって損傷，機能不全をきたし，活動・生活制限および社会参加制約のある対象者に対し，特定の方法論によって働きかけ，それらの改善もしくは解決を支援することである．対象者の背景はさまざまであり，多少にかかわらず不安感や脅威を抱き，己を含む現実社会への適応性や葛藤などの課題を有している．ゆえに，単に技術論のみで対処するのではなく，心理社会論との均衡を保った介入が求められる．また，理学療法士は単独で対象者に関与するのではなく，他の保健医療関連専門職との協働作業を重視する必要がある．さらに，理学療法に関する研究，対象者とその家族および学生や他者への教育も含めると，理学療法士に求められるaptitudeはかなり複雑で，高度なものになる．それでは，理学療法士のaptitudeとして，いかなる要素を備えた人間が望ましいのだろうか．

1）人間に対する関心

　理学療法も対人サービス業の範疇に含まれるため，人間全般に対する関心や情愛が高いことが望ましい．しかし，それらの要素は押しつけるものでも自慢すべきものでもない．当然，それに対する見返りを期待するものでもない．他者への思いやりとか日本文化特有の「おもてなし」は，歓迎される

姿勢ではある．だが，状況によっては，"No"と応答することが相手への思いやりであることもある．「来る者は拒まず，去る者は追わず」程度の関心，つまり，相手の主体性を尊重したうえでの関心であることが大切ではないだろうか．

2）人格，性格と行動形態

　『広辞苑』によると「人格」（パーソナリティー，personality）とは，①人柄，②個人が自身を唯一の持続的な自我とみなす働き，③道徳的行為の主体としての人，自己決定的で，自律的意思を有し，それ自身が目的自体であるところの個人などとある．「性格」は，①生まれつきのたち，②各個人に特有のある程度持続的な行動の様式などとある．性格は人が生まれながらにしてもつ特性として考え，人格はそれらを基盤にして個々人がつくりあげた人（ペルソナ：persona：仮面を被った顔）としての形成，成熟を示すものとして理解してよいだろう．

　さて，理学療法士としては，対象者を感情的に認識して対象者の課題にのめり込んでしまうこと（感情移入）は望ましくないとされている．また，専門職者の気分の揺らぎによって，行動が定まらないのも好ましくない．さらに，特定の役割に対する責任感と同時に，総体的に状況を観察し，柔軟性に富み，かつ根拠ある価値判断ができるだけの自我の発達が求められる．また，己と他者への素直さが求められ，過度な自己防衛によって，対象者はもとより，他のスタッフなどとの人間関係が疎遠になることは望ましくない．

　理学療法士の業務の遂行は，理学療法士と称した人間の行動そのものである．人間の行動はあらゆる精神活動によって条件づけられており，古典的には感受性もしくは情動性，知性もしくは認識，そして意思に分けられている．人間固有の行動は，最初に感受性の働きによって刺激を受ける．感受性は感動を覚醒して興味を喚起する．対象者との対応において，感受性の欠如は致命的といえよう．そして，認識もしくは知性による情報整理と解釈に基づいた理性に富む行動を，一定の目標へ向けて制御し続ける意思の強さが求められよう．

3）知性（課題解決能力としての創造性）

　理学療法士の業務の中心は，対象者の身体機能，心理社会的側面などに関して必要と思える情報を収集し，課題点を明確化してその解決方法を考え出し，実践に移すことである．しかし，この過程では，特定の知識，技術の理解に基づいた帰納法的，演繹法的思考活動が求められる．応用力とは，この種の思考性によって派生してくるもので，単なる知識や技術の記憶だけでは課題解決に至らない．また，文化は創造性によって築かれてきたといっても過言ではないことから，常に真善美を追究して創造的精神活動を活性化することが求められる．

4）共感（empathy）

　共感とは，知性の項目でも少し触れた感受性と類似しているが，他者の気持ちを正確に洞察し，他者が伝えようとしている事柄の意味を正しく理解して適切な反応を示し得る能力である．同情（sympathy）は感情レベルにおける反応であり，表面的反応とされている．他者に同情するのは容易であるが，こころの奥底から己の手を汚してまで他者と関わり合うことは，容易なことではない．

　米国の理学療法士ルビンらは，共感の強化を目標にした講座を 18 週間特定の学生（インディアナ

大学）に受講させ，受講しなかった学生グループとの比較検討を行った．その結果，コースを受講したグループにおいて共感の値が高くなったとし，共感もある程度は教育によって高められることを示唆している．いずれにせよ，同情ではなく，共感レベルで対象者に対応できる要素が求められる．

5) 健　　康

　常識的なことであるが，損傷や機能不全をきたした対象者の検査・測定/評価，治療，教育指導に際して，理学療法士自身の心身の総体的機能を十分に発揮できるように努める姿勢が肝要である．対象者の安全性を確認しながら必要とされる治療を遂行する立場にある者が，他者のケアを要するようでは，最善の理学療法業務を実践することは困難であろう．理想的には，理学療法士自身が業務以外の心身の活動を続けて精神衛生上の自己管理を含めて退化現象の軽減に努めることが望ましい．

　以上，筆者らは基本的 aptitude として 5 つの要素を挙げたが，イスラエルのベングリオン大学医学部では入学者選定に際して，医師志望者に望ましいとされる特性を 16 項目定めている．理学療法士志望者にも共通すると思えるので紹介しておく．

①知的特性

- 広範かつ複雑な資料を習得できる能力
- 自己学習の能力
- 知的柔軟性
- 課題解決能力（批判的，体系的精神）
- 知的好奇心

②価値観に関する特性

- 困難に陥った人びとの支援に責任を抱く意欲
- 地域社会の保健サービスへの関心
- 地区や保健科学センターの目的に従いどこでも働く欲求（イスラエルの特殊性が含まれている）

③人格的特性

- 円満，正直
- 人びとに対する共感・関心と，苦痛に対する感受性
- 感情的柔軟性（非独断的）
- 曖昧さに対する寛容と同時に不確実な状況でも意思決定できる能力
- 自律性や指導性を失うことなく，他の人びとと協調できる能力
- 謙虚さ
- 安定した自我の確立
- 熱中する能力

　理学療法士としての aptitude として挙げた主な要素は，決して理学療法士だけに適用されるものではなく，基本的には対人サービス業全般に求められるものである．

4 理学療法士の遂行能力（competency）

　Competency とは，特定で具体的な知識と技能の学習を必要とし，特定の分野において業務の遂行が満足のいく水準で果たせるか否か，を意味している．仮に理学療法士としての高い aptitude を有していても，理学療法に関した学習水準が低く，実際の場面で十分に機能することができないとすれば，competency は低いといえる．Webster 辞典によれば，competency とは "the art of being capable"（技能の芸術性）とか，「特定のスタンダードが保たれている優れた行動，活動」などとなっている．しかし，competency の水準を客観的に定めるのはたいへん困難である．たとえば，テストの合格最低点が 60 点程度とされていてテスト自体の客観性があったとしても，テストの難易度によって成績は左右される．よって，絶対的基準と相対的基準が総合され，その時代の状況によって competency の水準が定められている．

　米国の理学療法協会が発行している "Competencies in Physical Therapy：An Analysis of Practice（理学療法における遂行能力：実践の分析）" と題した印刷物には，理学療法業務の遂行水準を主題にして，安全性，倫理，判断，患者の取り扱い，治療効果などが取り上げられている．その他，①理学療法部門における業務目標，②治療内容，③学生の臨床教育，④臨床研究，⑤職員教育および管理，⑥理学療法部門のスペース，設備，⑦予算などについても記載されており，業務が高い水準で遂行されるためには，理学療法士の能力以外の諸条件を備える必要性もある．図 11-2 は前述した印刷物から引用したものであるが，温熱治療実施にあたり，そのフローチャートが作られており，業務が適切に遂行されるか否かを点検できるようにしてある．このチャートは温熱療法を例にしているが，特定の疾患，治療手段に応じて個別的に対処できるようになっている．

　Competency の獲得水準は，第一に卒前教育において学生が何をどれほど学んだかによって決定される．しかし，卒前教育はあくまでも準備段階であり，卒後教育によって知識，技能の成熟を促進する必要がある．そのためには，常に向学心を保ち続ける必要があるが，一般的には資格を得た後の卒後教育は疎かになる．

　教育者もしくは教育施設の責任は，入学者の選抜に始まり，教育目標にかなった教育プログラムをより効果的に進め，一定基準に満たないと考えられる学生，すなわち一定の competency を得ていない学生の進級や卒業は認めないことである．専門教育施設医とは特定の分野における一定の competency を修得させるのが目的だからである．学生のなかには，何らかの理由で適性を見出せず，退学する者もいる．一方，教育者側で学生に適性が見出せないようなケースがあれば，本人の将来を考慮して他の進路を模索する指導があってもよいと考える．

　米国のある大学教授は，"生涯に三度転職せよ" と述べている．これは米国において一般の職業経歴が非常に重視されており，生涯に一度も職場を変えないようでは，無能の烙印を押されるということらしい．三度の転職の間に，己の適性をよく見極められることもあるとすれば，悪いことではないと思える．しかし，日本においては，いまだ年功序列制度が主流となっていて，再三の転職は給与や経歴面で不利なことが多い．また，たびたびの転職者は尻が軽く，信用を欠くとの文化的価値観もあり，転職は米国におけるほど容易なことではない．この事実は，大学の学部，学科間における転向が至極困難であり，再度入試を受け直して新たな学部，学科を志向せざるを得ないことにも共通してい

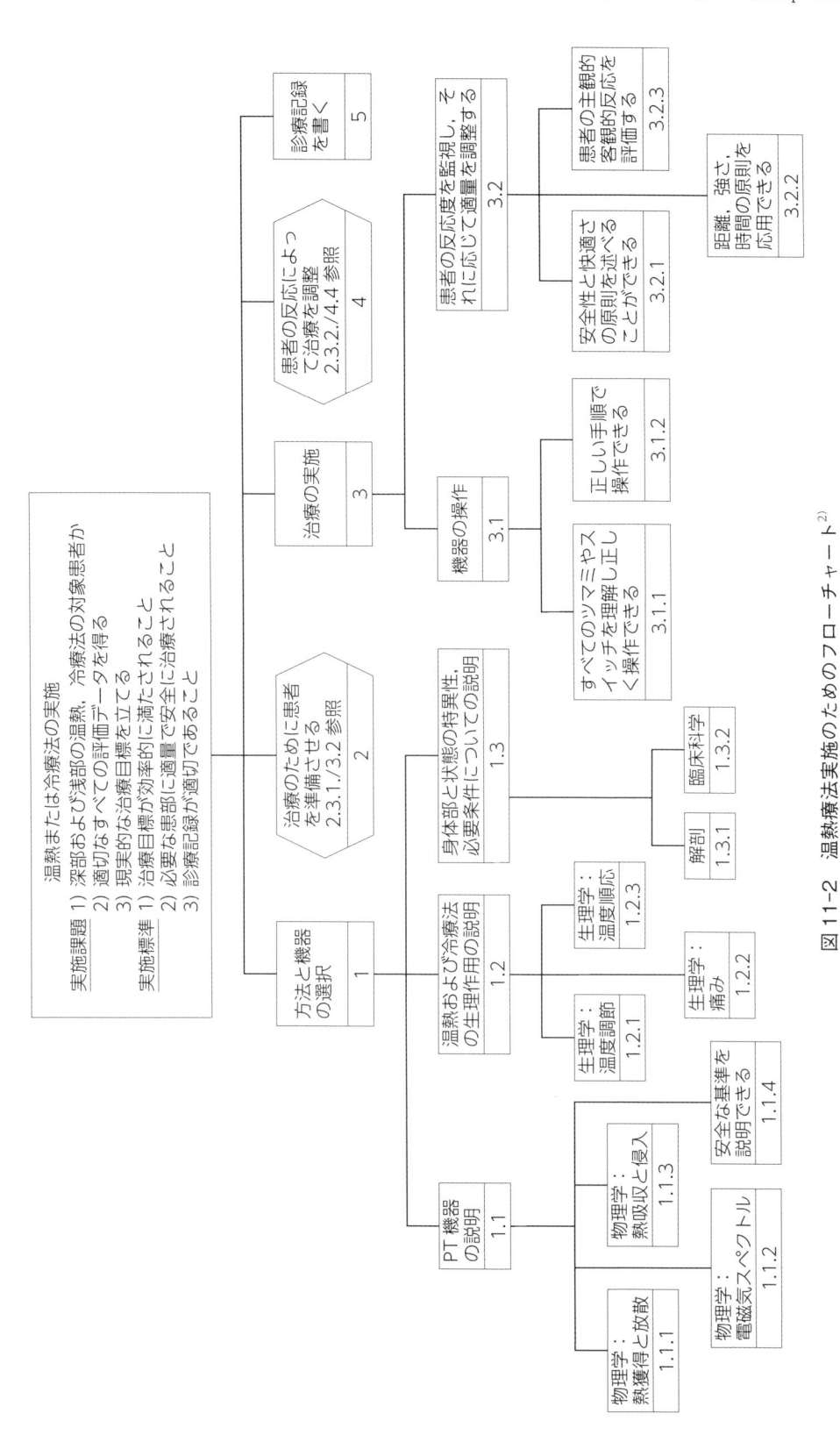

図 11-2 温熱療法実施のためのフローチャート[2]

温熱療法実施にあたり，与えられた患者の評価データや治療目標に対し，治療方法や機器の選択，治療準備そして患者の反応に応じて治療内容の修正などが順次できるかといろことをチェックするためのフローチャートである．

るようであるが，近年ではこの点は是正されてきている．だが，日本では個々人に合った進路を選択するための環境は決して整備されているとはいえず，そのようななかで自己の適性を見出すことは容易ではない．

5 適性の重視と育成

　日本における入学試験は，いまだ学力中心主義である．たしかに学力は大切ではあるが，思考性，適性なども含めて，個性や可能性を総合的に判定することがより論理的といえる．近年，スクリーニングテストとしてのセンター試験が実施され，各大学では多様性に富む方法で入学者を選抜している．日本医学教育学会がかつて一般の 3,500 人を対象に「よい医師像とは」について調べたところ，①患者の身になる，②研究熱心，③いつでも診てくれる，④営利主義でない，⑤病気を説明してくれる，⑥技術がすぐれている，⑦薬を乱用しない，⑧誤診をしない，⑨親切，⑩信頼できる，という結果になった．この結果は⑦を除き，⑧を機能診断におきかえれば，理学療法士についても該当するといえる．

　「よりよい理学療法士像」のイメージを有する理学療法士を数多く育成するためには，入学時の総合的な判定によって，理学療法士として aptitude の高い人材を選抜し，教育においては知識・技術と人間性をより豊かなものにする機会をつくりだすことが重要な課題となる．しかし，現状において，それらを実現するためには善処すべき多数の課題があり，今後の改革に向けた対策が期待されるところである．

（奈良　勲・高橋哲也・堀　寛史）

■文献

1) 奈良　勲・他：理学療法科学生の学業成績に関する研究．理学療法学，**15**（3）：235-237, 1988.
2) American Physical Therapy Association：Competencies in Physical Therapy：An analysis of practice 3rd. 1981.
3) 奈良　勲：理学療法概論―理学療法士としての適性．理・作・療法，**14**：415-419, 1980.
4) 田川義勝・他：作業療法概論―作業療法士としての適性．理・作・療法，**14**：848-852, 1980.
5) 柳井晴夫：進路選択と適性．日経新書，1980.
6) 砂原茂一：理学療法士・作業療法士における人間学．理・作・療法，**14**：233-237, 1977.
7) Davis MC, et al：Competency, The what, why, and how of it. Physical Therapy, **59**：1088-1094, 1979.
8) Rubin FL, et al：Empathy can it be learned and retained. Physical Therapy, **57**：644-647, 1977.
9) Warren C：Dictionary of Psychology. 1935.

第12章

理学療法と心理・メンタルヘルスへの対応

　理学療法は変調や病気をきたした人間を対象にしている．よって，身体的介入とともに人間の心や行動を理解することなしには理学療法は成功しない．当然，理学療法士は，日々の臨床現場（医療面接・評価・運動療法・ADL 指導など）において急性期から緩和ケアに至るまで対象者の心理的プロセスに対応している（図12-1）.

　心理的対応とは，単に対象者の心理を理解し，対応することだけではない．理学療法士に必要なことは，患者（以下，対象者）を人間として総体的に捉え，限りなく人間への興味をもつことである．人と人との相互の関係性において成り立つ専門職にとって，自己と対象者およびその家族（他者）を理解し，その関係性を捉えることが大切である．さらに対象者・家族の語る物語を聴き，生きてきた社会的・文化的背景を理解することは，個性のある対象者の QOL（生命の質・生活の質・人生の質）を支援するために重要な意味をもっている．自己を理解し，他者を理解するためには，心理学・社会学・倫理学・哲学・医療社会学・医療人類学などの学際領域から多くのことを学ぶ必要がある．人間であるということは内面にある感情の独自性であり，主体的意思によって行動することである．ゆえに，対象者を幅広く学際領域の視点から捉え，対象者に限りなく接近して相互関係性を構築することが重要である．ここでは，カウンセリングなどの心理学的手法を取り入れた基本的臨床態度を軸に，理学療法士による心理的対応についてさまざまな視点から論述する.

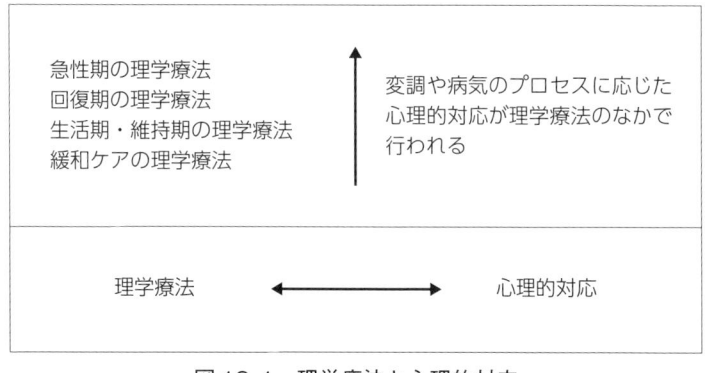

図 12-1　理学療法と心理的対応

1 理学療法と心理的対応

1) 哲学的視点から理解する

　理学療法士は対象者の何をみるのか．対象者は主体的・独自的・創造的・歴史的・社会的・意味的かつ包括的・全体的（ホリスティック：holistic）な存在である．にもかかわらず，一般に理学療法士は人間を生物的レベルでみがちである．私たちは経験的に，対象者-治療者関係においてお互いの感情と対峙することなくして理学療法を有効に遂行できないことを知っている．そして，対象者の生きてきた人生を文脈として受容しないと対象者の真の心情を理解できないことも知っている．対象者が語り，表現した文は，つなぎ合わされた文脈によってこそ意味をもつのである．これは，物語に基づく医療（Narrative Based Medicine：NBM）とよばれ，対象者の物語を傾聴することで，対象者への理解と認識を深める大切な医療行為の1つである．

　哲学的視点によって対象者の捉え方が異なってくる．私たちに求められることは，対象者を生物的・心理的・社会的・実存的・霊的（スピリチュアル）レベルから全人的にみる（診る・観る）ことであり，限りない人間へのまなざしである．生活世界において今を生きる対象者へ迫る臨床へのまなざしであり（図12-2），Heidegger（ハイデッガー）のいう世界内存在*としての人間へのまなざしでもある．臨床とは，一般的にいえば対象者を前にして病床に臨むことである．

　中村[1]は近代科学の3つの原理，普遍性・論理性・客観性を無視した現実の側面を捉え直す「臨床の知」が重要であると述べている．デカルトやベーコンに代表される科学の知は，抽象的な普遍性によって，分析的に因果律に従う現実に関わり（要素還元主義），それを操作的に対象化するが，それに対して臨床の知は，個々の場面や場所を重視して深層の現実に関わり，他者が表す隠された意味を相互行為のうちに読み取り捉えるものである．換言すれば，科学の知は冷ややかなまなざしの知，視覚独走の知であるのに対し，臨床の知は，諸感覚の協働に基づく共通感覚的な知である．臨床とはフィールドワークであり，理学療法士の知とはまさにフィールドワークの知である．医療・福祉・保健の現場は臨床であり，フィールドワークそのものである．具体的な場面・事物の多義性・相互行為に対応するサイエン

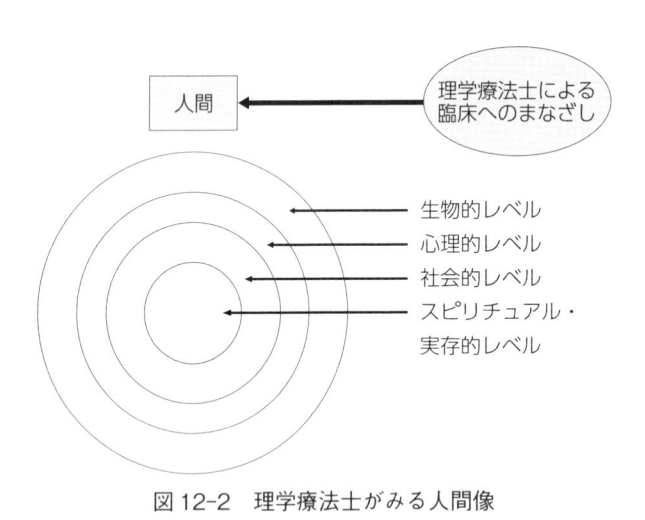

図12-2　理学療法士がみる人間像

---

* 世界内存在：ハイデッガーの存在論における，人間存在のあり方を示す中心的概念．人間という現存在は単に世界のなかにあるのではなく，世界のなかのいろいろなものと関わり合いながら，それに慣れ親しみ世界のなかに住んでいる．そのようなあり方でこそ人間は人間として存在するのだということ．

スとアートが求められる.

　臨床に必要とされるものは科学の名のもとでの暗黙裡（あんもくり）の権威ではなく，理学療法士の人間性とアートとしての技能である．理学療法サービスを効率的かつ効果的に提供し，その提供する過程で安心と安全を与え，満足のいく結果をフィードバックし，技術的，人間関係的に省みることが必要である．それは理学療法士として臨床の知に基づく癒しの対応につながっている．

　私たちは，対象者の病気や変調だけを課題にするのではなく，人間の捉え方，迫り方，関わり方を分析的なものから全体的なものへ，客体的なものから主体的なものへ，観察的なものから参加的なものへ，上下関係から水平関係へ，権威的なものから信頼的なものへと変容させることが必要である．全体は，部分の総和以上の独自の意味をもつとされている．特に，緩和ケアの理学療法においては，何らかの介入だけに意味を見出すのではなく（とかく陥りやすいのだが），対象者が存在すること自体に意味があることに気づく実存的レベルの対応が求められる．フッサールの現象学やハイデッガーの実存哲学から学ぶべき視点は多くあり，これらの成書を読んで学び，哲学的な視点を変容させることで，新しいものの見方，感じ方，行動のしかたが可能になり，対象者への新たな心理的対応が生まれる．

2）心理・社会・倫理的視点から理解する

　心理学は，人間性に内在する不可解さに挑戦する人間科学である[2]．心理学を学び人間の行動や心のしくみを理解・認識することで，さらに自己と他者との相互了解性によって効果的な理学療法が遂行できる．一般に心理療法で使われる共感・傾聴・受容といったカウンセリングの基本的技法やコミュニケーション技法は，理学療法士にとっても日々の臨床を遂行するための基本的臨床技能である．理学療法士にもこれらの方法を深く学び習得することが求められる．たとえば，理学療法場面で遂行する医療面接は，心理面接として捉え，心理面からの情報収集に配慮した態度・対応が大切となる．実際に理学療法の臨床現場では，共感的コミュニケーションによる対話が不可欠であり，一方通行では成り立たない場面が多い．すべての理学療法（運動療法，物理療法，ADL指導など）において対象者からのフィードバックは必要であり，黙って座れば（寝れば）ぴたりと治すというわけにはいかないのである．

　私たちは，理学療法を効果的に遂行するために必要な学習理論，行動分析学，対人認知など多くのことをさまざまな心理学分野から学んできた．心理学を行動の科学として捉え，原因と結果を明確にしていく自然科学的心理学や，さらに行動としてだけでは捉えられない人間を細分化し得ない全体性として捉え，意識と感情をもった人間を理解しようとする人間性心理学から多くのことを学んでいる．社会学は，人間と社会の本性に関する科学であり，人間の社会的意味を明らかにすることである．さまざまな人間関係における社会的相互作用や社会的役割を知ることは理学療法の基礎として重要である．社会学を通して，対象者の社会参加や他者との交流によって，環境への適応力や他者からの承認を獲得していくことの意味を学ぶことができる．さらに，理学療法の支援的視点を，個人を取り巻く家族や地域におけるソーシャル・サポートネットワークにまで広げさせてくれる．それに加え，「人は孤島ではない」のごとく，1人では生きていくことができないことを理解させてくれるのである．対象者同士が集まってセルフヘルプグループを結成し，お互いに援助し合って課題を改善し，より効果的な生き方を求めようとしている．Disability（直訳：能力低下，意訳：活動低下，機

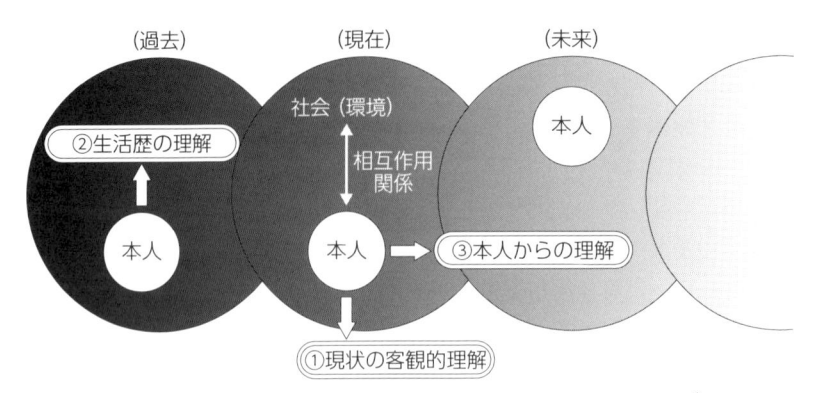

図 12-3　事例を理解するための基本的枠組み[4]

能低下）というラベル（レッテル）を貼ったり，スティグマ（烙印）＊を押したりすることなく，社会参加制約のある人もない人も，ともに公平に生活できる社会を目指そうとするノーマライゼーションの思想に基づく QOL 向上への視点を社会学は示唆している．

　倫理とは，人と人（人間）とのあるべき関係の筋道を意味する．倫理学は人間の望ましい関係・態度や行為，価値や規範（順守規則）を考察する学問である．医療における対象者と医療関連専門職との協働は不可欠であり，開かれた誠実なコミュニケーション，個人的・専門的価値の尊重，お互いの相違点を受容する感性は，社会心理的対応の基本である．臨床には権利と義務，責任という倫理上，相反する事柄がさまざまな二重拘束的な形で生じ，それは当事者にとってはジレンマ（板ばさみ）となる．理学療法領域においてもさまざまな倫理的ジレンマが常に存在している．理学療法士として倫理学から臨床における多様な課題について問うことが大切である．

　日本理学療法士協会倫理規程や米国病院協会患者（対象者）の権利章典などをよく読み，理解しておくことが必要である．砂屋敷ら[3] は，具体的に患者（対象者）と医療従事者，チーム・メンバー間のジレンマ，保健・医療従事者と医師との関係，保健・医療従事者と経営者の関係，制度との関係などの倫理的ジレンマの事例を示し，種々の事例を共有するために討議しながらの職場内学習を勧めている．倫理的ジレンマは，個人的な課題として片付けるのではなく，できるだけみんなで話し合いながら課題を共有し，明確化することが解決への早道である．

　岩間[4] は事例を理解するための基本的枠組みとして，①現状の客観的理解（本人自身の客観的理解，収集可能な情報データによってもたらされる理解，本人と環境との相互関係を把握することによる理解），②生活歴の理解（人生という時間の流れのなかで，個人的変容や家族・地域などの社会的変容および相互作用を理解する），③本人からの理解（本人がどんな世界に生き，何を感じながら生活しているのかについて本人の世界から理解する）の 3 つの視点を提示している（図 12-3）．「木の枝にとまった鳥」を例に挙げ，3 つの視点をわかりやすく説明している．①その鳥の現状をできるだ

＊ スティグマとは，自分以外の人がもっている社会的アイデンティティに対して私たちが漠然と感じている，属性から望ましくないほうにずれた特定の属性である．たとえば機能不全は，本来たくさんある属性の 1 つにすぎないが，それを有する人を障がい者という形にはめてさまざまな推測をしてしまい，その人をますます深く傷つける結果を招いてしまう．

け客観的に捉えること，②その鳥がどこから飛んできたのかを知ること，そして③その鳥が自身の世界から何を感じ，何をみているのかを知ることであると述べている．鳥を対象者に置き換えて考えると，理学療法士が対象者の何を捉える必要があるのかがよく理解できるはずである．

2 対象者の心理を理解する

1）対象者の心理

①適応・不適応と葛藤

　日常生活において，生活環境と個人の欲求が調和し，均衡が保たれていることが大切である．適応とは，個人と環境との関係がうまく調和を保つように，個人や環境を変容させ両者が調和し，満足を感じている状態である．家族や友人，近所の人などと直接的に心理的に関わりのある人びとと調和的な対人関係を保とうとする心の営みとか，社会が個人に対して抱く期待感や要求に応じる心理的営みを社会的適応という．そして，このときに働くさまざまな心理的営みを心理的適応という．一般的に，新たな課題に対処する際には，何らかの不安が伴う．人は可能な限りこの不安を解消し，心理的安定を得ようとして，知らず知らずのうちに何らかの心理的構えをとっている．これは人間特有の適応形態といえる．逆に，個人の欲求がその環境において満たされず，不満を感じている状態を不適応という．

　葛藤とは，2つ以上の欲求が同時に存在し，選択に迷い，情緒的緊張が生じている状態である．葛藤には，次の3つの型がみられる（図12-4）．

　接近–接近葛藤：積極的誘意性をもった2つの目標の間に挟まれ，選択に迷うこと．

　回避–回避葛藤：消極的誘意性をもった2つの目標の間に挟まれ，選択に迷うこと．例「運動療法をするのは嫌だが，退院するのも困る」

　接近–回避葛藤：同一の目標が積極的誘意性と消極的誘意性を同時にもつこと．両価的な感情（相反する気持ち）を抱く．例「不眠症は治したいが心療内科は受診したくない」

　これらの葛藤が複雑に絡み合っているのが日常的な出来事である．葛藤から生じるストレスを回避，緩和して処理することを対処行動（コーピング）という（図12-5）．

②防衛機制

　人間は，外界から与えられた課題と，自己の内的欲求の間に葛藤を生じやすい．こういった状況は，生理的平衡状態を攪乱し，心理的安定状態をおびやかしている．欲求不満や葛藤が生じたときに

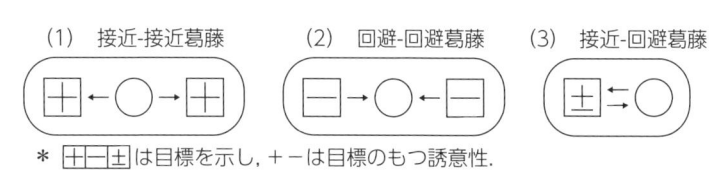

* ＋－±は目標を示し，＋－は目標のもつ誘意性．

図 12-4　葛藤の3つの型[5]

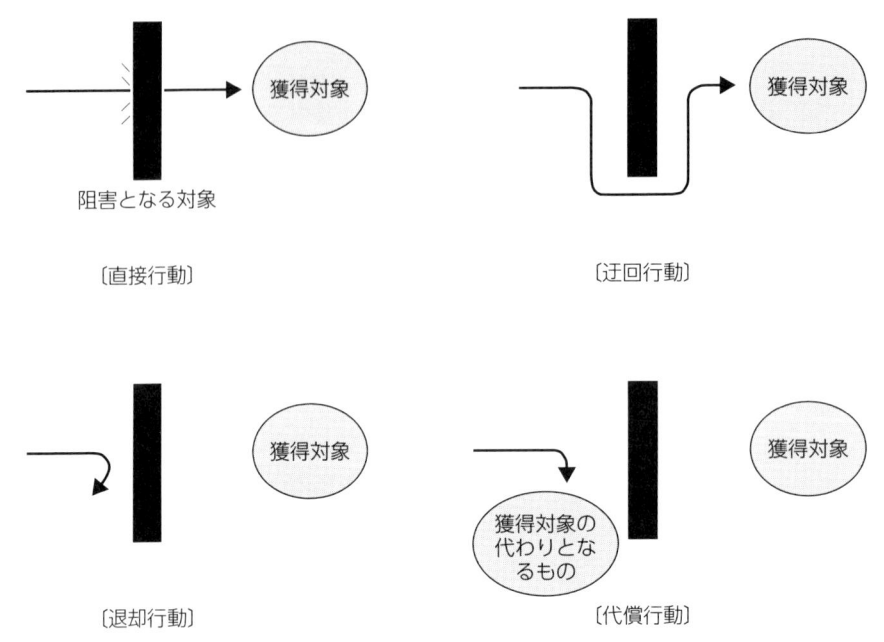

図12-5　対処行動のいろいろ[6]

表12-1　種々の防御機制

種　類	内　　容
抑　圧	苦痛な感情や欲動，記憶を意識から閉め出す．くさいものにフタ．
逃　避	退避現実への逃げ込み．病気への逃げ込み．空想への逃げ込み．
代　償	欲求が実現できないとき，それに代わるものを獲得することによって満足すること．置き換えともいう．
反動形成	不安を，それとは別の行動で現す．慇懃無礼は反動形成の例である．
昇　華	不安なエネルギーを社会的に価値のある活動に向けることによって解消しようとする．
投　射	自分の不安を他に転嫁し不安を忘れる．
退　行	不安を過去（特に幼児期）の不安解消の方法で解消しようとする．
同一視	自分の欠点や弱点を補うために，自分より優れたものと自分を同じものと考えようとする傾向である．
合理化	自分の都合のよい解釈をして，納得される理由をつくりだして不安を解消する．

欲求を満足させ，緊張を解消させるためにとる行動様式を防衛機制という．危機に直面したとき，自我は，無意識に不安をやわらげようと心理的構えである防衛機制をとる．主な防衛機制を表12-1に示した．

③対象者の一般的特性

a. 依存性

人間は変調や病気をきたすと他人の援助を求めるが，これは最も基本的な行動の1つである．身体的支援だけでなく情緒的な支援が必要であるが，どの程度の支援が適切か検討することが求められる．介護の基本である「目は離さず，手は出しすぎず」の観点が大切である．過剰な介助は対象者の依存性を増し，自立への機会を失うことにつながる一方，自立だけに心を奪われると思いがけない事故につながることもあるので注意を要する．特に高齢期は，身体と精神，財産，家族や社会との関係性，生きる目的の喪失など喪失感の時代といわれている．高齢者にとって捨てなければならない過去はあまりにも多く，新しい生活を再建する時間はあまりにも少ない．高齢社会において，定年退職後の第三の人生をいかに生きるかが問われている．老いる人間を，老人という特殊な人間としてではなくひとりの人間として認め，自立と依存のバランスのとれたケアをすることが大切となる．

ちなみに，米国の小説家ヘミングウェイ作『老人と海』は，老いた漁師が小舟で海に出て大きなカジキを釣り上げ，それをサメに横取りされそうになって奮闘する物語である．世のなかにはこのような高齢者も存在することから，年齢のみで安易に人の価値を定めることは望ましくない．

b. 不安性

対象者の多くは，不安を抱いている．対象者の性格にもよるが不定愁訴を頻繁に訴える対象者の多くは，その基盤に不安感が存在している．理学療法士は，対象者の不安な気持ちを受け止める基本的臨床態度で接し，対象者の不安について，詳しく知ることが肝要である．対象者の不安の起因になる要素を多角的に捉え，対象者自身が不安をどのように受け止めているのかなどを知ることが大切となる．

c. 抑うつ性

病気や変調をきたすと，一般的に誰もが抑うつ状態に陥り，何らかの喪失感を体験するが，その気分の程度が強く，長ければうつ状態となる．ときとしてうつ状態が前面に表出せず，身体症状を訴えることがある．これを仮面うつ病という．日常場面で，睡眠状態はどうか？　食欲はどうか？　顔つきや表情はどうか？　ふさぎこんでいないか？　など対象者が呈する様相を見落とさないことが大切である．その対応にあたっては内因性のうつ病なのか，対象喪失による反応性の抑うつ状態（悲嘆）なのかを見極めることが重要である．抑うつ状態を把握するためには，簡便に使用できる Zung によって開発された自己評価式抑うつ尺度（SDS）がよく用いられる．

④病者（対象者）−社会参加制約者の役割

役割とは，他者から期待される行動様式や態度のことである．この役割は個人と社会を媒介している重要なものである．病者役割は，病気であることを受け入れ，よくなろう，治りたいと思う人の役割であり，このような役割をもった人がとる行動を，病者役割行動と称する．病気であることを認めない人は，病者役割を担うことはできない．逆に国際生活機能分類（ICF）に準じた社会参加制約者は能動的な社会的役割をできる限り担って生活することが期待される．そのために，免除される役割は，本当にできないことのみに限定される．仮に disability があっても可能な限り能動的にその能力を発揮することが望ましい．病者が治りたいと希望するのは当然であるが，社会参加制約者の立場になると，その願望が薄れてしまう傾向があり，disability を受け容れることを期待されるのである．さらに，医療スタッフに対して病者役割が受動的であるのに対し，社会参加制約者役割は自身のことは自身で決める姿勢を保ち，支援を受ける態度が期待される．リハビリテーション医療では，病者役

表12-2　Wright の4つの価値体系

1. 価値範囲を拡張する
   失ったと思っている価値が存在していることに気づくこと
2. 身体価値を従属させる
   手足が動くなどの身体的価値より人格などの内面的価値を重視する
3. 機能不全が与える影響を制限する
   機能不全が自己の全体性の評価まで及ばないこと
4. 比較価値（相対価値）から資産価値（絶対価値）へ転換する
   他人と比較するのではなく，自己の価値に注目すること

割から社会参加制約者役割への変換が行われる．しかし，うまく変換が行われるとは限らず個人によって病者-社会参加制約者としての役割葛藤がみられることがしばしばある．こういった状況をよく理解し心理的対応をすることが必要である．

⑤障がい受容

　障がい受容（Disability Acceptance，以下DA）とは，障がいのある個人が障がいを全人的に認識し適応的に生活していこうとする心理的変化である[7]とか，回復の断念に伴う価値体系の変容である[8]といわれているが，DA の概念は明確ではないのが現状である．換言すれば，障がいに限らず誰しも人生における大きな出来事に遭遇して，価値ある者や物を失った際に，その現実を直視して受容する現実原則がその背景にある．DA は，ときとして受容とか適応と解釈されている．日本ではGrayson，Dembo，Wright，上田の概念がよく知られている．Wright は，価値の転換を重視し，具体的に4つの価値の転換を示している（表12-2）．DA にとって大切な要素として，障がいの認知，回復の断念，適応的な行動，社会的自覚，価値観の変容が挙げられる[9]．DA に影響する要因としては，知的能力，障がい原因，予後，障がいの程度，障がい前の社会的適応，家族の態度，障がいの認知，社会的交流，生き甲斐をもっているか，QOL，性格などが挙げられる．

　これまでDA は，対象喪失（障がい）を受け入れる対象者自身の課題（自己受容＝悲哀の仕事）と障がいがある対象者を受け入れる社会の課題（社会受容）の2つの側面から考えられてきた．しかし，近年では南雲[10]による社会的相互了解性の視点から社会受容の重要性が再認識されている．これは他者がDA を支援するうえで大変重要な視点である．また，縄井[11]は自尊心（self-esteem）が受容の中核的な要因であるとし，自尊心に注目した報告をしている．自尊心を「とてもよい（very good）」と考えるのではなく，「これでよい（good enough）」と考える立場をとっている．それは自身を受容し，尊敬し，他者と比較することなく自身を価値ある人間として認めることである．

　前述したように，DA の概念にはさまざまな要素が含まれているが，臨床場面でDA の課題を提起する際には，対象者が disability を受容するためには複雑な要因を分析しておくことが大切である．つまり，理学療法士が端的な表現で，「A さんはDA ができていない」などと安易に発言することは慎む必要があることになる．何をもって受容が困難なのか，受容を妨げているものは何かを見出すことが肝要であることを銘記しておく必要がある．

　DA という用語は障がいを有する側ではなく，支援する側が使用するようになり，両者間にさまざまな誤解が生じている．理学療法士は，常に対象者のことばを傾聴し，感情や不安な状況を共感的に理解し，支持的態度で接していくことが大切である．

表 12-3　対象喪失の意味

> 1. 現実的なものをなくすこと
> 2. 自己を一体化していた環境・地位・役割を失うこと
> 3. 自己の機能や身体の一部を失うこと

表 12-4　フィンクの危機モデルと上田の受容モデル

	衝　撃	防衛的退行	承　認		適　応
フィンク (Fink)	強烈な不安パニック	自分の現実の状況に対して，自らを守る時期であり，現実的に直面するにはあまりに恐ろしく，今の状況を何かの間違いだと否認する．	危機の現実の状況に直面する時期.もはや変化に抵抗できないことを悟り，自己イメージの喪失を体験する．深い悲しみ，強度な不安の状態を示し，混乱を体験する．自己を責め，取り返しのつかないことを怒り，悲しみ，泣くこともある．		建設的な方法で，積極的に現実の状況に対処する時期.障がいを背負っていかねばならないことに対して，現実に適応しようとする．障がいを受容して，新しい自己イメージや，価値観を築いていく過程である．現在の能力や資源でやっていく経験が増え，しだいに不安が減少する．新しい価値観や自己イメージを形成していく．
	ショック	否　認	混　乱	解決への努力	受　容
上田	ショック障がいの起きた直後で，その障がいが長期にわたるものであるかなどについての思いはない.この時期が過ぎれば，元の自分に戻ることができるだろうと考えている．	否認，非難障がいがそう簡単に治らないらしいということが，うすうすわかってくる時期.障がいの否認が起こってくる.奇跡を期待し，ある朝目が覚めると元の身体に戻っているのではないかというような期待にすがったりする.わずかな回復の徴候を捉えて，過大評価したりする．	無気力圧倒的な現実を否定しきれなくなり，攻撃性が高くなり，すべて他人の責任にし，怒り，恨みをもち，それが無意味だと気づくと自分を責め，すべて自分が悪いのだと考え，悲嘆に暮れる．	合理化外向的な攻撃では課題は解決しないと悟り，一方，内向きの自責は，自己の責任として他に頼らず，自分で努力しなければならないことを悟る．依存からの脱却の時期である．	自信新たな価値体系価値観の転換が完成し，障がいを自分の個性の一部として受け入れることができるようになる.社会のなかに何らかの新たな役割や仕事をみつけて活動を始め，その生活に生きがいを感じるようになる．人間関係においても障がい者・健常者の区別なく対等に交流できるようになる．

⑥病気からの回復・障がい受容への過程

　病気・障がいは危機を招き，それは対象喪失を体験し，その後の悲哀と対峙する過程がある（表12-3）．対象喪失とは，時間が経てば自然に何の苦もなく対象を忘れてしまうわけではない．長い時間をかけて，さまざまな心理状態が繰り返され，対象喪失を知的に理解するだけでなく，失った対象を情緒的にも断念するのである．これらの一連の心理的過程のことを悲哀の仕事という．対象者すべてが一様な心理的過程に沿っていくとは限らないが，理学療法を遂行するうえでは重要な羅針盤である．代表的な心理的過程であるフィンクの4段階説と上田の5段階説を示す（表12-4）．

図12-6　自己理解のためのジョハリの 4 つの窓

2）自己と他者を理解する

①自己を知る

　私たちが自分の存在を意識するとき，意識する主体としての自己（I）と意識される客体としての自己（me）の 2 つの側面がある．I が me を意識するとか認知する心理的過程を自己意識という．自己意識が発達すると，「自分は〜という人間である」というような自己について一貫した見方ができあがる．これは自己概念（self concept）とよばれている．この自己概念に対して人は自己評価する傾向があり，このような自己評価の程度を自尊感情という．これが他者の認知や他者行動のやり方などを規定する要因となっている．

　「ジョハリの 4 つの窓」

　人間として自己成長を望むことは当然なことである．理学療法士として，技術的向上を望むとともに，人間的成長を望むことも当然である．よって，自分を知ることは必然であり，これは対人関係を介して可能となる．つまり，他者との相互的反応を通じて自分を理解するのである．以下に有名なジョハリの 4 つの窓を示す．自分自身にも他者にもわからない領域を知ることは難しいが，開放した領域をさらに拡大する過程である自己開示が大切である（図12-6）．

　開放した領域：行動・感情・動機について自分自身がよく知っていて，他者にも知られている領域．自由に行動できる領域である．

　気がつかない領域：行動・感情・動機について，他者からみられ知られているが，自分自身ではまだ知らない領域．自分自身では意識していないが，他者には伝わっている領域．たとえば真っ赤な顔をして口角泡を飛ばしているのに，「俺は冷静に話をしている」という場面である．

　隠した領域：行動・感情・動機について，自分自身はよく知っているが，他者には意識的に隠している領域．自分自身のいやな面や弱みを人に知られまいとして意識的に隠している領域である．

　わからない領域：行動・感情・動機について，自分自身も知らないし，他者にも知られていない領域．未知の領域で，非常に抑圧された感情や隠された才能などがあたる．

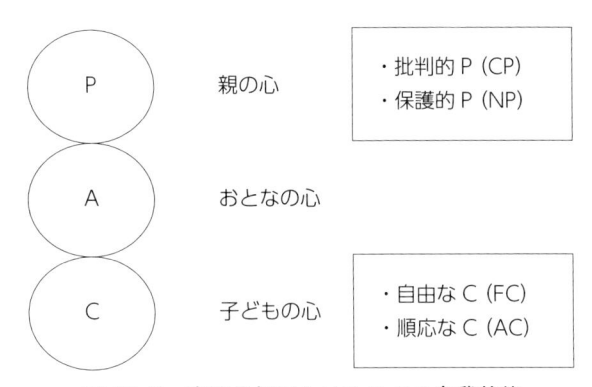

図 12-7　交流分析における 3 つの自我状態

表 12-5　ストロークの種類[12]

種　類	肉体的なもの	心理的なもの	言葉によるもの
肯定的ストローク	〔肌の触れあい〕 • なでる • さする • 抱擁する • 愛撫する • 握手する	〔心の触れあい〕 • ほほえむ • うなずく • 相手の言葉に耳を傾ける	• ほめる • 慰める • 励ます • 語りかける • あいさつをする
否定的ストローク	• たたく • なぐる • ける • つねる • その他の暴力行為	• 返事をしない • にらみつける • あざわらう • 無視する • 信頼しない	• しかる • 悪口を言う • 非難する • 責める • 皮肉を言う

②対象者を理解するための交流分析

　交流分析は，1950 年代後半に米国の精神科医エリック・バーンによって開発されたものである．フロイトの精神分析の概念をわかりやすく，やさしい日常語を使って説明し直したもので，心の成り立ち，行動とやりとりのパターンなどを分析したものである．自我とは知覚，知性，感情など心のさまざまな働きを調整し，その人らしさを維持しようとする人格の中心的概念である．交流分析では，自我状態を 3 つの部分，親の心（P），おとなの心（A），子どもの心（C）からなるとする（図 12-7）．これを客観的に知るためにはエゴグラムが用いられる．さらに，他者とのやりとり分析をする．人から受ける刺激としてのストローク（直訳は手でなでるだが，褒めること）には肯定的なものと否定的なものとがある．人と交流するうえで 3 つの自我状態を基本にどのようなストロークを受けたか，与えたかを分析し自身と相手を理解していくのである（表 12-5）．たとえば，急ぎの仕事を頼むとき，「これ，今日中に終わらせないとならないので，よろしく」と言えば，相手は「私だって忙しいのに」と怒りを募らせることになる．「いつも忙しそうに努力しているね」と C をストロークし，「ちょっと助けてほしい」と，保護的な P を刺激しながら，「今日中に終わらせないとならないの」と A に向けて情報提供すれば，相手も A で冷静に受け止めてくれることになろう．

③対人認知の歪み

　自分自身のまわりの他者がどのような性格や態度のもち主か，あるいは，自分自身に対してどのような感情を抱いているかといった他者の理解や判断は極めて大切な意味をもっている．他者をよく理解することによって，他者の行動を予測し円滑な人間関係を形成できる．他者に関する情報を手がかりに，他者の性格，感情，能力といった内面的な特性を推論する過程を対人認知という．この対人認知を歪めるものを以下に示す．

　a. **画一型（ステレオタイプ）**：表面的にわかりやすい特徴だけに注目して，レッテルを貼り，以後相手を理解しようとする努力をやめてしまうこと．

　b. **初頭効果**：第一印象に固執し，以後の情報が第一印象と一致すれば受け入れるが，一致しない情報を軽視する傾向を示す．

　c. **光背効果（後光効果・ハロー効果ともいう）**：目立つ好ましい特徴をもっているとその特徴に引きずられて他の特徴も同じように評価してしまう．たとえば，有名大学を出ているだけで，その人を性格からすべてよい人物と評価してしまったりすること．

　d. **対比効果**：自分自身の基準をもとに相手を評価してしまうこと．

　e. **寛容効果**：好意をもっている人には，あらゆる点について好意的に認知してしまうこと．たとえば，「あばたもえくぼ」と表現される．

　f. **ピグマリオン効果（教師期待効果）**：相手に対する期待や感情が，相手の行動を変えてしまう現象．ローゼンタールらは，教師がこの子は将来成績が伸びると考えた生徒は実際に成績がよくなる現象を見出し，これをピグマリオン効果とよんでいる．

---

3 家族の心理を理解する

　病気や受傷による機能損傷・不全は，その対象者だけでなくその家族にとっても危機状態を招く．このような場合，家族は病人にどう接してよいかわからず困惑し不安になる．家族は病人とともに生きているのである．心理的サポートは，病人だけでなく，家族にも行う視点が重要である．家族をチーム・メンバーとして巻き込んだ支援が大切である．

1）対象者の危機＝家族の危機である

　家族の一員が病になったり，機能損傷・不全を被ったりするとそれは家族の危機である．病気には，生物医学的な過程としての疾患（disease）の側面と心理・社会的な苦しみ（illness）の側面とがある．この心理・社会的苦しみこそ家族が引き受ける危機を意味している．

2）家族関係─家族はシステムである

　通常，家族の一員が病気になれば，今まで築いてきた家族関係のバランスに変化をもたらすことがある．一般に現代の家族は閉鎖性の濃いシステムのなかで日常生活を営んでいる．危機に遭遇した際に急激な変化が求められるようなとき，家族内のストレスが過度に高まり，家族システムの復元力が乏しく，最悪の場合，家族の崩壊につながりかねない．

3）家族の病気・変調への不安

　家族は病気の悲観的部分に反応しやすく，病気に対する強い不安感をもっているものである．不安に圧倒されると，病人と同様，その苦痛から自身を守ろうとして防衛反応を働かせる．病人を同一視した苦痛に対する過剰な共有，病人からの逃避，病人への攻撃，不満などである．また，家族だけで解決策を探るより，専門職に委ねるほうが安心だと安易に依存的になることもある．そして，入院期間の長期化は，医療側の必要性からではなく，家族が退院をためらったりするために生じることも多いものである．こういった場合，「家に連れて帰りたいが，病人の病状に適切に対応できない」との不安を抱いている家族には十分なケア教育が必要である．さらに，病名の告知について悩んでいる家族もいる．病人が自身の病気について告知されているときでさえ，家族が本人の気持ちを理解することは難しい．ましてや本人にだけ告知していない場合，家族の心労は非常に大きいものとなる．

4）家族の役割の変化

　家族は家庭のなかでそれぞれの役割をもっている．家族のなかの誰かが病気や変調をきたすと，家族の日常生活における役割分担に変化が生じる．それは，病気が急性か，慢性か，生命に別状はないかなど，病気やケガの程度によって異なる．上手に家族の役割分担を変化させることが，不安を克服し家族の成長へとつながる．しかし，逆にうまくいかないときには，家族機能の低下につながる．家族の役割変更に伴う心理的葛藤を理解し，社会心理的対応をすることが大切である．

4 理学療法士の心理学的側面とマネジメント

1）理学療法士と組織マネジメント

　理学療法士は，高度な知識や技術を有する専門職としての職業人（コスモポリタンという）であり，所属する組織あるいはチームのためにコミットメント（commitment：誓約）する組織人（ローカルという）である．高度専門職である理学療法士は，職業人としての使命を果たすために自らの専門的知識や技術を常に研鑽することが求められていると同時に，帰属する組織のために忠誠心をもって組織に貢献することが求められている．理学療法士は，この双方がともに存在することが必要である（図12-8）．

組織人
組織のためにコミットメントする専門職

職業人
高度な知識や技術を有する専門職

図12-8　求められる理学療法士像

　たとえば，組織への忠誠（ロイヤリティ）よりも自らの仕事へのコミットメントとその成果を極端に重視する立場をとる人と，所属している組織に忠誠を誓い，その組織や社会のために進んで働く立場をとる人が同じ組織のなかにいる場合，両者間で，争いや葛藤が生じることがある．そのような事態を避けるためには，組織マネジメントが必要になる．組織マネジメントとは，組織を活かし成果を上げることであり，専門職集団を組織として円滑に運営するために不可欠なものである．

　マネジメントとは，人と組織を活かして成果を上げることであり，そのためには個人としてのセルフマネジメントと組織としての組織マネジメントが重要である．組織とは，人からなり，人の集まりである．単なる集団ではなく，何らかの目的を達成するために，意図的かつ公式的につくられた持続的な役割システムである[13]．ひとりでは不可能であっても，組織やチームで達成できることはたくさんある．組織としてどうすれば成果を出すことができるかを考え組織行動することが重要である．

　理学療法士は，卒後に生涯教育として個人レベルのセルフマネジメントを通じて職業人としてのスキルアップを行うとともに，組織人として，社会化やキャリア形成を通して組織で働くモチベーションを高め，組織人としてのキャリアデザインを構築していくことが重要である．

2）感情とマネジメント

　人間は感情の動物ともいわれる．人間をみる視点として何よりも大切にしたいものは，感情である．ときとして，悲しみを悲しみとして受け入れることの難しさを感じるが，これは現代社会自体の病理的現象ともいえよう．だが，理学療法士には感情的対応の重要性をもっと認識する必要性がある．対応困難な対象者であると感じてしまえば，その時点で感情的対応へのマネジメントを放棄することになる．豊かな感情の交流は，理学療法士にも求められる基本的臨床態度である．理学療法介入もホリスティックに遂行する分野であるにもかかわらず，感情レベルの取り組み（感情作業）が十分であるとは思えない．感情には，無意識な感情（emotion）と意識的な感情（feeling）があり，物事を感じて生じる気持ち，精神の働きを知・情・意に分けたときの情的過程全般を指し，情動・気分・情操などが含まれる．これは快－不快の系列に位置づけられ，その感情の内容に対する人の態度も含まれる．基本的感情には喜び・不安・怒り・悲しさ・苦しさの5つの感情がある（表12-6）．

　対象者と理学療法士とが交わす会話・対話には常に感情が介在している．しかし，時間に追われる臨床場面で，理学療法士は，会話・対話の内容には適切に反応しても，その背後に潜む感情を十分に汲み取るに至らないことが多々ある．会話・対話の内容の意図することの理解に努めても，対象者自身の感情に共感し，受け入れてほしいとの事実に気づかない．よって理学療法士は，日頃から他者との関わりを通じて相手の感情に気づく感性（sensitivity）を研ぎ澄ます姿勢が望まれる．そして，気づいた事柄は対象者にフィードバックして理学療法士自身の的確な感性を確認することが大切である．感情面への対応として重要な「共感」を対象者に伝える技法として反映，正当化，個人的支援，協力関係，尊重などがある．これらの段階を考慮して対象者に伝える工夫が求められる（表12-7）．

　ある対象者が，「あの医師の態度はなっていない」とか，「あの理学療法士の治療はおかしい」などと訴えたと仮定する．そのときの対象者の感情への対応はどうすればよいか．このような状況は，臨床場面で何度か遭遇することがあると思われるが，望ましい対応の仕方は，「まあ，そんなに腹を立てずに」でも，「あまり怒ると体にさわりますよ」でもなく，「担当者に腹を立てているのですね」と言うことである．つまり，感情を受け入れるには，助言する，具体的に対応する，感情への意見を述

表 12-6　感情に関する効果的な解釈のためのガイドライン[14]

基本的感情	定　義	派生感情
喜　び	期待がかなえられたり，かなえられそうなときの感情	愛しさ，楽しさ，快感，共感，希望，幸せ，安心，自信，好意，感謝，感動，成長，決意，開き直り，勇気
不　安	期待どおりにいかないのではないかというときの感情	恐れ，恐ろしさ，恐怖，パニック，焦り
怒　り	当然得られるべき期待が得られなかったり，得られそうにないときの感情	嫉妬，軽蔑，口惜しい，不満，敵意，攻撃心，自己嫌悪，罪悪感，同情心，拒否感，恥ずかしい
悲しさ	期待したいものを失ったときや，失いそうなときの感情	悲哀，さびしい，孤独感，無力感，喪失感，虚しさ，せつなさ，不条理
苦しさ	期待どおりにいかないことが続くときの感情	つらさ，苦痛，不快感，苦悩，しんどさ

表 12-7　感情への対応のしかた

1. 反映：対象者が病気について話しているうちに，悲しそうになったと気づいたならば，「つらそうですね」と話しかけたりして，相手の感情に対応したことを示す
2. 正当化：対象者の感情面での体験を認め，その感情を理解したことを伝える
3. 個人的支援：「私はあなたを援助したい」「私はあなたに関心をもっている」ということを伝える
4. 協力関係：対象者と協力関係を築きながら進めることを表明する
5. 尊重：対象者に敬意を払っていることを示す

べるなどではなく，共感的姿勢を示すことが大切なのである．さらに，前述した対象喪失の時代に生きる高齢者の感情に対応する際に大切なのは，笑いとユーモアである．ユーモアの感覚で接し，対象者を温かく見守り，受け手の気持ちをときほぐすような笑いが自然に生まれると最高である．「笑う門には福きたる」とのことわざは近年の研究によって検証され，笑いと免疫力を高めるサイトカインやホルモンの分泌との相関性が認められている．

　人間は個々人の生涯を通じて種々の人間関係を体験し，さまざまな感情を抱きながら生きている．対象者がかつて体験した感情を援助者に投影することを転移という．一方，援助関係のなかで，援助者に生じる感情や反応を逆転移という．医療人が，対象者のさまざまな感情を受信するのは，理性ではなく感情によってである．治療関係における感情には対象者と医療人との双方に陽性感情と陰性感情とが存在する．対象者のさまざまな心理的反応に対して医療人が逆転移として，苦手だ，嫌だなぁ，できれば担当を避けたいと思う陰性感情をもつことがある．このような感情を援助関係のなかでもつことは不自然なことではないが，こういったマイナスの逆転移が生じるということを自覚しておく必要がある．

　感情は相互作用であり，こちらが嫌だなぁと感じたら相手も同じように感じているものである．よって，この感情のもとになっている対象者の心理的背景や文脈を理解することが大切である．己自

身の態度や性格などを客観的に認知することを自己洞察といい，自己洞察の深い人は，現実の己自身をありのままに認めることができ（自己受容），現実自己と理想自己のズレが少ないといわれている．理学療法士も例外ではなく，己自身に対する自己洞察を実践することでより客観的感性を洗練しておくことを勧めたい．陰性感情を否定的に捉えるのではなく，むしろ逆転移を活用して，対象者のありのままの姿を受容することが望ましい．とはいえ，これはたいへん難題であり容易にこの域に至ることはできない．実存主義的な価値観の 1 つとして，他者を手段（means）ではなく目的（ends）としてみることが提唱されている．発展途上の若い年齢層にこの種の域に至ることを期待すること自体に無理があると思えるが，それでも，理学療法士が限りなくその域に到達する努力を惜しむことがあってはならないだろう．

3）感情労働とマネジメント

　理学療法は感情労働であり，理学療法士は感情労働者である．理学療法は頭脳労働，肉体労働であると周知している理学療法士は多いが，理学療法が感情労働であるということを認識している理学療法士は少ないように感じている．理学療法士はこの感情労働をもっとよく認知し，取り組むことが必要である．感情労働という概念は社会学者のホックシールド（Hochshild）がその著書『The Managed Heart』で提起した用語である[15]．

　感情労働とは，相手（＝クライエント＝対象者）に特定の精神状態を創り出すために，己の感情を誘発するとか逆に抑圧すること（感情管理）を職務にする精神と感情の協調作業を基調とする労働である．感情労働の特徴は，対面や声による顧客との接触があり，相手に何らかの感情の変容を誘発する使命をもつことである．特に，ホックシールドは自然な自己の感情経験が抑圧され，本当の自己感情を見失わせ，感情管理によって自を生んでいると指摘している．しかし，感情労働はバーンアウト*の原因になる場合などの否定的な帰結の側面だけでなく，逆に仕事への満足感につながる肯定的な帰結の側面がある．理学療法士の職務として感情労働は避けられない．

　バーンアウトやうつ状態に陥らないために，広い意味での感情マネジメントを上手に使うことである．ここでは演じるという行為が重要である．他者と共存するために日常的に用いる技法として「顔で笑って心で泣いて」という表層演技が必要となる．ただし，このときに己自身の真の気持ちに嘘をついているとの感情（感情的不協和）を継続的に残すと，心理的リスクを背負う可能性があるので注意する．

　誰にとっても感情をマネジメントすることは難しい．特に，ヒューマン・サービス専門職である理学療法士は，その職務上，不安にかられている人や悲嘆に暮れている人と接することが多く，それは情緒的に強い負担感を伴うものである．そのようなときは己自身だけではなく，対象者の感情もマネジメントする必要性がある．ゆえに，理学療法士は与えられた職務を通して対人関係のスキルである社会的スキル（コミュニケーション・スキルなど）を磨くことが要求される職業なのである．

　また，組織にも感情があることが知られている[16]．職場に行くと職場全体がイライラしていたり，ピリピリしていたり，あるいは逆に温かく感じることがあろう．そこで感じた感情を組織の感情とし

---

* バーンアウト（burnout）：燃え尽き症候群といい，エネルギッシュに仕事をしていた人が，あたかも燃え尽きるように仕事への意欲をなくしてしまうこと．マスラックらはその測定のため有名なマスラック・バーンアウト・インベントリー（MBI）を作成し，バーンアウトの 3 要素として情緒的消耗感，脱人格化，個人的達成感の低下を挙げている．

て捉えることができる．組織感情が個人の感情労働に影響を及ぼし，意欲の向上や低下につながっている際には，組織におけるマネジメントが重要となる．

5 心理・メンタルヘルスへの対応

メンタルヘルスとは，「人が心身の能力を発揮し，日常生活におけるストレスに対処でき，生産的に働くことができ，かつ地域に貢献できるような満たされた状態（a state of well-being）である」と定義されている[17]．世界保健機関（World health Organization：WHO）によると，精神疾患を含むメンタルヘルス関連疾患は今後増加する傾向にあると推定されており，各国におけるメンタルヘルスへの対策と支援の拡充が急務であると述べている[18]．2013 年に開催された第 66 回 WHO 総会において，「包括的メンタルヘルスアクションプラン 2013-2020」が採択された．包括的メンタルヘルスアクションプランは“No health without mental health（メンタルヘルスなしに健康なし）”を原則に，①精神的に満たされた状態（mental well-being）の促進，②精神疾患の予防と医療的支援の提供，③リカバリーの促進，④人権の促進，⑤精神的不調を有する人々の死亡率および罹患率の減少を目標としている．

メンタルヘルスに関する疫学調査では，抑うつやストレス関連疾患，不安などのメンタルヘルス関連疾患，筋骨格系疾患に起因する慢性疼痛などによって，生活の質に否定的な影響を受けている多くの人が世界規模で潜在的に存在することが明らかにされている（WHO，2010）．精神疾患を含むメンタルヘルス関連疾患は，精神および心理面を基礎疾患とする種々の身体症状を呈することが知られている．メンタルヘルス関連疾患に起因する身体症状は多岐にわたるが，それらの病態の背景には自己意識，アウェアネス，自己感などの要因となる神経基盤や運動制御の過程において，脳内の処理機構の何らかの不全状態が関係していると考えられている．

メンタルヘルス関連疾患を起因とする身体症状は身体活動性の低下につながり，バランスや姿勢制御の低下をはじめとする運動機能不全をきたす要因となる．また，妄想や不安，恐怖などによって身体の緊張は高まり，姿勢不良，呼吸や換気困難，身体各部位の慢性疲労および疼痛，異常感覚などを呈するなど，メンタルヘルスの変調が運動機能不全をきたすことによって，動きの質を低下させる身体症状として現れることがある．理学療法は，運動機能不全に対する要因を探索し，対象者の動きを最適化することが重要な役割である[19]．よって，メンタルヘルス関連疾患に起因する運動機能不全の改善は，理学療法士が取り組む課題の 1 つとなる．

精神と身体とは切り離すことができない人間の総体であり，メンタルヘルス関連疾患を有する人が呈する身体症状に対しても適切なケアが必要なことはいうまでもない．質的存在である総体としての人間にどのように対処するかの全人的アプローチは，身体症状の改善にとどまらず，精神およびメンタルヘルス関連症状の改善にも寄与する可能性を秘めている．現在，日本の精神医療における身体医学的対応は，「精神疾患に併存する身体疾患」を中心としている．「メンタルヘルス関連疾患に起因する身体症状」に対する治療的概念は確立されておらず，理学療法を含めてメンタルヘルス領域のリハビリテーション方法論は十分に理解されているとはいえない．メンタルヘルス関連疾患に起因する運動機能不全は，運動機能が量的に低下した結果として生じる現象ではないため，運動機能の改善を主

図 12-9　機能的な動きを高める理学療法の治療戦略

な目的とした理学療法介入のみでは十分な治療効果を得ることは困難であると考えられる．メンタルヘルス関連疾患に起因する運動機能不全の改善には，運動機能の量的な側面に加え，質的運動機能的な側面を高めることを考慮した治療介入を実施していくことが重要である（図 12-9）．

　精神疾患およびメンタルヘルス関連疾患がある対象者が身体疾患を合併したケースは，疾患の専門である一般診療科において診察を受けるが，一般診療科において継続した治療を受け入れるには種々の課題がある．その 1 つには，一般診療科において対象者の精神症状の治療やケア，管理が困難であることが挙げられる．対応が困難なケースは，精神科病院へ転院となることが多く，一般診療科において十分な治療を受けられないケースは多い．精神疾患およびメンタルヘルス関連疾患がある対象者が一般診療科において十分な専門的治療が受けられることは当然の権利であり，対象者への適切な対応は関連専門職の責務である．この体制を整備するためには，理学療法士を含む関連専門職の教育カリキュラムの拡充が必須となる．

　近年の神経科学研究において，低強度の身体運動が海馬の働きを活性化し，認知機能の改善や抗うつなどのメンタルヘルスの改善効果があることが明らかになってきた[20]．また，精神疾患およびメンタルヘルス関連疾患に対する運動介入の効果を示した研究が数多く報告されている．身体運動が心身の健康維持および増進に重要な因子であることは，神経科学や精神医学など種々の研究分野からその根拠が示されている．今後は，理学療法プログラムの内容がメンタルヘルス関連疾患における治療介入の選択肢の 1 つになることが期待される．これらの視点から，心理・メンタルヘルスへの対応は，理学療法士が取り組んでいく重要な課題になると考える．

（**1**〜**4**：富樫誠二，**5**：山本大誠・奈良　勲）

■ 文献

1）中村雄二郎：臨床の知とは何か．岩波新書，1995.
2）岡堂哲雄（編）：看護の心理学入門．金子書房，1997.

3) 砂屋敷 忠・他（編）：倫理テキスト. 医療科学社，2000.
4) 岩間伸之：援助を深める事例研究の方法. ミネルヴァ書房，1999.
5) 古城和敬（編）：あなたのこころを科学する　ver.2. 北大路書房，1997.
6) 山田一郎（編）：系統看護学講座　行動科学. 医学書院，1994.
7) 南雲祐美：障害者の心理と援助. pp84-85，メヂカルフレンド社，1997.
8) 本田哲三，南雲直二：障害受容の概念をめぐって. 総合リハ，**22**：819-823，1994.
9) 本田哲三：リハビリテーション患者の心理とケア. pp17-18，医学書院，2000.
10) 南雲直二：社会受容. 荘道社，2001.
11) 縄井清志：リハビリテーション医療への教育心理学的接近. 総合リハ，**25**：841-848，1997.
12) 白井幸子：看護にいかす交流分析. 医学書院，1983.
13) 田尾雅夫：組織の心理学新版. p240，有斐閣ブックス，1999.
14) 宗像恒次：行動科学からみた健康と病気. メヂカルフレンド社，p189，1996.
15) Hochschild AR：The Managed Heart：Commercialization of Human Feeling. Univ. of California Press, Berkeley, 1983（石川 准，室伏亜希（訳）：管理される心感情が商品になるとき. 世界思想社，2000）.
16) 高橋克典：職場は感情で変わる. 講談社現代新書，2009.
17) Promoting mental health：concepts, emerging evidence, practice. WHO, 2004.
18) Desjarlais R：World Mental Health：Problems and Priorities in Low-income Countries. pp8-13, Oxford University Press, 1995.
19) Liv H Skjaerven, et al：An eye for movement quality：A phenomenological study of movement quality reflecting a group of physiotherapists' understanding of the phenomenon. Physiotherapy Theory and Practice, **24**（1）：13-27, 2008
20) Kirk IE, et al：Exercise training increases size of hippocampus and improves memory. PNAS, **108**（7）：3017-3022, 2011.
21) 奈良　勲・他（編著）：心理・精神領域の理学療法　はじめの一歩. 医歯薬出版，2013.

第 13 章

地域理学療法学
—地域包括ケアの展開に向けて—

1 背景と目的

　近年，日本では生産年齢人口（15～64歳）が減少しており，ピーク時である1996年度の8,716万人から2022年度は7,421万人となっている．一方，高齢化率（総人口に占める65歳以上人口の割合）は2022年度に29.0％となり4人に1人以上が高齢者となっている[1]．また，2020年の国勢調査による平均寿命は，男性81.5歳，女性87.6歳となった[1]．

　高齢化による課題として，社会保障給付費や医療費の増加が挙げられる．社会保障給付費の国民所得に占める割合は，1970年度の5.8％から2020年度は35.2％へと増加している[1]．また，高齢者一人あたりの医療費は65歳未満の4.7倍程度とされており，高齢化の進行とともに，2020年度の医療費は42.9兆円となっている[1]．つまり，高齢者の健康維持は高齢者個人の課題にとどまらず，社会全体に波及している．

　社会的背景に着目すると日本の65歳以上の高齢者のいる世帯のうち3世帯同居率は低下（1980年50.1％，2021年9.3％）しており，高齢者夫婦と高齢者単身世帯が増加（1980年26.9％，2021年60.8％）している[1]．このような動向のなか，地域包括ケアとして社会全体で高齢者を支える仕組みが必要となった．

　地域包括ケアを，筒井は integrated care（統合ケア）と community based care（地域を基盤としたケア）と捉えた[2]．WHO によれば integrated care とは，「診断・治療・ケア・リハビリテーション（以下，リハ）・健康促進などに関するサービスの投入・提供・管理・組織化をまとめて一括にするコンセプト」と定義されており，community based care とは「地域の健康上のニーズに応えるとの点から地域の特徴，その地域独自の価値観などに合わせて構築する」と定義されている[3]．

　地域リハは日本における community based rehabilitation（地域を基盤としたリハ）と考えられる．WHO によれば，community based rehabilitation は医療供給の少ない途上国のリハを表す傾向が強いが，日本における community based rehabilitation はすべての地域，すべての人びとを対象とし，住み慣れた地域で一生安全にいきいきと暮らすことを叶えるリハと考えられる．そして地域理学療法は，地域リハと同様の目標を叶える理学療法技術である．地域には community のほかに region, area といった意味もあるが，ここでの地域とは region, area のような場所を表すものではなく community（共同体）のことである．また筆者は現代の共同体は，MacIver の述べる地縁血縁社会[4] ではなく，Etzioni の定義する情緒的愛着に基づく価値（歴史，アイデンティティ，規範，自律）を共有する社会[5]

と考える．本章では地域包括ケアに至る制度の変遷と，これに関わる理学療法士の役割について述べる．

2　高齢者福祉政策の変遷

1) 医療福祉の拡充

　日本の高齢者を対象とした医療介護などの福祉政策の変遷を表 13-1 に示す．1961 年度，国民皆保険が実現したことにより，医療アクセスが向上し平均寿命が伸長した．柳澤によれば，1969 年頃から一部の地方自治体では，住民からの要請によって独自の老人医療制度が創設されていった[6]．地方自治体の動きを背景に 1972 年度の老人福祉法の一部改正により 1973 年度には福祉元年の象徴とされた 70 歳以上の老人医療費の無料化，高額療養費制度が成立した．無料である老人医療費は，高齢者の医療アクセスを高め平均寿命の伸長に寄与した．

2) 老人医療の見直し

　ところが 1978 年度，国民健康保険組合に対して国庫補助率が増加してきたことが指摘され，同時期のオイルショックによる経済成長率の低下により，1981 年度には福祉見直し論が台頭した．老人医療費の無料化が社会的入院を促し，医療費を増大させ社会保障財政を圧迫したとされた．

　そこで予防医学へのシフトにより将来に必要と見込まれる医療費を削減することをねらいとして，老人保健法が 1983 年度に施行された．1985 年度には都道府県医療計画の策定，1989 年度に高齢者保健福祉推進 10 か年戦略（ゴールドプラン）が策定され計画的な目標設定がなされた．ゴールドプランにおいては，介護を支える基盤整備としてホームヘルパーや老人保健施設の目標整備数などが掲げられた．1992 年度に開始された訪問看護制度により，医療の場が在宅へと拡大した．1994 年度には新ゴールドプランにより目標数値の上方修正がなされ，老人保健福祉計画が策定された．2000 年度にはさらに進行する高齢化に対して，新たな社会保険制度により財源を確保した介護保険法が施行された．介護保険法については後述する．

3) 新たな負担

　2003 年度には予防を重視した健康増進法が施行され，2006 年度には介護保険第 4 期計画において，予防の概念が強調され健康日本 21 との統合が図られた．健康日本 21 とは，健康増進法に基づき策定された「21 世紀における国民健康づくり運動」のことであり，健康増進に関わる具体的な方針や目標などを掲げ，健康増進計画の策定を都道府県および市町村に努力義務としたものである．さらに 2008 年度には，拠出金の負担を見直す観点から，高齢者医療費の根拠法となっていた老人保健法が廃止され，高齢者に新たな負担を求める後期高齢者医療制度が開始された．

4) 提供体制の構築

　2014 年度は，地域における医療介護提供体制の構築を目指し，医療法，介護保険の一部改正を含む医療介護総合確保推進法が施行された．さらに，地域における施設や在宅で医療管理の必要となっ

表 13-1　高齢者福祉に関わる法律・制度と政策・事業の変遷

年度	法律	制度・政策	事業
1961		国民皆保険制度創設	
1963	老人福祉法制定		
1972	老人福祉法一部改正		
1973		老人医療費無料化制度創設	
		高額療養費制度創設	
1978		国民健康保険組合に対して国庫補助率が増加	
1983	老人保健法施行		老人保健事業第 1 次計画施行（健康手帳，健康教育，健康相談，健康診査，訪問指導開始）
1985		都道府県医療計画の策定	
1987		老人保健施設の創設	老人保健事業第 2 次計画施行（重点健康教育にがん・寝たきり予防追加，健康診査に生活習慣改善導入）
1989		高齢者保健福祉推進 10 か年戦略（ゴールドプラン）の策定	
1992		訪問看護制度創設	老人保健事業第 3 次計画施行（重点健康教育に大腸がん・糖尿病予防，基本健康診査に血液成分追加，訪問指導に生活習慣改善・認知症追加）
1994		新ゴールドプランの策定	
		老人保健福祉計画の策定	
2000	介護保険法施行		介護予防地域支え合い事業施行
2003	健康増進法施行		
2006		介護保険第 4 期計画（健康日本21 との統合）の策定	地域支援事業（介護予防事業）施行
2008	老人保健法廃止	後期高齢者医療制度施行	
2014	医療介護総合確保推進法	地域包括ケア病棟	地域ケア会議
2021	健康保険法改正（後期高齢者 2 割負担）		

た高齢者をケアする地域包括ケア病棟の新設や関連専門職の協働によるネットワーク構築のために地域ケア会議制度が開始された.

3　介護保険制度と地域包括ケア

1）介護保険事業の開始

　高齢化率が 14％を超える国では，1990 年代から介護に関する取り組みがなされた．スウェーデンでは 1992 年にエーデル改革が実施され高齢者の長期介護や健康管理の権限が県から市町村に移管

し，市町村レベルで介護の充実を図り，病院から在宅ケアやケア付き住宅への誘導を図った．イギリスでは 1993 年からコミュニティ・ケア改革が実施され地方自治体サービスの民間委託の推進や，ケアマネジメントによるサービス提供が構築された．このように住民に身近な基礎自治体レベルにおいて，多様な主体を活用したサービス提供がニーズに応じて計画的になされるようになった．

　介護を必要とする人びとに対するサービスや手当てを社会保障制度として設けている国は多数存在するが，財源調達に注目すると，多くの国では公費負担を財源とする社会扶助方式を採択しており，社会保険方式をとっている国は少ない．このうち介護保険制度は日本，ドイツ，韓国のほかオランダ，ルクセンブルクにも存在するが現金給付が主である．日本の介護保険制度は，増田によれば他国と比較すると 3 つの特徴が挙げられる．1 点目は給付が手厚いために財政難となっていること，2 点目は制度が複雑であるため事務的コストがかかること，3 点目は家族介護手当などの現金給付がないために多大なサービスを必要とすることである[7]．

2)　介護保険サービスの内容

　次に介護保険サービスにおける利用の手順を図 13-1 に示す．被保険者あるいはその家族は，市区町村窓口へ介護保険利用の相談をする．被保険者は第 1 号被保険者（65 歳以上）と第 2 号被保険者（40～64 歳）に区分され，第 2 号被保険者は加齢に伴う 16 の特定疾患であることがサービス受給の前提となる．明らかに要介護認定が必要な場合，予防給付や介護給付によるサービスを希望している場合，もしくはチェックリストにより必要と判断された場合，要介護認定を申請し訪問調査と医師の意見書をもとに，介護認定審査会が開かれる．介護認定審査会において医師，看護師，理学療法士，作業療法士などの医療職と社会福祉士などの福祉職および行政の保健師によって協議され，要介護度が決定する．非該当と要支援 1・2 の場合は地域包括支援センターにおいて，要介護 1～5 の場合は居宅介護支援事業所において，被保険者の意向に従いサービス計画の作成やケアマネジメントが行われる．地域包括支援センターとは，2006 年度の介護保険法改正により中学校区に 1 つ設置された機関であり，介護支援専門員，社会福祉士，保健師と 3 専門職が在駐する．ここでは，虚弱高齢者のケアマネジメントを行ったり地域の高齢者の介護や生活問題の相談に応じたり，権利擁護を行う．

　非該当の場合は総合事業，要支援の場合は予防給付と総合事業，要介護の場合は介護給付を利用できる．要介護度により保険給付範囲の利用限度額は異なる．保険料の徴収は所得に応じた応能負担であり，制度開始当初の利用料は 1 割負担の応益負担であった．その後の制度改正により，現役並みの所得のある者は 2 割負担となり，さらに，2018 年 8 月から一定以上の所得のある者は 3 割負担となった．介護保険事業計画は国が基本方針を定め（法第 116 条），市町村はそれに即した介護保険事業計画を（法第 117 条），都道府県は介護保険事業支援計画を（法第 118 条）定めることになっている．第 1 期から第 6 期までの基本方針の内容と変更点を表 13-2 に示す．

3)　ケアマネジメントの開始

　第 1 期の特徴は，ケアマネジメントと要介護認定の開始である．フリーアクセスであった医療保険制度とは異なり，介護保険制度では給付制限のために限られた人にしかサービスを給付しない．また介護認定の結果に対応してケアマネジメントが行われる．介護保険制度の保険者は市町村であり，国と都道府県が重層的に支える仕組みである．これより続く計画が第 2 期介護保険計画（2003～

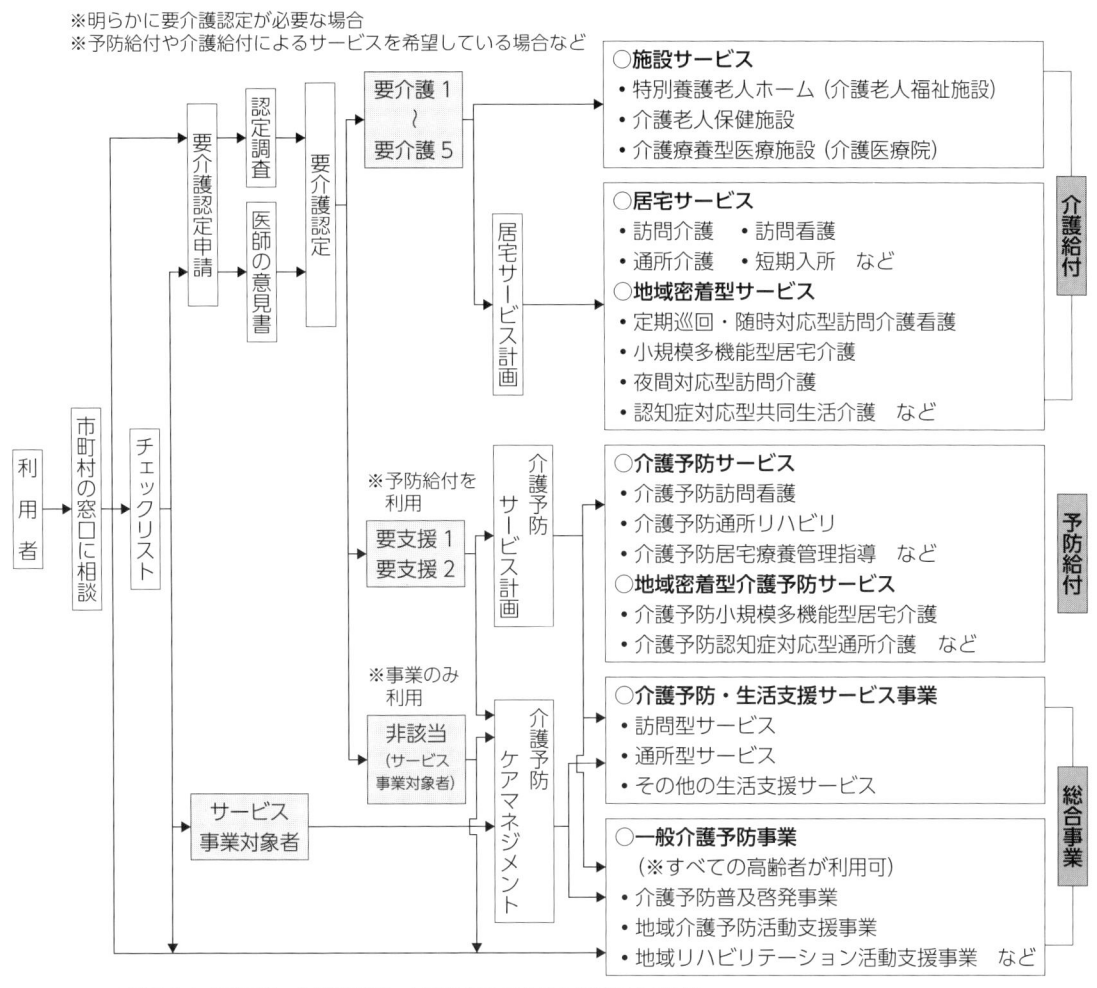

図 13-1　介護サービスの利用の手続き

表 13-2　介護保険事業計画各期の変遷

年度	期	内容	変更点
2000～2002	第1期	介護保険制度施行	要介護認定とその結果に基づくケアマネジメント
2003～2005	第2期		介護保険事業の要介護認定項目の拡充，福祉用具給付，ケアマネジメント報酬の拡充
2006～2008	第3期	予防重視，介護予防事業の開始	事業者の取り締まり強化 地域包括支援センター設置
2009～2011	第4期		介護従事者の処遇改善 事業規制の強化
2012～2014	第5期	地域包括ケアシステムの推進	24時間定期巡回サービス
2015～2017	第6期		地域支援事業の変更，自己負担の増加

2005 年度）である．要介護認定に関する調査事項，ケアプランに関する報酬，福祉用具の給付といった点について変更が行われた．第 2 期においての変更は，調査項目の勘案，ケアプランに対する報酬増加，福祉用具の給付項目の拡大などである．

4）予防重視への転換—介護予防事業の開始—

2006 年度に策定された第 3 期介護保険計画（2006～2008 年度）では，制度の持続性を確保するために予防重視への転換が図られた．関節疾患や高齢による衰弱がみられる人の介護度は軽介護（要支援・要介護 1）とされ，要介護認定者の半数を占めていた．このような軽度の要介護者に適切なケアを行えば，身体状況の改善を見込める．そこで，予防的な観点からサービス提供が見直されることとなった．

また，それまで介護保険サービス給付の非該当とされていた人たちに，地域支援事業の提供が始まった．地域支援事業は，開始された時点においては①介護予防事業，②包括的支援事業，③任意事業で構成された．①介護予防事業は一次予防事業（一般高齢者施策）と二次予防事業（旧特定高齢者施策）に分けられる．一次予防事業はパンフレット作成や広報などの介護予防普及啓発事業と，健康維持活動に対する資金や物品の援助である地域介護予防活動支援事業に分けられる．二次予防事業には運動機能向上，口腔機能改善，栄養状態改善のプログラムを提供する通所型事業とうつ・閉じこもり予防を目的として保健師が自宅を訪問する訪問型事業がある．②包括的支援事業は介護予防ケアマネジメント，総合相談支援業務，権利擁護業務，包括的・継続的ケアマネジメント支援事業（支援困難事例に関する介護支援専門員への助言，地域の介護支援専門員のネットワークづくり）である．③任意事業は市町村独自の介護保険サービスであり，介護給付費適正化事業，家族介護支援事業，成年後見制度利用支援，住宅改修支援などが挙げられる．2012 年度には④介護予防・日常生活支援総合事業が追加され，市町村は介護予防事業あるいは介護予防・日常生活支援総合事業のどちらかを選択し実施することとなった．

その他，第 3 期介護保険計画において行われた改正点は，サービスの質の確保である．不適切な事業者がサービスを提供しないように，指定取り消しされた事業所はその後 5 年間指定できないこととした．第 4 期は介護従事者の負担軽減や処遇改善に焦点が当てられ，要介護認定基準の変更による要介護認定業務の簡素化，介護報酬の 3.0％増による収入増が図られた．

5）地域包括ケアシステムの推進

地域包括ケアシステムとは，広島県尾道市御調町における先進事例をもとにした介護サービス，予防サービス，医療サービス，見守りなどの生活支援サービスで，住まいを高齢者のニーズに応じて適切に一体的に提供していくというモデルである．介護の場所について在宅か施設という従来の選択肢に，住まいと一体化したサービスを追加し，施設のような安心感のある在宅生活を提供する試みである（図 13-2）[8]．2003 年厚生労働省高齢者介護研究会による報告「2015 年の高齢者介護」において再定義がなされ，2006 年に発足した地域包括支援センターは医療，介護，福祉の連携のための窓口として位置づけられた．

2008 年度の地域包括ケア研究会の定義によれば，これまで共助，公助とされた概念が，新しく「互助はインフォーマルな相互扶助」「共助は社会保険のような制度化された相互扶助」「公助は一般

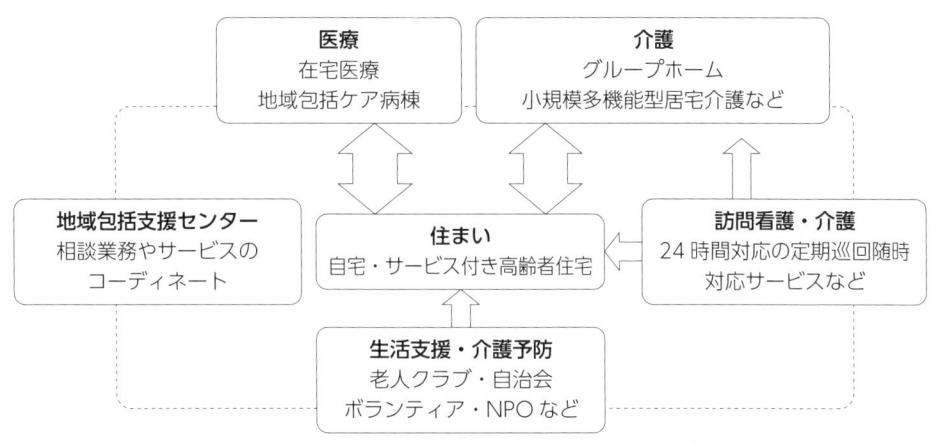

図13-2　地域包括ケアシステムの概要[8) を参考に作成]

注：地域包括ケアシステムは人口1万人程度の中学校区を単位として設定

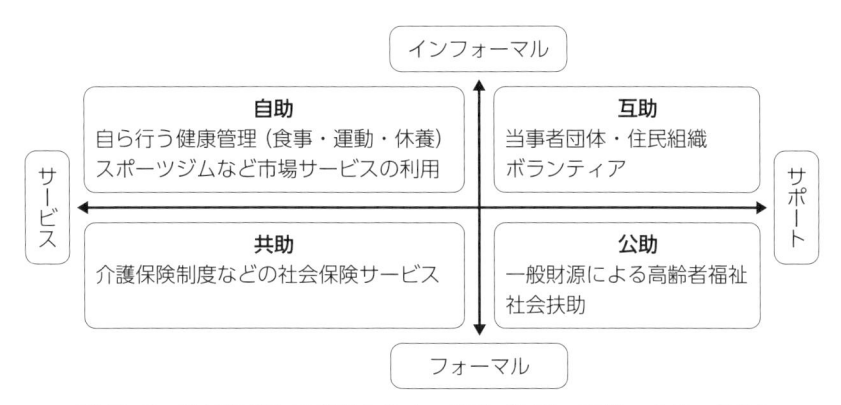

図13-3　地域包括ケアを支える4つの助（自助・互助・共助・公助）

財源による福祉」とされた[9]（図13-3）．さらに，少子高齢化や財政難のため共助，公助の大幅な拡充は困難であり，今後は自助，互助の役割を大きくすることが目標とされている．2013年度に社会保障制度改革国民会議は，自らの健康は自ら維持するという「自助」を基本としながら高齢や疾患介護をはじめとする生活上のリスクに対しては社会連帯の精神に基づき，共同してリスクに備える「共助」が自助を支え，自助や共助では対応できない困窮などの状況については受給要件を認めたうえで必要な「公助」を行うべきとしている．第5期介護保険事業計画（2012～2014年度）では，2005年度に明記された地域包括ケアシステムの推進のため，24時間定期巡回・随時対応の訪問看護・介護サービスの創設，高齢者の住まいや介護基盤整備，認知症対策，痰の吸引などの医療行為に対する規制緩和が行われた．

6）新しい総合事業

　厚生労働省によれば，高齢者に占める要介護者・要支援者の割合は高齢全体の18.7％（2020年）となった[1]．介護保険費用の増加に対する抑制の主事業として行われてきた介護予防事業であるが，

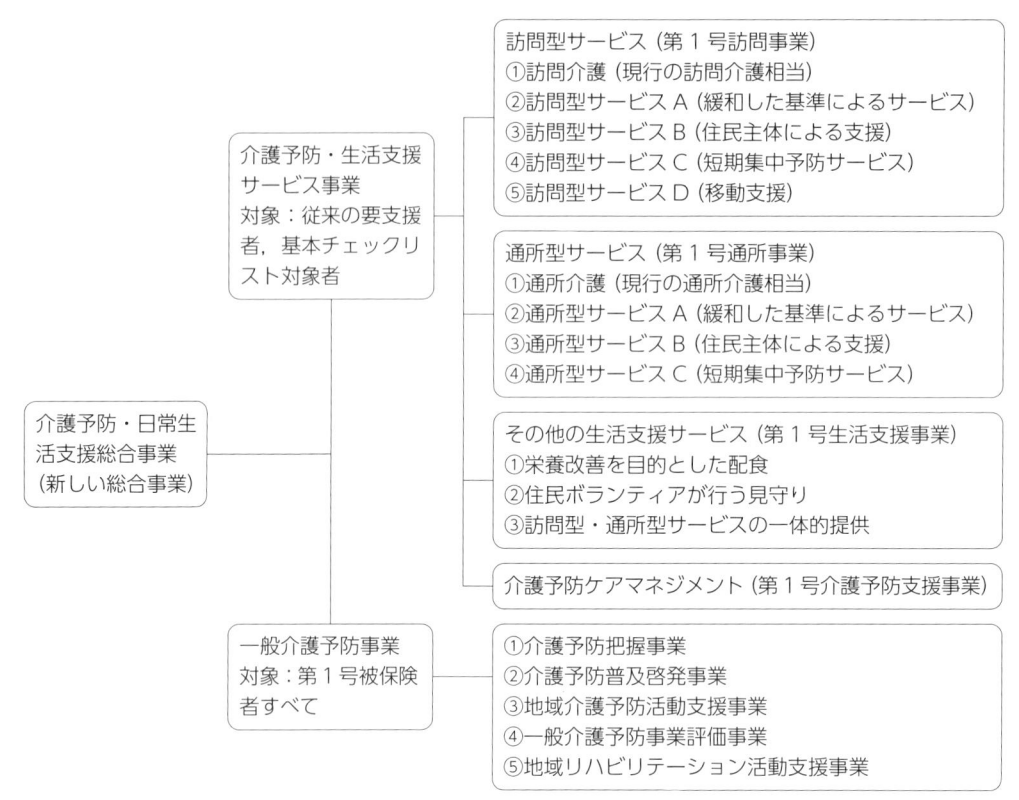

図13-4 新しい介護予防・日常生活支援総合事業の構成[10)をもとに作成]

二次予防事業の対象者の容態が数年で変わりやすい，それに対する長期的な対策が困難である，対象者の把握に時間とコストがかかるなどの課題に直面し，2015年度からの第6期では，介護保険制度に関わる新たな見直しとして軽度要介護者（要支援）の予防サービスは介護予防事業に組み込まれた．

図13-4に示すように，新しい総合事業は介護予防・生活支援サービス事業の訪問型サービス，通所型サービス，その他の生活支援サービス，介護予防ケアマネジメントによって構成される．一般介護予防事業は第1号被保険者すべてを対象とし，①介護予防把握事業（支援を要する者を把握し介護予防事業へつなげる），②介護予防普及啓発事業（介護予防活動の普及啓発），③地域介護予防活動支援事業（住民主体の介護予防活動の育成・支援），④一般介護予防事業評価事業（介護保険計画に定める目標値の達成状況を検討し，事業評価を行う），⑤地域リハ活動支援事業（介護予防の取り組みを機能強化するため，通所，訪問，地域ケア会議，住民の通いの場へのリハ専門職による助言の実施）で構成される．

4 地域理学療法における連携

地域包括ケアシステム，新しい総合事業，在宅医療・介護の連携推進にはリハ専門職だけでなく，

表13-3　連携主体の構成組織と行動目的

主体	行動目的（役割）	構成組織
①行政	公益 （事業コーディネート）	国，県，市町村，市町村各課，地域包括支援センター
②専門職 （調査・研究）	教育・研究 （調査，ツール提供）	大学，研究所，シンクタンク
③専門職 （医療・福祉）	専門的支援，職業倫理 （事業の主開催）	医師会，医療法人，社会福祉法人，社会福祉協議会
④民間	私益，社会的責任 （事業の主開催）	企業，商工会，スポーツクラブ，郵便局，銀行，農協，生協
⑤市民	QOL の拡大，互助 （事業の協力）	住民，自治会，自治振興区，ボランティア，NPO，民生委員，老人クラブ，自主グループ，市民団体，家族会，当事者の会

地域における多様な主体の活用が盛り込まれている．

1）連携主体の特徴

　組織の行動目的，役割に注目すると，連携を構成する主体を次のように分類できる（表13-3）．以下では，各主体の役割などについて説明する．

①行　政

　行政の役割では，健康支援においては市町村の高齢介護課は介護保険，健康推進課は健康増進，地域包括支援センターはコーディネート，県は情報提供や国との調整，国は基本指針の提示などを行っている．国や都道府県の役割として，まず予算の補助がある．また，国からは介護保険に関する基本方針の指示や通達，県は介護保険事業者に対する管理や，当該都道府県の医療計画方針との整合性を図ることなどの役割がある．

②専門職（調査・研究）

　これらの主体は非営利な目的で調査を行う大学のような組織と，研究所という名称であるが営利目的のコンサルタントが挙げられる．いずれも調査研究に関する技術を有する主体である．

　福祉に関する大学の地域貢献は，19世紀における英国のセツルメント（settlement：社会生活支援）活動に遡る．日本の大学でも，教員や大学生などの知識人が一定地域に住み，そこに住む人びとの教育，育児，医療などの生活を改善していく活動は，1920年代頃より行われていた．看護師や保健師，理学療法士など介護予防に関わる医療専門職の教育制度は，国立大学を中心に1990年代から4年制に移行してきた．臨床での実践的な教育内容から研究も重視する教育に変化してきたことから，地域社会への貢献は十分に期待できるものと考えられる．

③専門職（医療・福祉）

　これらの主体の特徴は，それぞれ国家資格などの専門的資格を有し，その職業的使命感と職業倫理に従い行動するほか，所属する病院や施設，職能団体の組織利益にも従う．各理学療法県士会においても，シルバーリハビリ体操やいきいき百歳体操などを住民に紹介し，介護予防事業として自治体に

協力している．今後はそれらの効果判定や，新しい総合事業を踏まえて要支援者を含む健康管理が必要な人に提供されているか否かを吟味する必要がある．

④民　　間

　民間組織は，企業，商工会，スポーツクラブ，郵便局，銀行，農協，生協などそれぞれの組織の営利，私益を目的とする．また，経営理念を通して地域社会における市民の信頼を得るなど，社会的責任を有する．市民の健康維持への貢献は，企業，商工会，スポーツクラブ，郵便局，銀行，農協，生協などにとって信頼関係の構築と顧客の確保につながる．

⑤市　　民

　老人会，市民団体は各々の QOL の向上を目的とすることから，対象を"市民"とした．これらを住民ではなく"市民"と表現した理由は，住民は当該市町村に住所を置くものであるのに対して，市民は公共サービスの受け手であり送り手であるという幅広い概念をもつからである．NPO の行動目的は公益であるが，行政が行えない活動まで範疇に含むため，市民団体に類似すると考えられる．自律し自らのニーズを訴え，行政にはない柔軟な対応が可能な主体となりつつある．これらの主体には相互扶助，互助という働きがあり，Putnam[11, 12] や Kawachi[13] によりソーシャルキャピタルとして注目されてきた．ソーシャルキャピタルとは，日本においてはインフラストラクチャ（社会資本）と区別するため社会関係資本と翻訳されており，人びとによる相互扶助を資本と捉えた概念である．地域包括ケアシステムにおける「互助」の担い手としても注目されている．ただし，ソーシャルキャピタルを行政の安上がりな下請けとしたり，ソーシャルキャピタルが十分でない地域や参加できない人びとに責任を転換すると，公的責任が後退する．

　介護予防その他の生活支援事業には，元気な高齢者が生活支援の支え手となることが挙げられている．また地域支援事業の包括的支援事業には，2015 年より生活支援コーディネーター（地域支え合い推進員）の配置，協議体の設置により，既存の地域資源の整理確認を行い，必要なサービス提供主体間のネットワーク構築が期待されている．

2）連携の仕組み「地域ケア会議」

　多様な主体による連携を促進するものとして，2015 年から基礎自治体により，地域ケア会議が開始された．理学療法士はこの会議において，生活改善や自立支援のリハを提案するコーディネーターとしての役割を担っている．地域ケア会議は個別ケースを検討する「地域ケア個別会議」と地域資源と政策を検討する「地域ケア推進会議」に区別される．地域ケア個別会議は日常生活圏内において地域包括支援センターが主催し，個別の事例に関する課題解決を行政，専門職（医療・福祉）が話し合う．地域ケア推進会議は市町村レベルにおいて，市町村または地域包括支援センターが主催し，行政，専門職（調査・研究）（医療・福祉），民間，市民から，地域に応じた主体を選定し，課題を検討し，政策提言や次期介護保険計画の策定に役立てる．

3）政策過程と連携

　多様な主体による連携は事業の実施以前の計画策定の段階から行われてきた．その分析は公的サービスの質に影響する重要な要素であり，公的サービスの時系列的な分析と，多様な主体の連携をみる必要性がある．表13-4 は医療連携のクリニカルパス，総務省[14]，Dye[15]，森脇[16] を参考に作成し，

表 13-4　計画策定実行段階と各主体の役割[14~16)]をもとに作成

主体＼段階	①計画策定段階Ⅰ		②計画策定段階Ⅱ		③実行段階	
	課題設定	課題範囲決定	手段・制約条件検討	実行計画策定	事業実施	モニタリング
行政	計画策定予算検討		目的・方法・人材の検討予算決定		事業実施	
専門職（調査・研究）	理想設定	ニーズ把握調査	ノウハウ提供		ノウハウ提供	再調査
専門職（医療・福祉）	調査協力		人材・物・場所の提供提示		事業開催	
民間						
市民	情報提供	意見提示	協力要請	意見提示	事業参加	評価

横軸に政策の計画実行までのプロセスを時系列に並べ，縦軸に各連携主体の役割と実行内容を示したものである．政策のアジェンダ設定や計画策定，執行，モニタリングの段階に応じて活用すれば，連携の効果として地域の課題解決につながる[17)]．

4) 地域包括ケアの各場面における理学療法士の役割

次に対象者の状態と場面に応じた理学療法士の関わりを畑野[18)] を参考にまとめる．

①在宅生活，健康状態の維持
地域ケア会議における助言，理学療法の技術による介護予防，ボランティア育成への協力，健康づくり，健康維持活動の効果判定．

②急性期，病院
急変時のリスク管理，クリニカルパスの活用による連携と早期の回復，在宅や回復期病棟への速やかな移行を目指す．

③回復期
在宅生活を視野に入れた ADL 練習による可能な限りの自立支援，ニーズに合わせた治療，在宅生活準備として福祉用具のコーディネート，住宅改修，制度利用紹介，地域連携クリニカルパスを活用した在宅への速やかな移行を目指す．

④症状安定期，生活期
短期集中リハによる在宅生活の自立支援，訪問リハ，通所リハ，小規模多機能型デイサービス，老人保健施設を利用した機能維持，健康管理，24 時間看護・介護との連携による急変時のリスク管理，急変時には地域包括ケア病棟による早期のリハ，より早い在宅復帰を目指す．

5) 事例 1：急性期から生活期までの理学療法士の関わり

70 歳代，女性，疾患名：大腿骨転子部骨折，既往歴：糖尿病，独居

受傷前の身辺動作は自立していた．自宅にて転倒し，救急車にて搬送される．急性期病院にてガンマネイル手術を施行され，術後 1 日目より理学療法開始．ベッド上の良肢位，車いすの適応，ポー

タブルトイレの位置，ベッド周辺の環境整備を行う．その後，医師に禁忌，骨癒合の状況，看護師と栄養士に糖尿病のコントロール，介護士に夜間のトイレの状況などを確認しながらクリニカルパスに従い下肢の筋力強化，起居動作練習，杖歩行練習を行う．合併症が認められなかったため積極的な理学療法を行い，2 週間後に回復期病棟へ転院．

　回復期病棟の理学療法士は「自宅へ戻り，畑仕事がしたい」というニーズを叶えるため，自宅を訪問．家族に介護保険の申請を依頼，持ち家であったため玄関，トイレ，浴室に手すりを設置する意見書を作成，介護支援専門員の協力により自治体に住宅改修を申請する．勝手口に解消できない 25 cm の段差があったため，院内にて段差昇降練習を行う．住宅改修後に退院した．

　地域連携クリニカルパスに準じて自宅近くの老人保健施設で訪問リハが開始された．地域包括支援センターの介護支援専門員のケアプランに準じた訪問リハによる自宅内と周辺の移動練習，外出練習を行う．買い物は生協の配達サービスを受け，掃除は訪問介護サービスを利用．畑への移動のため介護保険を利用してシルバーカーを借りる．長距離歩行が可能となったため，地域包括支援センターへ連絡，居住区の民生委員の紹介によって住民の通いの場である公民館にて行う介護予防につなげる．この時点で訪問リハは終了した．

　公民館では週に 1 回，介護予防のため理学療法士の指導によりシルバーリハビリ体操を行っている．公民館に集まる人数は約 20 人，地域包括支援センターの保健師の協力を得て理学療法士は対象者の既往歴などのリスクを確認し 1 回目に動機づけ，2 回目は体力測定を行い運動の定着を確認し，3 か月後，6 か月後に体力測定を行う．

6) 事例 2：複数のサービスを活用し在宅生活を継続する事例

　70 歳代男性，疾患名：脳梗塞・左片麻痺，既往歴：高血圧，70 歳代の妻と二人暮らし

　急性期病院に入院，T 字杖歩行が可能となり退院した．現在は，在宅にて訪問リハ，老人保健施設の通所リハサービスを受けている．妻がうつ病のため自宅の清掃が困難．訪問介護による清掃を 2 週間に 1 回利用．借家のため住宅改修が困難，本人・妻ともに入浴に負担感があることから，通所リハにて入浴している．訪問リハでは自宅周辺の外出練習を行っている．高血圧のため週 1 回訪問看護，月に 1 回かかりつけ医の訪問診察を受けている．かかりつけ医では 24 時間訪問看護も行っていることから，訪問リハ時に急変があったときは連絡することになっている．退院から半年後，口腔ケアが不良であったことから肺炎を起こした．その際は地域包括ケア病棟のある病院へ 1 週間入院し，機能低下を起こさないよう発熱の症状が治まった後，理学療法により歩行能力を保つことができた．

　冬季になり，ストーブを利用していることから火災の危険が高まった．地域包括ケアセンター主任介護支援専門員の呼びかけにより，地域ケア個別会議が行われ，かかりつけ医，訪問看護師，訪問介護を行う介護福祉士，通所リハの理学療法士，介護支援専門員，民生委員，地域支え合い推進員が今後のケアについて話し合った．理学療法士は，転倒や火災の危険を避けるために環境整備を提案した．地域支え合い推進員は近隣住民の見守りを依頼すること，介護支援専門員からは妻の介護保険サービスの申請について提案があった．

5　地域包括ケアシステムの持続性と発展

　地域包括ケアシステムの持続のために必要なこととして，財源の確保と ICT（Information and Communication Technology）の活用による効率化，技術革新が挙げられる．さらに認知症対策や，災害対策，若年の生活支援システムとして発展しつつある．

1）財源の確保

　地域包括ケアシステムを支える医療と介護の連携に対して，医療介護総合確保推進法において，地域医療介護総合確保基金が設けられた．この基金は消費税の増税分を活用しており，都道府県・市町村が事業計画を作って国が認めたものに対し，国が 2/3，都道府県が 1/3 を負担し事業主に公付される[19]．この基金を活用し，医療提供体制の整備のために，都道府県では 2015 年から地域医療構想としておおむね二次医療圏域における医療機関の機能分化と連携を推進している．このほか，介護基盤の整備として，介護施設の整備，介護従事者の確保にも基金が運用されている[19]．

2）ICT の活用

　情報通信手段を活用したネットワークは，患者・利用者情報の共有による連携の効率化を可能とする．また離島や中山間，人口減少地区など医療供給の不足する地域への遠隔医療の活用により，医療の地域格差を是正する．個人情報の保護と医療過誤のリスクを管理し，整えられていくものと考えられる．

3）認知症対策

　認知症は 65 歳以上の 6 人に 1 人（2020 年）と推計[20]されており，2012 年には認知症施策推進 5 か年戦略（オレンジプラン）が，2015 年には認知症施策推進総合戦略（新オレンジプラン）が策定された．このなかでは，2017 年度末に，認知症疾患医療センター，認知症サポーター，認知症カフェなどを，2018 年度からは認知症初期集中支援チーム，認知症地域支援推進員を整え，認知症となっても住み慣れた地域で暮らすシステムを整えることを目標としている．さらに 2019 年に認知症施策推進大綱により，認知症バリアフリー，予防の取り組みが進められた．

4）災害への対応

　近年，1995 年の阪神淡路大震災，2011 年の東日本大震災，2016 年の熊本地震などの災害が発生してきた．大規模災害発生時には，地域住民の健康維持のための医療・介護・住民による見守りの連携が必要であり，平時の地域包括ケアシステムを確立することは非常時の地域の対応にも役立つ．なお，日本理学療法士協会では専門知識を活かし，関連専門職や行政と連携し支援活動を行っている．2012 年には復興特区における訪問リハステーションが設けられ，一定の貢献を果たした．

5）地域共生社会

　高齢者だけでなく，2018 年には，地域での生活に支援を要する子ども，若年の住民に対象を拡大し「我が事・丸ごと地域共生社会」として，地域包括ケアが広がりをみせている（社会福祉法第 10

章　2018 年 4 月施行）[21]．

　受け皿となる住まいの確保，低所得者対策，介護離職の回避などの課題について，これからは住民に身近な市町村において構築していくこと，人口が減少していく社会において住民を含めた多様なサービス主体の連携が望まれている．エリアとしては，各々の都市整備やまちづくりに応じた発展の方法論を検討する必要がある．日本版 CCRC（Continuing Care Retirement Community）への移住[22]や，コンパクトシティ[23]の取り組みも試みられているが，住み慣れた地域で安心して暮らすことのできるシステムこそが地域包括ケアシステムである．理学療法士は，こうした地域包括ケアシステムの支え手として，子どもから高齢者までの健康維持および生活・社会参加支援に多大な役割を担うことが期待されている．

（平岩和美）

■文献

1）内閣府ホームページ：令和 5 年版高齢社会白書．
2）筒井孝子：地域包括ケアシステムに関する国際的な研究動向〔高橋紘士（編）：地域包括ケアシステム〕．オーム社，2012．
3）WHO ホームページ：The world health report 2003- shaping the future．
4）R.M. Maclver（著），中 久郎・松本通晴（訳）：コミュニティー社会学的研究：社会生活の性質と基本法則に関する一試論．ミネルヴァ書房，2009．
5）A. Etzioni（著），永安幸正（訳）：新しい黄金律（ゴールデンルール）—「善き社会」を実現するためのコミュニタリアン宣言．麗沢大学出版会，2001．
6）柳澤健一郎：衛生行政大要改定 20 版．日本公衆衛生協会，2004．
7）増田雅暢：介護保険の検証　軌跡の考察と今後の課題．法律文化社，2016．
8）厚生労働省ホームページ：2013 社会保障審議会介護保険部会資料．
9）地域包括ケア研究会：地域包括ケア研究会報告書—今後の検討のための論点整理—，2009．
10）厚生労働省ホームページ：介護予防・日常生活支援総合事業，総合事業ガイドライン
11）Putnam RD（著），河田潤一（訳）哲学する民主主義　伝統と改革の市民構造．NTT 出版，2007．
12）Putnam RD（著），芝内康文（訳）：孤独なボウリング　米国コミュニティの崩壊と再生．柏書房，2006．
13）Kawachi I（著），藤澤由和（訳）：ソーシャルキャピタルと健康．日本評論社，2008．
14）総務省/分権型社会に対応した地方行政組織運営の刷新に関する研究会：分権型社会における自治体経営の刷新戦略—新しい公共空間の形成を目指して—．2005．
15）DyeTR：Understanding Public Policy 12th Ed. Pearson Education, 2005．
16）森脇俊雅：政策過程．ミネルヴァ書房，2010．
17）平岩和美：介護予防・地域包括ケアと主体間連携．大学教育出版，2017．
18）畑野栄治：地域リハビリテーションの見地からみた介護保険．整形・災害外科，**45**：539-546, 2002．
19）厚生労働省ホームページ：地域医療介護総合確保基金．
20）内閣府ホームページ：平成 29 年版高齢社会白書
21）厚生労働省ホームページ：「我が事・丸ごと」の地域づくりについて．
22）内閣府ホームページ：日本版 CCRC 構想．
23）Jane J（著），山形浩生（訳）：アメリカ大都市の死と生．鹿島出版会，2010．

（ホームページは 2023 年 8 月 4 日閲覧）

第14章

理学療法の職域開拓

1 精神領域の理学療法

　2011年7月，厚生労働省は，地域医療の基本方針となる医療計画に盛り込むべき疾病として指定した4大疾病（脳卒中，悪性新生物，糖尿病，急性心筋梗塞）に精神疾患を加えて5大疾病とした．精神疾患の罹患者数は2014年に392万人を超えており，その背景には認知症入院患者および気分変調外来患者の増加が報告されている．精神科病院への新規入院患者のうち，約6割は3か月以内に退院し，約9割は1年以内に退院している．一方，1年以上の入院患者が20万人，10年以上の入院患者は7万人を超えており，長期入院患者（以下，対象者）の高齢化が地域医療移行への大きな課題とされている．

　2012年6月，厚生労働省は精神科病院の入院期間を原則1年とし，患者の早期退院および地域生活への移行を誘導する方針をまとめた．長期在院患者に対する入院期間短縮への対応策としては，医師や看護師，精神保健福祉士，作業療法士，理学療法士，看護補助者などの医療専門多職種の配置を充実させることが検討されている．

　現在，日本における精神領域の理学療法は，主に精神疾患に身体疾患を併せもつ対象者に実施されている．理学療法施設基準を満たして施設認可を受けている場合は，規定の診療報酬が算定される．理学療法士は，医師から受けた処方箋によって神経疾患や骨関節疾患などの身体疾患に対する理学療法を行うが，精神疾患に起因する身体および精神症状に対する理学療法の適応はほとんどないのが現状である．一方，欧州では1970年代から北欧を中心に，精神疾患に対する理学療法が積極的に実施されている．欧州の多くの国では，理学療法士のプライマリー・コンタクトが認可されており，精神科においても理学療法を実施するにあたり医師の処方箋を必要としない．近年では研究および臨床における成果報告が増えており，精神領域における理学療法の役割も拡充している．

1）欧州における精神領域の理学療法

　欧州では，精神疾患に起因する心身の症状の改善を目的に理学療法が実施されている．精神領域の理学療法が欧州で発展した背景には，ダンス・ムーブメントや芸術など身体に関わる表現技法が理想的な美を追求していく過程において，生き方や健康観へと思想が拡大したことがある．ダンス・ムーブメントによる身体表現活動や芸術に伴う創作活動は心身の不可分性を象徴しており，これらのダンス・ムーブメントは身体活動を通した統合体としての心身機能の回復・維持・向上を目指した治療に取り入れられていった．また，フロイトやライヒなどの精神医学やメルロ・ポンティ，キルケゴールなどの哲学，ドロプシーによる精神心理療法などの理論的背景を整理し，1950年代から主に北欧で

表 14-1　主な薬物療法の副作用	
焦燥感	便秘
眠気	頻脈
倦怠感	起立性低血圧
疲労感	目のかすみ
睡眠症	閉尿
身体のこわばり	パーキンソニズム
目のつり上がり	性機能低下
薬物性ジスキネジア	肥満
口渇	

表 14-2　身体症状を伴うストレス関連疾患	
循環器系	狭心症　心筋梗塞　本態性高血圧症
呼吸器系	気管支ぜんそく　過換気症候群
消化器系	胃・十二指腸潰瘍　過敏性腸症候群 腹部膨満感
神経系	偏頭痛　緊張性頭痛　めまい　失神
泌尿器系	インポテンス　夜尿症
骨関節系	関節リウマチ　腰痛症　頸肩腕症候群
皮膚系	アトピー性皮膚炎　湿疹　円形脱毛症
耳鼻咽喉科系	メニエール病　咽喉頭異常感症
婦人科系	更年期症状　不感症　月経異常
口腔領域系	口内炎　口臭症

精神領域の理学療法の基礎が築かれた.

1960 年代までの欧州では，現在の日本と同様に多くの精神疾患患者を入院させていたが，1970年代から地域医療移行への政策がとられ，この頃から理学療法士が精神領域へと積極的に関わるようになった.

東洋には「心身一如（しんしんいちにょ）」の思想が古来より存在しており，ヨガや禅，太極拳，呼吸法など身体活動を通じて精神状態を望ましい状態へ導く方法が多数存在している. この点を重視して，欧州における精神領域の理学療法では，東洋の伝統的身体活動あるいはその一部を治療に取り入れている.

2) 心身の症状と理学療法

精神領域の理学療法の対象となる身体症状は，緊張の亢進による姿勢の悪化，呼吸機能低下，慢性疼痛，身体活動量の減少に伴う体力の低下，生活・睡眠リズム変調などがある. 精神症状は，不安や恐怖感，焦燥感，疲労，抑うつなどが対象とされている. また，薬物療法の副作用であるパーキンソニズム，肝臓や腎臓などの内部疾患，心血管系や神経系の変性，肥満などに対しても理学療法が実施されている（表 14-1）.

精神疾患患者は，多くの心身症状から生活・睡眠リズム変調をきたしやすく，糖尿病や高血圧，メタボリックシンドロームなど生活習慣病の発症危険性が極めて高い. 特に統合失調症患者は，これらの症状に加えて幻覚や幻聴などの異常感覚や空間認知の問題を抱えているとされ，これらの症状は身体運動の制限因子となり，円滑な日常生活活動の障壁になっている.

精神領域における理学療法の対象疾患に心身症（身体表現性）がある. 心身症は，心理的葛藤や不安，重圧，欲求不満，心的外傷などさまざまな心因的ストレスが原因で引き起こされる身体性の疾患である. 心身症の原因となる過度なストレスは，人体の免疫系，内分泌系，自律神経系に影響を及ぼして多くの身体症状を引き起こすが，これらのストレス関連疾患に対しても理学療法が適応されている（表 14-2）.

3) 理学療法の役割

理学療法の主要な目的の 1 つは，身体資源を動員して対象者の動きを引き出すことである. 理学療法の目的は精神領域においても例外ではなく，理学療法の役割は身体の動きに影響を及ぼす諸要因

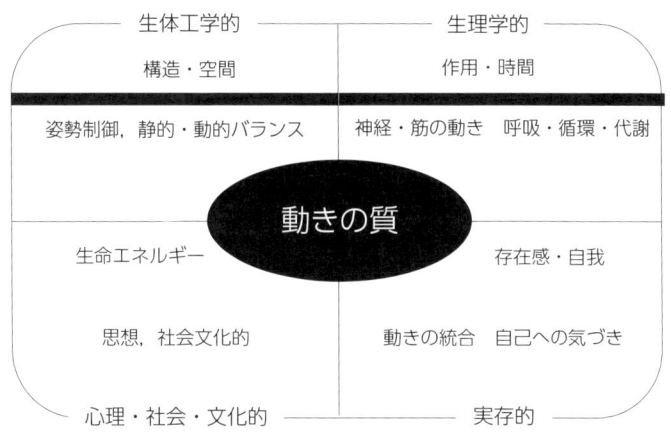

図 14-1　動きの質[9]より一部改変

動きの質は「生きられた身体」であり，生体工学的，生理学的，心理・社会・文化的，実存的 4 側面から説明される．それぞれの側面は同時に 1 つであり，動きの質として生活に反映される．

に対して身体的介入を通じ，心身の状態を最適化させることである．身体と精神の区別は医療者と対象者の間の意思疎通上の慣例的な概念モデルであり，身体疾患と精神疾患を区別した症状として捉えるのではなく，心身の統合体である人間を対象とした治療アプローチが重要となる．

　Skjaerven は，動きの質を①生体工学的側面，②生理学的側面，③心理・社会・文化的側面，④実存的側面の 4 つの側面から説明している（図 14-1）．生体工学的側面および生理学的側面は，身体の構造と働きから動きの質との関係性を示している．心理・社会・文化的側面および実存的側面は，個人の洞察と集団における生活から動きの質との関係性を示している．動きの質と各側面は，相互的に作用するとされ，いずれの側面に問題が発生しても動きの質に影響を及ぼすことになる．身体の動きは内的な精神活動による表出であり，動きの質を改善することは心身の状態に望ましい影響を及ぼす．

4）理学療法アプローチ

　精神疾患の多様な心身の症状に対しては，バランス運動，呼吸運動，リラクセーションやタッチングなど身体介入を主とした理学療法が実施される．精神領域における理学療法は，身体気づき療法（basic body awareness therapy）と精神運動理学療法（psychomotor physiotherapy）の 2 つの体系が北欧を中心に展開されている．欧州においてこれらの理学療法は，教育および臨床で広く普及している．特に身体気づき療法は，スペインのアルメリア大学（University of Almeria）で 1 年間のインターナショナルコースが開設され，欧州を中心に世界各国の理学療法士を受け入れて認定理学療法士の育成を行っている．

①姿勢制御（バランス）

　精神疾患患者は，過度な緊張や不安，空間認知の低下など種々の原因から不良姿勢をきたしやすい．姿勢は，姿（配列）と勢（エネルギー）として心身両面を表現した言葉であり，姿勢の安定は身体と精神が安定するための基本となる重要な要素である．姿勢を安定させるための理想的な身体配列

は，重心線が支持基底面の中心を通る姿勢配列である．過剰な筋緊張は，特定の運動や姿勢保持に必要としない筋の働きを亢進させ，疲労するのみではなく，続いて起こる運動を制限する要因になる．安定した姿勢を得るには，臥位，座位，立位において身体中心と身体中心軸の感覚を高めるための姿勢調節運動が行われる．

②呼　吸

　呼吸は換気機能だけではなく，心身の緊張状態を反映することが知られている．呼吸は，意識と無意識の双方の制御による特徴を示す唯一の身体機能であり，リズム，深さ，速さを指標とした変化を通して身体と精神の状態を評価する指標になる．不安や緊張状態などのストレス状況下にあるときは，自律神経系の働きに関連して交感神経が優位となり，呼吸は浅く速い胸式呼吸となる．一方，副交感神経が優位となる横隔膜呼吸では，リラクセーションの促通，不安の軽減，心拍と血圧の低下，心理的ストレスの軽減，うつなどで低下するとされるセロトニン代謝の活性化などが確認されており，精神領域の理学療法を実施するうえでの基本となる．理学療法では，楽に呼吸ができるような呼吸方法と姿勢を教授する．

③身体への気づき

　精神疾患患者は，身体への関心の喪失，身体イメージのゆがみなどをもつことが報告されている．また，種々の感覚入力を適切に処理することが困難であり，過度な緊張状態や身体認知の低下などが報告されている．このため，対象者は自分が自分の身体の外にいるような現実的ではない感覚をもつことや，身体的苦痛に気づかないことがある．身体の状態に気づくことは，身体を適切な状態に維持し，運動の質を高めるために必要な情報となる．身体への気づきは，身体への振動刺激や身体に触れることにより，身体の輪郭を明らかにしながら自己の存在感を高める効果が期待される．運動療法を実施する際は，対象者自らが安全と思える場所を探し，十分な時間をかけて運動を実施する．

5）精神領域における理学療法の課題と展望

　2011 年にオランダのアムステルダムで開催された第 17 回世界理学療法連盟（World Physiotherapy）学会の総会において，これまで 7 つの領域で構成されていた世界理学療法連盟サブグループに精神保健の理学療法（International Organization of Physical Therapy in Mental Health：IOPTMH）を含む 5 つの領域が新設された．IOPTMH は，抑うつ，ストレス関連疾患，心身症，慢性疼痛や不安などの精神疾患に関連した心身の症状に対する理学療法を実践して，研究および臨床，教育の領域で活動し，幅広い健康問題に取り組むことを課題としている．

　精神疾患に対する医療が世界的に注目され，日本においても地域医療へ移行するための検討がなされており，今後，精神科医療における理学療法の役割が重要になると思われる．

　日本では主に身体疾患を併せもつ対象者に理学療法が実施されているが，精神領域においては精神疾患に起因する身体症状に対しても理学療法の適応可能性は高いと思われる．また，精神疾患患者の精神症状および生活習慣（病）に対しても運動療法の有効性が報告されており，科学的根拠および臨床実践を積み重ねていくことが今後の課題であろう．

■文献

1) Roxendal：Body awareness therapy and the body awareness scale, treatment and evaluation in psychiatric physiotherapy. Medicinsk rehabilitering, 1985.
2) 浅井邦彦：精神病院ってどんなところ？　精神科医療シリーズ．NOVA 出版，pp199-205 2002.
3) E Eriksson, et al：Effects of body awareness therapy in patients with irritable bowel syndrome. Advances in Physiotherapy, **4**（3）：125-135, 2002.
4) Liv H Skjærven, et al：Basic elements and dimensions to the phenomenon of quality of movement‐a case study. Journal of Bodywork and Movement Therapies, **7**（4）：251-260, 2003.
5) Liv H Skjærven, et al：Greek sculpture as a tool in understanding the phenomenon of movement quality. Journal of Bodywork and Movement Therapies, **8**（3）：227-236, 2004.
6) Evans DL, et al：Mood disorders in the medically ill：scientific review and recommendations. Biol Psychiatry, **58**（3）：175-189, 2005.
7) Gard：Body awareness therapy for patients with fibromyalgia and chronic pain. Disability & Rehabilitation, **27**（12）：725-728, 2005. Thornquist. Patient records–Physiotherapists' contributions. Advances in Physiotherapy, **10**（1）：31-40, 2008.
8) Dragesund T, Råheim M：Norwegian psychomotor physiotherapy and patients with chronic pain：Patients' perspective on body awareness. Physiotherapy Theory and Practice. An International Journal of Physiotherapy, **24**（4）：243-254, 2008.
9) Liv H Skjærven, et al：An eye for movement quality：A phenomenological study of movement quality reflecting a group of physiotherapists understanding of the phenomenon. Physiotherapy Theory and Practice. **24**（1）：13-27, 2008.
10) AL Gyllensten, et al：Long-term effectiveness of Basic Body Awareness Therapy in psychiatric outpatient care. A randomized controlled study. Advances in Physiotherapy, **11**（1）：2-12, 2009.
11) Liv H Skjærven, et al：How Can Movement Quality Be Promoted in Clinical Practice? A Phenomenological Study of Physical Therapist Experts. Physical Therapy **90**（10）：1479-1492, 2010.
12) 奈良　勲・他（編著）：心理・精神領域の理学療法　はじめの一歩．医歯薬出版，2013.

（山本大誠）

2 産業理学療法

　産業保健分野（industrial health, occupational health）とは労働者（以下，勤労者）の健康対策を行う領域であり，労働安全衛生法に基づいている．主な目的は企業で働く勤労者の健康増進と健康の保持増進である．この分野には産業医，保健師，衛生管理者の専門職がおり，情報の提供，評価，助言などの支援を行うこととなっている．この分野は決して特殊なものではなく，理学療法士が看護師や介護士に対して行う腰痛予防もこの分野に含まれる．ただし，これについて診療報酬を得られなければボランティアにとどまり，仕事として成立しない．

1）産業保健分野を担うメンバー

　産業保健分野を担うメンバーには以下の専門職があり，それぞれの専門性を活かした事業を展開している．産業医と衛生管理者を選任することが法律で定められている点が重要である．

①産業医：健康管理，作業管理，作業環境管理を行う．従業員50人以上の事業所（いわゆる企業のこと）で一人の産業医を選任することが法律で決められている．

②衛生管理者：事業所の全般的衛生管理を行う．従業員50人以上で1人の衛生管理者を選任することが法律で決められている．

③保健師：産業保健分野をコーディネートする．

④その他（管理栄養士，心理判定員，健康運動指導士，ヘルスケアリーダーなど）

　現在，理学療法士が参入して法律の範囲内で産業保健領域の開拓を進めている．日本理学療法士協会（以下，協会）においても産業理学療法部門を設立して発展を促しており，2018年現在，産業理学療法部門の在籍者数は設立から数年で4,000人を超え，人気の高さがうかがえる．同部門では産業保健分野の理学療法を実施する者を「産業保健理学療法士」と規定している．

　今後，理学療法士が産業保健分野のメンバーとして認められ，法律で選任されるためには，関連団体と連携しつつエビデンスのある成果を確立して，理学療法士の必要性を啓発することが大切である．

　なお，2018年現在，日本における就業者数は6,698万人であり，産業医が65,000人（就業者数1,000人に1人の割合），保健師が16,000人（就業者数4,000人に1人）配属されている．一方，理学療法士はわずか100人未満（62万人に1人）である．理学療法の対象となる労働者の数は最も多く，今後理学療法士が職域拡大できる可能性を秘めた分野であり，多くの理学療法士のマンパワーが必要とされる．

2) 理学療法士が関わる意義

　理学療法士がこの分野に関わる意義として，以下の事項が挙げられる．

- 理学療法士は，個人や集団に合わせた運動指導ができる
- 勤労者の疾病や変調を予防・改善する運動を指導できる
- 作業時の動作分析から安全な作業方法を指導できる
- 人間工学に基づき機器導入など作業環境改善を提示できる
- 統計的手法を使って介入効果を証明できる
- 目的を達成するために産業医など他の専門職と連携できる

そして何よりもこれらを総合的に実施できることにこそ，理学療法士が関わる意義がある．

3) 海外の産業理学療法

　工業先進国である米国，豪州，欧州の一部の地域では産業理学療法の職域が確立しており，労働災害の予防を目的とした運動指導，人間工学的な作業姿勢の評価，そして高齢勤労者への運動機能の改善指導が実施されている．

　海外での産業理学療法の形態は，開業理学療法士の事務所や医師も含めた事務所と企業との契約がほとんどであるが，一部の企業では理学療法士が雇用されている．

4) マーケティング・宣伝広報・営業

　産業理学療法の進め方の第一歩は，マーケティングである．企業や健康保険組合へのアンケート調査や衛生管理者，産業医，保健師からの聞き取り調査を通じてニーズを把握し，プログラムを作成す

図14-2　集団の心身状態を把握する

図14-3　職場での健康増進運動も拡がっている

る．あるいは，それらのプログラムの概要をホームページ，ダイレクトメールなどによる広報，企業での営業活動を通じて依頼を受け，その企業に相応しいプログラムを作って実施する．これを本社から支社へ，そして関連企業へと展開していくのである．

5) 勤労者への理学療法の指導

①個人指導

　この分野の個人指導における不安要素は，予防としての関わり方である．

　理学療法士が勤労者に接して最初に衝撃を受けるのが，指導に従ってもらえないことである．一般的に医療を受けている勤労者は治療目標に到達すべく，多少の痛みが伴っても理学療法士の説明に同意し従う．しかし，予防の指導に対しては，健康が保たれているケースではモチベーションが高まらず，理学療法士の指導に従ってもらえないこともある．よって，この分野の理学療法士は，勤労者の心理や価値観を理解して対応する必要がある．

②集団指導

　産業保健の指導者には個人の健康増進よりも集団の健康増進が求められている．つまり，個人の生産性を上げることよりも集団としての生産性の向上が望まれているのである．一般的に理学療法士は個人指導が得意であり，集団指導を苦手としているようであるが，産業理学療法の発展のためには集団指導に必要な技術を修得する必要がある．適切な集団指導は勤労者の疾病や変調予防における相互扶助を引き出し，健康の保持増進はもとより安全性の確保や生産性の向上にもつながる．

6) 具体的な産業理学療法

①腰痛予防・VDT症候群予防対策

　まず，問診による調査を行い，勤務者の腰痛やVDT症候群（Visual Display Terminal Syndrome）の程度を把握する．その他にも痛みや心理的ストレスの程度，予防対策，体力を把握しておく（図14-2）．そして，始業時および終業後の体操などが実施されていないようであれば指導する（図14-3）．また体幹筋力の低下や腰背部・下肢の柔軟性が低下していれば，筋力増強運動やストレッチングを実施するように指導する．

　次に職場を巡視して作業の方法や内容が人間工学的に適切か否かを評価し，正しい方法を指導す

る．調査の要点は作業方法に無理・無駄がないか，仕事・機器・環境が勤務に適合しているか，個人の体格に応じて調整できる環境かの 3 点である．

　職種，作業スピード，作業姿勢などの違いにより適した検査法があり，目的に応じて使い分ける．人間工学に基づいた作業負担の評価法として，作業姿勢を評価する「Ovako 式作業姿勢分析システムソフト：JOWAS」，重量物を取り扱う作業を評価する「荷物取り扱い評価式ソフト：NIOSH」，疲れを評価する「疲労しらべ」などがある．そして最も腰痛を引き起こしやすい"身体を前傾して中腰でひねる"作業をしている人がいれば正しい方法を指導し，重量物を持ち上げる作業をしている人には，持ち上げ法の指導や軽量化を考案して試行を繰り返し，企業に提案する．

②メタボリックシンドローム対策

　健康診断や 40 代以降が対象となる特定健康診査などで変調のあった人はもちろんのこと，20～40 代の人へもメタボリックシンドローム予防・改善のための個別指導や集団指導を行う．運動の行動変容ステージモデルを用いて，ステージごとに行動目標や指導内容を変えて運動指導をする．

③メンタルヘルス対策

　メンタル疾患において代表的なうつ病では個人の生産性が 7.6％低下する．適切な運動はうつ病の発生を予防する効果があり，軽症のうつ病や不安症の症状を薬物と同じようなメカニズムで改善するとの報告がある．現在，メンタル疾患の予防として個人指導や集団指導のなかに運動を取り入れている（本章「1．精神領域の理学療法」参照）．

④ワーキングウーマンへの健康対策

　男女間で罹患しやすい疾患に相違があることが知られている．若い世代での妊娠後の腰痛や尿漏れ，中高年期の骨粗鬆症，足の浮腫など女性に特有の疾患や症状がある．症状が強ければ，労働にも影響を及ぼしてくる．よって，骨盤底筋増強運動や有酸素運動などを指導し，重量物取り扱い制限や機器の導入を企業に働きかけている．

⑤労働力の高齢化対策

　図 14-4 は，総務省統計局『日本の統計 2009』から引用したものであるが，現在，少子高齢化が進み，勤労者の高齢化と勤労者の人口が減少してきている．それに伴い，勤労者の高齢化が見込まれる．定年制の廃止や継続雇用制度により，60 歳以上の勤労者の割合が増加している．

　加齢による視力や聴力の低下，身体機能の低下による転倒事故の急増，中高年齢期に発生しやすい糖尿病や高血圧などの影響によって労働の耐用性に課題が生じている．国が推し進める働き方改革などにより，企業は従業員の健康にいっそうの配慮をするようになってきた．これまで理学療法士への依頼は衛生管理者のみからであったが，近年は人事担当者からの依頼も増えており，企業の真剣さが伝わってくる．運動機能チェックで課題を探り，労働に適するように運動指導を実施している．

⑥産業保健関連職への情報提供

　産業医や保健師，衛生管理者など産業保健分野で活躍する関連専門職に情報提供し，理学療法の知識が勤労者の健康に活かされるようにしている．

⑦調査・研究

　勤労者の筋骨格系損傷，メタボリックシンドローム，メンタルヘルスなどへの介入研究を行い，産業理学療法効果のエビデンスを集積し，利用しやすいものとして提示している．

　2017 年度 1 年間の講習会・個別指導の件数（参加人数）を表 14-3 に示す（筆者調査による）．

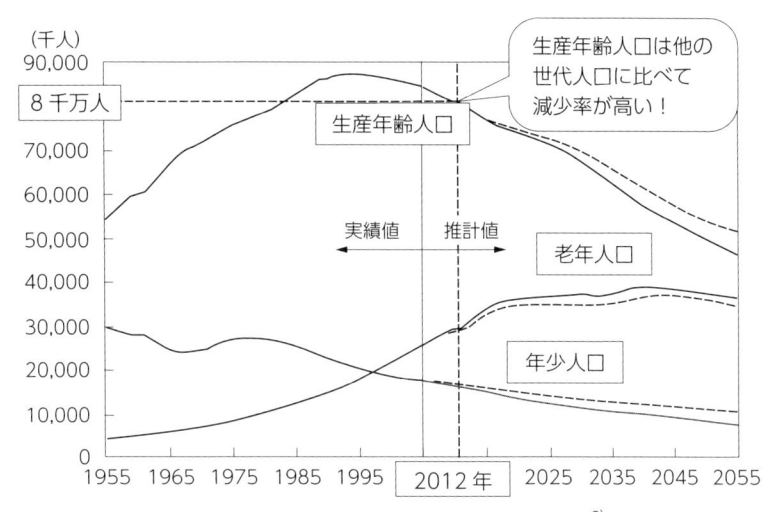

図14-4　日本の生産年齢人口減少の危機[3]

表14-3　2017年度の講習会・個別指導件数の内訳

	腰痛	VDT	メタボ	転倒	メンタル	その他
件数	595	108	150	74	24	248
参加者数	36,852	3,241	5,069	4,446	5,807	19,628

7) 産業理学療法の課題

現在の産業理学療法には，次のような課題がある．

- 産業保健分野に関わる理学療法士の数が非常に少ない
- 産業保健分野の理学療法のエビデンスが少ない
- 理学療法の存在と役割を，企業・産業保健の関連職種に対して十分に広報できていない
- 第1次産業（農業，林業，漁業，鉱業など）への対応が不十分である
- 運動の重要性に関する勤労者の動機が低い
- 楽しさを加味したプログラムの指導が不十分である
- 業務内容が確立していないため，収入が不安定である

8) 産業理学療法を確立するための対策

多くの理学療法士に関心をもって参入してもらうことが大前提である．そして以下の点が今後の対策として挙げられる．

- 産業保健分野の理学療法効果のエビデンスを提示する
- 他職種，多施設，協会と連携して情報交換，大規模研究などを行う
- 費用対効果を示し，安定した収入を確保する
- 産業保健分野を含め教育を行う

・協会の認定制度をつくる

　日本に産業理学療法が確立されれば，さらに勤労者の健康増進，働きやすい職場の確保，生産性向上，速やかな職場復帰，質の高い労働人口の維持・確保が可能になるであろう．これらの活動を通じて勤労者がいきいきと働くことができる社会になることを願ってやまない．

■文献

1）高野 賢一郎：新しい職域の中でいかに理学療法アプローチを確立するか～理学療法士の専門性とは～産業保健分野．理学療法学，38（4）：229-230, 2011.
2）高野賢一郎：メタボリックシンドロームに対する理学療法．理学療法，25（10）：1431-1438, 2008.
3）総務省統計局：「日本の統計2009」

（高野賢一郎）

3　被災地の理学療法支援

1）2011年東日本大震災に学んだ理学療法支援

　2011年3月11日に発生した日本の三陸沖を震源とするマグニチュード9.0の大地震（東北地方太平洋沖地震）とそれに伴う津波による大震災は，過去私たちが経験したことのない大災害となった．被害者は，死者15,854人，行方不明者3,155人と戦後最悪の災害である．過去日本の理学療法士が対応してきた災害支援としては，これまでにない最大規模のものであり，試行錯誤のなかで支援活動を継続している．被災地の活動をまとめ，今後も理学療法士が国民の役に立てる専門職として，さらに責任ある活動を継続していくことは，重要であると考える．この活動については，現在進行形であり，これまでの活動と今後の支援について述べたい．

2）災害時理学療法（士）支援活動とは

　日本理学療法士協会（以下，協会）では，災害時理学療法（士）の支援活動について，『災害時理学療法（士）支援活動の記録』[1] のなかで，以下のようにまとめている．

①目　的

　災害時理学療法（士）の支援活動の目的については，「災害時理学療法（士）の支援は，被災地域において，必要な理学療法知識の提供や具体的な実地指導などを通して，被災者の生活不活発病（廃用症候群）予防，ならびに被災後，身体機能が低下した方々への回復支援を目的とするものです」としている．

　被災地では，災害弱者である高齢者や生活機能低下者が，避難所や環境が整っていないなかで暮らしている．それぞれの生活の場において，直接的に身体に対し理学療法サービスを提供するのみではなく，避難所で活動する支援団体やボランティアとともに，その避難生活を支えるうえで必要な知識や技術を理学療法の視点から間接的に，また組織的にサポートすることが求められる．

②基本原則

　支援活動の基本原則については，「災害時理学療法（士）の支援活動は，隣接する関係者を尊重し，医療，介護ならびに福祉領域における連携を保ちながら，将来的に理学療法業務が円滑に執り行われることを目指して活動を進める．そのため，まずは，理学療法の必要性を正確にそしてわかりやすく，啓発しながら，周囲の関係者より"望まれた"要望について積極的かつ真摯に対応します．そして具体的に活動を継続しながら，医療，介護および福祉提供体制が整い次第，速やかに本活動を医療機関や介護保険事業者に適切につなげていきます」としている．

③意　義

　被災地には，普段の理学療法業務を実施する現場で遭遇するニーズを超えた，多様な課題がある．避難所や仮設住宅などの厳しい環境下で避難生活を余儀なくされているため，活動量が低下し，生活不活発病になる恐れのある人びとや，震災そのもので受傷・発症しても十分な治療を受けられない人びともいる．普段とは異なる環境下での生活には，複雑な課題が存在する．

　協会では，主な以下の 4 項目について取り組むこととした．

　a）一時的に理学療法士のサービスの密度を高め，地域の理学療法機能を補充する

　b）理学療法を介して住民が安心して安全に生活できる動作能力を確保する

　c）理学療法を介して治療の中断を最小限に抑える

　d）不必要な発症や身体動作能力の低下を増悪させないよう予防に励む

④具体的な活動内容

　a）ニーズ調査

　被災者の状況は，被災地や避難所ごとに，また，同じ環境においても，家族や家を失っているなど，身体機能のみならず，災害の背景因子によって多様な影響を受けていることを忘れてはならない．また，被災地では十分なインフラも整備されていないなかで情報が錯綜し，被災者の居場所も流動的で特定できない．得られた情報も極めて不確実であり信頼性に欠ける．調査結果については，いかに迅速に，適切なネットワークを通じて，情報提供するかが大切である．さらに，継続的に支援に関わるスタッフ間の情報伝達は大切である．このような状況での調査では，誰もが同じ評価指標を用いてデータを蓄積することが重要である．災害発生という非常事態において，状況が定まらず誰もが不安定になっているなかで，理学療法士が安定的かつ効果的に介入できる対策につなげ，関係者と情報を共有する視点が重要となる．被災者を第一義に捉えて行動する視点をもって活動することが大事であり，関連専門職がそれぞれの情報に偏ってしまい自己満足に終わらないよう留意する．また，その情報は必ず支援に活かせる内容であることを確認する必要がある．そして，調査自体が被災者に負担をかけていることを認識することも肝要である．

　b）被災者・住民への働きかけ

　・啓　発

　災害発生後，被災地や避難所での生活において，予防的観点から一般市民に対し，生活不活発病などについての行動に対する啓発，リーフレットの配布，掲示などを行う．必要なケースに対し，個別的に啓発する．

　・集団的・個別的な指導対応

　同一の避難所に複数の運動機能の低下を認める対象者がいる際には，スペースや時間を調整し，集

団で可能な取り組みを実施する．そのなかで，重度な機能不全によって自ら思うように動作ができない，または避難所生活において急速に状況の悪化がみられる対象者には，個別的に対応し，日常生活における活動の維持やそれに必要な環境整備などを教示する．

・福祉用具の提供・環境整備

災害により従来使用していた福祉用具を紛失した，避難所生活によって状況が急変し福祉用具が必要になったなどのケースに対応する．仮設住宅で自立した生活を促す視点で環境整備の相談に乗る．また，避難所においては，生活機能低下者・高齢者を取り巻く周囲の人びととの理解と協力が重要であり，それを啓発する．

3）時期に応じた支援

災害が起こった後に実行する支援については，その規模や発生からの時期による状況変化に応じた，柔軟かつ迅速な活動が求められる．ここでは，発生からの時期に応じた支援について述べる．

①災害時期について

a）応急修復期

ライフラインの復旧，主な道路網回復，避難所の管理，物資確保・配給，仮設住宅の建築，住民の移動など，最も混乱が起こる時期である．この時期には，避難所などの限られたスペースで生活する被災者に対する，生活不活発病の予防を中心とした関わりとなる．被災状況を把握し，その後の支援体制を築く時期である．

b）復旧期

被災者は避難所に集約され，自宅復帰困難な人びとは仮設住宅での生活が始まる．この時期には，仮設住宅の入居に合わせて生活のアドバイスや環境整備があらためて必要となる．ニーズは徐々に個別性が高くなり，生活状況や背景に応じた柔軟な対応が求められる．

c）復興期

被災者は，限られた環境の避難所から日常生活を中長期的に居住可能な生活の場に移動する．元来のコミュニティが崩壊し，新たな生活スタイルのなかで，住民の孤立への対応などの新たな課題が表面化する．被災地の医療福祉体制が徐々に回復するなか，今後の長期的展望に立った復興対策とそれに向けた支援が必要になる．実際には，理学療法士の実質的な復興支援は，これ以降も長く継続することが必要であり，東日本大震災のように災害規模が甚大であればあるほど，復興期における理学療法士の役割は大きくなる．

②理学療法士における今後の復興支援（被災地復興特別区域法における「訪問リハビリテーション事業所」を軸にした支援活動）

2011 年 12 月 7 日に東日本大震災復興特別区域法が成立した．これは，国の総力を挙げて，復興特別区域制度を活用した東日本大震災からの復興の円滑かつ迅速な推進を図るために策定されたものであるが，そのなかに「訪問リハビリテーション事業所整備推進事業」が位置づけられている．

本来，当該事業の開設主体は病院もしくは診療所，または介護老人保健施設に限定されているが，復興の円滑かつ迅速な推進のため，必要な指定訪問リハビリテーション事業所の整備を推進することを目的とし，病院，診療所，老人保健施設以外でも事業所の設置を可能としたのである．

協会では，この方針が明らかになった後，直ちに対策を練り，被災県の都道府県士会長の協力要請

に対処すべくこの取り組みに対し主体的に介入することとした．協会が基盤をつくり，日本作業療法士協会，日本言語聴覚士協会の協力を得て，2012 年 10 月 1 日「一般財団法人訪問リハビリテーション振興財団」が設立された．そして，東日本大震災と福島原発事故の双方から甚大な被害を受け，地域住民から強い要望のあった福島県南相馬市に「浜通り訪問リハビリステーション」が開設された．

　被災地では，1 年以上が経過しても仮設住宅で生活する住民が数多く存在した．また，津波の被害によって医療機関のベッド数は縮小され，同時に若年層の他の地域への避難，移住が増えた．そのため高齢化が急速に進み医療依存度の高い住民の割合が高くなった．数少ない医療機関のベッド数を多くの住民で利用せざるを得ない状況に陥り，在院日数を短縮して限られたインフラをフル稼働させないと地域医療が成立しなくなった．そのような状況下で本事業の存在意義は非常に大きく，期待度も高くなった．このような苛酷な地域で訪問リハビリテーション事業を基軸にして，積極的に行政機関と連携し，予防的支援を実践することは理学療法士にとって極めて重要な役割である．

　この活動は，被災地の復興を第一とすると同時に，被災地域の実情が日本において進展する少子高齢社会の縮図でもあると捉えると，被災地活動から日本全体の復活を支援する役割をも担える可能性がある．今後，この事業をさらに通所事業などと連動させ，仮設住宅で閉じこもっている高齢者がいきいきした生活を取り戻せる一役を担うことも計画している．同時に，南相馬市から始まった本事業を，さらに岩手，宮城，茨城県へと広げていくことが求められている．理学療法士は，目の前の生活機能低下者，高齢者に対し，リハビリテーションを直接的に介入することだけにとどまることなく，被災地支援を通して，地域住民の力強い味方であることを証明し，さらに国民に支持される専門職へと成長することが重要であると考える（図 14-5〜7）．

4）まとめ

　被災地における理学療法支援において，何が正しく，どのようにあるべきかを論じることは，大変難しい．どのような志や目的をもって介入するかの哲学的思索を深めることも大切である．なぜならば，災害の種類や規模，また被災地や被災者の背景因子が複雑に絡み合うなか，活動を定型化することは極めて難しいからである．東日本大震災の復興支援の今後の展開においても，「訪問リハビリステーション」を基盤にして地域におけるリハビリテーション活動を前向きに推進し，被災者支援に役立てたい．

図 14-5　各職種・諸団体間の打ち合わせ（岩手県にて）

図14-6　避難所における集団指導

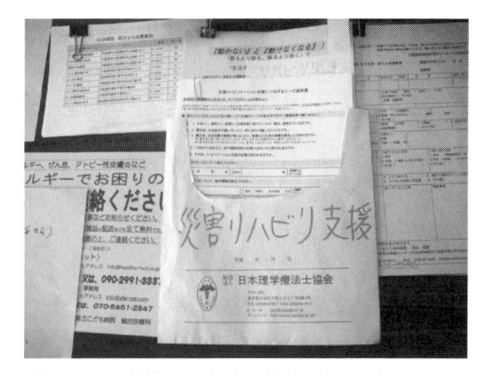

図14-7　避難所における生活不活発病のリーフレット掲示とボランティア受け付けの案内掲示

■文献
1）公益社団法人日本理学療法士協会：災害時理学療法（士）支援活動の記録.
2）福島県理学療法士会：東日本大震災福島県理学療法士会災害支援活動記録.
3）復興庁：復興特別区域基本方針.

（松井一人）

4　女性保健の理学療法

1）女性保健の理学療法とは

　女性保健の理学療法とは，ウィメンズヘルス（women's health）ともよばれる領域である．日本では，長年，主として産婦人科医，看護師，助産師，保健師が女性の健康に携わってきたが，2007年頃から理学療法士も関与するようになり，その数は増えている．2016年には日本理学療法学会の下部組織であるウィメンズヘルス・メンズヘルス理学療法部門が設立され，その登録者数は設立後2年で3,000人を超えている．この学会の学術大会における研究発表や臨床場面での実践者は既存の領域と比較するとまだ少数であるものの，本領域をテーマとする書籍の発刊や研修会開催などの学びの機会は増えていることから，今後，本領域を中心として活動する理学療法士の数は増加することが予測される.

2）女性保健の理学療法の特徴

　女性保健の理学療法の特徴は，①女性の生涯におけるライフステージを考慮すること，②女性のライフステージとして生物学的側面と心理社会的側面を捉えることである．生物学的な側面とは月経周期の変化であるが，それに加えて女性の身体に影響を及ぼす社会・家庭における役割の変化による心理社会的な側面にも考慮し，女性の健康の特性に対応することが求められる．また，月経周期は年齢に伴って変化するため，初経が開始する「思春期」，リプロダクティブヘルスを行う「成熟期」，閉経

前後の「更年期・老年期」に分けて考えることも特徴の1つであり，各時期の特徴を反映した女性の健康に対する理学療法介入が重要となる．

　理学療法士が対応する女性の健康課題は，International Organization of Physical Therapy in Women's Health, IOPTWH（現 IOPPWH：International Organization for Physiotherapists in Pelvic and Women's Health）が Scope of Practice[1] として示している．そのうち，日本においても対応されている課題としては，①「思春期」からみられる骨格や筋量の性差や関節の弛緩性に起因するスポーツ場面での変調，②「成熟期」においては，産前産後の姿勢変化に起因する腰骨盤帯痛や分娩における骨盤底機能不全，③乳がんなどの女性特有の疾患などである．そして，④「更年期・老年期」の課題としては，骨盤底の脆弱化による排泄機能不全や閉経後に生じやすい骨粗鬆症などがある．各時期の健康状態は，それぞれのライフステージの生物学的特性によるが，ある時期の健康状態がその後の健康状態に影響を及ぼすこともある．たとえば，成熟期の経膣分娩や多産は，更年期・老年期での閉経後の尿失禁のリスク因子に含まれている．よって，女性保健の理学療法では，変調が生じているステージだけではなく，将来への対策を念頭に置いた予防的介入も重要である．

3) 女性保健の理学療法評価の特徴

　女性保健の理学療法の流れは，評価から得た機能不全や動作異変に対して実施する一般的な理学療法と同様の介入過程を経る．評価においては，問診，主観的評価，客観的評価，動作分析を行う．そのなかでも産前産後の腰骨盤帯痛や骨盤底機能不全は，それ以前の妊娠・出産状況の影響を受けていることがあるため，問診では以前の状況の確認が大切である．また，日常の授乳姿勢などの情報を得て症状の悪循環となる要因を判断できるため，丁寧な問診が必要である．主観的評価では，腰骨盤帯痛の疼痛部位によって妊娠特有の痛みなのか否かを判別することが重要となる．また，排泄機能不全の評価では，国際的にも妥当性が確認されている質問紙票（International Consultation of Incontinence Questionnaire Short Form：ICIQ-SF）[2] などの使用によって変調を的確に捉えられる．客観的評価では，骨盤帯の不安定性を確認するテストなどが変調の原因鑑別のために用いられる．姿勢評価や動作分析は，いずれの変調においても重要である．

　思春期のスポーツ損傷・機能不全においては，女性に特徴的な下肢アライメントの修正のために動作分析が必要となる．また，産前産後の立位アライメントの変位を知ることで，腰背部筋や骨盤帯への負荷を推察することができる．女性保健領域の疾患の特徴として，関節固定性の低下によって生じる筋骨格系の機能不全をきたすことが多いため，関節の力学的理解が求められる．さらに，女性生殖器周囲の解剖や月経周期とその年齢的退行による病態の理解も求められる．

4) 今後の課題

　現在の課題点としては，ウィメンズヘルスに対応する臨床の場が少ないことが挙げられる．医療保険の枠組みでは理学療法士の関わりは限られており，算定可能なケースは，スポーツ損傷・機能不全に対する治療，産後の廃用症候群やがん治療後のリンパ浮腫予防に対する指導，入院中の包括的な排尿ケアである．一方，ウィメンズヘルスに携わる機会は増加しているが，保険算定には産前産後の姿勢指導や治療，尿失禁・便失禁などの骨盤底機能不全に対する理学療法は含まれていない．現在，算定されていない理学療法は，自費診療もしくはサービスとして提供されている．しかし，産前産後の

腰痛の罹患率が高いことや，『女性下部尿路診療ガイドライン』[2] においては理学療法としての骨盤底筋トレーニング（運動療法）がグレード A（行うよう勧められる）であることからも，理学療法士の貢献度は高いと考えられる.

　今後，理学療法士がウィメンズヘルスに対する活動の場を広げるためには，その効果を他の医療関連専門職に啓発する必要がある. また，同時に医療関連専門職や対象者のニーズに応えるために，本領域に関連した学部・大学院教育カリキュラムを整備するとともに，日本理学療法士協会主催の研修会などでも啓発されることが望まれる. ちなみに，文献にもあるが，米国理学療法協会の専門部会はもとより，世界理学療法連盟のサブグループにもウィメンズヘルスは含まれており，日本が国際的な水準に至る観点からも本領域の発展が期待される.

　近年は女性の労働率が高まり社会的役割が増えてきている. そして，そのなかで女性特有のライフイベントを体験しながら過ごしていくことが求められている. ワークライフバランスを保ちながら健康的に過ごすには，切れ目のない支援が必要であり，身体的ケアの提供者として理学療法士の存在は重要である.

■文献

1) International organization of Physical Therapy in Women's Health : The Scope of Practice, 2013. https://ioptwh.org/pdfs/IOPTWHscopeofpractice.pdf.（2023 年 8 月 31 日確認）
2) 西澤　理・他：女性下部尿路症状診療ガイドライン. pp85-92, リッチヒルメディカル, 2013.
3) 松谷綾子・他：ウィメンズヘルスリハビリテーション. メディカルビュー, 2016.
4) 山本綾子・他：ウィメンズヘルス・運動療法. 医歯薬出版, 2017.

（山本綾子）

5　動物の理学療法

　近年，日本においても，獣医学の発展，治療技術の向上に伴い動物の理学療法に対して大きな関心が向けられるようになってきた. しかし，実際に動物の理学療法・リハビリテーションを実施している動物病院は全体のおよそ 1 割にも満たない. そのなかで実際に理学療法士が所属しているのはわずかの施設であり，実際には獣医師や動物看護師が中心になって実施されているのが現状である.

1）海外の動物理学療法の歴史

　海外における動物の理学療法の歴史はそれほど古いものではないが，欧州，豪州，米国などでは，獣医師と理学療法士は連携しながら動物の理学療法を実施している. それらの国の多くにおいては，動物の理学療法に関与する専門職組織はそれぞれの国の理学療法士協会から正式な承認を受けている.

　主に犬などの小動物を対象にした理学療法については，1960 年代あたりからジャーナルなどで報告されてきた. 1990 年代の後半になると，外傷を含む運動器系疾患をもつ運動に対する理学療法や，外傷を受けた動物に対する管理法などのテーマが取り上げられることが増え，獣医師と理学療法士の

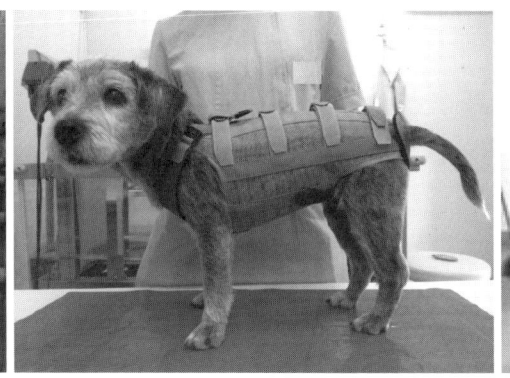

図 14-8　犬の理学療法

連携が深まり，動物のケア・看護という観点からも理学療法の重要性が高まってきた．獣医療においては，術後の理学療法は軽視されがちであった．しかしながら，人間に対する術後の理学療法効果が認知されてからは，多くの獣医師が術後管理の一環として理学療法の必要性に注目するようになり，現在では一般的な治療プログラムとして実施されるようになってきた．

2) 日本における動物の理学療法

①歴　史

　日本における動物に対する理学療法は，競走馬に関してはその所属団体による独自の歴史が存在していた．しかし，特に動物病院などで術後の理学療法が注目されはじめたのはここ十数年のことである．これは，獣医師の教育課程において，動物の理学療法に関連するカリキュラムが含まれていなかったことによると思われる．そのため，動物に対する理学療法を学ぶためには，諸外国で開催されている獣医師・理学療法士・動物看護師向けの教育セミナーに参加する方法しかなかった．だが，そのようなセミナーの参加者が増えてきたことと同時に，伴侶動物（ペット）の飼い主のニーズの高まりもあり，近年では国内でも外国人講師による動物の理学療法に関する講義を受けられる機会も増え，実際に理学療法・リハビリテーションを行っている動物病院は増加してきている．

　理学療法界では，1999 年に世界動物理学療法士連盟主催の国際理学療法学術大会が横浜市で開催されたときに，教育セミナーの 1 つとして米国テネシー大学の理学療法士である David Levine 教授による「Physical Therapy for Animals」というテーマの講演が企画され，日本の理学療法士に初めて動物の理学療法が紹介された．その後，実際の動物の理学療法に関与しているのはいまだ少数の理学療法士にとどまっているが，動物の理学療法に関心を示す理学療法士は増えはじめている．2004 年には獣医師を中心とした「日本動物リハビリテーション学会」が設立され，2010 年には理学療法士を中心とした「日本動物理学療法研究会」が発足している．

②日本の現状

　獣医学領域の関連職種は，獣医師・動物看護師・トリマー・トレーナーなどである．トリマーは，シャンプーや耳の手入れおよび爪切りなどのグルーミングをしたり，動物の被毛を整えたりする職種である．トレーナーは，動物のしつけや，問題行動の改善を行う職種である．人を対象とした医療で

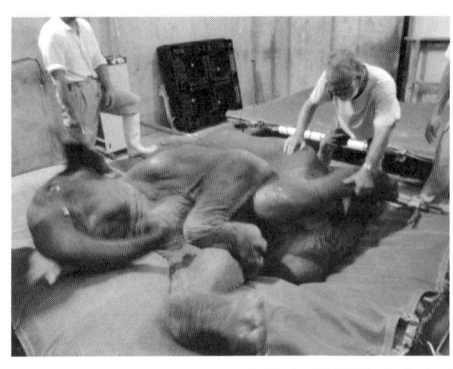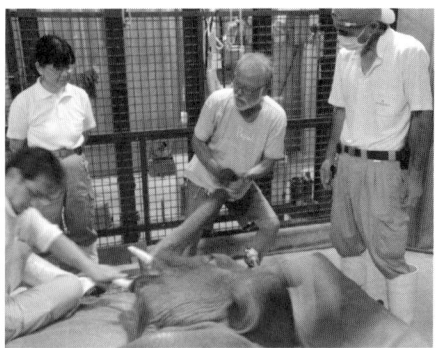

図 14-9　拘縮と筋萎縮をきたした寝たきり小象への理学療法
　右の写真は，象の象徴でもある正常な鼻への PNF による筋増強運動を示す．言語的疎通が不可でも動物の反応を得られることもある．

は，複数の国家資格所有者がチームを組んで対象者の診療にあたる．そして各専門職の業務内容は法律で定められており，法の範囲内で医師の処方の下で診療に関与する．しかし，獣医療における動物の診療は獣医師の独占業務である．近年，動物看護師については，国家資格化に向けた動きがあるが，現在は民間団体の認定資格であり，その業務に法的根拠はなく，トリマーやトレーナーも民間の認定資格であるため，いずれの職種も動物病院において直接的に診療に関与することはできない．

　理学療法士が動物病院に勤務する場合も同様であり，理学療法士の国家資格を有していても獣医師でない者は動物への診療を行ってはならないことになっている．しかし，獣医療の高度化が進み，術後の動物の健康管理，機能回復，また高齢動物のケアあるいは運動能力維持などを目的として，動物の理学療法へのニーズが高まっている昨今，将来的には理学療法の専門知識と技能とがますます重要になると思われる．

　理学療法士が人を対象とした医療と同じように動物の診療に関与するには，法的整備が必要となる．とはいえ，特に伴侶動物とその飼い主のニーズに応えるとの価値観からすれば，理学療法士が動物の評価を行い，課題を抽出し，治療プログラムを獣医師とともに検討することは歓迎される行為であろう．今後，理学療法士が獣医療に参画する際に，他の関連職種間との連携や相互理解は必須である．そして，何よりも留意しておくべきことは，いかなる動物の理学療法についても獣医師を基軸にして展開されることは必然的であり，理学療法の専門職であるとはいえ，獣医療に関する法規制の面からも獣医師との協働・連携が不可欠ということである．

　ちなみに，本書編著者の奈良は神戸市立王子動物園の獣医師の依頼を受けて軟骨症に罹患していた小象が四肢に骨折をきたして以来，著明な拘縮と筋萎縮のため寝たきり状態になっていた時期に 7 か月にわたり理学療法を実施した（図 14-9）．その間，小象の拘縮と筋力は約 50％改善したため，頑丈な腹帯で四つ這い四肢を保持させる予定であったが，腸捻転によって死亡した．

　筆者も動物園より依頼され動物園所属の獣医師とともに飼育動物への評価を行った経験があるが，動物園などでの理学療法の提供は稀である．臨床現場における対象動物は 9 割以上が犬であり，他は猫やウサギなどの小動物であるが，現在犬の飼育頭数が減少し猫の飼育頭数が増加していることから，今後は猫への介入割合が増える可能性が大いにあると思われる．

■文献

1) Darryl L・他（著），角野弘幸，北尾貴史（訳）：犬のリハビリテーション．インターズー，2007.
2) David Levine・他（著），川崎安亮・他（監訳）：サンダース ベテリナリー クリニクスシリーズ 1（6）：リハビリテーションと理学療法，インターズー，2006.
3) 奈良　勲：動物の理学療法で学んだこと—寝たきり小象の症例体験—．PT ジャーナル，**46**：1042-1045, 2012.

（藤澤由紀子）

6 犬の歩行分析

　近年，ペット（伴侶動物）の飼育が国民生活に普及し，獣医療の高度化やペットの高齢化も進み，同時に疾病による機能損傷・不全を呈するケースも増えている．そのため，ペットに対する理学療法介入のニーズが高まっている．

　理学療法の主たる目的は，基本的動作能力の改善を通じた日常生活とその質の向上であり，人の基本的動作と生活場面における相関が高いことに関する基礎知見が数多く報告されている．理学療法の要点である「動作分析※」では，それらの基礎的知見をもとに症例一人ひとりの動作を分析して，なぜ特定の動作を遂行できないのか，どのような機能の改善および介入が動作の再獲得や社会参加に寄与するのかを考察する必要がある．しかし，ペット（主に犬）に対する理学療法において動作分析が実施されている例は少ない．その主な理由は，犬の基本的動作に関する基礎的知見が乏しく，臨床で活用できるデータが存在していないことである．よって，それらの知見の解明は，変調や疾病の症状を呈する犬の動作分析によって得られたデータに準じた評価と治療介入を展開する礎となり，本分野の継続的な発展に大きく貢献するものと期待される．

1) 犬の歩行解析※における先行研究

　犬に対する理学療法介入で，最も治療ニーズの高い動作は歩行である．犬の歩行に関する先行研究には，歩行時の関節可動域を測定した運動学的解析[1~3]，歩行時の床反力を測定した運動力学的解析[4~6]，歩行時の筋活動を測定した筋電図学的解析[7~9] など，少数ではあるが報告されている．しかし，先行研究の多くは「跛行の有無の診断」を目的としたものが多く，「なぜそのような歩容を呈するのか」などの動作分析を目的としたデータは少ない[10]．

2) 犬の歩行解析の実際

　個々の遺伝的差異が少ないとされる犬種・ビーグルを対象に，表面筋電図（TELEMYO G2, 8ch, Noraxon 社）と三次元動作解析装置（Kinema Tracer, キッセイコムテック株式会社）を用いてト

※ 分析と解析（広辞苑第六版より）
分析：ある物事を分解して，それを成立させている成分・要素・側面を明らかにすること．
解析：物事をこまかく解き開き，理論に基づいて研究すること．

レッドミル歩行を解析した一例を紹介する．本稿執筆以降，2例のデータを得たが，それらは本稿に付記していない．なお，本研究は酪農学園大学動物実験指針に準じて実施した．

①表面筋電図測定

　動物に対する表面筋電図の測定方法はいまだ確立されていない[11]．そのため，人間の手法をもとに測定されていることが多い．まず，測定部位をバリカンで剃毛し（図14-10），皮膚前処理剤の使用後，酒精綿により油分や角質を可能な範囲で少なくした後，表面電極を貼付し，電極と皮膚の接触抵抗値が基準値以下であることを確認し（図14-11），電極と筋電計を接続する（図14-12）．

②三次元動作解析

　マーカーを各ランドマークに貼付し（図14-13），4台のカメラを用いて歩行を撮影する（図14-14）．

③解析結果の一例

　図14-15の左側に位置する折れ線グラフは，歩行周期（観察肢の接地0%から，再び観察肢が接地する100%まで）における関節可動域と筋活動の推移を示している．12本の折れ線グラフのうち，上6つは主要関節（肩・肘・手根・股・膝・足根）の関節可動域の推移を示し，下8つは後肢筋（浅殿筋・中殿筋・縫工筋・半膜様筋・内転筋・大腿二頭筋・前脛骨筋・腓腹筋）の筋活動の推移を示している．中央上部の写真は，測定に用いた4つのカメラで撮影された画像を示している．中央下部のグラフは，前・後肢の左右立脚時間とその割合について示している．右上部の図は，被験犬の関節に貼付したカラーマーカーをもとに三次元化された犬のスティックピクチャを示している．右下部の図は，矢状面上における主要関節（肩・肘・手根・股・膝・足根）の軌跡を示している．三次元動作と表面筋電図を同時に解析することによって，運動学的筋活動に関する知見が得られる．今後，臨床場面で犬の歩行観察・分析を進めていくにあたり，人の歩行相の分類を参考に関節可動域と筋活動の推移を解析し，まずは歩行相ごとの機能的役割を明らかにすることが必要である．

3）今後の展望

　目の前のペットが機能不全を呈しながらも，その動物らしく家族と可能なかぎり生活を続けて最期を迎えるために，理学療法の知見と専門性はどのように活かせるだろうか．損傷や機能不全に対する治療介入だけではなく自宅での介助方法やホームエクササイズの提案，補装具の導入や環境調整など，犬と家族の暮らしの支援が挙げられるが，それらの根底には「運動の理解と分析」がある．そのため，①動作に関する基礎知見の解明，②動作分析プロセスの提示が必要と考えられる．しかし，これらの研究に理学療法士が関与している例[2]は少ない．また，理学療法士がペットに対して理学療法介入する際に，制度をはじめとしたさまざまな課題が山積している．それらの点を認識したうえで，ペットを含む他の動物や家畜，競走馬などの動物に対する理学療法介入の科学的妥当性と社会的価値を高めていくことが求められている．

　本研究で使用した筋電計は，北海道科学大学保健医療学部理学療法学科の好意によって恩借したことに深謝したい．

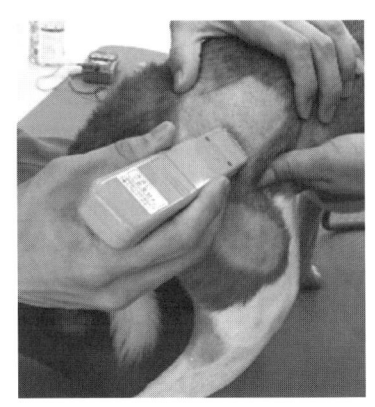

図14-10　バリカンによる剃毛

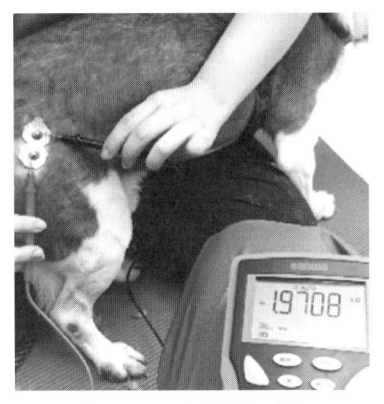

図14-11　抵抗値の測定

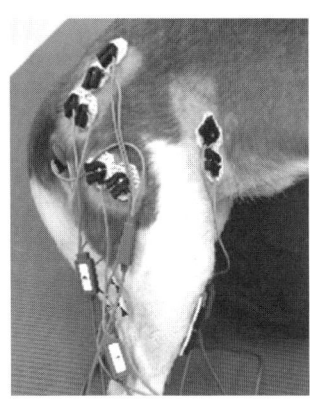

図14-12　電極と筋電計の接続

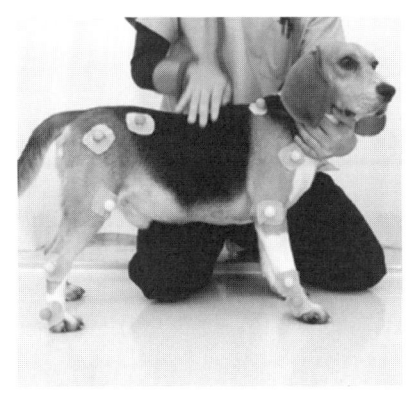

図14-13　マーカーの貼付

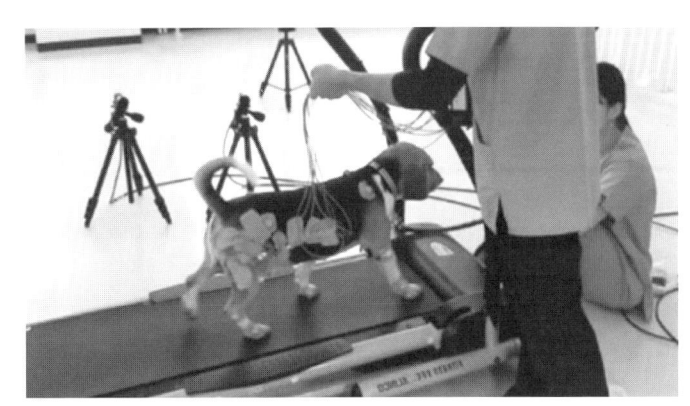

図14-14　測定の様子

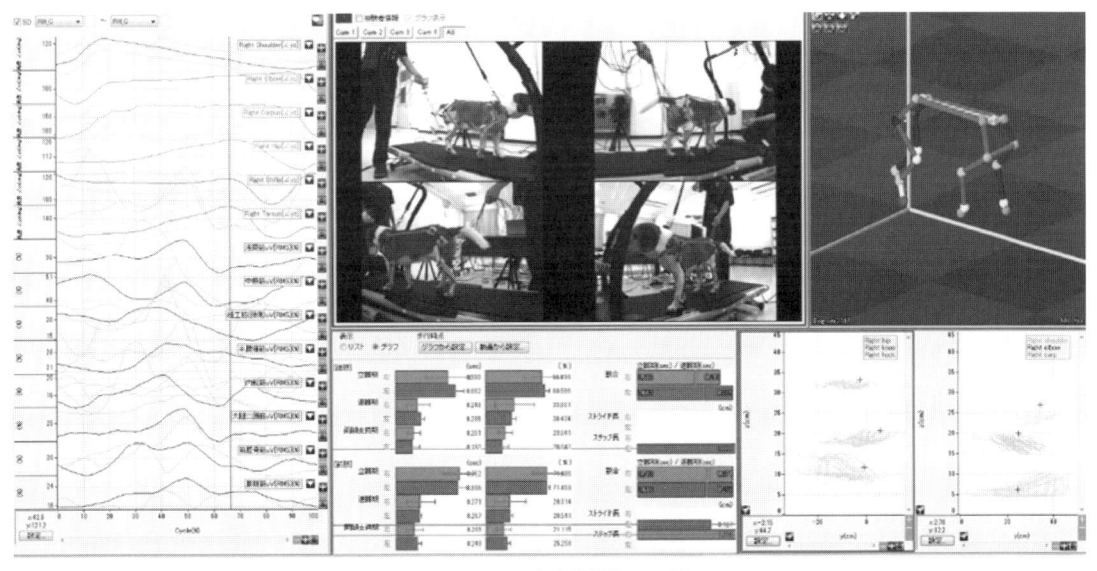

図14-15　解析結果の一例

■参考文献

1) Gabriela CA, et al：Kinematic gait analyses in healthy Golden Retrievers. Pesquisa Veterinária Brasileira, **34**（12）：1265-1270, 2014.

2) J Richards, et al：A comparison of human and canine kinematics during level walking, Stair ascent, and Stair descent. Veterinary Medicine Austria, **97**：92-100, 2010.

3) AM van der Walta, et al：Canine hip extension range during gait. The Journal of the South African Veterinary Association, **79**（4）：175-177, 2008.

4) N Schwarz, et al：Vertical force distribution in the paws of sound Labrador retrievers during walking. The Veterinary Journal, **221**：16-22, 2017.

5) K Foss, et al：Force Plate Gait Analysis in Doberman Pinschers with and without Cervical Spondylomyelopathy. Journal of Veterinary Internal Medicine, **27**（1）：106-111, 2013.

6) K Voss, et al：Effect of dog breed and body conformation on vertical ground reaction forces, impulses, and stance times. Veterinary and Comparative Orthopaedics and Traumatology, **24**（2）：106-112, 2011.

7) B Bockstahler, et al：Correlation of Surface Electromyography of the Vastus Lateralis Muscle in Dogs at a Walk with Joint Kinematics and Ground Reaction Forces. Veterinary Surgery, **38**（6）：754-761, 2009.

8) Stefanie Fischer, et al：Adaptations in Muscle Activity to Induced, Short-Term Hindlimb Lameness in Trotting Dogs. PLOS ONE, **8**（11）：1-10, 2013.

9) Susanne K, et al：Effects of treadmill inclination on electromyographic activity and hind limb kinematics in healthy hounds at a walk. American Journal of Veterinary Research, **70**（5）：685-664, 2009.

10) Darryl L, et al：Evidence for Canine Rehabilitation and Physical Therapy. Veterinary Clinics：Small animal Practice, **45**（1）：1-27, 2015.

11) Stephanie Valentina, et al：Surface electromyography in animals：A systematic review. Journal of Electromyography and Kinesiology, **28**：167-183, 2016.

（吉川和幸）

第15章

理学療法の基本用語

　理学療法士の活躍の場は，診療報酬の対象となる病院や診療所といった医療サービスをはじめ，通所・訪問リハビリテーションなどの介護保険サービス，保健サービス，行政サービス，福祉サービス，スポーツなどのトータルヘルスプロモーションプラン事業など多岐にわたる．そのため理学療法で使われる用語は，基礎医学からさまざまな臨床分野へ，さらに保健，福祉分野へと広がりをみせている．しかしそれらの用語は，厳格に定義づけがなされているもの，教育や実習の現場で習得されたもの，経験的または慣用的に使われている表現，領域や分野によって捉え方が幾分異なるものなどさまざまである．

　本章では，理学療法士および初学者にとって有用と思われる基本的な用語を整理し，簡単に解説することとする．

あ

ICF
　→国際生活機能分類

アシュワース尺度　　Ashworth scale
　痙縮を呈するすべての疾患の筋緊張評価に用いられる．筋を他動的に動かしたときの抵抗感によって評価する．アシュワース尺度は5段階（グレード0：正常な筋緊張，1：四肢を動かしたときに引っかかるようなわずかの筋緊張亢進，2：グレード1よりも筋緊張は亢進するが四肢は簡単に動かすことができる，3：著明な筋緊張の亢進により四肢の他動運動が困難，4：四肢が固く，屈曲，伸展できない），アシュワース尺度変法はグレード1をさらにグレード1とグレード1＋の2つに分けた6段階に分類される．

アセスメント　　assessment
　事象を客観的に評価すること．事前評価および課題分析と和訳されることから，理学療法においては，初期の段階で対象者の課題を明らかにしていくことを意味する．狭義には検査・測定によって得られた機能や能力を解釈することを指し，広義には理学療法士が行う初期評価とされている．

アルツハイマー病　　Alzheimer disease
　初老期に発症する進行性の記憶力低下を伴う認知症のこと．広汎な脳萎縮と老人斑，血液中のアセチルコリン量の低下が認められ，失語，失行，失認が出現する．経過は症例によってさまざまだが，臨床的には第Ⅰ期（健忘期），第Ⅱ期（混乱期），第Ⅲ期（臨床期）の3期に分類され，理学療法分野では，主に各期における身体的機能低下への介入を行う．

アンダーソンの基準　　Anderson criteria
　運動療法におけるリスク管理の基準．脈拍数，血圧，不整脈の出現，息切れ，めまい，胸部痛の有無を指標に，運動を行わないほうがよい場合，途中で運動を中止する場合，運動をいったん中止し回復を待って再開する場合の3つに分類されている．

い

EBM　　Evidence Based Medicine
　経験や直感に頼らず科学的根拠に基づいて医療を行うための行動指針．現在入手可能な最も信頼できる根拠をもとに個々の患者に提供できる最善の治療方法を提案すること．1991年にカナダのマスター

大学のガイアット（Guyatt, D）教授が提唱し，1999 年日本の厚生科学審議会が医師や医療従事者が治療において意思決定を行う際の有効な方法としている．①患者の問題の定式化，②情報収集，③批判的吟味，④患者への適応，⑤介入効果の評価の 5 段階からなる．

移乗・移動動作　　transfer and locomotion

　ある場所から他の場所へ物理的な距離をもって身体の位置を変化させること．移乗動作と移動動作に便宜上区別されて用いられる．移乗動作は車いすからベッド，ベッドからポータブルトイレ，シャワーキャリーから浴槽エプロンなど日常生活活動のなかで乗り移る動作を指す．移動動作は，歩行のほかに車いす移動，床上での上下肢，殿部を着いたままでの移動も含まれる．実用的移動手段が歩行である場合，通常移乗動作は含まない．

易疲労性　　easy fatigability

　短時間の作業や運動の継続において容易に疲労感や倦怠感が引き起こされること．反復動作が続けられない，一定時間の運動課題の持続を遂行できないなどの状態が出現する．重症筋無力症，筋萎縮性側索硬化症，進行性筋ジストロフィー，小脳性運動失調症でみられる．

医療面接　　medical interview

　医療行為の最初に行われるものであり，従来の"問診"から"医療面接"ということばに置き換わってきている．信頼関係や開かれた医療の構築を目的としており，医療従事者が一方的に対象者へ質問し，状態を診るという情報収集を行うものではなく，対象者と共同して課題の分析を行おうとする医療行為の入口となる．

インフォームドコンセント　　informed consent

　"正しい情報を得た（伝えられた）うえでの合意"と訳され，医療チームが対象者に対して治療の内容やその効果，危険性，予後について十分に説明し，対象者が自らの自由意思に基づき，医療従事者と基本方針について合意するもの．対象者の自己選択・自己決定を支える手段の 1 つであり，治療の拒否も含まれることから「同意」だけでなく，人権を尊重し，対象者を保護した医療の考え方といえる．

う

運動学　　kinesiology

　運動における位置の移動とその時間変化を対応させて考える学問である．人体の筋・関節・神経系の解剖学，生理学の知識を基本とし，運動を空間的，時間的変化の視点から捉え，速度や加速度で表された動きを幾何学的に分析するもの．理学療法では課題の抽出のために，観察や機器を用いて運動や動作を分析することが多く，臨床評価において極めて重要である．定量的情報の取得のために，3 次元解析装置，床反力計，筋電図学的分析，エネルギー消費量が用いられる．

運動技能　　motor skill

　目的とする運動を効率的に行うための技術的な能力．フォーム，正確性，スピード，適応性がある．

運動失調　　ataxia

　運動の規則性・方向性・速度・距離の変調により，その時間的・空間的な秩序や配列が失われた状態を意味する．運動の支点となる関節の固定性が失われた状態．運動そのものは行うことは可能であるが，協調性や正確性が低下することから，上肢では巧緻性の，下肢や体幹では平衡機能の低下がみられる．運動失調に対する理学療法には固有受容性神経筋促通法，バランス改善を考慮した運動療法，重錘負荷，弾性包帯がある．

運動神経　　motor nerve

　中枢神経から分岐した末梢神経は，機能的に体性神経，自律神経に分類される．体性神経は遠心性神経系と求心性神経系に分かれ，遠心性神経系は運動神経とよばれ筋肉を支配する．

運動発達　　motor development

　加齢とともに一定の規則をもって運動行動が変化していく過程．寝返る，這う，座る，立つ，歩くといった粗大運動（全身運動）と手指の発達を捉えた巧緻運動がある．運動発達の方向性は，大きく頭→尾発達，中枢→末梢の 2 つの規則がある．

運動負荷試験　　exercise tolerance test

　課題の運動に負荷を加え，循環器系や呼吸器系の変化や予備力を評価するもの．試験には動いている

ベルトコンベアーの上を逆方向に歩くトレッドミル試験，自転車のペダルをこぐエルゴメーター，2段の階段を上り下りするマスター2階段法，12分間で歩ける距離を測定する試験が用いられ，与えられた動的負荷によって心電図，血圧，心拍数，酸素摂取量などの変化を測定する．

運動力学　kinetics

物体に運動を起こしたり，運動を変化させたりする力の働きを研究・分析する学問．運動学が力の関係を除外して運動を時空間で記述することを目的としていることに対し，運動力学は運動を力の原理によって解明することが基本となる．力の平衡を研究する静力学と運動と力の関係を研究する動力学がある．

運動療法　therapeutic exercise

理学療法士白書による定義は，"理学療法士の徒手や用具を用いることにより，または対象者自身が身体各部の規則的な運動を行って，全身あるいは局所の回復を図る治療であり，身体のバランスと安定性の改善を図り，各運動相互の協調性を増すことを目的とする"である．単独で，あるいは他の治療法と併用しながら関節可動域運動，筋力増強運動，伸張運動，神経生理学的アプローチ，協調運動，呼吸練習，各種治療体操などを行う．対象者は低出生体重児から在宅高齢生活機能制約者と幅広く，脳血管損傷，パーキンソン病などの中枢疾患，骨折，変形性関節症などの整形外科疾患，筋ジストロフィー，重症筋無力症などの神経疾患，心筋梗塞，糖尿病などの内部疾患のほかに周産期の産科，中高年を対象とした健康増進と虚弱高齢者を対象とした介護予防まで多岐にわたる．

え

嚥下機能低下　dysphagia

中枢神経，末梢神経，効果器のいずれかの部位の異常により生じる．器質的異常（舌切除・喉頭摘出など），機能的異常（舌・喉頭の運動・感覚機能低下など）により，口腔内の飲食物を咽頭，食道を通って胃に送る過程で支障があるもの．嚥下造影検査や嚥下内視鏡検査で，嚥下機能分類の口腔期，咽頭期，食道期の3期について評価する．口腔内の炎症

や麻痺，腫瘍，延髄の病変による球麻痺などがある．

遠心性収縮　eccentric contraction

筋にかかる負荷がその筋の張力を超えたときに，筋の長さを増しながら収縮する様態．加えられた負荷が張力よりも大きい場合，種々の張力レベルで発生する．

延長性収縮

→遠心性収縮

お

黄疸　jaundice

ビリルビンの産生・代謝・排泄の異常によって血中ビリルビン濃度が増加し，眼球や皮膚といった組織や体液が黄色く染まる状態．ビリルビンは特に弾性組織との親和性が高いため，皮膚，強膜，血管といった弾性線維が豊富な組織に沈着する．原因として，肝細胞性，閉塞性，溶血性に分類される．

温泉療法　hot spring therapy

自然に湧出する温泉や鉱泉に入浴，あるいは飲用，蒸気による吸入によって行う医学的見解に基づいた治療法の1つ．温泉療法に適している温泉として療養温泉，湯治向け温泉，保養温泉が挙げられ，疾病の治療のみならず，健康者の保養による健康増進にも活用されている．

温熱療法　thermotherapy

生体組織の温度を上昇させる熱エネルギー刺激を用い，有益な生体反応を引き起こして，全身および局所的に生理的効果をもたらす物理療法．熱の伝導様式により湿性・乾性伝導，対流，輻射，変換の4つに分けられ，組織への深達度によって表在熱と深部熱に分類される．ホットパック療法，パラフィン療法，赤外線療法がある．

か

介護　care

身体的または精神的能力低下がある者への，入浴・排泄・食事その他日常生活の基本をなす行為への援助であり，対人援護活動の諸側面を包括する広範かつ深遠な概念である．1963年に老人福祉法が制定され，特別養護老人ホームの新設に伴い生活機

能低下のある高齢者の世話を看護師に代わって寮母が肩代わりすることになったが，資格をもたない寮母が行う世話を"看護"とよぶのは適切ではないということから"介助"と"看護"を組み合わせた造語である"介護"が使用されるようになったとされている．介護の質によって疾病の回復を早めたり，自立を妨げる結果にもなり得るので十分な知識と技術が必要となる．

介護支援専門員　care manager

2000 年から実施された介護保険制度において，要介護者などからの相談に応じ，その心身の状況に応じた適切な介護保険サービスを利用できるようにケアプランを作成する，または市町村やサービス提供事業者との連絡調整を行う者．また，要介護者が自立に向けた日常生活を営むのに必要な援助に関する専門的な知識・技術を有する者．通常，ケアマネジャーとよばれることが多い．

介護老人保健施設　facility of health care services for the elderly

要介護認定を受けた要介護者に対し，医学的管理下における介護・リハビリテーションその他必要な医療ならびに日常生活上の支援を行う施設．自立支援，在宅復帰，地域・在宅との結びつきを原則として運営されている．設置基準のうえで理学療法士または作業療法士の配置が定められている．

介助　assistance

生活の基本的場面において対象者がある行為を実際に行うときに必要に応じて行われる他者による補完・代替的な行為．具体的には日常生活場面における食事介助，排泄介助，歩行介助などを指す．全介助，部分介助など程度が表され，対象者の主体性を尊重し身体状況を把握したうえで必要な部分のみを介助することが望ましい．

家屋改修　home reform

高齢者や社会参加制約者が自立した生活を送れるよう住環境の側面から支援する手段であり，日常生活上の課題を解決するために自宅を改造すること．理学療法士は在宅復帰前後の訪問を通じて生活環境を把握し，在宅での動作確認や介護方法の指導などを実施する．その際，生活しやすい居室の提案，有効な段差解消方法の選択，手すり設置位置の決定や介護スペース，福祉用具導入などに関する助言を行う．患者や家族の心理面や経済面を考慮することが重要である．

角度計　goniometer

関節可動域角度を測定する器具．2 本の腕木（アーム）からなり，その一端に分度器が付いておりその中心を支点として一方のアームを動かすことによって関節角度を測定する．通常 5° 刻みで測定し関節の動きを妨げないようにする．

仮骨　callus

骨折，骨欠損の治癒過程で骨の連続性を得るために形成された組織．骨折部に形成された血腫に毛細血管が侵入して肉芽組織となり，これに骨塩が沈着して仮骨となる．骨芽組織や軟骨細胞の分化を介し，仮骨は骨組織へ再造形される．

片麻痺　hemiplegia

片側性上下肢麻痺．原因疾患としては脳血管損傷によるものが多く，上位運動ニューロン損傷の典型的なものである．

眼振　nystagmus

不随意に起こる眼球の持続性のある律動的な往復運動で他覚的に観察可能なもの．生理的眼振と病的眼振に分けられ，病的眼振は内耳系や脳幹部の損傷によって起こりめまい症状を伴うことが多い．振れる方向や振れ方によって律動性，水平，垂直，回転などの名称で分類されている．

カンファレンス　conference

会議，協議会，連盟，同盟と訳されるが，医療場面では臨床検討会や症例検討会も含むことがある．主に患者の情報交換を医師，看護師，理学療法士，作業療法士，言語聴覚療法士，管理栄養士，薬剤師，医療ソーシャルワーカー，介護福祉士などの専門職が，分野の枠組みにとらわれることなく行うことで，チーム医療として課題点を見つけ出し，そこから今後の治療方針や方法を決める会議を指す．また，退院前カンファレンスは，医療と介護支援の連携のもとケアプランの原案を作成する場として重要となる．

寒冷療法　cryotherapy

物理療法の1つで，氷や冷水などの寒冷刺激で局所の皮膚や組織温を平常時より下げる療法．反射性血管収縮が起こり，その後の交感神経への作用や筋紡錘の活動抑制により，疼痛の緩和，炎症抑制効果，新陳代謝抑制，痙直性の抑制の効果がある．

き

義肢　prostheses

事故や病気や戦争などで切断・離断した四肢の一部欠損もしくは全損した際に，それを補うために装着する形態または機能を復元した人工の上下肢を指す．上肢・手腕の義肢を「義手」，下肢・足部の義肢を「義足」とよぶ．切断部位によって適応となる義肢は異なる．リハビリテーション医療における治療プログラムでは断端の可動域や筋力の維持・改善，痕や痛みのない良好な断端を獲得したうえで，義肢装着下での動作練習が重要となる．近年は筋電位測定とマイクロコンピューターを利用して，筋肉の協調動作を模倣した動作が可能な筋電義肢が開発・実用化されている．

拮抗筋　antagonist

主動作筋と逆の作用をする筋肉．主動作筋とは相反的に活動する場合と，同時収縮して関節を固定する機能を果たす場合がある．

気分障害　mood disorders

WHOの診断分類ICD-10では，従来の躁うつ病とうつ病を含む意味で気分障害が用いられている．また，米国精神医学会が精神障害の分類の基準を提示するDSM-IV-TRでは，気分障害をうつ病性障害（従来のうつ病），双極性障害（従来の躁うつ病）に大別している．うつ病性障害は，憂うつ気分が根底にあり，意欲減退，自責傾向，思考力低下のほか，頭痛，便秘など身体的な症状を呈する．双極性障害は，気分が異常かつ持続的に高揚する状態と，反対に持続的に落ち込む状態を繰り返す疾患である．

基本動作　fundamental components of movement

日常的な基本となる動作のことで，寝返り，臥位での移動，起き上がり，座位，立ち上がり，歩行な

どがある．

求心性収縮　concentric contraction

筋の張力が筋にかかる負荷を超えた場合で，筋の収縮につれて筋の長さが短くなる収縮の様態を指す．負荷量を把握することが容易であり，漸増抵抗運動がよく用いられている．

球麻痺　bulbar palsy

延髄の主に下位脳神経（第Ⅸ，Ⅹ，Ⅺ脳神経）が損傷して起こる麻痺．顔面筋，咀嚼筋，舌の麻痺により咀嚼，構音，嚥下不全を起こす．筋萎縮性側索硬化症，ギラン・バレー症候群，多発性硬化症，重症筋無力症などでみられる．

協調運動　coordination

運動が合目的的かつ無駄なく円滑に行われること．筋活動のタイミング，活動あるいは抑制する筋の選択，筋活動の程度からなる．小脳を中心とする中枢が身体各所から入力される感覚情報を統制し，姿勢や筋トーヌスを制御することで成り立つ．

強直　ankylosis

関節において，滑液膜，関節包，関節周囲組織が結合組織性あるいは骨性癒着などの変化を起こして強固な制限を生じたもの．

共同運動　synergy

単一の運動を独立して行うことができず複数の組み合わせからなる一定のパターンに従ってしか行えない状態．中枢神経系の麻痺においては，中枢からのコントロールが弱まり1つの運動を独立して行えず，常に他の運動と共同して一定の様式でしか行うことができない運動を屈筋共同運動，伸筋共同運動とよぶ．

強迫観念　obsessional idea

無意味で不合理だという自覚があるにもかかわらず自らの意思では抑えきれず，抑えようとするほど心に生じる危惧が繰り返し浮かんでくる概念．

起立性低血圧　orthostatic hypotension

臥位から起立させた際など，抗重力位に体位を変換したときに血圧が低下する状態．一般的には起立後3分以内に収縮期血圧で20 mmHg以上，拡張期血圧で10 mmHg以上の低下がみられるものをいう．脳への血液循環量の低下により立ちくらみや失

神を起こす.

筋萎縮　muscular atrophy

筋肉の容積や重量が減少すること. 原因によって神経原性, 筋原性, 不活動性に分類される. 骨格筋において筋力は筋の断面積と比例しており, 筋萎縮を生じた場合には最大筋力が低下するといわれている.

筋スパズム　muscle spasm

断続的に生じる異常な筋収縮状態. 理学療法分野では持続的な筋緊張の亢進状態を指すことが多く, 他動的伸張で止まる. 筋攣縮.

筋電図　electromyogram

筋収縮で発生する活動電位を筋電計によって記録したもの. 臨床的には神経筋疾患の診断に用いられており, その波形, 振幅, 放電頻度, 活動に参加する数の増減から, 筋原性か神経原性か, 中枢神経疾患か末梢神経疾患か, さらには侵されている程度の情報を得ることができる.

筋力増強運動　muscle strengthening exercise

種々の原因によって筋力低下を起こした筋に対して過負荷の原則に則り閾上刺激により筋肥大を促す, 筋力回復を目的として行われる運動. 等尺性運動, 運動機器や重錘抵抗などを使った等速性運動, 等張性運動を利用した自動介助, 自動, 抵抗運動などの方法が用いられる.

く

クオリティオブライフ　Quality Of Life（QOL）

生命の質, 生活の質, 人生の質と訳される. ターミナルケアでは生命の質とされ自身の尊厳をより保ち得る生活の実現が問われる. リハビリテーション領域では, 人生や日々の生活が個人や家族の価値観や目的を満たすものであるか否かという観点から生活の質, 人生の質が注目されている. リハビリテーションの到達目標は, 日常生活活動から生活の質の向上へと視点の転換が図られている.

車いす　wheel chair

歩行不能や困難な場合に, 一時的, あるいは永久的に利用される, 移動を目的とする機能と椅子の機能を併せもった移動用機器. 力源により電動型, 手動型, 介助型に分類される. 既製品と身体に合わせて採寸するオーダーメイド品があるが, 近年, 短時間で適合性の高い車いすを供給できるようにと対象者に合わせて必要な部品を組み合わせて作るモジュール型も開発・利用されている.

け

ケアマネジャー

→介護支援専門員

痙縮　spasticity

筋緊張の亢進している状態. 筋伸張反射が著しく亢進し, 急激な他動運動によりさらに筋緊張が高まる. 上位運動ニューロンの損傷を示す錐体路徴候としてみられる.

痙性麻痺　spasticity paralysis

上位運動ニューロンの損傷によって生じる筋緊張の亢進を伴う運動麻痺. 深部腱反射は亢進し, 病的反射が陽性を示す. 痙性片麻痺, 痙性対麻痺.

経皮的電気神経刺激　transcutaneous electrical nerve stimulation：TENS

生体に電流を流し, その刺激作用で治療効果を得る電気刺激療法. 表面電極を用いて太い神経を選択的に刺激することで, 細い神経線維で伝達される痛みが脊髄後角内で遮断される. それによって疼痛の緩和を目的としたもの. 主として慢性の疼痛に適応があるが, 中枢性・心因性疼痛には効果がない.

言語聴覚士　speech-language-hearing therapist

1997 年 12 月に制定された言語聴覚士法に基づき, 国家資格としての言語聴覚士が定められた. 音声, 言語, または聴覚によるコミュニケーションに課題がある者に専門的サービスを提供し, 自分らしい生活を構築できるよう支援する専門職をいう. また, 摂食嚥下の課題にも専門的に対応し, その発現メカニズムを明らかにし, 検査と評価とともに支援や練習を行う. 医療機関のほか, 保健施設, 福祉施設, 教育機関などで活動し, 理学療法士, 作業療法士とともにリハビリテーション医療の専門職を構成する.

健康寿命　healthy life-span

　継続的な医療・介護に依存することなく，心身とも に自立し，日常生活を支障なく過ごせる期間を指す．この際の健康の定義は，自治体や国によって異なるが，要介護認定を受けていない状態を指すことが多い．健康寿命は 2001 年に初めて厚生労働省から発表され，年々延伸している．平均寿命と健康寿命との差が示す「健康ではない期間」は，少しずつ縮まってきている．健康意識の高まりや，高齢者の社会参加の広がりが背景にあると考えられている．

検査測定　test and measurement

　理学療法評価過程における対象者の身体機能および活動能力の情報を収集し整理するためのもの．検査は質，価値，構成などを調べることであり，測定は，さまざまな単位を基準として量や大きさなどを直接測ることとされている．

原始反射　primitive reflex

　乳児期前半頃まで特有にみられる反射で，随意的で合目的的な運動が可能になる時期にはみられなくなる．大脳皮質の未発達により脊髄レベルの反射が主体になっている．成人の脳障害により原始反射が出現することがある．

こ

抗加齢　anti-aging

　生年月日を基準とする「暦年齢」ではなく，心身機能の健康状態が示す「生物学的年齢」を重視し，細胞膜の酸化やホルモンの分泌減少，精神の弱体化などの老化現象を医学的に防止・遅延させる．抗加齢の考え方は疾病の治療である医療に加え，さらなる健康を支援する理論的・実践的科学である究極の予防医学といえる．加齢現象に対し栄養や運動，ストレスケアなど含めた支援を具体的な取り組みとして実施し，病的な老化を積極的に予防し，治療することが抗加齢医学の目標とされている．

高次脳機能不全　higher brain dysfunction

　脳血管損傷や交通事故などが原因で脳に損傷を受けた後，言語，注意，記憶，遂行機能，行動，認知の統合的機能が低下した状態．高次脳機能不全のリハビリテーションとしてはゾーンベルクらによる①

初期：全般的刺激期，②中間期：認知練習期，③後期：日常生活練習期が一般的になりつつある．

抗重力筋　antigravity muscle

　重力に対して頭部，体幹，上下肢の重みを支えるために働く筋．これらの筋肉の一定の緊張によって姿勢の保持や抗重力位での運動が可能となる．立位では脊柱起立筋，下腿三頭筋などがある．

拘縮　contracture

　筋・腱・関節包・靱帯など軟部組織の短縮，あるいは結合組織の癒着によって，関節運動に制限がある状態．原因は火傷による皮膚瘢痕，骨折，靱帯損傷，筋断裂の治療過程における関節固定により筋の短縮や萎縮，また脳血管損傷の麻痺など筋肉の緊張や筋力の不均衡が挙げられる．予防および回復にはできるだけ頻回，長時間にわたり結合組織を伸張する．

光線療法　phototherapy

　波長 280 nm から 1 mm の光線と分類される電磁波を治療に用いる方法．温熱療法としての波長が長い赤外線，殺菌を目的とした波長の短い紫外線，可視光線でのレーザー療法も用いられる．

巧緻性　skillfulness

　細かく精密なこと．またはその動作のこと．手指の巧緻性を評価する標準化されたものはないが，その動きのスムーズ性，正確性，速さが重要となる．

国際生活機能分類　International Classification of Functioning, Disability and Health（ICF）

　健康状況と健康関連状況を記述するための統一的で標準的な言語と概念的枠組みを提供することを目的とした分類．①保健医療福祉に関わる対象者と多専門職の「共通言語」を目指していること，②不足している機能・能力や否定的因子のみに力点を置くことなく，中立的標記とともに肯定的側面や促進因子を取り入れていること，③背景因子として環境因子を明確に位置づけていること，④各要素の相互依存と相対的独立性を明快に示していること，⑤社会的側面から対象者の生活機能や背景因子を捉えた目標指向的な構造となっていることが特徴である．

極超短波療法　microwave therapy

　2,450 MHz の周波数が使用される．深部の温熱作用，血液供給量の増大，鎮静作用などの効果があ

り新陳代謝の亢進も期待できる．浮腫のある循環不全や体内に金属を有する場合，ペースメーカー移植者には禁忌である．

強剛　rigidity

錐体外路系疾患に起こり，筋は硬直して柔軟性，可動性に欠ける状態で，他動的伸張に対して一定の抵抗を示す．筋抵抗は筋伸張の速度に依存せず鉛管用現象を表すことがある．特にパーキンソン病にみられ，抵抗が持続する鉛管様と断続的な歯車様がある．

固有感覚　proprioceptive sensation

深部感覚とほぼ同義とされる．身体各部位の相互関係を知る感覚．関節角度を変化させた際の運動の方向と速度を知る感覚．筋，腱，関節の活動によって起こる．

固有受容性神経促通法　proprioceptive neuromuscular facilitation（PNF）

固有受容器を刺激することにより神経筋機構の反応を促通する方法．固有受容器の刺激方法は筋伸張，関節牽引，関節圧縮，抵抗，タイミング，用手接触（皮膚刺激），口頭指示などがある．

さ

作業療法　occupational therapy

身体又は精神に障害のある者に対し，主としてその応用的動作能力又は社会的適応能力の回復を図るため，手芸，工作その他の作業を行なわせることをいう（「理学療法士及び作業療法士法」より）．

サルコペニア　sarcopenia

1989 年，Irwin Rosenberg によって生み出された赤い筋肉「sarx（sarco：サルコ）」と喪失「penia（ペニア）」（ギリシャ語）を合わせた造語である．加齢に伴って生じる進行性かつ全身性の骨格筋量と骨格筋力の低下を特徴とし，身体的な機能不全だけではなく生活の質の低下などの要因となる．日本では 65 歳以上の高齢者で，歩行速度が 1 m/秒未満もしくは握力が男性 25 kg 未満，女性 20 kg 未満であり，さらに BMI 値が 18.5 未満もしくは下腿囲が30 cm 未満の対象者はサルコペニアと診断される．抵抗運動と低強度の有酸素運動を中心とした運動療法，たんぱく質の摂取を促す栄養療法，必須アミノ

酸補給などの薬物療法が効果的である．

し

弛緩性麻痺　flaccid paralysis

随意性が低下し，筋緊張の低下と深部腱反射が減弱・消失を特徴とする状態．下位運動ニューロン損傷（末梢神経麻痺）によくみられるが，脳卒中初期にもみられることが多い．

四肢麻痺　quadriplegia

上下肢が両側性に運動性麻痺を呈する状態．頸部や体幹にも麻痺が及ぶ．損傷部位（脳幹，脊髄，末梢神経，筋肉，神経筋接合部位）により，弛緩性または痙性麻痺を認める．

自助具　self-help device

日常生活活動や生活関連活動を行う際，身体的な能力低下に対してそれを補助あるいは代償することによって，動作の改善や自立を図ることを目的として工夫された用具．たとえば，食事動作のためのピンセット箸，手掌ホルダー，着衣動作のための靴下履き器，ボタンエイド，移乗動作を補助するためのトランスファーボードなどがある．使用時期については一時的あるいは永続的な適用とさまざまであるが，基本的には障害の状況の変化や加齢や環境の変化に対応して適用される．

姿勢　posture

頭部，体幹，四肢の相対的な位置関係．対象者が抱く感情や意欲など心理学的な捉え方もある．運動学では，頭部，体幹，各肢の相互の相対的な位置関係を意味する"構え"や身体が重力方向とどのような関係にあるのかを示す"体位"を組み合わせた状態を指す．姿勢の評価は，骨・関節・筋などの運動器の形態異常，機能異常・不全を評価する観点から広く行われている．

姿勢反射　posture reflex

運動や身体の位置の移動に際し，重力に抗して姿勢保持に反射的に働く筋肉の収縮反応で，脊髄神経の支配を受けて行われる．緊張性頸反射，立ち直り反射，踏み直り反射などがある．

失行　apraxia

運動や感覚の機能損傷・不全に起因するものでは

なく，かつ運動の内容を十分に理解しているにもかかわらず，合目的的な運動が不可能な状態で，①肢節運動失行，②観念運動失行：比較的簡単な動作を行う能力が低下する，③観念失行：道具の使用など複雑な動作が困難となる，④着衣失行，⑤構成失行：立体的なまとまりのある形を認識できない，がある．

失語症　aphasia

いったん獲得された正常な言語機能が何らかの原因により低下した状態．病巣の部位により種々の状態が出現し，①運動性失語（ブローカ失語）：非流暢性で言語の聴覚理解はできる，②感覚性失語（ウェルニッケ失語）：流暢性で言語の聴覚理解や文字理解が低下することがある．

失認症　agnosia

感覚機能損傷・不全がないにもかかわらず，対象者の認知機能が低下する状態．身体失認，視覚失認，触覚失認，聴覚失認に分類される．身体失認は自己の身体の空間的配慮の認知機能低下であり，感覚の認知機能低下とされている．

実用手　functional hand

機能低下がある上肢が日常生活場面において実用的に使用できる状態．廃用手，補助手と便宜上3段階に分けている．実用性の基準については各個人によって異なることから明確な尺度はない．

自動運動　active exercise（movement）

対象者が負荷や介助もなく随意的に行う運動．自身の運動肢の重量に対して運動が可能な段階を指す．筋力増強に加えて関節可動域の維持，協調性向上を目的として行われる．

収縮　contraction

筋肉が能動的に短縮し張力を発生すること．アクチン分子とミオシン分子の2種類の筋フィラメントが相互に入り込み筋節長が短縮するというメカニズムで説明できる．形態的側面からは①等尺性収縮，②求心性収縮，③遠心性収縮がある．

重心　center of gravity

全質量の中心を指し，人間の場合は矢状面において身長を100％とした場合，55.2～56.74％の高さにあるといわれている．第1仙椎～第3仙椎の上縁の間に含まれている．また，前額面ではだいたい正中線上にある．

手段的日常生活活動　Instrumental Activities of Daily Living（IADL）
→日常生活関連動作

腫脹　swelling

炎症や浮腫などの循環不全の結果，組織の体積が増大している状態．感染，物理的刺激，化学的刺激，アレルギーによる炎症反応において充血が起こり腫脹の一因となる．視診や触診により確認できる場合もあるが，浮腫との鑑別は困難な場合が多い．

身障者スポーツ　sports for disabled

身体的，知的機能低下のある人が行うスポーツ．既存のスポーツをその程度に応じて修正したものが多い．機能不全の種類により，ろう者，身体的能力低下者，知的能力低下者，精神的能力低下者の4つに分類される．スポーツはリハビリテーションプログラムへ導入され，車いす選手のための競技大会を経てパラリンピックへと発展した．

障がい受容　acceptance of disability

機能不全があっても自分自身の価値観をもち，実現可能な将来の目標に向かってこれからの人生を歩んでいこうと決意すること．その過程は，①ショック期，②回復への期待，③悲嘆，④防衛，⑤適応の5段階で説明されている．機能低下の受容に向けた対応としては，現実的で魅力的な目標を提示することと，対象者が機能低下の受容のどの時期にいるかを考慮した共感的な態度で対応することが必要である．

障害等級　degree of invalidity

身体障害者手帳交付の基準は，身体障害者福祉法施行規則に定める障害者等級表に示されており，機能低下の種類別にその重症度により1～7まで等級が区分されている．

触診　palpation

手指・手掌によって対象者の身体に触れながら機能損傷・不全の程度やその状態を把握すること．理学療法においては，骨格，関節，筋，皮膚，血管，末梢神経，痛みについて触診を通じて評価する．

褥瘡　decubitus

皮膚や筋などの軟部組織が持続的な圧迫により一定期間血液供給が途絶えることから発生する皮膚と

皮下組織の阻血性壊死．長期の寝たきりにより，同じ体位で臥床を余儀なくされると発生しやすい．原因は圧迫のほか，栄養状態の低下，免疫力の低下，汗などの分泌液による汚染がある．予防対策として，エアーマットによる圧分散，体位変換，除圧クッションが重要である．

処方　prescription

対象者の治療内容を示したもの．医師による医薬品の投与量や，関節可動域の改善や筋力の増強などのリハビリテーション依頼書などがある．様式に合わせて処方が記載されたものを指示書とよび，理学療法の場合は病名，禁忌・注意事項，治療目的，治療部位，器具，回数，期間が示されている．

自律神経反射　autonomous reflex

自律神経は，中枢神経系を介し反射性に調節されている場合が多い．内臓-内臓反射，体性-内臓反射，内臓-体性反射の 3 種類に分類される．

神経症　neurosis

主観的な心理的苦痛や不快感．定義はさまざまな理論の出現により，いまだ一致したものはなく定められていない．症状によって不安神経症，恐怖神経症，強迫神経症，ヒステリー性神経症，抑うつ神経症などに分類される．

神経生理学的アプローチ　neurophysiological approach

神経生理学的な法則を利用して機能損傷・不全の治療に役立てようとするもの．ファシリテーションテクニックともよばれ，中枢神経損傷による麻痺や筋力低下に対しても一定の効果が認められている．成人片麻痺の場合はブルンストローム法とボバース法，脳性麻痺の場合はボバース法とボイタ法があり，固有受容性神経筋促通法（PNF）は中枢神経損傷から末梢神経損傷や運動失調症と幅広く用いられている．

振戦　tremor

身体の一部あるいは全身に現れる律動的かつ不随意的な振動運動をいう．安静時振戦と動作時振戦に分けられる．精神緊張や甲状腺機能亢進症などの内因性，および小脳病変やパーキンソン病に伴う振戦がよく知られている．

伸張運動　stretching

癒着の剝離や関節軟部組織の伸張によって，筋の柔軟性改善や血液循環の改善を目的とするもの．徒手矯正，器械・器具を用いた矯正，患者自身の自重を利用した矯正の方法で行われることがある．

深部感覚　deep sensation

体性感覚の 1 つ．身体の各部位の位置関係を捉える位置覚や運動方向と速度を知る運動覚，身体に加わる抵抗や振動などの圧覚，振動覚があり，固有感覚ともよばれている．これらの感覚の受容器は関節や筋・腱に存在している．

す

随意運動　voluntary movement

人間の意思の働きで発動される身体の動き．大脳辺縁系で要求が起こり，大脳連合野で調節され，大脳運動野から指令が脊髄へ伝えられる．その結果，筋肉が合目的的に収縮する．錐体路系が主な経路であり，錐体外路系はそれを補完・調整する．

水中運動療法　pool exercise therapy

水の特性を利用した運動により治療する方法．水の抵抗，浮力，静水圧などを利用する．水の抵抗には造波抵抗，粘性抵抗，摩擦抵抗があり，筋力増強に有効である．浮力は骨折，関節リウマチおよび変形性膝関節症などの疾患に対し負荷を少なくできるのでより安全である．安静やリラクセーションを目的にする場合には水温 35〜36.5℃の設定温度が最適であり，酸素消費量が少ないとされている．また，運動を目的にする場合の温度は 26〜29℃が適切であるといわれている．

水治療　hydrotherapy

水を利用した治療法．理学療法では物理療法の一部として位置づけられている．治療効果として，温熱効果や渦流，気泡，噴射による循環効果，浮力や抵抗を利用した効果を目的としたものがある．広義には水中運動療法も含まれる．

スーパーバイザー　supervisor

専門的分野において監督・管理・監視を担当する者または指導・助言を与える実践指導者．理学療法士の養成では，その教育カリキュラムに組み込まれ

ている臨床実習において各施設で実習生に対し教育指導する者を指す．スーパーバイザーに対して専門的な教育指導を受ける立場にある者をスーパーバイジー（supervisee）とよぶ．スーパーバイザーとスーパーバイジー間での対人援助をスーパービジョン（supervision）という．

スポーツ損傷　　sports injury

スポーツ時に何らかの原因で起こる損傷・不全．スポーツ損傷は打撃，衝突，落下などにより直接の外力が働き組織の損傷を起こすものをいい，皮膚・筋肉・靱帯・軟部組織損傷，骨折などがある．スポーツ損傷・不全はいわゆる過用症候群であり，一定のストレスが同じ場所にかかる動作の繰り返しによって時間の経過とともに炎症反応と疼痛が増悪していくものをいう．

スポーツトレーナー　　sports trainer

あらゆるスポーツの現場で，選手の体調管理，コンディショニングチェック，トレーニング指導，またケガをしたときの処置，精神的支援，リハビリテーションなどを行う．スポーツ科学や栄養といった幅広い知識が必要であり，特にケガの予防やリハビリテーションにおいては医学に関する知識が重要である．また，選手の体質やトレーニング課題などを分析し，最高の状態で，最大限の能力を発揮させるという重要な役割がある．

スポーツリハビリテーション　　sports rehabilitation

スポーツ分野では，日常生活活動や職場復帰を目的としたリハビリテーション医学に加え，スポーツに復帰するまでのリハビリテーションのプログラムを考えなければならない．それぞれの特定のスポーツに必要な体力，機能面が要求されるものである．スポーツ外傷には，膝前十字靱帯損傷，半月板損傷，足関節捻挫などがあり，スポーツ損傷・不全にはアキレス腱炎やテニス肘がある．特定のスポーツに合わせた関節可動域，筋力，柔軟性，全身持久力の獲得・確保に努め，患部を含めた動作やスポーツ特性に対する知識をもって指導を行う．

せ

生体力学　　biomechanics

生体の姿勢保持能力や身体運動を力学的原理で解析する学問分野．身体運動で負荷となる重力，外部抵抗力，摩擦，筋収縮による張力などが範囲になる．

世界保健機関　　World Health Organization（WHO）

1948年世界保健憲章のもとに設立された保健衛生機関で国際協力を行う国連の専門機関の1つ．目的は，すべての人々の健康を最高水準に到達させることとしている．日本は1951年に加盟国になった．伝染病対策，衛生統計，各種基準作成，医薬品供給，技術協力，研究開発など保健分野の広範な活動を行っている．

全身調整運動　　general conditioning

安静による全身機能の低下を防止するために行う運動．全身の体力の回復向上を図ることを目的として，臥位，座位，立位とそれぞれの体位で行える体操などがある．廃用症候群の予防にも効果的である．

漸増抵抗運動　　progressive resistance exercise

筋力・筋機能回復運動の手技の1つであり，抵抗運動において徐々に負荷を高めていくもの．デローム（DeLorme TL）の体系で10 RM（repetition maximum：10回反復最大負荷）を基準としたものが最も有名である．1セット：10 RMの50％の負荷で10回，2セット：10 RMの75％の負荷で10回，3セット：10 RMの100％の負荷で10回といった合計30回を3セット行う方法．

尖足　　equinus foot

下腿三頭筋の拘縮や短縮により足関節が底屈位をとる変形．徒手背屈が困難な状態で，歩行時は前足部で接地する．発症要因は，痙直性，外傷性があり，重症なものはアキレス腱延長術，腱移行術などが適応される．

せん妄　　delirium

軽〜中等度の意識混濁に，錯覚，幻覚，妄想が加わり，強い不安や恐怖状態に陥る状態を指す．高齢者に多く脱水症状や急性の脳疾患，代謝機能低下な

どが原因でみられる意識変容の症状の 1 つである.

そ

早期リハビリテーション　early rehabilitation

　発症および受傷直後の早い時期から実施される医学的リハビリテーションを指す. 廃用症候群を予防し, 早期の移動能力の獲得や日常生活活動の自立に向けた取り組みを目的に行われるもので, 予後に大きく影響を及ぼすことから, その重要性が高まっている.

装具　brace

　身体の機能低下や, 能力低下に際し, それを補ったり, 患部を保護, 欠損部位を支持したりするために装着するものである. 装着する部位や使用目的などによってさまざまな種類があり, 自立支援に向けた治療目的にリハビリテーション専門職は適合や使用の検討を重ねる. 長下肢装具（Long Leg Brace：LLB）は膝関節, 足関節, 足部を制御するための大腿部から足底に至る下肢装具. 中枢・末梢神経損傷により体重支持が困難であるとか, 筋の緊張が低い脊髄損傷, 小児の脊椎分離症などに適用されることが多い. 短下肢装具（Short Leg Brace：SLB）は足関節と足部を制御するための下肢装具. 下腿から足底部を制御し, 適応となる対象疾患は末梢神経損傷による下垂足や中枢神経損傷による軽度の内反尖足が多い.

ソーシャルワーカー　social worker

　福祉専門職の知識, 技術と価値観により, 社会福祉の向上とクライエントの自己実現を目指す専門職である. 医療では, 患者の抱える経済的問題, 社会的問題, 社会復帰の問題, 職業復帰の問題などに対して援助する役割を担う. 医療領域ではメディカルソーシャルワーカーとよばれる.

た

体位排痰法　postural drainage

　体位ドレナージともよばれる. 肺胞, 気管, 気管支などの気道内分泌物の排出を促すために, 痰の貯留部と重力を考慮して体位を決定する. 通常は, 排痰のための体位をとらせるだけではなく, 痰の貯留部を解剖学的に把握し, 手やバイブレーターを用い呼気圧迫法などと組み合わせて施行する. 去痰薬や気管支拡張薬の併用や, 起床時や夜間睡眠前など, 痰の多い時間帯に行うと効果的である.

代償運動　compensatory movement

　代償動作ともいう. ある指示された運動を行う際に主動作筋の筋力減弱や麻痺がある場合, その筋の作用を補うために他の筋の作用で行われる見せかけの運動. 筋力検査を行う場合には代償運動が起こらないように留意する.

対症療法　symptomatic therapy

　疾患の根本ともいえる原因に対する治療ではなく, 痛みや発熱など出現している症状に対して行われる治療を指す.

立ち直り反応　righting reaction

　体幹と四肢のアライメント. また空間での頭部の位置, 体幹と頭部の位置関係が崩れてしまった場合に, 正常な位置に修正しようとする自律的な反応. 頭に働く体の立ち直り反応, 体に働く立ち直り反応, 体に働く頸の立ち直り反応がある.

他動運動　passive exercise

　治療者の徒手, または患者自身の健側肢あるいは滑車などの器械・器具によって筋収縮を伴わずに行われる関節運動のこと. 麻痺のために随意的に運動が困難な場合や筋力が著しく低下している場合に, 関節可動域の維持・改善の目的で行う. 運動の強さは, 痛みの訴えなどをみて適宜変える必要があるが, 感覚脱失の場合は特に関節軟部組織の損傷に注意する.

短縮収縮

　　→求心性収縮

ち

チームアプローチ　team approach

　一人の対象者に対して, 専門に精通したそれぞれの職種がその特徴を活かし協働しながら役割を担い, 生活の自立や QOL 向上に向けてアプローチをして, 多面的な課題を連携して改善すること. 対象者に関係する職種や取り巻く人々すべてが, 全体としてどのようなサービスを組み立てていくのかを認識することが重要である.

中間位　neutral position

　関節運動において，外旋や内旋，外転や内転していない中間の位置を指す．頸部・体幹では正中位とも表現される．筋肉の緊張が釣り合っているか，筋肉が緊張していない状態であり，発達によって個人差はあるが，目的の動きを妨げない自然な位置を指す．

超音波療法　ultrasound therapy

　周波数 1〜3 MHz 以上の音波を使って，温熱作用と微動作用を行うもの．筋疾患，関節疾患，椎間板ヘルニアや脊椎圧迫骨折による疼痛などに適用される．循環不全，急性炎症，脊髄疾患は禁忌となる．

超短波療法　short wave diathermy

　周波数 10〜100 MHz の高周波電磁波を用いることで起こる，組織を通過する伝導電流のジュール熱による深部加熱を利用した温熱療法を指す．疼痛緩解，血行改善，局所の浮腫軽減，筋スパズムの緩解などに効果的である．

治療体操

　　→運動療法

つ

対麻痺　paraplegia

　両下肢の麻痺．脊髄損傷（胸・腰髄損傷）が原因で起こることが多い．上位運動ニューロン損傷では痙性対麻痺，下位運動ニューロン損傷では弛緩性対麻痺が起こる．

て

TENS

　　→経皮的電気神経刺激

抵抗運動　resisted movement

　身体の運動に負荷（抵抗）を加え，それに抗うようにして行う運動法．負荷には徒手，滑車，重錘，スプリング，摩擦，浮力，流体抵抗などがある．筋力増強効果は高い．実施にあたっては体力に応じて負荷を段階的に上げる方法がある．

低周波療法　low frequency current therapy

　生体に周波数の低い電流を流すと神経や筋を刺激し筋の収縮を起こす．これを治療に応用したもの．廃用性萎縮の防止や鎮痛作用を目的に用いられる．

末梢神経損傷によく適応される．

と

動機づけ　motivation

　ある目的をもった行動を引き起こし，その行動を持続させること．要求，動機，目標が相互に働くことで生じ，行動の方向性を定める要因と行動の程度を定める要因に分類できる．臨床では意欲づけともよばれる．

動作分析　motion analysis

　身体の移動に伴う運動の観察や計測を行いその分析，解析をするもの．身体を分節的に捉え，各関係性の変位や関節モーメントで表現すること．時間の流れや各部位の相対的な位置関係で行われる．

等尺性収縮　isometric contraction

　筋の長さを一定にしたときの収縮．関節運動は伴わない．外部抵抗を加えた状態で関節の動きを静止させた状態や，拮抗筋間の張力が釣り合っている場合を指す．

等速性運動　isokinetic training

　関節運動の角速度が一定な運動．関節角度によって変化する筋張力を感知し，それに応じて負荷を調整できる特殊な機器が必要となる．筋を構成する筋線維のタイプに応じた運動速度を選択でき，効果的な筋力増強ができる．

等張性収縮　isotonic contraction

　負荷に対して筋が抵抗して収縮するときに，張力が一定である場合を指す．求心性と遠心性の収縮がある．

疼痛　pain

　国際疼痛学会では疼痛を「実際に何らかの組織損傷が起こりそうなときや実際にそのような損傷の際に表現される不快な感覚体験および情動体験」と定義している．疼痛のなかでも，医学的治療手段を用いても完全に取り除くことのできない痛みを難治性疼痛という．外傷や感染による炎症や内外からのさまざまな刺激によって引き起こされる「侵害受容性疼痛」と神経自体の圧迫や何らかの原因による神経伝達の機能不全が出現する「神経機能不全性疼痛」，心理社会的な要因が関与する「心因性疼痛」があ

る．疼痛の程度は0〜10の11段階に数字で区切って表現するNumerical Rating Scale（NRS），イラストを用いたFaces Pain Scale（FPS），10cmの線上に線を引くVisual Analogue Scale（VAS）などで評価される．

徒手筋力検査　　Manual Muscle Test（MMT）

　個々の筋または筋群の筋力を徒手的に検査し，部位や程度の診断の補助や回復過程の目安として応用される．1910年代にダニエルス（Daniels）らによって考案された方法が主流で，全く収縮がみられない0レベルから抵抗に抗して運動ができる正常とよばれる5までの6段階で評価されている．4レベルと5レベルは主観的な要素を含むが，他のレベルは重力を利用するなど客観的な評価基準となっている．

な

内部機能不全　　internal impairment

　WHOの分類によると，心臓，呼吸，腎尿路，消化などの機能低下の総称と定義づけられている．身体障害者福祉法では，身体障害区分のうち心臓機能低下，腎臓機能低下，呼吸機能低下，膀胱または直腸機能低下，小腸機能低下，ヒト免疫不全ウイルスによる免疫機能低下の6つを内部機能不全としている．内部機能不全は長期の安静や臥床を引き起こし身体・精神活動の抑制を強いることが多く，活動性の低下につながりやすい．理学療法は運動遂行自体が介入手段として扱われ，体内の諸機能の改善が目標となる．

に

日常生活活動　　Activities of Daily Living（ADL）

　一人の人間が独立して生活するために行う基本的な，しかも各人ともに共通に毎日繰り返される一連の身体的動作群をいう．この動作は食事，排泄，整容，更衣，入浴などの目的をもった各作業に分類され，各作業はさらにその目的を実施するための細目動作に分類される．リハビリテーションの過程や，ゴール決定にあたって，これらの動作は健常者と量的，質的に比較され記録される．

日常生活関連動作　　Activities Parallel to Daily Living（APDL）

　日常生活活動のなかで生活に関連した重要な活動群の総称で，日常生活活動を社会的生活行為まで広げた解釈．外出，交通機関の利用，金銭管理，買い物，洗濯，掃除などがそれにあたる．年齢や性別，社会的な役割によって異なる特徴がある．

認知症　　dementia

　一度獲得された知的機能が，脳の器質的変化によって永続的に低下あるいは失われた状態をいう．記銘，記憶力，計算力，思考力，判断力，見当識の能力低下が主であり，周辺症状として徘徊，夜間せん妄などが出現する．原因疾患には，アルツハイマー病，脳血管損傷，ピック病，ハンチントン舞踏病，正常圧水頭症，てんかんがある．

ね

寝たきり　　bed ridden

　医学用語ではなく，保健，福祉分野や看護分野での用語．1992年に厚生省（現厚生労働省）により作成された高齢者の日常生活自立度（寝たきり度）判定基準でランクB（日中もベッド上での生活が主体），ランクC（一日中ベッドで過ごし，排泄，食事，着替えにおいて介助を要する）に該当する状態を指す．また，一般的にはベッド上で過ごす時間が6か月以上継続した状態を指す場合もある．

の

脳血管損傷　　cerebrovascular accident

　脳の循環機能損傷・不全によって起こる疾患の総称．WHO分類では脳の病理変化によるもの（くも膜下出血，脳内出血，脳梗塞などの虚血性壊死）と臨床病期によるもの（一過性脳虚血など）に分類している．随伴症状は出血や梗塞の部位や範囲によって大きく異なるが，一般的に運動，筋緊張，感覚，高次脳機能，精神機能，意識などが低下する．

乗り移り動作

　　→移乗・移動動作

は

バイオフィードバック　biofeedback

生体の情報を工学的な方法（筋電図，音の強さ）で生体内に再び伝達する方法．認知しにくい情報や生理的変化を他の認知しやすい情報に置き換えて伝える．不随意的な生理的変動を自ら制御するきっかけとする．

バイオメカニクス　biomechanics

生体の姿勢制御や身体運動を力学的側面から分析する学問．各関節にかかる力や筋力，重心の位置による影響を定量的に測定することで，リハビリテーションの治療・運動に応用することができる．生体力学と訳される．

背臥位　supine

仰向けの姿勢．伸展位で体幹，顔が前面を天井へ向けて寝た姿勢．仰臥位．

廃用症候群　disuse syndrome

過度の安静によって活動性が低下した結果として起こる退行性の変化．早期リハビリテーションの研究と経験のなかで確立された概念．運動器機能低下（筋萎縮，筋力低下，関節拘縮，骨粗鬆症，腰痛など），循環器機能低下（起立性低血圧，静脈血栓症，肺塞栓症，肺炎，浮腫，褥瘡など），自律神経機能低下（便秘，失禁，低体温症など），精神機能低下（抑うつ，食欲不振，不眠など）がある．

バランス機能低下　balance dysfunction

臥位，座位，立位や何らかの運動課題において，支持基底面に重心を安定して投影することが困難な状態．静的，動的なさまざまな環境のなかで，予測認知など神経系機構を中核とした身体のアライメントを保つことが困難となる．一般に外乱刺激や支持面を変化させることで平衡機能の反応や動作の分析が可能となる．疾患別による評価方法も考案されている．

バリアフリー　barrier free

もともとは建築用語で「バリア（障壁）」を「フリー（除く）」つまり障壁となるものを取り除き，生活しやすくすることを意味する．生活機能低下者を含む高齢者などの社会生活弱者，狭義の対象者としては生活機能低下者が社会生活に参加するうえで生活の支障となる物理的なバリアや精神的な障壁を取り除くための施策，もしくは具体的にバリアを取り除いた状態をいう．

瘢痕　scar

欠損した組織が，結合組織により置き換えられた場合を指す．創傷治癒で形成される肉芽組織が瘢痕組織となる．

半側空間無視　hemineglect

大脳の病巣と反対側の無視が出現する状態．行為や行動においても，食事を半分残す，廊下の曲がり角で肩をぶつける，無視側の道に気づかず迷うなどの支障が生じる．半側空間無視は認知の低下であることから，視野狭窄や同名性半盲と区別する必要がある．線分二等分試験，線分抹消試験，時計描写，模写課題などの検査により状態を評価することができる．

ひ

評価　evaluation

検査・測定による情報収集を行い，得られたデータを統合し，客観的に意味づけしていく過程をいう．身体・精神面のみならず経済的・社会的側面などの生活につながる要素を含み，包括的に行う必要がある．評価の行われる時期によって初期，中間，最終に分類され，最初に行われる初期評価は，対象者が疾病や変調のある過去の情報や現在の情報を把握するものである．さらに今後の課題や治療目標を決定し，理学療法プログラムの立案に至る．

病期　disease stage

治療や治癒による病状の経過時期を区切ったものである．医療の高度化・専門化のなかでニーズの分担化が進み，病期に合わせた提供体制が「病院の機能分化」として定められつつある．たとえば，脳梗塞では，症状の改善と合併症防止を目的とした早期リハビリテーションを開始する急性期，日常生活活動能力を高めるリハビリテーションを中心とした回復期，在宅で安全に活動性を高め，生活リズムを継続維持する生活期として分類される．また，病床を区分として回復期リハビリテーション病棟や地域包

括ケア病棟など機能に応じた医療保険点数の包括的評価も行われている.

表在感覚　superficial sensation

触覚, 痛覚, 温度覚などがある. 皮膚外受容器や粘膜内受容器で起こる感覚. 受容器の種類により皮膚での分布状況は異なる. 検査は頭から足まで行い, 左右, 上下を比較し, 低下部位がわかってきたら刺激の強弱などさらに細かく調べ範囲を決定する.

病的反射　pathologic reflex

上位運動ニューロンが損傷され, 下位運動ニューロンに対する抑制が効かなくなると, 正常では認められないような反射が出現する. これを病的反射とよぶ. 通常, 錐体路損傷時に誘発される. しかし, 乳幼児では正常にみられ発達とともに消失することから, 発達の評価に用いられることもある.

ふ

ファシリテーションテクニック　facilitation technique

神経生理学的アプローチとよばれることが一般的である. 中枢神経麻痺の治療において神経生理学的理論を利用して運動機能の回復を促す手技. 実際は促通と抑制の統合をねらって実施する. ボバース法, ブルンストローム法, 固有受容性神経筋促通法, ボイタ法など, 種々の体系が紹介され導入されている.

腹臥位　prone

うつぶせの姿勢. 伸展位で体幹, 顔が前面を床面へ向けて寝た姿勢.

福祉用具　technical aids

心身の機能が低下し, 日常生活を営むのに支障のある高齢者の日常生活上の便宜を図るための用具およびこれらの者の機能向上のための用具ならびに補装具をいう. 対象者の能力補助, 介護者の介護負担の軽減などに利用される.

浮腫　edema

細胞内または細胞間隙に組織液またはリンパ液が異常に増加・貯留した状態. 通常, 間質液が 2〜3 リットル以上に増加すると浮腫と判定される. 体重増加や皮下組織での圧痕が残ることで確認される.

全身性と局所性と大別でき, 全身性の成因として, 心性, 肝性, 腎性, 内分泌性, 妊娠性があり, 局所性の成因としてはリンパ管閉塞, 静脈血栓症, アレルギー性, 遺伝性血管神経性, 炎症性がある.

不随意運動　involuntary movement

意識的に制御できず, 意図せずに出現する運動. 基底核や錐体外路系の病変などによって起こることがあり, 睡眠時は休止し, 感情刺激により増強する. 顕著なものとして振戦がある.

物理療法　physical agents

熱, 水, 電気などの物理的手段を用いて治療する方法であり, その手段によって温熱療法, 水治療法, 寒冷療法, 電気療法, 光線療法, 牽引療法などがある.

フレイル/フレイルティ　frailty

日本語では「虚弱」や「老衰」と訳されるが, 2014 年に日本老年医学会は「加齢とともに心身の活力（運動機能や認知機能など）が低下し, 複数の慢性疾患の併存などの影響もあり, 生活機能不全が生じ, 心身の脆弱性が出現した状態である一方, 適切な介入・支援によって生活機能の維持向上が可能な状態像」との意味を強調するために「フレイル」とすることを提唱した. フレイルは身体的, 精神心理的, 社会的側面から捉えられ, 体重減少, 疲労感, 活動量の低下, 歩行速度の低下, 筋力低下の 5 項目を挙げている. 介入方法は, 持病のコントロール, 運動療法, 栄養療法, 感染症の予防などがある.

へ

平衡機能評価　equilibrium assessment

平衡機能は視覚系, 前庭系, 前庭以外の知覚系の器官で構成され, 小脳で統合される. 身体の位置がわからない, あるいはバランスが保てないなどの姿勢や運動の制御機能の程度について, その程度や部位を検査する.

平衡機能低下

→バランス機能低下

平衡反応　equilibrium

さまざまな動作で姿勢がくずれないように調整する働きを指す. 直立位において重心が支持面より外

れそうになるときに出現する代償反応.

平行棒　parallel bars

運動療法で用いられる高さ調節の可能な2本の棒を平行に並べた器具. 起立練習, 立位バランス練習, 歩行練習, 筋力増強運動, 関節可動域運動, 矯正練習などに用いられる.

扁平足　flat foot

足底の縦アーチが減少した状態. 先天性, 外傷性, 麻痺性に分類される. 足底板や装具の使用, 足の筋力強化, 手術が主な治療方法となる.

ほ

訪問リハビリテーション　visiting rehabilitation

居宅療養者に対して理学療法士あるいは作業療法士がかかりつけ医の指示のもと居宅へ訪問し, その環境を考慮した理学療法, 作業療法を行うもの. 医療保険, 介護保険の適用となっており, 病院, 診療所, 介護老人保健施設, 訪問看護ステーションが行っている.

歩行　walking

重力に抗して身体を直立させながら, 四肢の交互動作によって全身を移動させる. 一側あるいは両側の足底が必ず床について行われる運動. 歩行周期は立脚相60%, 遊脚相40%の2相に分かれ, 左右の立脚相が重なる両側支持期20%がある. 小児では約3歳で成人と同じ歩行となった後, 成長に伴って身長, 下肢長も増大するため, ステップ長も増大し, 歩行率は相対的に減少する.

歩行分析　gait analysis

歩行や歩行困難に関わる要因を分析すること. 視診や触診, 観察による分析のほかに, 歩行周期, 歩幅も分析する. 時間・距離因子の分析には3次元解析装置, フォースプレート, 筋電図, ビデオカメラなどの機器を使用することで量的データにより定量的評価が行える.

歩行率　cadence

単位時間内の歩数で, 通常1分間あたりの歩数で表される. 歩行速度は歩行率と重複歩距離で決定され, 身長, 体重, 年齢などによって左右される.

ホットパック　hot pack

表在性の伝導性温熱療法. シリカゲルが麻布の袋に入っており, 80〜90℃に設定されたお湯の中に浸けて加熱し, タオルに包んで使用する. 治療対象や部位によって数種類の大きさのものがある.

ホームプログラム　home program

病院や診療所で獲得された日常生活活動能力を維持, あるいは改善するために居宅においても普段の日常生活に密着した継続可能な練習プログラムを指す. これは, 自分で行えるかまたはわずかな介助で行える範囲のものとし, タイムリーで効果的にするためにフォローアップは欠かせない.

歩容

→歩行

ま

マニピュレーション　manipulation

医学を背景に, 人体の組織に直接的な機械刺激を加え, 治療効果を期待する手技. 即時性に優れるが, 熟練した技術が必要とされる. 徒手療法.

麻痺　palsy

主に神経系の異常によって運動機能, 筋, 感覚に機能不全が起こり, 正常に機能しない状態. 末梢神経麻痺と中枢神経麻痺に分けられ, 治療が進められる. 末梢神経麻痺は量的変化であり, 筋力の低下を主とし, 中枢神経麻痺は質的変化であり, 共同運動や姿勢反射など運動制御の低下が主となる.

慢性閉塞性肺疾患　chronic obstructive pulmonary disease

閉塞性換気機能低下が慢性的にみられる呼吸器疾患. 慢性肺気腫, 慢性気管支炎, びまん性汎細気管支炎, 気管支喘息などが含まれる. 1秒率が70%以下となることが基準であり, 残気量の増大がみられる. 治療は肺胞換気の増加, 気道抵抗の減少, 呼吸仕事量の軽減が主となる.

む

無酸素運動　anaerobic exercise

無酸素代謝によって生じたエネルギーを利用した運動様式. 血中のグルコースや筋中のグリコーゲン

などの糖質を細胞中で解糖するため反応が早くエネルギー供給が迅速で運動初期に利用できる．長時間持続は難しい．

め

メタボリックシンドローム　metabolic syndrome

　動脈硬化の危険因子である内臓脂肪蓄積型肥満（内臓肥満・腹部肥満）・高血圧・耐糖能異常・脂質代謝異常のうち，2 つ以上の症候を認める状態を指す．速度的に進行しやすいことから，脳卒中や心筋梗塞など循環不全へと進行するリスクが高い．継続した予防と対処が必要な疾患概念であり，運動療法や食事療法などの介入が成果を生むとされている．日本では 2008 年から「特定健診・特定保健指導」のなかで，「内臓脂肪症候群」との名称でこの概念を取り入れ，内臓脂肪蓄積を診断するために「ウエスト周囲径」の測定を検査項目に加えた．

も

目標設定　goal setting

　対象者を取り巻く情報収集や検査・測定から得られたデータをもとに，その分析と予後についての考察を重ね，患者自身と家族にとって最も適切な目標を定めること．当面必要な能力を獲得できることで，達成できる目標を短期目標とし，最終的な見通しのもとにみた目標を長期目標としている．

モビライゼーション　mobilization

　対象者の意識下に行う該当関節の関節可動域内での運動スピードの緩徐な他動的関節包内治療手技．関節包内の副運動回復を目的に行う関節モビライゼーションと，筋肉，靱帯，皮膚，血管など関節周辺組織に働きかける軟部組織モビライゼーションに分類される．

ゆ

床反力　floor reaction force

　身体運動の作用力を接地した床面に伝わるさまざまな力で捉えたもの．臨床においては歩行分析に使われることが多く，異常歩行の評価や治療効果の判定に役立つ．計測は荷重のかかるプレートとそれを支える支柱に抵抗線ひずみ計，差動変圧器，圧電素子などのセンサーを組み込み実施する．電圧の変化から，進行方向に対して，前後分力，左右分力，垂直分力が検出される．

癒着　adhesion

　本来互いに近接して存在するが分離している組織が，病的過程により連結・融合する状態のこと．炎症や外傷により発生し，さまざまな機能不全や疼痛を引き起こす．

ユニバーサルデザイン　universal design

　「普遍的な」「全体の」という言葉が示しているように，「すべての人のためのデザイン」を意味する．つまり，文化・言語・国籍の違い，老若男女といった差異，能力の程度のいかんを問わずに利用することができる施設・製品・情報の設計をいう．

よ

予後　prognosis

　対象者の病気や変調について評価を通して，先行きを予測するあるいは知ること．効果的な理学療法を実施するには，早い段階で予後を予測し，適切なプログラムを作成することが重要である．しかし，形式的に一定の基準で割り切ろうとすると，潜在的な回復能力を見落としかねない．それぞれの症例に応じた，適正かつ冷静な判断が求められる．

り

理学療法　physical therapy

　1965 年に制定された理学療法士及び作業療法士法によれば，理学療法とは「身体に障害のある者に対し，主としてその基本動作能力の回復を図るため，治療体操その他の体操を行なわせ，及び電気刺激，マッサージ，温熱その他の物理的手段を加えることをいう」とされる．理学療法士が対象者を他動的に動かしたり，対象者自身に運動してもらったりと，身体の動きを援助するなど，疾患や残存している機能の治療，改善，回復を図る治療法を指す．しかし，本書編著者の奈良は ICF に準じた新たな定義として「心身の機能・身体構造に変調のある者に対し，それらの回復を図るため，運動，治療体操，徒手的

治療および電気，温熱などの物理的介入によって活動と生活機能の向上を図るとともに健康を増進し，社会参加を支援することをいう」と提唱している．

リスク管理　risk management

リスクとは，予測される危険または危機のことを指す．理学療法おけるリスク管理は，危険管理と危機管理に分類される．危険管理とは，予測される危険を避けて理学療法プログラムを対象者に対して行うために必要な技術であり，危機管理とは，すでに起こってしまった事故に対し，迅速に対処することである．他部門との連携や密なコミュニケーション，対象者への配慮，機器の点検が必要である．

リハビリテーション　rehabilitation

ラテン語の rehabilitare が語源であり，"自分自身と環境の変化に再適応する"という意味をもつ．人間が人間としてふさわしくない状態にあるときに再びふさわしい状態に戻すという言葉である．機能損傷・不全の機能回復や社会復帰という意味に限らず，広く一般的な用語である．通常，医学的リハビリテーション，教育的リハビリテーション，職業的リハビリテーション，社会的リハビリテーションの4分野に分けられ，緊密に協力して機能することで"全人的復権"という目標に近づくことができる．

リハビリテーション専門医　rehabilitation specialist

病気や外傷の結果生じる機能損傷・不全を医学的に診断治療し，機能回復と社会復帰を総合的に提供することを専門とする医師を指す．専門医の資格はリハビリテーション科が関与するすべての領域において，日本リハビリテーション医学会により定められた卒後研修カリキュラムにより5年以上の研修を修め，資格試験に合格して認定される．

療育　habilitation

先天的に身体あるいは精神が不自由な状況を基点として，その人のもつ"機能の発達"に焦点を当て，調和のとれた発達を促進することで，機能を有能化していくこと．心身の発達に課題がある場合，当初から自分自身と環境の変化に適応できるよう育成すること．また，広く心身発達不全児の育成活動の包括的用語として用いられている．

良肢位　optimal position

関節に拘縮や強直が生じ可動範囲が制限されたとしても日常生活活動を行ううえで機能的に支障が少ない肢位を指す．また関節拘縮が起こる可能性があるとき予防的な肢位をとり筋の萎縮と拘縮を最小限に抑えること．

リラクセーション　relaxation

身体の緊張を取り除くこと．またストレス刺激によって起こるホメオスタシスの破綻によって生じるストレス反応を取り除くこと．部位ごとに筋収縮した後に弛緩させるジェイコブソン（Jacobson E）の方法，催眠状態を基礎とした自律トレーニング法，ストレッチなどがある．

臨床検査技師　medical technologist

厚生労働大臣の免許を受けて医師の指示のもとに微生物学的検査，血清学的検査，病理学的検査，生化学的検査などを行うことを業とする者．

臨床実習　clinical practice

医療専門職の養成課程にある者が臨床において対象者に対し専門的知識，技術を実践，学習すること．理学療法士や作業療法士，医師，看護師などの医療専門職の教育は学内教育と臨床実習教育により行われる．認知領域，精神運動領域，情意領域に関する専門基礎分野，専門分野を学習する．

臨床心理士　clinical psychologist

心理的内面の問題を理解して分析を行い心の健康を害した対象者のケアを行う専門家．リハビリテーションプログラムの方向づけに大きな役割をもつ．

臨床推論　clinical reasoning

臨床行為に根拠をもった理由づけがなされていることを指す．公益社団法人日本理学療法士協会は「理学療法の対象者の訴えや症状から病態を推測し，対象者に最も適した介入を決定していく一連の心理（認知）的過程」としている．「推論」の語彙として「憶測」や「忖度」と想像されることがあるが，この場合は「正確な情報に基づく科学的な解釈による鑑別と判断の一連の過程」とされている．これによって具体的な理学療法評価における判断や因果関係の究明，課題の抽出が可能となり，根拠に基づいた治療・介入の選択へと展開できる．

れ

連合反応　　associated reaction

　ある部位の運動に伴い他の部位が関節運動として反応する現象. 健常者では重心の確保や姿勢の保持のため主動作筋の作用に伴って発現する. 中枢性麻痺の際に現れる原始的運動反応として観察されることもある.

練習　　training

　目標達成や上達のために繰り返される動作や行為を指す. 近年, 理学療法分野では「訓練」という用語の使用をやめ, 状況に応じて「運動」や「練習」という表現を用いるよう提唱されている. 理学療法士が対象者に動作や行為を「させる」, 対象者は受け身になって「させられる」というニュアンスを取り除き理学療法士と対象者が対等な立場でコミュニケーションを図り, 機能の獲得, 機能不全の克服に向かうことが大切である. この意識をもつことでインフォームドコンセントが確立され, 対象者の意思も尊重される.

ろ

ロコモティブシンドローム　　locomotive syndrome

　2007 年に日本整形外科学会が提唱した概念で, 運動器症候群ともいう. 骨, 関節, 筋肉, 腱, 神経が連携し身体を動かす「運動器」の仕組みのうちいずれか, あるいは複数に機能不全が起こり, 「立つ」「歩く」といった機能が低下している状態をいう. ロコモ度の判定方法として下肢の筋力を推量する「立ち上がりテスト」, 歩幅を測る「2 ステップテスト」, 身体の状態や生活状況をみる「自己記入式質問紙票（ロコモ 25）」が定められており, バランス能力と下肢筋力の改善を目的とした運動や食事などの対応策が提案されている.

ロボット補助歩行　　robot assisted gait

　「歩行」の補助や練習を目的に, それに必要な作業・操作をコンピューターの自動制御で行う機械や装置を用いたものを指す. 下肢装着型ロボットは「生体電位信号」を皮膚に貼ったセンサーで検出し, 意思を介した歩行動作の機能を補い自然な動作の実現を図るものや股関節の動きを「角度センサー」で検知し, モーター駆動により下肢の振り出しを誘導するものなどがある. これらは機能を補完するのみではなく, 神経伝達や筋収縮力を促進し, 歩行に必要な身体機能の維持・向上にも効果的であるとされている. また, リハビリテーション医療の支援を目的とした歩行練習用ロボットは, リハビリテーションの初期段階からの使用が可能であり, 対象者の機能・能力の回復度合いに応じて補助手段や量を調整する. 対象者の体重支持量や関節の角度, 歩行データをモニタリングし, 歩行の状態を実時間で音声や画像で確認し, 即時にフィードバックすることが可能であり, これは効果的な運動学習となる.

（木林　勉・佐々木賢太郎）

理学療法士国家試験出題基準
（令和 6 年／2024 年版）

〈専門基礎分野〉
Ⅰ　人体の構造と機能及び心身の発達

大項目		中項目		小　項　目	
1	解剖学	A	総論	a	定義，分類
				b	発生等
		B	骨格系	a	骨の構造と分類
				b	骨吸収と骨形成
				c	関節の構造と分類
				d	各部の骨・関節・靱帯
		C	筋系	a	筋の構造と形態
				b	各部の筋・腱
		D	神経系	a	中枢神経系
				b	末梢神経系
		E	脈管系	a	心臓
				b	動脈系
				c	静脈系
				d	リンパ系
		F	内臓諸器官	a	消化器
				b	呼吸器
				c	泌尿器，生殖器
				d	内分泌腺
		G	感覚器	a	視覚器，平衡聴覚器，皮膚受容器等
		H	体表解剖	a	動脈
				b	神経
				c	筋
				d	骨
				e	関節
		I	応用解剖（機能解剖・局所解剖・断層解剖を含む）	a	中枢神経系
				b	筋，骨格，末梢神経系
				c	内臓諸器官
		J	組織	a	細胞の構造と機能
				b	細胞の分化（遺伝子，DNA 等）・老化・死
2	生理学	A	総論	a	細胞生理
				b	再生医学の基礎
		B	筋	a	筋線維の構造と機能
				b	筋収縮
		C	神経	a	神経線維の構造
				b	興奮と伝導
				c	シナプス伝達
				d	反射
				e	受容器-感覚神経伝達
				f	神経-筋接合部の伝達
				g	中枢神経（高次脳機能を含む）
				h	末梢神経
				i	可塑性
		D	感覚，認知	a	体性感覚（表在感覚，深部感覚）

大項目	中項目		小　項　目	
			b	内臓感覚
			c	視覚
			d	聴覚，平衡覚
			e	嗅覚，味覚
			f	認知機能
	E	言語，発声構音	a	発声器官
			b	言語中枢
	F	運動	a	運動単位
			b	随意運動
			c	筋緊張
			d	運動における生体の生理的変化
	G	自律神経	a	交感神経系
			b	副交感神経系
	H	呼吸	a	呼吸運動（気道内圧，肺の容積変化を含む）
			b	ガス交換とガスの運搬
			c	酸塩基平衡
			d	呼吸中枢
	I	循環（心臓の機能を含む）	a	循環の調節（血液とリンパの循環）
			b	心筋の特性
			c	心臓拍動の自動性と心拍出量
			d	心臓の刺激伝導系
	J	血液，免疫	a	血液の成分
			b	血液の細胞成分の生成と分化
			c	血液凝固と線溶現象
			d	免疫機能
	K	咀嚼・嚥下，消化，吸収	a	唾液分泌の機序
			b	咀嚼・嚥下運動と嚥下反射中枢
			c	胃内消化（胃液分泌，蠕動運動を含む）
			d	腸内消化吸収
			e	肝臓・胆嚢・膵臓の機能
			f	消化酵素
			g	栄養素と吸収部位
	L	腎，排尿	a	尿の性状
			b	糸球体・尿細管の機能
			c	排尿機構（排尿中枢を含む）
	M	排便	a	胃大腸反射等
	N	内分泌，栄養，代謝（生化学の基礎を含む）	a	ホルモンとビタミン
			b	糖・蛋白・脂質代謝
			c	代謝率（基礎・エネルギー代謝を含む）
	O	体温調節	a	体温調節中枢

Ⅰ（承前）

大項目	中項目	小項目
（承前）	（承前）	b 熱の産生と放出の機序
	P 生殖	a 勃起、射精
		b 排卵、月経、妊娠、出産
	Q 老化	
3 運動学	A 総論	a 定義、目的
		b 力学の基礎
		c 運動器の構造と機能（機能解剖を含む）
		d 運動の中枢神経機構
		e 運動とエネルギー代謝
		f 運動と呼吸・循環
	B 四肢と体幹の運動	a 顔面・頭頸部の運動
		b 上肢帯と上肢の運動
		c 下肢帯と下肢の運動
		d 体幹の運動
		e 呼吸運動
	C 動作解析	
	D 姿勢	
	E 歩行	
	F 運動制御と運動学習	
4 人間発達学	A 総論	a 定義、目的
		b 発達理論
		c 発達段階と発達課題
		d 発達評価（改訂日本版デンバー式発達スクリーニング検査〈JDDST-R〉、遠城寺式乳幼児分析的発達検査、子どもの能力低下評価法〈PEDI〉等）
		e 運動発達（原始姿勢反射を含む）
		f 精神発達
		g 心理社会的発達
	B 各期における発達	a 胎生期
		b 小児期
		c 青年期
		d 成人期
		e 老年期
		f その他

Ⅱ 疾病と障害の成り立ち及び回復過程の促進

大項目	中項目	小項目
1 医学概論	A 科学的思考の基盤	a 医学の歴史
		b 健康と疾病の概念、疾病分類
		c 演繹と帰納、推論、科学的検証、臨床意思決定、ガイドライン
	B 人間と生活	a コミュニケーション、人間関係
		b 生命倫理、医の倫理
	C 社会生活の理解	a 地域社会、共生社会、多様性社会
2 病理学概論	A 病因論（内因・外因を含む）	
	B 病理学的変化	a 循環障害（ショックを含む）
		b 進行性・退行性病変
		c 炎症・感染・免疫・アレルギー
		d 腫瘍・新生物
		e 奇形・遺伝
		f その他
	C 生体反応	a ホメオスタシス、ストレス
3 臨床医学総論	A 疾病の診断	a 問診、身体所見、記録
		b 生化学検査
		c 生理検査
		d 画像検査
	B 薬物療法（薬理を含む）	
	C 外科的治療	a 手術・カテーテル治療・その他の侵襲的治療
	D 栄養管理	
	E 救命救急医療	a 救命救急処置（心肺蘇生法、AEDを含む）
	F 疾病の予防	
4 リハビリテーション医学	A 総論	a リハビリテーション医学の定義と歴史
		b リハビリテーション医学の特徴
		c 研究法（臨床疫学、医療統計を含む）
	B 健康と生活機能の評価	a 医学的情報（病理・生理を含む）
		b 画像診断（画像診断を含む）の評価
		c 心身機能・身体構造の評価
		d 活動の評価
		e 参加の評価
		f 背景因子（環境因子および個人因子）の評価
	C 機能障害の評価とリハビリテーション	a 運動障害（運動麻痺、筋力低下、持久力低下、筋萎縮、関節拘縮、運動失調、痙縮、固縮を含む）
		b 呼吸障害
		c 循環障害
		d 代謝・内分泌障害
		e 発達障害
		f 構音障害
		g 視覚障害
		h 聴覚障害

大項目		中項目		小　項　目	
			j	高次脳機能障害
			k	疼痛
			l	摂食嚥下障害
			m	栄養障害
			n	排尿障害
			o	排便障害
			p	精神・心理障害
		D	活動制限の評価とリハビリテーション	a	日常生活活動〈ADL〉の制限
				b	手段的日常生活活動〈IADL〉の制限
		E	参加制約の評価とリハビリテーション		
		F	リハビリテーション計画	a	リスク管理
				b	機能的帰結の予測
				c	リハビリテーションプログラムの立案
		G	リハビリテーション治療	a	理学療法
				b	作業療法
				c	言語聴覚療法
				d	義肢・装具療法
				e	運動学習
				f	基本動作練習
				g	応用動作練習
				h	バイオフィードバック療法
				i	神経ブロック（ボツリヌス療法含む）
				j	心理的アプローチ
				k	リハビリテーション機器（杖，車椅子，座位保持装置，環境制御装置を含む）
				l	摂食機能療法
		H	廃用症候群（不動を含む）	a	疫学
				b	病理，病態，症候
				c	評価，検査（画像，生理検査を含む）
				d	治療
5	臨床心理学	A	基礎理論	a	歴史
				b	防衛機制と転移
				c	学習，記憶，行動
		B	発達心理および臨床心理	a	児童・青年期心理
				b	成人・高齢者心理
				c	患者・障害者心理
		C	臨床心理検査法		
		D	心理療法およびカウンセリング		

大項目		中項目		小　項　目	
6	精神障害と臨床医学	A	疫学，予後	a	症状性を含む器質性精神障害
		B	病因，症候	b	精神作用物質使用による精神および行動の障害
		C	評価，検査（画像・生理検査を含む），診断	c	統合失調症，統合失調症様障害および妄想性障害
				d	気分障害〈感情障害〉（躁うつ病，うつ病を含む）
		D	リハビリテーション治療	e	神経症性障害，ストレス関連障害および身体表現性障害
		E	栄養，薬剤，その他の治療（精神療法を含む）	f	生理的障害および身体的要因に関連した行動症候群（摂食障害，非器質性睡眠障害を含む）
		(右の小項目はA～Eに共通)		g	成人のパーソナリティ及び行動の障害
				h	精神遅滞（知的障害）
				i	心理的発達の障害（限局性学習障害，自閉症スペクトラム障害を含む）
				j	小児期および青年期に通常発症する行動および情動の障害（注意欠如・多動性障害等）
				k	てんかん
7	骨関節障害と臨床医学	A	疫学，予後	a	変形性関節症，人工関節置換術後
		B	病理，症候	b	骨折，脱臼，靱帯損傷
		C	評価，検査（画像・生理検査を含む），診断	c	関節リウマチとその近縁疾患
				d	スポーツ外傷，スポーツ障害
		D	リハビリテーション治療	e	脊椎疾患（椎間板ヘルニア，脊椎症を含む）
				f	腰痛症
		E	栄養，薬剤，その他の治療	g	切断（先天奇形を含む）
		(右の小項目はA～Eに共通)		h	肩関節疾患（肩関節周囲炎，腱板損傷を含む）
				i	骨粗鬆症
				j	骨壊死性疾患（大腿骨頭壊死を含む）
				k	先天異常，系統疾患（骨端症を含む）
				l	骨軟部腫瘍
8	慢性疼痛と臨床医学	A	疫学，予後	a	慢性腰痛
		B	病理，症候	b	CRPS〈complex regional pain syndrome〉（肩手症候群を含む）
		C	評価，検査（画像・生理検査を含む），診断	c	視床痛
				d	幻肢痛
				e	その他（帯状疱疹，三叉神経痛等）

大項目	中項目	小項目
	D リハビリテーション治療	
	E 栄養，薬剤，その他の治療（右の小項目はA～Eに共通）	
9 中枢神経の障害と臨床医学	A 疫学，予後	a 血管障害（頭蓋内出血，脳梗塞を含む）
	B 病理，症候	b 感染・炎症性疾患（脳炎，髄膜炎，脊髄炎，ヒト免疫不全ウイルス〈HIV〉による神経障害を含む）
	C 評価，検査（画像・生理検査を含む），診断	c 変性ならびに脱髄疾患（Parkinson病とその関連疾患，脊髄小脳変性症〈SCD〉，運動ニューロン疾患，認知症，多発性硬化症〈MS〉）
	D リハビリテーション治療	d 外傷（外傷性脳損傷〈TBI〉，脊髄損傷）
	E 栄養，薬剤，その他の治療（右の小項目はA～Eに共通）	e 腫瘍 f てんかん g 視覚・聴覚障害
10 末梢神経・筋の障害と臨床医学	A 疫学，予後	a 末梢神経・筋疾患（多発性ニューロパチー，筋ジストロフィー等）
	B 病理，症候	b 外傷（絞扼性神経障害を含む）
	C 評価，検査（画像・生理検査を含む），診断	c 腫瘍
	D リハビリテーション治療	
	E 栄養，薬剤，その他の治療（右の小項目はA～Eに共通）	
11 小児の障害と臨床医学	A 保健，疫学	a 脳性麻痺 b 水頭症（Arnold-Chiari奇形等）
	B 病理，症候	c 二分脊椎 d 悪性腫瘍
	C 評価，検査（画像・生理検査を含む），診断	e 遺伝子病，染色体異常，系統疾患（先天奇形，Down症候群を含む）
	D リハビリテーション治療	

大項目	中項目	小項目
	E 栄養，薬剤，その他の治療（右の小項目はA～Eに共通）	
12 内部障害と臨床医学	A 疫学，予後	a 呼吸器疾患（慢性閉塞性肺疾患〈COPD〉，間質性肺炎，誤嚥性肺炎等）
	B 病理，症候	b 循環器疾患（心臓疾患，末梢動脈疾患，静脈・リンパ管疾患）
	C 評価，検査（画像・生理検査を含む），診断	c 消化管・肝胆膵疾患 d 腎・泌尿器疾患（慢性腎臓病等） e 生殖器疾患
	D リハビリテーション治療	f 血液疾患，自己免疫疾患，免疫不全
	E 栄養，薬剤，その他の治療（右の小項目はA～Eに共通）	g 内分泌・代謝疾患（糖尿病，栄養障害，サルコペニアを含む） h その他（臓器移植後等） 注：それぞれの疾患には感染症を含む
13 がん関連障害と臨床医学	A 疫学，予後	a 脳腫瘍 b 頭頸部腫瘍
	B 病理，症候	c 呼吸器・胸郭内腫瘍 d 消化器腫瘍
	C 評価，検査（画像・生理検査を含む），診断	e 骨腫瘍 f 女性器の腫瘍 g 血液腫瘍・骨髄移植 h 転移性腫瘍 i その他
	D リハビリテーション治療（リンパ浮腫治療を含む）	
	E 栄養，薬剤，その他の治療（右の小項目はA～Eに共通）	
14 老年期障害と臨床医学	A 疫学，予後	a 老年症候群および虚弱 b 認知症
	B 病理，症候	c うつ状態 d 末梢循環障害
	C 評価，検査（画像・生理検査を含む），診断	e 誤嚥性肺炎 f 骨粗鬆症，骨折 g せん妄 h サルコペニア，フレイル i 摂食嚥下障害
	D リハビリテーション治療	j 栄養障害 k 緩和ケア（ターミナルケアを含む）

大項目	中項目	小　項　目
	E　栄養，薬剤，その他の治療（右の小項目はA〜Eに共通）	
15　その他の障害と臨床医学	A　疫学，予後	a　熱傷
	B　病理，症候	
	C　評価，検査（画像・生理検査を含む），診断	
	D　リハビリテーション治療	
	E　栄養，薬剤，その他の治療（右の小項目はA〜Eに共通）	

Ⅲ　保健医療福祉とリハビリテーションの理念

大項目	中項目	小　項　目
1　保健医療福祉	A　医療	a　インフォームドコンセント
		b　安全管理（アクシデント，インシデント，転倒予防，感染対策等）
		c　個人情報保護
		d　チーム医療，多職種連携
		e　医療面接
		f　EBM〈根拠に基づいた医療〉
		g　NBM (narrative-based medicine)〈物語に基づいた医療〉
		h　医療の供給体制（一次・二次・三次医療，救急・災害・へき地医療，地域医療）
	B　保健	a　保健予防の概念（一次・二次・三次予防）
		b　健康管理，健康増進
		c　環境保健
		d　地域保健
		e　母子保健
		f　学校保健
		g　産業保健
		h　高齢者保健
		i　精神保健
		j　感染症対策（届出，予防を含む）

大項目	中項目	小　項　目
	C　医療・福祉制度	a　医療保険制度
		b　公的扶助制度
		c　介護保険制度
	D　関連法規	a　医事法規 ①医療法 ②理学療法士及び作業療法士法
		b　保健衛生法規 ①地域保健法 ②精神保健及び精神障害者福祉に関する法律〈精神保健福祉法〉
		c　福祉関係法規 ①障害者の日常生活及び社会生活を総合的に支援するための法律〈障害者総合支援法〉 ②児童福祉法 ③身体障害者福祉法 ④知的障害者福祉法 ⑤老人福祉法 ⑥障害者の雇用の促進等に関する法律〈障害者雇用促進法〉 ⑦発達障害者支援法
2　リハビリテーション概論	A　理念	a　リハビリテーションの定義・歴史
		b　ノーマライゼーション・自立生活〈independent living, IL〉
		c　QOL〈quality of life〉
		d　総合リハビリテーション
	B　疾病・生活機能の概念と分類	a　国際疾病分類〈International Statistical Classification of Diseases and Related Health Problems, ICD〉
		b　国際生活機能分類〈International Classification of Functioning, Disability and Health, ICF〉
	C　患者・障害者の心理・社会的側面	a　患者・障害者の心理
		b　障害受容
		c　心理教育（患者教育，家族教室）
		d　自立支援，就労支援・両立支援
	D　リハビリテーション医療	a　リハビリテーション関連職種とその役割
		b　チームアプローチ（多職種連携の理解を含む）
		c　評価会議（カンファレンス）とゴール設定
		d　リハビリテーションプログラム，クリニカルパス

大項目	中項目		小　項　目	
	E	リハビリテーションの諸相	a	医学的リハビリテーション
			b	教育的リハビリテーション
			c	職業的リハビリテーション
			d	社会的リハビリテーション
			e	地域リハビリテーション
	F	地域包括ケアシステム	a	CBR〈community based rehabilitation〉

〈専門分野（理学療法）〉
Ⅰ　基礎理学療法学

大項目	中項目		小　項　目	
1　理学療法の基本	A	歴史, 現状	a	日本と世界の理学療法の歴史と現状
	B	生命・医療倫理	a	プロフェッショナリズム
			b	ノーマライゼーション
			c	死生観, 看取り
	C	社会の理解	a	人間関係論
			b	多様性社会
			c	地域社会
	D	法規, 関連制度	a	理学療法士及び作業療法士法
			b	障害者基本法
			c	障害者の日常生活及び社会生活を総合的に支援するための法律〈障害者総合支援法〉
	E	障害の捉え方	a	国際疾病分類〈International Statistical Classification of Diseases and Related Health Problems, ICD〉
			b	国際生活機能分類〈International Classification of Functioning, Disability and Health, ICF〉
			c	NCMRR〈National Center for Medical Rehabilitation Research〉分類, Nagiモデル
	F	臨床疫学		
	G	医療統計	a	実験計画法
			b	推測統計
			c	妥当性, 信頼性
			d	感度, 特異度, 過誤, 尤度比
	H	根拠に基づいた理学療法	a	診療ガイドライン
			b	エビデンス, 推奨グレード

大項目	中項目		小　項　目	
			c	物語りに基づいた実践〈narrative based practice：NBP〉
2　理学療法の範囲	A	領域	a	保健, 医療, 福祉
	B	急性期		
	C	回復期		
	D	生活期		
	E	終末期（人生の最終段階）		
	F	健康維持, 健康増進		
	G	予防	a	疾病予防
			b	虚弱予防
			c	再発予防
			d	重症化予防
			e	障害予防
	H	研究	a	研究の倫理
			b	研究の方法
3　理学療法学の基礎	A	組織	a	細胞, 遺伝子
	B	運動発現	a	運動の発現機構
			b	関節構造, 関節可動域
			c	筋収縮, 筋機能
	C	運動制御	a	運動の制御機構
			b	随意運動のメカニズム
			c	中枢神経系
			d	末梢神経系
	D	エネルギー供給	a	呼吸
			b	循環
			c	代謝
			d	消化, 吸収
			e	自律神経
	E	認知	a	感覚, 知覚
			b	認知
	F	情緒, 心理	a	意欲
			b	ライフサイクル
			c	障害受容
	G	基本動作	a	姿勢
			b	床上動作
			c	移乗
	H	歩行	a	歩行周期
			b	パラメータ（時間因子, 距離因子）
			c	力学的因子
			d	筋活動
	I	動作障害	a	日常生活活動〈ADL〉
			b	手段的日常生活活動〈IADL〉
	J	運動学習	a	運動学習理論
			b	条件付け, フィードバック
			c	可塑性, 再組織化
	K	痛み	a	分類
			b	メカニズム
			c	制御機構

大項目	中項目	小　項　目
	L　栄養	a　栄養素
		b　消化，代謝，体内動態
		c　摂食行動，摂取基準
	M　薬理	a　薬の定義
		b　作用機序
		c　有害反応
		d　薬物療法と理学療法
	N　疲労	a　末梢性疲労
		b　中枢性疲労
	O　発達	a　正常発達
		b　運動・精神の発達遅滞
	P　加齢	a　生理的変化
		b　社会的変化
	Q　コミュニケーション	
	R　活動，参加	a　日常生活活動〈ADL〉，手段的日常生活活動〈IADL〉
		b　参加
	S　QOL〈quality of life〉	a　健康関連QOL〈HRQOL〉等
	T　環境	a　環境の構造
		b　環境と個人

Ⅱ　理学療法管理学

大項目	中項目	小　項　目
1　職業倫理	A　コンプライアンス・法令遵守	a　社会的責任
		b　守秘義務・個人情報保護
		c　説明と同意
		d　医療広告ガイドライン
		e　利害衝突，コンフリクトマネジメント
	B　プロフェッショナリズム	a　倫理要綱
		b　ジュネーブ宣言，リスボン宣言
		c　患者の自己決定権
		d　インフォームド・コンセント
		e　守秘義務
	C　行動規範	a　パワーハラスメント
		b　セクシャルハラスメント
		c　その他のハラスメント
2　職場管理	A　情報管理	a　診療記録
		b　書類管理
		c　個人情報保護，情報セキュリティー
	B　多職種連携	a　業務調整
		b　カンファレンス
		c　地域連携
	C　安全管理	a　リスクマネジメント（インシデント・感染対策含む）
		b　機器の保守点検
		c　機器の配置

大項目	中項目	小　項　目
	D　労務管理，人事考課	a　雇用・年金制度
		b　報酬管理
	E　労働衛生管理	a　健康管理
		b　作業管理
		c　環境管理
3　教育	A　理学療法教育の歴史	
	B　学習内容	a　理学療法カリキュラム
	C　キャリア支援	a　キャリアデザイン
	D　生涯学習	a　卒後教育
	E　教育学	a　教育原理
		b　教育心理学
		c　教授方法
		d　教育評価
		e　障害児教育
4　法規・関連制度	A　社会保険制度	a　医療保険制度
		b　介護保険制度
		c　診療報酬

Ⅲ　理学療法評価学

大項目	中項目	小　項　目
1　目的	A　評価の目的	
2　時期と手順	A　臨床推論	
	B　病期	
	C　スクリーニング	
	D　情報収集	a　検査・画像所見等・他職種情報
		b　一般情報
		c　医学的情報（血液・生化学検査，各種画像検査，手術，服薬）
		d　社会的情報
		e　他職種からの情報
	E　評価計画の立案と説明	
	F　評価の実施	a　観察
		b　面接
		c　検査・測定
	G　解釈，統合	
	H　問題点・利点の抽出	
	I　目標設定，治療計画立案	
3　心身機能，身体構造	A　全身状態，局所所見	a　意識，覚醒，睡眠
		b　バイタルサイン
		c　栄養状態

大項目	中項目	小 項 目
		d 皮膚（褥瘡を含む）
		e 排尿，排便
		f 浮腫
		g 摂食嚥下
	B 画像評価	a X線
		b CT，MRI，SPECT，PET等
		c 超音波エコー
		d 心電図
	C 神経生理学的評価	a 筋電図，神経伝導検査，誘発電位，磁気刺激法
	D 運動学的評価	a 3次元動作解析，床反力分析
	E 呼吸，循環，代謝	a 呼吸機能
		b 循環機能
		c 消化・吸収機能
		d 内分泌機能
		e 全身持久力
		f 酸素・エネルギー供給
		g 代謝機能
		h 腎機能
	F 運動	a 反射
		b 身体計測（四肢長，周径）
		c 姿勢
		d 筋緊張
		e 関節可動域
		f 筋機能（筋力，持久力，協調性）
		g 協調機能
		h 平衡機能
		i バランス
		j 脳神経（運動系）
	G 感覚	a 体性感覚（表在感覚，深部感覚）
		b 特殊感覚
		c 脳神経（感覚系）
	H 痛み	a 定義
		b 分類
		c 機序
		d 急性痛，慢性痛
		e 心理的評価
	I 発達	a 全般的発達検査（改訂日本版デンバー式発達スクリーニング検査〈JDDST-R〉，遠城寺式乳幼児分析的発達検査，子どもの能力低下評価法〈PEDI〉等）
		b 原始反射，姿勢反射
		c 運動発達
		d 感覚，知覚，認知
		e 心理・社会的発達

大項目	中項目	小 項 目
		f 粗大運動能力尺度〈gross motor function measure，GMFM〉，粗大運動能力分類システム〈gross motor function classification system，GMFCS〉
	J 気分	a 抑うつ
		b 情動
		c 関心（アパシー）
	K 認知症	a 病期
		b 認知症（BPSDを含む）
	L 高次脳機能	a 感情
		b 注意
		c 記憶・記銘
		d 認知（失認）
		e 行為（失行）
		f コミュニケーション
		g 言語（失語）
		h 遂行機能，前頭葉機能
4 基本動作	A 姿勢	a 臥位・座位，立位
	B 床上動作	a 寝返り，起き上がり，移動
	C 移乗	
	D 歩行	a 歩行周期（時間因子，距離因子）
		b 観察，定量的解析
		c 不整地歩行
	E 移動（歩行を除く）	a 障害物回避
		b 階段昇降
		c 走行，跳躍
		d 歩行補助具
		e 車椅子
5 活動，参加	A 日常生活活動〈ADL〉	a 食事
		b 排泄
		c 更衣
		d 整容
		e 入浴
		f コミュニケーション
		g ADL検査（FIM，Barthel index等）
		h 手段的日常生活活動〈IADL〉
	B 参加	a 職業
		b 趣味，余暇活動
		c 社会交流
6 背景因子等	A 個人因子	a 生活歴，職業歴
		b 興味・価値
		c 自己効力感
		d 生活範囲
	B 環境因子	a 家族，家庭
		b 住環境
		c 地域環境
		d 職場環境

大項目	中項目	小　項　目
	C　QOL〈quality of life〉	
7　義肢，装具，支援機器，自助具等	A　義肢，装具	a　義肢（義手，義足） b　装具（上肢，下肢，体幹） c　適合評価
	B　支援機器，自助具等	a　車椅子，座位保持装置 b　移乗機器 c　歩行補助具 d　自助具・日常生活用具 e　福祉用具 f　適合評価 g　支援機器
8　疾患，障害	A　骨関節	a　病期 b　変形性関節症，人工関節置換術後 c　骨折，脱臼，靱帯損傷 d　関節リウマチとその近縁疾患 e　スポーツ外傷・障害 f　外傷，障害 g　脊椎疾患 h　腰痛症 i　切断（先天奇形を含む） j　肩関節周囲炎，腱板損傷 k　骨粗鬆症 l　骨壊死性疾患（大腿骨頭壊死を含む） m　先天性異常，系統疾患 n　骨軟部腫瘍
	B　中枢神経	a　病期 b　脳血管障害（片麻痺を含む） c　Parkinson 病とその関連疾患 d　脊髄小脳変性症〈SCD〉 e　筋萎縮性側索硬化症〈ALS〉 f　多発性硬化症〈MS〉 g　外傷性脳損傷〈TBI〉 h　脊髄損傷（頸髄損傷を含む） i　脳腫瘍
	C　神経筋疾患	a　病期 b　筋ジストロフィー c　多発性筋炎，皮膚筋炎 d　重症筋無力症 e　ニューロパチー（Guillain-Barré 症候群を含む） f　末梢神経損傷（腕神経叢損傷，絞扼性末梢神経損傷を含む）
	D　発達	a　病期 b　脳性麻痺 c　二分脊椎 d　発達性協調運動障害 e　Down 症候群

大項目	中項目	小　項　目
		f　骨系統疾患（ペルテス病等） g　先天性神経筋疾患 h　早産児 i　重症心身障害児
	E　呼吸	a　病期 b　間質性肺炎 c　慢性閉塞性肺疾患〈COPD〉 d　結核性肺炎 e　外科術後 f　人工呼吸器管理状態
	F　循環	a　病期 b　虚血性心疾患（心筋梗塞，狭心症） c　心不全（急性・慢性） d　末梢動脈疾患（閉塞性動脈硬化症，Raynaud 症候群等） e　大動脈疾患，弁膜疾患 f　深部静脈血栓症
	G　代謝	a　病期 b　糖尿病 c　肥満 d　慢性腎臓病
	H　感覚器	a　視覚障害 b　聴覚・前庭障害
	I　集中治療	a　救命救急 b　集中治療・クリティカルケア c　モニタリング d　人工呼吸器
	J　廃用症候群	
	K　がん等	a　病期 b　周術期 c　リンパ浮腫 d　骨転移 e　緩和
	L　サルコペニア，フレイル	
	M　認知障害	a　認知症 b　高次脳機能障害（失語，失行，失認等）
	N　有痛性疾患・障害	a　急性痛 b　慢性痛 c　がん性疼痛
	O　皮膚障害	a　熱傷 b　褥瘡
	P　その他の疾患・障害	a　摂食嚥下障害 b　排泄障害 c　精神疾患 d　多疾患併存 e　産科・婦人科領域の疾患，産前産後

大項目	中項目	小　項　目
9　保健，予防	A　健康維持，健康増進	
	B　産業理学療法	a　作業関連疾患，治療と仕事の両立支援

Ⅳ　理学療法治療学

大項目	中項目	小　項　目
1　基礎	A　目的	
	B　治療プログラムの立案	a　診療ガイドライン
		b　理学療法プログラムの立案
	C　リスク管理	a　疾患別
		b　病期別
		c　ライフステージ別
		d　褥瘡の予防と治療
		e　転倒の予防と治療
		f　救急措置
		g　喀痰等の吸引
2　運動療法	A　運動療法	a　全身調整運動
		b　ポジショニング・良肢位の保持
		c　関節可動域運動
		d　筋力増強運動
		e　ストレッチング
		f　神経筋再教育
		g　筋持久力
		h　全身持久力
		i　感覚・知覚再教育
		j　協調運動
		k　バランス練習
		l　基本姿勢保持練習
		m　基本動作練習
		n　歩行練習
		o　痛みに対する運動療法
		p　運動学習
		q　発達障害に対する運動療法
		r　各種の治療手技
3　物理療法	A　物理療法	a　温熱・寒冷療法
		b　電気刺激療法
		c　電磁波療法（超短波，極超短波）
		d　光線療法
		e　超音波療法
		f　水治療法
		g　牽引療法
		h　マッサージ
4　義肢，装具，支援機器，自助具等	A　義肢，装具，支援機器，自助具等	a　義肢（義手，義足）
		b　装具（上肢，下肢，体幹）
		c　車椅子，座位保持装置
		d　移乗機器
		e　歩行補助具
		f　自助具・日常生活用具
		g　適合技術
		h　支援機器

大項目	中項目	小　項　目
5　心身機能，身体構造	A　全身状態，局所状態	a　意識，覚醒
		b　バイタルサイン
		c　栄養状態
		d　皮膚（褥瘡を含む）
		e　排尿，排便
		f　浮腫
	B　呼吸，循環，代謝	a　呼吸機能
		b　循環機能
		c　全身持久力
		d　酸素・エネルギー供給
		e　代謝機能
	C　運動	a　関節可動域
		b　筋力，筋持久力
		c　全身持久力
		d　筋緊張
		e　協調機能
		f　平衡機能
		g　脳神経（運動系）
	D　感覚	a　体性感覚（表在感覚，深部感覚）
		b　特殊感覚
		c　脳神経（感覚系）
	E　痛み	a　急性痛
		b　慢性痛
		c　集学的・包括的アプローチ
	F　発達	a　運動発達
		b　通学・通級支援
	G　高次脳機能	a　感情
		b　注意
		c　記憶
		d　認知，行為，コミュニケーション
		e　遂行機能，前頭葉機能
	H　摂食嚥下	
6　基本動作	A　姿勢保持	a　臥位・座位，立位
	B　床上動作	a　寝返り，起き上がり，移動
	C　移乗	
	D　歩行	a　筋力，支持性
		b　バランス
		c　テンポ，リズム
		d　不整地歩行，応用歩行
	E　移動（歩行を除く）	a　障害物回避
		b　階段昇降
		c　走行，跳躍
		d　歩行補助具
		e　車椅子
7　活動，参加	A　日常生活活動〈ADL〉	a　食事
		b　排泄
		c　更衣
		d　整容
		e　入浴
		f　コミュニケーション
		g　手段的日常生活活動〈IADL〉

大項目	中項目	小項目
	B 参加	a 職業 b 趣味, 余暇活動 c 社会交流
8 背景因子等	A 個人因子	a 興味・価値 b 自己効力感 c 生活範囲
	B 環境因子	a 家族, 家庭 b 住環境 c 地域環境 d 職場環境
	C QOL〈quality of life〉	
9 疾患, 障害	A 骨関節	a 病期 b 変形性関節症, 人工関節置換術後 c 骨折, 脱臼, 靱帯損傷 d 関節リウマチとその近縁疾患 e スポーツ外傷・障害 f 外傷, 障害 g 脊椎疾患 h 腰痛症 i 切断(先天奇形を含む) j 肩関節周囲炎, 腱板損傷 k 骨粗鬆症 l 骨壊死性疾患(大腿骨頭壊死を含む) m 先天性異常, 系統疾患 n 骨軟部腫瘍
	B 中枢神経	a 病期 b 脳血管障害(片麻痺を含む) c Parkinson 病とその関連疾患 d 脊髄小脳変性症〈SCD〉 e 筋萎縮性側索硬化症〈ALS〉 f 多発性硬化症〈MS〉 g 外傷性脳損傷〈TBI〉 h 脊髄損傷(頸髄損傷を含む) i 脳腫瘍
	C 神経筋疾患	a 病期 b 筋ジストロフィー c 多発性筋炎, 皮膚筋炎 d 重症筋無力症 e ニューロパチー(Guillain-Barré 症候群を含む) f 末梢神経損傷(腕神経叢損傷, 絞扼性末梢神経損傷を含む)
	D 発達	a 病期 b 脳性麻痺 c 二分脊椎 d 発達性協調運動障害

大項目	中項目	小項目
		e Down 症候群 f 骨系統疾患(ペルテス病等) g 先天性神経筋疾患 h 早産児 i 重症心身障害児
	E 呼吸	a 病期 b 間質性肺炎 c 慢性閉塞性肺疾患〈COPD〉 d 結核性肺炎 e 外科術後 f 人工呼吸器管理状態
	F 循環	a 病期 b 虚血性心疾患(心筋梗塞, 狭心症) c 心不全(急性・慢性) d 末梢動脈疾患(閉塞性動脈硬化症, Raynaud 症候群等) e 大動脈疾患, 弁膜疾患 f 深部静脈血栓症
	G 代謝	a 病期 b 糖尿病 c 肥満 d 慢性腎臓病
	H 感覚器	a 視覚障害を合併する歩行・生活指導 b 前庭性めまいに対する運動療法
	I 集中治療	a 救命救急 b 集中治療・クリティカルケア c モニタリング d 人工呼吸器
	J 廃用症候群	
	K がん等	a 病期 b 周術期 c リンパ浮腫 d 骨転移 e 緩和ケア
	L サルコペニア, フレイル	
	M 認知障害	a 認知症 b 高次脳機能障害(失語, 失行, 失認等)
	N 有痛性疾患・障害	a 急性痛 b 慢性痛 c がん性疼痛
	O 皮膚障害	a 熱傷 b 褥瘡
	P その他の疾患・障害	a 摂食嚥下障害 b 排泄障害 c 精神疾患

大項目	中項目		小　項　目
		d	多疾患併存
		e	産科・婦人科領域の疾患，産前産後
10　保健，予防	A　健康維持，健康増進		
	B　産業理学療法	a	作業関連疾患，治療と仕事の両立支援

Ⅴ　地域理学療法学

大項目	中項目		小　項　目
1　基礎	A　地域の概念と制度	a	地域とは
		b	地域における障害者（障害児を含む）・高齢者
		c	地域包括ケアシステム
		d	地域医療構想
		e	地域リハビリテーション〈Community Based Rehabilitation，CBR〉，自立生活〈independent living，IL〉，ノーマライゼーション
	B　地域リハビリテーション	a	歴史
		b	概念と動向
		c	リハビリテーションの理念
	C　地域理学療法	a	理念と目的
		b	多職種による協働
		c	地域での連携
		d	病態と病期に応じた評価と治療
		e	訪問理学療法
		f	通所理学療法
		g	施設での理学療法（介護老人保健施設，特別養護老人ホーム，介護医療院等）
		h	小児の理学療法（通所施設，児童発達支援施設等）
	D　災害時	a	災害時の支援
		b	国際支援
	E　産業理学療法		
	F　学校保健	a	特別支援教育，スポーツ支援
	G　緩和ケア・人生の最終段階		
	H　健康維持，健康増進		
	I　母子保健	a	早産児，発達性協調運動障害，重症心身障害児
	J　予防	a	疾病予防
		b	再発予防

大項目	中項目		小　項　目
		c	障害予防
		d	虚弱予防，サルコペニア，フレイル
		e	重症化予防
	K　バリアフリーとユニバーサルデザイン	a	社会環境整備
		b	住環境整備
		c	家屋改造
	L　福祉用具	a	福祉用具導入の考え方
		b	代表的な福祉用具
		c	自立生活支援機器（環境制御装置等を含む）
		d	スポーツ・レクリエーション用具
		e	IT・ICT の導入と展開
	M　家族への指導	a	家族等への指導支援の目的
		b	介助・支援方法
2　評価と支援	A　施設入所者	a	廃用症候群
	B　在宅（訪問，通所）	b	精神・認知障害
	C　生活期	c	脳血管障害
	D　終末期（人生の最終段階）	d	骨関節障害
	（右の小項目はA～Dに共通）	e	神経障害
		f	呼吸障害
		g	循環障害
		h	悪性腫瘍
		i	代謝障害
		j	発達障害
		k	住環境
		l	生活状況，社会参加支援（就労支援を含む）
3　安全管理	A　感染予防		
	B　急変時の対応		

Ⅵ　臨床実習

大項目	中項目		小　項　目
1　実習前準備	A　医療倫理	a	社会的責任
		b	インフォームドコンセント
	B　理学療法における倫理	a	理学療法士の倫理（患者の権利，理学療法士の義務）
	C　安全管理	a	アクシデント，インシデント，転倒予防，感染対策等
	D　感染予防	a	標準予防策（手指衛生，咳エチケット等）
		b	マスク，防護服，手袋など
		c	感染区域

大項目	中項目	小　項　目
	E　個人情報保護，情報管理	
	F　事故・過誤の対応	
	G　対人関係技法	a　対象者との関係構築 b　理学療法士としてのチームでの関係構築 c　コミュニケーション，身だしなみ，態度
	H　医療面接	a　傾聴，面接者の態度等
	I　実習前知識技能評価	a　態度・知識・技能 b　行動規範（ハラスメント予防）
2　医療提供施設実習実施内容	A　診療参加型実習	a　指導体制 b　能動的学習等
	B　情報収集	a　他部門，診療録
	C　医学的情報の理解	a　生化学検査 b　生理検査 c　画像検査 d　医療機器 e　手術記録 f　服薬状況
	D　検査，測定	a　理学療法の検査
	E　問題点の抽出	
	F　全体像の把握	
	G　目標の設定	
	H　治療プログラム立案	a　立案，実施 b　プログラム修正
	I　他部門との連携	a　チーム医療 b　多職種連携
	J　記録，報告	a　評価・治療経過の記録と報告 b　問題志向型医療記録〈POMR〉 c　SOAP（主観的所見，客観的所見，評価，計画） d　症例報告
	K　地域理学療法	
	L　実習前・後評価	a　医療面接，実技，OSCE等
3　地域実習実施内容	A　情報収集	a　他部門，診療録
	B　通所リハビリテーション	
	C　訪問リハビリテーション	

大項目	中項目	小　項　目
	D　多職種による協働	
	E　ケアプラン	
4　実習後評価	A　実習で学ぶべき内容	a　態度 b　知識 c　技能 d　プロフェッショナリズム e　思考力・判断力・表現力 f　主体性・多様性・協働性

理学療法士及び作業療法士法

> 昭和 40・6・29
> 法律 137

改正　昭 44 法律 51・昭 45 法律 19・昭 46 法律 28
　　　平 3 法律 25・平 5 法律 89・平 7 法律 91
　　　平 11 法律 87・法律 160・平 13 法律 87・
　　　法律 105・法律 153・平 19 法律 96・平 26 法律 51・
　　　令 4 法律 68

第 1 章　総則

（この法律の目的）

第 1 条　この法律は，理学療法士及び作業療法士の資格を定めるとともに，その業務が，適正に運用されるように規律し，もつて医療の普及及び向上に寄与することを目的とする．

（定義）

第 2 条　この法律で「理学療法」とは，身体に障害のある者に対し，主としてその基本的動作能力の回復を図るため，治療体操その他の運動を行なわせ，及び電気刺激，マツサージ，温熱その他の物理的手段を加えることをいう．

2　この法律で「作業療法」とは，身体又は精神に障害のある者に対し，主としてその応用的動作能力又は社会的適応能力の回復を図るため，手芸，工作その他の作業を行なわせることをいう．

3　この法律で「理学療法士」とは，厚生労働大臣の免許を受けて，理学療法士の名称を用いて，医師の指示の下に，理学療法を行なうことを業とする者をいう．（改正　平 11 法 160）

4　この法律で「作業療法士」とは，厚生労働大臣の免許を受けて，作業療法士の名称を用いて，医師の指示の下に，作業療法を行なうことを業とする者をいう．（改正　平 11 法 160）

第 2 章　免許

（免許）

第 3 条　理学療法士又は作業療法士になろうとする者は，理学療法士国家試験又は作業療法士国家試験に合格し，厚生労働大臣の免許（以下「免許」という．）を受けなければならない．（改正　平 11 法 160）

（欠格事由）

第 4 条　次の各号のいずれかに該当する者には，免許を与えないことがある．

一　罰金以上の刑に処せられた者

二　前号に該当する者を除くほか，理学療法士又は作業療法士の業務に関し犯罪又は不正の行為があった者

三　心身の障害により理学療法士又は作業療法士の業務を適正に行うことができない者として厚生労働省令で定めるもの

四　麻薬，大麻又はあへんの中毒者（改正　平 13 法 87）

（理学療法士名簿及び作業療法士名簿）

第 5 条　厚生労働省に理学療法士名簿及び作業療法士名簿を備え，免許に関する事項を登録する．（改正　平 11 法 160）

（登録及び免許証の交付）

第 6 条　免許は，理学療法士国家試験又は作業療法士国家試験に合格した者の申請により，理学療法士名簿又は作業療法士名簿に登録することによつて行なう．（改正　平 13 法 87）

2　厚生労働大臣は，免許を与えたときは，理学療法士免許証又は作業療法士免許証を交付する．（改正　平 11 法 160）

（意見の聴取）

第 6 条の 2　厚生労働大臣は，免許を申請した者について，第 4 条第 3 号に掲げる者に該当すると認め，同条の規定により免許を与えないこととするときは，あらかじめ，当該申請者にその旨を通知し，その求めがあつたときは，厚生労働大臣の指定する職員にその意見を聴取させなければならない．（追加　平 13 法 87）

（免許の取消し等）

第 7 条　理学療法士又は作業療法士が，第 4 条各号のいずれかに該当するに至つたときは，厚生労

働大臣は，その免許を取り消し，又は期間を定め
て理学療法士又は作業療法士の名称の使用の停止
を命ずることができる．（改正　平11法160）

2　都道府県知事は，理学療法士又は作業療法士に
ついて前項の処分が行なわれる必要があると認め
るときは，その旨を厚生労働大臣に具申しなけれ
ばならない．（改正　平11法160）

3　第1項の規定により免許を取り消された者であ
つても，その者がその取消しの理由となつた事項
に該当しなくなつたとき，その他その後の事情に
より再び免許を与えるのが適当であると認められ
るに至つたときは，再免許を与えることができる．
この場合においては，第6条の規定を準用する．
（改正　平13法87）

4　厚生労働大臣は，第1項又は前項に規定する処
分をしようとするときは，あらかじめ医道審議会
の意見を聴かなければならない．（改正　平11法
160）

（政令への委任）

第8条　この章に規定するもののほか，免許の申
請，理学療法士名簿及び作業療法士名簿の登録，
訂正及び消除並びに免許証の交付，書換え交付，
再交付，返納及び提出に関し必要な事項は，政令
で定める．

第3章　試験

（試験の目的）

第9条　理学療法士国家試験又は作業療法士国家
試験は，理学療法士又は作業療法士として必要な
知識及び技能について行なう．

（試験の実施）

第10条　理学療法士国家試験及び作業療法士国家
試験は，毎年少なくとも1回，厚生労働大臣が行
なう．（改正　平11法160）

（理学療法士国家試験の受験資格）

第11条　理学療法士国家試験は，次の各号のいず
れかに該当する者でなければ，受けることができ
ない．

一　学校教育法（昭和22年法律第26号）第90
条第1項の規定により大学に入学することが
できる者（この号の規定により文部科学大臣の
指定した学校が大学である場合において，当該
大学が同条第2項の規定により当該大学に入

学させた者を含む．）で，文部科学省令・厚生労
働省令で定める基準に適合するものとして，文
部科学大臣が指定した学校又は厚生労働大臣が
指定した理学療法士養成施設において，3年以
上理学療法士として必要な知識及び技能を修得
したもの

二　作業療法士その他政令で定める者で，文部科
学省令・厚生労働省令で定める基準に適合する
ものとして，文部科学大臣が指定した学校又は
厚生労働大臣が指定した理学療法士養成施設に
おいて，2年以上理学療法に関する知識及び技
能を修得したもの

三　外国の理学療法に関する学校若しくは養成施
設を卒業し，又は外国で理学療法士の免許に相
当する免許を受けた者で，厚生労働大臣が前2
号に掲げる者と同等以上の知識及び技能を有す
ると認定したもの（改正　平11法160）（改正　平
13法105）（改正　平19法96）

（作業療法士国家試験の受験資格）

第12条　作業療法士国家試験は，次の各号のいず
れかに該当する者でなければ，受けることができ
ない．

一　学校教育法第90条第1項の規定により大学
に入学することができる者（この号の規定によ
り文部科学大臣の指定した学校が大学である場
合において，当該大学が同条第2項の規定に
より当該大学に入学させた者を含む．）で，文
部科学省令・厚生労働省令で定める基準に適合
するものとして，文部科学大臣が指定した学校
又は厚生労働大臣が指定した作業療法士養成施
設において，3年以上作業療法士として必要な
知識及び技能を修得したもの

二　理学療法士その他政令で定める者で，文部科
学省令・厚生労働省令で定める基準に適合する
ものとして，文部科学大臣が指定した学校又は
厚生労働大臣が指定した作業療法士養成施設に
おいて，2年以上作業療法に関する知識及び技
能を修得したもの

三　外国の作業療法に関する学校若しくは養成施
設を卒業し，又は外国で作業療法士の免許に相
当する免許を受けた者で，厚生労働大臣が前2
号に掲げる者と同等以上の知識及び技能を有す

ると認定したもの（改正　平11法160）（改正　平13法105）（改正　平19法96）

（医道審議会への諮問）

第12条の2　厚生労働大臣は，理学療法士国家試験又は作業療法士国家試験の科目又は実施若しくは合格者の決定の方法を定めようとするときは，あらかじめ，医道審議会の意見を聴かなければならない．（追加　平11法160）

2　文部科学大臣又は厚生労働大臣は，第11条第1号若しくは第2号又は前条第1号若しくは第2号に規定する基準を定めようとするときは，あらかじめ，医道審議会の意見を聴かなければならない．（追加　平11法160）

（不正行為の禁止）

第13条　理学療法士国家試験又は作業療法士国家試験に関して不正の行為があつた場合には，その不正行為に関係のある者について，その受験を停止させ，又はその試験を無効とすることができる．この場合においては，なお，その者について，期間を定めて理学療法士国家試験又は作業療法士国家試験を受けることを許さないことができる．

（政令及び厚生労働省令への委任）

第14条　この章に規定するもののほか，第11条第1号及び第2号の学校又は理学療法士養成施設の指定並びに第12条第1号及び第2号の学校又は作業療法士養成施設の指定に関し必要な事項は政令で，理学療法士国家試験又は作業療法士国家試験の科目，受験手続，受験手数料その他試験に関し必要な事項は厚生労働省令で定める．（全改　平11法87）（改正　平11法160）

第4章　業務等

（業務）

第15条　理学療法士又は作業療法士は，保健師助産師看護師法（昭和23年法律第203号）第31条第1項及び第32条の規定にかかわらず，診療の補助として理学療法又は作業療法を行なうことを業とすることができる．（改正　平13法153）

2　理学療法士が，病院若しくは診療所において，又は医師の具体的な指示を受けて，理学療法として行なうマッサージについては，あん摩マッサージ指圧師，はり師，きゆう師等に関する法律（昭和22年法律第217号）第1条の規定は，適用し

ない．

3　前2項の規定は，第7条第1項の規定により理学療法士又は作業療法士の名称の使用の停止を命ぜられている者については，適用しない．

（秘密を守る義務）

第16条　理学療法士又は作業療法士は，正当な理由がある場合を除き，その業務上知り得た人の秘密を他に漏らしてはならない．理学療法士又は作業療法士でなくなつた後においても，同様とする．

（名称の使用制限）

第17条　理学療法士でない者は，理学療法士という名称又は機能療法士その他理学療法士にまぎらわしい名称を使用してはならない．

2　作業療法士でない者は，作業療法士という名称又は職能療法士その他作業療法士にまぎらわしい名称を使用してはならない．

（権限の委任）

第17条の2　この法律に規定する厚生労働大臣の権限は，厚生労働省令で定めるところにより，地方厚生局長に委任することができる．（追加　平11法160）

2　前項の規定により地方厚生局長に委任された権限は，厚生労働省令で定めるところにより，地方厚生支局長に委任することができる．（追加平11法160）

第5章　理学療法士作業療法士試験委員

（理学療法士作業療法士試験委員）

第18条　理学療法士国家試験及び作業療法士国家試験に関する事務をつかさどらせるため，厚生労働省に理学療法士作業療法士試験委員を置く．（改正　平11法160）

2　理学療法士作業療法士試験委員に関し必要な事項は，政令で定める．

（試験事務担当者の不正行為の禁止）

第19条　理学療法士作業療法士試験委員その他理学療法士国家試験又は作業療法士国家試験に関する事務をつかさどる者は，その事務の施行に当たつて厳正を保持し，不正の行為がないようにしなければならない．（一条削除　平13法87）

第6章　罰則

第20条　前条の規定に違反して，故意若しくは重大な過失により事前に試験問題を漏らし，又は故

意に不正の採点をした者は，1年以下の拘禁刑又は50万円以下の罰金に処する．（全改　平13法87）

第21条　第16条の規定に違反した者は，50万円以下の罰金に処する．（全改　平13法87）

2　前項の罪は，告訴がなければ公訴を提起することができない．（全改　平13法87）

第22条　次の各号のいずれかに該当する者は，30万円以下の罰金に処する．

一　第7条第1項の規定により理学療法士又は作業療法士の名称の使用の停止を命ぜられた者で，当該停止を命ぜられた期間中に，理学療法士又は作業療法士の名称を使用したもの（全改　平13法87）

二　第17条の規定に違反した者

　　　附　則（抄）

（施行期日）

1　この法律は，公布の日〔昭40・6・29〕から起算して60日を経過した日から施行する．ただし，第5章の規定は公布の日から，第10条の規定は昭和41年1月1日から施行する．

（免許の特例）

2　厚生労働大臣は，外国で理学療法士の免許に相当する免許を受けた者又は作業療法士の免許に相当する免許を受けた者であつて，理学療法士又は作業療法士として必要な知識及び技能を有すると認定したものに対しては，第3条の規定にかかわらず，当分の間，理学療法士又は作業療法士の免許を与えることができる．この場合における第6条第1項の規定の適用については，同項中「理学療法士国家試験又は作業療法士国家試験に合格した者の申請により」とあるのは，「外国で理学療法士の免許に相当する免許を受けた者又は作業療法士の免許に相当する免許を受けた者であつて，理学療法士又は作業療法士として必要な知識及び技能を有すると厚生労働大臣が認定したものの申請により」とする．

（受験資格の特例）

3　この法律施行の際現に理学療法士又は作業療法士として必要な知識及び技能を修得させる学校又は施設であつて，文部大臣又は厚生大臣が指定したものにおいて，理学療法士又は作業療法士とし

て必要な知識及び技能を修業中であり，この法律の施行後その学校又は施設を卒業した者は，第11条又は第12条の規定にかかわらず，それぞれ理学療法士国家試験又は作業療法士国家試験を受けることができる．

4　この法律の施行の際現に病院，診療所その他省令で定める施設において，医師の指示の下に，理学療法又は作業療法を業として行なつている者であつて，次の各号に該当するに至つたものは，昭和49年3月31日までは，第11条又は第12条の規定にかかわらず，それぞれ理学療法士国家試験又は作業療法士国家試験を受けることができる．

一　学校教育法第90条第1項の規定により大学に入学することができる者又は政令で定める者

二　厚生大臣が指定した講習会の課程を修了した者

三　病院，診療所その他省令で定める施設において，医師の指示の下に，理学療法又は作業療法を5年以上業として行なつた者

5　前項に規定する者については，第14条の規定に基づく理学療法士国家試験又は作業療法士国家試験に関する省令において，科目その他の事項に関し必要な特例を設けることができる．

6　旧中等学校令（昭和18年勅令第36号）による中等学校を卒業した者又は厚生労働省令の定めるところによりこれと同等以上の学力があると認められる者は，第11条第1号及び第12条第1号の規定の適用については，学校教育法第90条第1項の規定により大学に入学することができる者とみなす．

理学療法士及び作業療法士法施行令

$$\begin{bmatrix} 昭和 40・10・1 \\ 政令 327 \end{bmatrix}$$

改正　昭 44 政令 269・昭 45 政令 218・平 11 政令 393
　　　平 12 政令 309・平 27 政令 128・令 4 政令 39

　内閣は，理学療法士及び作業療法士法（昭和 40 年法律第 137 号）第 8 条及び附則第 4 項第 1 号の規定に基づき，この政令を制定する．

（免許の申請）

第 1 条　理学療法士又は作業療法士の免許を受けようとする者は，申請書に厚生労働省令で定める書類を添え，住所地の都道府県知事を経由して，これを厚生労働大臣に提出しなければならない．

（名簿の登録事項）

第 2 条　理学療法士名簿又は作業療法士名簿には，次に掲げる事項を登録する．

　一　登録番号及び登録年月日

　二　本籍地都道府県名（日本の国籍を有しない者については，その国籍），氏名，生年月日及び性別

　三　理学療法士国家試験又は作業療法士国家試験合格の年月（理学療法士及び作業療法士法（以下「法」という．）附則第 2 項の規定により理学療法士又は作業療法士の免許を受けた者については，外国で理学療法士の免許に相当する免許又は作業療法士の免許に相当する免許を受けた年月）

　四　免許の取消し又は名称の使用の停止の処分に関する事項

　五　前各号に掲げるもののほか，厚生労働大臣の定める事項

（名簿の訂正）

第 3 条　理学療法士又は作業療法士は，前条第 2 号の登録事項に変更を生じたときは，30 日以内に，理学療法士名簿又は作業療法士名簿の訂正を申請しなければならない．

2　前項の申請をするには，申請書に申請の原因たる事実を証する書類を添え，住所地の都道府県知事を経由して，これを厚生労働大臣に提出しなければならない．

（登録の消除）

第 4 条　理学療法士名簿又は作業療法士名簿の登録の消除を申請するには，住所地の都道府県知事を経由して，申請書を厚生労働大臣に提出しなければならない．

2　理学療法士又は作業療法士が死亡し，又は失踪の宣告を受けたときは，戸籍法（昭和 22 年法律第 224 号）による死亡又は失踪の届出義務者は，30 日以内に，理学療法士名簿又は作業療法士名簿の登録の消除を申請しなければならない．

（免許証の書換え交付）

第 5 条　理学療法士又は作業療法士は，理学療法士免許証又は作業療法士免許証（以下「免許証」という．）の記載事項に変更を生じたときは，免許証の書換え交付を申請することができる．

2　前項の申請をするには，申請書に免許証を添え，住所地の都道府県知事を経由して，これを厚生労働大臣に提出しなければならない．

（免許証の再交付）

第 6 条　理学療法士又は作業療法士は，免許証を破り，よごし，又は失つたときは，免許証の再交付を申請することができる．

2　前項の申請をするには，住所地の都道府県知事を経由して，申請書を厚生労働大臣に提出しなければならない．

3　第 1 項の申請をする場合には，厚生労働大臣の定める額の手数料を納めなければならない．

4　免許証を破り，又はよごした理学療法士又は作業療法士が第 1 項の申請をする場合には，申請書にその免許証を添えなければならない．

5　理学療法士又は作業療法士は，免許証の再交付を受けた後，失つた免許証を発見したときは，5 日以内に，住所地の都道府県知事を経由して，これを厚生労働大臣に返納しなければならない．

（免許証の返納）

第 7 条　理学療法士又は作業療法士は，理学療法士名簿又は作業療法士名簿の登録の消除を申請するときは，住所地の都道府県知事を経由して，免許証を厚生労働大臣に返納しなければならない．第 4 条第 2 項の規定により理学療法士名簿又は作業療法士名簿の登録の消除を申請する者についても，同様とする．

2 理学療法士又は作業療法士は，免許を取り消されたときは，5日以内に，住所地の都道府県知事を経由して，免許証を厚生労働大臣に返納しなければならない．

（省令への委任）

第8条 前各条に定めるもののほか，申請書及び免許証の様式その他理学療法士又は作業療法士の免許に関して必要な事項は，厚生労働省令で定める．

（学校又は養成施設の指定）

第9条 主務大臣は，法第11条第1号若しくは第2号若しくは第12条第1号若しくは第2号に規定する学校又は法第11条第1号若しくは第2号に規定する理学療法士養成施設若しくは法第12条第1号若しくは第2号に規定する作業療法士養成施設（以下「学校養成施設」という．）の指定を行う場合には，入学又は入所の資格，修業年限，教育の内容その他の事項に関し主務省令で定める基準に従い，行うものとする．

2 都道府県知事は，前項の規定により理学療法士養成施設又は作業療法士養成施設の指定をしたときは，遅滞なく，当該養成施設の名称及び位置，指定をした年月日その他の主務省令で定める事項を厚生労働大臣に報告するものとする．

（指定の申請）

第10条 前条第1項の学校養成施設の指定を受けようとするときは，その設置者は，申請書を，行政庁に提出しなければならない．

（変更の承認又は届出）

第11条 第9条第1項の指定を受けた学校養成施設（以下「指定学校養成施設」という．）の設置者は，主務省令で定める事項を変更しようとするときは，行政庁に申請し，その承認を受けなければならない．

2 指定学校養成施設の設置者は，主務省令で定める事項に変更があつたときは，その日から1月以内に，行政庁に届け出なければならない．

3 都道府県知事は，第1項の規定により，第9条第1項の指定を受けた理学療法士養成施設又は作業療法士養成施設（以下この項及び第14条第2項において「指定養成施設」という．）の変更の承認をしたとき，又は前項の規定により指定養成施設の変更の届出を受理したときは，主務省令で定めるところにより，当該変更の承認又は届出に係る事項を厚生労働大臣に報告するものとする．

（報告）

第12条 指定学校養成施設の設置者は，毎学年度開始後2月以内に，主務省令で定める事項を，行政庁に報告しなければならない．

2 都道府県知事は，前項の規定により報告を受けたときは，毎学年度開始後4月以内に，当該報告に係る事項（主務省令で定めるものを除く．）を厚生労働大臣に報告するものとする．

（報告の徴収及び指示）

第13条 行政庁は，指定学校養成施設につき必要があると認めるときは，その設置者又は長に対して報告を求めることができる．

2 行政庁は，第9条第1項に規定する主務省令で定める基準に照らして，指定学校養成施設の教育の内容，教育の方法，施設，設備その他の内容が適当でないと認めるときは，その設置者又は長に対して必要な指示をすることができる．

（指定の取消し）

第14条 行政庁は，指定学校養成施設が第9条第1項に規定する主務省令で定める基準に適合しなくなつたと認めるとき，若しくはその設置者若しくは長が前条第2項の規定による指示に従わないとき，又は次条の規定による申請があつたときは，その指定を取り消すことができる．

2 都道府県知事は，前項の規定により指定養成施設の指定を取り消したときは，遅滞なく，当該指定養成施設の名称及び位置，指定を取り消した年月日その他の主務省令で定める事項を厚生労働大臣に報告するものとする．

（指定取消しの申請）

第15条 指定学校養成施設について，行政庁の指定の取消しを受けようとするときは，その設置者は，申請書を，行政庁に提出しなければならない．

（国の設置する学校養成施設の特例）

第16条 国の設置する学校養成施設に係る第9条から前条までの規定の適用については，次の表の上欄に掲げる規定中同表の中欄に掲げる字句は，それぞれ同表の下欄に掲げる字句と読み替えるものとする．

（読替表省略）

（主務省令への委任）

第 17 条　第 9 条から前条までに定めるもののほか，申請書の記載事項その他学校養成施設の指定に関して必要な事項は，主務省令で定める.

（行政庁等）

第 18 条　この政令における行政庁は，法第 11 条第 1 号若しくは第 2 号又は第 12 条第 1 号若しくは第 2 号の規定による学校の指定に関する事項については文部科学大臣とし，法第 11 条第 1 号若しくは第 2 号の規定による理学療法士養成施設又は法第 12 条第 1 号若しくは第 2 号の規定による作業療法士養成施設の指定に関する事項については都道府県知事とする.

2　この政令における主務省令は，文部科学省令・厚生労働省令とする.

（理学療法士作業療法士試験委員）

第 19 条　理学療法士作業療法士試験委員（以下「委員」という.）は，理学療法士国家試験又は作業療法士国家試験を行なうについて必要な学識経験のある者のうちから，厚生労働大臣が任命する.

2　委員の数は，37 人以内とする.

3　委員の任期は，2 年とする. ただし，補欠の委員の任期は，前任者の残任期間とする.

4　委員は，非常勤とする.

（事務の区分）

第 20 条　第 1 条，第 3 条第 2 項，第 4 条第 1 項，第 5 条第 2 項，第 6 条第 2 項及び第 5 項並びに第 7 条の規定により都道府県が処理することとされている事務は，地方自治法（昭和 22 年法律第 67 号）第 2 条第 9 項第 1 号に規定する第 1 号法定受託事務とする.

（権限の委任）

第 21 条　この政令に規定する厚生労働大臣の権限は，厚生労働省令で定めるところにより，地方厚生局長に委任することができる.

2　前項の規定により地方厚生局長に委任された権限は，厚生労働省令で定めるところにより，地方厚生支局長に委任することができる.

（以下，附則省略）

理学療法士及び作業療法士法施行規則

┌ 昭和 40・10・20 ┐
└ 厚令 47 ┘

改正　昭 42 厚令 24・昭 49 厚令 37・昭 50 厚令 40・昭 51 厚令 10・昭 53 厚令 11・昭 56 厚令 22・昭 59 厚令 25・昭 62 厚令 14・平元厚令 10・厚令 14・平 3 厚令 10・厚令 15・平 4 厚令 50・平 6 厚令 6・厚令 19・平 9 厚令 25・平 11 厚令 2・平 12 厚令 55・厚令 127・平 13 厚労令 157・平 16 厚労令 47・平 25 厚労令 2・平 30 厚労令 131・平 30 厚労令 139・令 1 厚労令 1・令 1 厚労令 20・令 2 厚労令 208・令 4 厚労令 107

理学療法士及び作業療法士法（昭和 40 年法律第 137 号）第 14 条及び附則第 4 項から第 6 項まで並びに理学療法士及び作業療法士法施行令（昭和 40 年政令第 327 号）第 1 条，第 2 条第 5 号，第 6 条第 3 項及び第 8 条の規定に基づき，理学療法士及び作業療法士法施行規則を次のように定める.

第 1 章　免許

（法第 4 条第 3 号の厚生労働省令で定める者）

第 1 条　理学療法士及び作業療法士法（昭和 40 年法律第 137 号. 以下「法」という.）第 4 条第 3 号の厚生労働省令で定める者は，精神の機能の障害により理学療法士及び作業療法士の業務を適正に行うに当たって必要な認知，判断及び意思疎通を適切に行うことができない者とする.

（治療等の考慮）

第 1 条の 2　厚生労働大臣は，理学療法士又は作業療法士の免許の申請を行った者が前条に規定する者に該当すると認める場合において，当該者に免許を与えるかどうかを決定するときは，当該者が現に受けている治療等により障害の程度が軽減している状況を考慮しなければならない.

（免許の申請手続）

第 1 条の 3　理学療法士及び作業療法士法施行令（昭和 40 年政令第 327 号. 以下「令」という.）第 1 条の理学療法士又は作業療法士の免許の申請書は，様式第一号によるものとする.

2　令第 1 条の規定により，前項の申請書に添えなければならない書類は，次のとおりとする.

一　戸籍の謄本若しくは抄本又は住民票の写し（住民基本台帳法（昭和42年法律第81号）第7条5号に掲げる事項（出入国管理及び難民認定法（昭和26年政令第319号）第19条の3に規定する中長期在留者（以下「中長期在留者」という.）及び日本国との平和条約に基づき日本の国籍を離脱した者等の出入国管理に関する特例法（平成3年法律第71号）に定める特別永住者（以下「特別永住者」という.）にあつては住民基本台帳法第30条の45に規定する国籍等）を記載したものに限る. 第6条第2項において同じ.）（出入国管理及び難民認定法第19条の3各号に掲げる者にあつては旅券その他の身分を証する書類の写し. 第6条第2項において同じ.）

二　精神の機能の障害又は麻薬, 大麻若しくはあへんの中毒者であるかないかに関する医師の診断書

三　法附則第2項の規定により理学療法士又は作業療法士の免許を受けようとする者であるときは, 外国で理学療法士の免許に相当する免許又は作業療法士の免許に相当する免許を受けた者であることを証する書類

（名簿の登録事項）

第2条　令第2条第5号の規定により, 同条第1号から第4号までに掲げる事項以外で理学療法士名簿又は作業療法士名簿に登録する事項は, 次のとおりとする.

一　再免許の場合には, その旨

二　免許証を書換え交付し又は再交付した場合には, その旨並びにその理由及び年月日

三　登録の消除をした場合には, その旨並びにその理由及び年月日

（名簿の訂正の申請手続）

第3条　令第3条第2項の理学療法士名簿又は作業療法士名簿の訂正の申請書は, 様式第二号によるものとする.

2　前項の申請書には, 戸籍の謄本又は抄本（中長期在留者及び特別永住者にあつては住民票の写し（住民基本台帳法第30条の45に規定する国籍等を記載したものに限る. 第5条第2項において同じ.）及び令第3条第1項の申請の事由を証す

る書類とし, 出入国管理及び難民認定法第19条の3各号に掲げる者にあつては旅券その他の身分を証する書類の写し及び同項の申請の事由を証する書類とする.）を添えなければならない.

（免許証の様式）

第4条　法第6条第2項の理学療法士免許証又は作業療法士免許証は, 様式第三号によるものとする.

（免許証の書換え交付申請）

第5条　令第5条第2項の免許証の書換え交付の申請書は, 様式第二号によるものとする.

2　前項の申請書には, 戸籍の謄本又は抄本（中長期在留者及び特別永住者にあつては住民票の写し及び令第5条第1項の申請の事由を証する書類とし, 出入国管理及び難民認定法第19条の3各号に掲げる者にあつては旅券その他の身分を証する書類の写し及び同項の申請の事由を証する書類とする.）を添えなければならない.

（免許証の再交付申請）

第6条　令第6条第2項の免許証の再交付の申請書は, 様式第四号によるものとする.

2　前項の申請書には, 戸籍の謄本若しくは抄本又は住民票の写しを添えなければならない.

3　令第6条第3項の手数料の額は, 三千百円とする.

（登録免許税及び手数料の納付）

第7条　第1条の3第1項又は第3条第1項の申請書には, 登録免許税の領収証書又は登録免許税の額に相当する収入印紙をはらなければならない.

2　前条第1項の申請書には, 手数料の額に相当する収入印紙をはらなければならない.

第2章　試験

（試験科目）

第8条　理学療法士国家試験の科目は, 次のとおりとする.

一　解剖学

二　生理学

三　運動学

四　病理学概論

五　臨床心理学

六　リハビリテーション医学（リハビリテーション概論を含む.）

七　臨床医学大要（人間発達学を含む.）

八　理学療法

様式第一号～様式第五号　本文第4章参照

株式第六号（附則第5項関係）

理学療法士（作業療法士）国家試験科目免除申請書

受験地

免除を希望する試験科目名

　上記により，理学療法士（作業療法士）国家試験の受験に際し，試験科目の免除を受けたいので申請します．

　　　　令和　　年　　月　　日

　　　　　　　　　　　　　　　本　籍（国籍）

　　　　　　　　　　　　　　　住　所　　　　　　　　電話（　　）

　　　　　　　　　　　　　　　ふりがな

　　　　　　　　　　　　　　　氏　名

　　　　　　　　　　　　　　　　　　　　　年　　月　　日生

厚生労働大臣　殿

（注意）　　1　用紙の大きさは，A4とすること．

　　　　　　2　字は，インク，ボールペン等（黒又は青に限る．）を用い，かい書ではつきりと書くこと．

2　作業療法士国家試験の科目は，次のとおりとする．

　一　解剖学

　二　生理学

　三　運動学

　四　病理学概論

　五　臨床心理学

　六　リハビリテーション医学（リハビリテーション概論を含む．）

　七　臨床医学大要（人間発達学を含む．）

　八　作業療法

（試験施行期日等の公告）

第9条　理学療法士国家試験又は作業療法士国家試験（以下「試験」という．）を施行する期日及び場所並びに受験願書の提出期限は，あらかじめ，官報で公告する．

（受験の申請）

第10条　試験を受けようとする者は，様式第五号による受験願書を厚生労働大臣に提出しなければならない．

2　前項の受験願書には，次に掲げる書類を添えなければならない．

　一　法第11条第1号若しくは第2号又は法第12条第1号若しくは第2号に該当する者であるときは，修業証明書又は卒業証明書

　二　法第11条第3号又は法第12条第3号に該当する者であるときは，外国の理学療法若しくは作業療法に関する学校若しくは養成施設を卒業し，又は外国で理学療法士の免許に相当する免許若しくは作業療法士の免許に相当する免許を受けた者であることを証する書面

　三　写真（出願前6箇月以内に脱帽して正面から撮影した縦6センチメートル横4センチメートルのもので，その裏面には撮影年月日及び氏名を記載すること．）

3　受験を出願する者は，手数料として一万百円を納めなければならない．

（合格証書の交付）

第11条　試験に合格した者には，合格証書を交付する．

（合格証明書の交付及び手数料）

第12条 試験に合格した者は，合格証明書の交付を申請することができる．

2 前項の規定によつて試験の合格証明書の交付を申請する者は，手数料として二千九百五十円を納めなければならない．

（手数料の納入方法）

第13条 第10条第1項又は前条第1項の規定による出願又は申請をする者は，手数料の額に相当する収入印紙を受験願書又は申請書にはらなければならない．

（以下，附則省略）

理学療法士作業療法士学校養成施設指定規則

```
┌ 昭和41・3・30 ┐
└ 文・厚令3      ┘
```

改正 昭47文厚令1・昭51文厚令1・昭53文厚令1・昭57文厚令1・昭61文厚令1・平元文厚令2・平6文厚令1・平11文厚令2・平12文厚令2・文厚令5・平13文科令80・平14文科厚労令1・平16文科厚労令4・平18文科厚労令1・平19文科厚労令2・平22文科厚労令2・平成27文科厚労令2・平30文科厚労令4・令4文科厚労令3

理学療法士及び作業療法士法（昭和40年法律第137号）第14条及び附則第6項の規定に基づき，理学療法士作業療法士学校養成施設指定規則を次のように定める．

（この省令の趣旨）

第1条 理学療法士及び作業療法士法（昭和40年法律第137号．以下「法」という．）第11条第1号若しくは第2号若しくは法第12条第1号若しくは第2号の規定に基づく学校又は理学療法士養成施設若しくは作業療法士養成施設（以下「養成施設」という．）の指定に関しては，理学療法士及び作業療法士法施行令（昭和40年政令第327号．以下「令」という．）に定めるもののほか，この省令の定めるところによる．

2 前項の学校とは，学校教育法（昭和22年法律第26号）第1条に規定する学校及びこれに附設される同法第124条に規定する専修学校又は同法第134条第1項に規定する各種学校をいう．

（理学療法士に係る学校又は養成施設の指定基準）

第2条 法第11条第1号の学校又は養成施設に係る令第9条第1項の主務省令で定める基準は，次のとおりとする．

一 学校教育法第90条第1項に規定する者（法第11条第1号に規定する文部科学大臣の指定を受けようとする学校が大学である場合において，当該大学が学校教育法第90条第2項の規定により当該大学に入学させた者を含む．），旧中等学校令（昭和18年勅令第36号）による中等学校を卒業した者又は附則第3項各号の

いずれかに該当する者であることを入学又は入所の資格とするものであること.

二　修業年限は，3年以上であること.

三　教育の内容は，別表第1に定めるもの以上であること.

四　別表第1に掲げる教育内容を教授するのに適当な数の教員を有し，かつ，そのうち6人（1学年に2学級以上を有する学校又は養成施設にあつては，1学級増すごとに3を加えた数）以上は理学療法士である専任教員であること.ただし，理学療法士である専任教員の数は，当該学校又は養成施設が設置された年度にあつては4人（1学年に2学級以上を有する学校又は養成施設にあつては，1学級増すごとに1を加えた数），その翌年度にあつては5人（1学年に2学級以上を有する学校又は養成施設にあつては，1学級増すごとに2を加えた数）とすることができる.

五　理学療法士である専任教員は，次に掲げる者のいずれかであること.ただし，当該専任教員が免許を受けた後5年以上理学療法に関する業務に従事した者であって，学校教育法に基づく大学（短期大学を除く.次条第1項第4号において「大学」という.）において教育学に関する科目を4単位以上修め，当該大学卒業したもの又は免許を受けた後3年以上理学療法に関する業務に従事した者であって，学校教育法に基づく大学院において教育学に関する科目を4単位以上修め，当該大学院の課程を修了したものである場合は，この限りではない.

　　イ　免許を受けた後5年以上理学療法に関する業務に従事した者であって，厚生労働大臣の指定する講習会を修了したもの

　　ロ　イに掲げる者と同等以上の知識及び技能を有する者

六　一学級の定員は，40人以下であること.

七　同時に授業を行う学級の数を下らない数の普通教室を有すること.

八　適当な広さの実習室を有すること.

九　教育上必要な機械器具，標本，模型，図書及びその他の設備を有すること.

十　臨床実習を行うのに適当な病院，診療所その他の施設を実習施設として利用し得ること.

十一　実習施設における臨床実習について適当な実習指導者の指導が行われること.

十二　管理及び維持経営の方法が確実であること.

2　法第11条第2号の学校又は養成施設に係る令第9条第1項の主務省令で定める基準は，次のとおりとする.

一　作業療法士その他法第11条第2号の政令で定める者であることを入学又は入所の資格とするものであること.

二　修業年限は，2年以上であること.

三　教育の内容は，別表第1の二に定めるもの以上であること.

四　別表第1の二に掲げる教育内容を教授するのに適当な数の教員を有し，かつ，そのうち5人（1学年に2学級以上を有する学校又は養成施設にあつては，1学級増すごとに2を加えた数）以上は理学療法士である専任教員であること.ただし，理学療法士である専任教員の数は，当該学校又は養成施設が設置された年度にあつては4人（1学年に2学級以上を有する学校又は養成施設にあつては，1学級増すごとに1を加えた数）とすることができる.

五　前項第5号から第12号までに該当するものであること.

（作業療法士に係る学校又は養成施設の指定基準）

第3条　法第12条第1号の学校又は養成施設に係る令第9条第1項の主務省令で定める基準は，次のとおりとする.

一　前条第1項第1号，第2号及び第6号から第12号までに該当するものであること.

二　教育の内容は，別表第2に定めるもの以上であること.

三　別表第2に掲げる教育内容を教授するのに適当な数の教員を有し，かつ，そのうち6人（1学年に2学級以上を有する学校又は養成施設にあつては，1学級増すごとに3を加えた数）以上は作業療法士である専任教員であること.ただし，作業療法士である専任教員の数は，当該学校又は養成施設が設置された年度にあつては4人（1学年に2学級以上を有する学校又は養成施設にあつては，1学級増すごとに1を加

えた数），その翌年度にあつては5人（1学年に2学級以上を有する学校又は養成施設にあつては，1学級増すごとに2を加えた数）とすることができる．

四　作業療法士である専任教員は，次に掲げる者のいずれかであること．ただし，当該専任教員が免許を受けた後5年以上作業療法に関する業務に従事した者であって，学校教育法に基づく大学（短期大学を除く．次条第1項第4号において「大学」という．）において教育学に関する科目を4単位以上修め，当該大学を卒業したもの又は免許を受けた後3年以上作業療法に関する業務に従事した者であって，学校教育法に基づく大学院において教育学に関する科目を4単位以上修め，当該大学院の課程を修了したものである場合は，この限りではない．

イ　免許を受けた後5年以上作業療法に関する業務に従事した者であって，厚生労働大臣の指定する講習会を修了したもの

ロ　イに掲げる者と同等以上の知識及び技能を有する者

2　法第12条第2号の学校又は養成施設に係る令第9条第1項の主務省令で定める基準は，次のとおりとする．

一　理学療法士その他法第12条第2号の政令で定める者であることを入学又は入所の資格とするものであること．

二　教育の内容は，別表第2の二に定めるもの以上であること．

三　別表第2の二に掲げる教育内容を教授するのに適当な数の教員を有し，かつ，そのうち5人（1学年に2学級以上を有する学校又は養成施設にあつては，1学級増すごとに2を加えた数）以上は作業療法士である専任教員であること．ただし，作業療法士である専任教員の数は，当該学校又は養成施設が設置された年度にあつては4人（1学年に2学級以上を有する学校又は養成施設にあつては，1学級増すごとに1を加えた数）とすることができる．

四　前条第1項第6号から第12号まで及び第2項第2号並びに前項第4号に該当するものであること．

（指定に関する報告事項）

第3条の2　令第9条第2項の主務省令で定める事項は，次に掲げる事項（国の設置する養成施設にあつては，第1号に掲げる事項を除く．）とする．

一　設置者の住所及び氏名（法人にあつては，主たる事務所の所在地及び名称）

二　名称

三　位置

四　指定をした年月日及び設置年月日（設置されていない場合にあつては，設置予定年月日）

五　学則（課程，修業年限及び入所定員に関する事項に限る．）

六　長の氏名

（指定の申請書の記載事項等）

第4条　令第10条の申請書には，次に掲げる事項（地方公共団体（地方独立行政法人法（平成15年法律118号）第68条第1項に規定する公立大学法人を含む．）の設置する学校又は養成施設にあつては，第12号に掲げる事項を除く．）を記載しなければならない．

一　設置者の住所及び氏名（法人にあつては，主たる事務所の所在地及び名称）

二　名称

三　位置

四　設置年月日

五　学則

六　長の氏名及び履歴

七　教員の氏名，履歴及び担当科目並びに専任又は兼任の別

八　校舎の各室の用途及び面積並びに建物の配置図及び平面図

九　教授用及び実習用の機械器具，標本，模型及び図書の目録

十　実習施設の名称，位置及び開設者の氏名（法人にあつては，名称），当該施設における実習用設備の概要並びに実習指導者の氏名及び履歴

十一　実習施設における最近1年間の理学療法又は作業療法を受けた患者延数（施設別に記載すること．）

十二　収支予算及び向こう2年間の財政計画

2　令第16条の規定により読み替えて適用する令第10条の書面には，前項第2号から第11号まで

に掲げる事項を記載しなければならない.

3　第1項の申請書又は前項の書面には,実習施設における実習を承諾する旨の当該施設の開設者の承諾書を添えなければならない.

(変更の承認又は届出を要する事項)

第5条　令第11条第1項（令第16条の規定により読み替えて適用する場合を含む.）の主務省令で定める事項は,前条第1項第5号に掲げる事項（修業年限,教育課程及び入学定員又は入所定員に関する事項に限る.）若しくは同項第8号に掲げる事項又は実習施設とする.

2　令第11条第2項の主務省令で定める事項は,前条第1項第1号から第3号までに掲げる事項,同項第5号に掲げる事項（修業年限,教育課程及び入学定員又は入所定員に関する事項を除く.次項において同じ.）,同条第1項第7号に掲げる事項又は同項第10号に掲げる事項（実習指導者に関する事項に限る.事項において同じ.）とする.

3　令第16条の規定により読み替えて適用する令第11条第2項の主務省令で定める事項は,前条第1項第2号若しくは第3号に掲げる事項,同項第5号に掲げる事項,同項第7号に掲げる事項又は同項第10号に掲げる事項とする.

(変更の承認又は届出に関する報告)

第5条の2　令第11条第3項（令第16条の規定により読み替えて適用する場合を含む.）の規定による報告は,毎年5月31日までに,次に掲げる事項について,それぞれ当該各号に掲げる期間に係るものを取りまとめて,厚生労働大臣に報告するものとする.

　一　変更の承認に係る事項（第4条第1項第8号に掲げる事項及び実習施設を除く.）　当該年の前年の4月1日から当該年の3月31日までの期間

　二　変更の届出又は通知に係る事項　当該年の前年の5月1日から当該年の4月30日までの期間

(報告を要する事項)

第6条　令第12条第1項（令第16条の規定により読み替えて適用する場合を含む.）の主務省令で定める事項は,次のとおりとする.

　一　当該学年度の学年別学生数

　二　前学年度における教育実施状況の概要

　三　前学年度の卒業者数

2　令第12条第2項（令第16条の規定により読み替えて適用する場合を含む.）の主務省令で定める事項は,前項第2号に掲げる事項とする.

(指定取消しの申請書等の記載事項)

第7条　令第15条の申請書又は令第16条の規定により読み替えて適用する令第15条の書面には,次に掲げる事項を記載しなければならない.

　一　指定の取消しを受けようとする理由

　二　指定の取消しを受けようとする予定期日

　三　在学中の学生があるときは,その措置

(以下,附則省略)

別表第 1（第 2 条関係）

教育内容		単位数	備　考
基礎分野	科学的思考の基盤	14	
	人間と生活		
	社会の理解		
専門基礎分野	人体の構造と機能及び心身の発達	12	
	疾病と障害の成り立ち及び回復過程の促進	14	栄養，薬理，医用画像，救急救命及び予防の基礎を含む．
	保健医療福祉とリハビリテーションの理念	4	自立支援，就労支援，地域包括ケアシステム及び多職種連携の理解を含む．
専門分野	基礎理学療法学	6	
	理学療法管理学	2	職場管理，理学療法教育及び職業倫理を含む．
	理学療法評価学	6	医用画像の評価を含む．
	理学療法治療学	20	喀痰等の吸引を含む．
	地域理学療法学	3	
	臨床実習	20	臨床実習前の評価及び臨床実習後の評価を含む． 実習時間の 3 分の 2 以上は医療提供施設（医療法（昭和 23 年法律第 205 号）第 1 条の 2 第 2 項に規定する医療提供施設（薬局及び助産所を除く．）をいう．以下同じ．）において行うこと．また，医療提供施設において行う実習時間のうち 2 分の 1 以上は病院又は診療所において行うこと． 通所リハビリテーション又は訪問リハビリテーションに関する実習を 1 単位以上行うこと．
	合　計	101	

備考　一　単位の計算方法は，大学設置基準（昭和 31 年文部省令第 28 号）第 21 条第 2 項の規定の例による．この場合において，実験，実習又は実技による授業に係る単位の計算方法については，同項中「第 25 条第 1 項に規定する」とあるのは「実験，実習又は実技の」と，「おおむね 15 時間」とあるのは「30 時間」と読み替えるものとする．

　　　二　学校教育法に基づく大学若しくは高等専門学校，旧大学令（大正 7 年勅令第 388 号）に基づく大学又は法第 12 条第 1 号若しくは第 2 号の規定により指定されている学校若しくは作業療法士養成施設若しくは保健師助産師看護師法（昭和 23 年法律第 203 号）第 21 条第 1 号若しくは第 2 号の規定により指定されている学校若しくは看護師養成所，診療放射線技師法（昭和 26 年法律第 226 号）第 20 条第 1 号の規定により指定されている学校若しくは診療放射線技師養成所，臨床検査技師等に関する法律（昭和 33 年法律第 76 号）第 15 条第 1 号の規定により指定されている学校若しくは臨床検査技師養成所，視能訓練士法（昭和 46 年法律第 64 号）第 14 条第 1 号若しくは第 2 号の規定により指定されている学校若しくは視能訓練士養成所，臨床工学技士法（昭和 62 年法律第 60 号）第 14 条第 1 号，第 2 号若しくは第 3 号の規定により指定されている学校若しくは臨床工学技士養成所，義肢装具士法（昭和 62 年法律第 61 号）第 14 条第 1 号，第 2 号若しくは第 3 号の規定により指定されている学校若しくは義肢装具士養成所，救急救命士法（平成 3 年法律第 36 号）第 34 条第 1 号，第 2 号若しくは第 4 号の規定により指定されている学校若しくは救急救命士養成所若しくは言語聴覚士法（平成 9 年法律第 132 号）第 33 条第 1 号，第 2 号，第 3 号若しくは第 5 号の規定により指定されている学校若しくは言語聴覚士養成所（以下「看護師等の養成施設」という．）において既に履修した科目については，免除することができる．

　　　三　複数の教育内容を併せて教授することが教育上適切と認められる場合において，臨床実習 20 単位以上及び臨床実習以外の教育内容 81 単位以上（うち基礎分野 14 単位以上，専門基礎分野 30 単位以上及び専門分野 37 単位以上）であるときは，この表の教育内容ごとの単位数によらないことができる．

別表第 1 の 2 （第 2 条関係）

	教育内容	単位数	備　考
専門分野	基礎理学療法学	6	
	理学療法管理学	2	職場管理，理学療法教育及び職業倫理を含む．
	理学療法評価学	6	医用画像の評価を含む．
	理学療法治療学	20	喀痰等の吸引を含む．
	地域理学療法学	3	
	臨床実習	20	臨床実習前の評価及び臨床実習後の評価を含む． 実習時間の 3 分の 2 以上は医療提供施設において行うこと．また，医療提供施設において行う実習時間のうち 2 分の 1 以上は病院又は診療所において行うこと．通所リハビリテーション又は訪問リハビリテーションに関する実習を 1 単位以上行うこと．
選択必修分野		9	専門分野を中心として講義又は実習を行うこと．
	合　計	62	

備考　一　単位の計算方法は，大学設置基準第 21 条第 2 項の規定の例による．この場合において，実験，実習又は実技による授業に係る単位の計算方法については，同項中「第 25 条第 1 項に規定する」とあるのは「実験，実習又は実技の」と，「おおむね 15 時間」とあるのは「30 時間」と読み替えるものとする．

　　　二　学校教育法に基づく大学若しくは高等専門学校，旧大学令に基づく大学又は法第 12 条第 1 号若しくは第 2 号の規定により指定されている学校若しくは作業療法士養成施設若しくは看護師等の養成施設において既に履修した科目については，免除することができる．

　　　三　複数の教育内容を併せて教授することが教育上適切と認められる場合において，臨床実習 20 単位以上及び臨床実習以外の教育内容 46 単位以上（うち専門分野 37 単位以上及び選択必修分野 9 単位以上）であるときは，この表の教育内容ごとの単位数によらないことができる．

別表第2（第3条関係）

	教育内容	単位数	備　考
基礎分野	科学的思考の基盤	14	
	人間と生活		
	社会の理解		
専門基礎分野	人体の構造と機能及び心身の発達	12	
	疾病と障害の成り立ち及び回復過程の促進	14	栄養，薬理，医用画像，救急救命及び予防の基礎を含む．
	保健医療福祉とリハビリテーションの理念	4	自立支援，就労支援，地域包括ケアシステム及び多職種連携の理解を含む．
専門分野	基礎作業療法学	5	
	作業療法管理学	2	職場管理，理学療法教育及び職業倫理を含む．
	作業療法評価学	5	医用画像の評価を含む．
	作業療法治療学	19	喀痰等の吸引を含む．
	地域作業療法学	4	
	臨床実習	22	臨床実習前の評価及び臨床実習後の評価を含む． 実習時間の3分の2以上は医療提供施設（医療法（昭和23年法律第205号）第1条の2第2項に規定する医療提供施設（薬局及び助産所を除く．）をいう．以下同じ．）において行うこと．また，医療提供施設において行う実習時間のうち2分の1以上は病院又は診療所において行うこと．通所リハビリテーション又は訪問リハビリテーションに関する実習を1単位以上行うこと．
	合　計	101	

備考　一　単位の計算方法は，大学設置基準第21条第2項の規定の例による．この場合において，実験，実習又は実技による授業に係る単位の計算方法については，同項中「第25条第1項に規定する」とあるのは「実験，実習又は実技の」と，「おおむね15時間」とあるのは「30時間」と読み替えるものとする．
　　　二　学校教育法に基づく大学若しくは高等専門学校，旧大学令に基づく大学又は法第11条第1号若しくは第2号の規定により指定されている学校若しくは理学療法士養成施設若しくは看護師等の養成施設において既に履修した科目については，免除することができる．
　　　三　複数の教育内容を併せて教授することが教育上適切と認められる場合において，臨床実習22単位以上及び臨床実習以外の教育内容79単位以上（うち基礎分野14単位以上，専門基礎分野30単位以上及び専門分野35単位以上）であるときは，この表の教育内容ごとの単位数によらないことができる．

別表第 2 の 2（第 3 条関係）

教育内容		単位数	備　考
専門分野	基礎作業療法学	5	
	作業療法管理学	2	職場管理，理学療法教育及び職業倫理を含む.
	作業療法評価学	5	医用画像の評価を含む.
	作業療法治療学	19	喀痰等の吸引を含む.
	地域作業療法学	4	
	臨床実習	22	臨床実習前の評価及び臨床実習後の評価を含む. 実習時間の 3 分の 2 以上は医療提供施設（医療法（昭和 23 年法律第 205 号）第 1 条の 2 第 2 項に規定する医療提供施設（薬局及び助産所を除く.）をいう. 以下同じ.）において行うこと. また，医療提供施設において行う実習時間のうち 2 分の 1 以上は病院又は診療所において行うこと. 通所リハビリテーション又は訪問リハビリテーションに関する実習を 1 単位以上行うこと.
選択必修分野		9	専門分野を中心として講義又は実習を行うこと.
合　計		66	

備考　一　単位の計算方法は，大学設置基準第 21 条第 2 項の規定の例による. この場合において，実験，実習又は実技による授業に係る単位の計算方法については，同項中「第 25 条第 1 項に規定する」とあるのは「実験，実習又は実技の」と，「おおむね 15 時間」とあるのは「30 時間」と読み替えるものとする.

　　　二　学校教育法に基づく大学若しくは高等専門学校，旧大学令に基づく大学又は法第 11 条第 1 号若しくは第 2 号の規定により指定されている学校若しくは理学療法士養成施設若しくは看護師等の養成施設において既に履修した科目については，免除することができる.

　　　三　複数の教育内容を併せて教授することが教育上適切と認められる場合において，臨床実習 22 単位以上及び臨床実習以外の教育内容 44 単位以上（うち専門分野 35 単位以上及び選択必修分野 9 単位以上）であるときは，この表の教育内容ごとの単位数によらないことができる.

理学療法概論　第7版補訂	ISBN978-4-263-26677-9

1984 年 5 月 15 日　　第 1 版第 1 刷発行
1986 年 4 月 25 日　　第 2 版第 1 刷発行
1991 年 4 月 5 日　　第 3 版第 1 刷発行
2002 年 4 月 1 日　　第 4 版第 1 刷発行
2007 年 4 月 10 日　　第 5 版第 1 刷発行
2013 年 2 月 20 日　　第 6 版第 1 刷発行
2019 年 3 月 10 日　　第 7 版第 1 刷発行
2024 年 1 月 10 日　　第 7 版（補訂）第 1 刷発行
2025 年 1 月 10 日　　第 7 版（補訂）第 2 刷発行

編著者　高　橋　哲　也
　　　　内　山　　靖
　　　　奈　良　　勲

発行者　白　石　泰　夫

発行所　**医歯薬出版株式会社**

〒113-8612　東京都文京区本駒込1-7-10
TEL.　(03)5395-7628(編集)・7616(販売)
FAX.　(03)5395-7609(編集)・8563(販売)
https://www.ishiyaku.co.jp/
郵便振替番号　00190-5-13816

乱丁，落丁の際はお取り替えいたします　　　　印刷・永和印刷／製本・明光社

© Ishiyaku Publishers, Inc., 1984, 2024. Printed in Japan